LUST

Van Carla van Raay verscheen eerder:

Gods callgirl

Carla van Raay

Lust

Het tweede leven van Gods callgirl

VAN HOLKEMA & WARENDORF
Unieboek BV, Houten/Antwerpen

Oorspronkelijke titel: *Desire. Awakening God's Woman*
Vertaling: Titia Ram
Omslagontwerp: boooxs.com
Omslagfoto: PhotoAlto/Alamy
Opmaak: ZetSpiegel, Best

www.unieboek.nl
www.carlavanraay.com

ISBN 978 90 475 0803 8 / NUR 320

First published in English in Sydney, Australia by HarperCollins Publishers Australia Pty Limited in 2008. The Dutch language edition is published by arrangement with HarperCollins Publishers Australia Pty Limited.

Voor Aaron

Inhoud

Voorwoord door Aaron

Ik heet Aaron en ik ben in dit boek Carla's partner. Ik ben trots op Carla dat ze ons verhaal heeft opgeschreven zodat jij het kunt lezen. We zijn allemaal mensen die proberen apart en samen in onze relatie te leven. We kunnen een leven van eenzaamheid en onverschilligheid leiden. Of we kunnen onszelf uitdagen onze angst om open en kwetsbaar te zijn te overwinnen en zo ons rijke en gevoelige leven blootleggen: een complexe waterval van eindeloze momenten.

Ik neem graag een douche in de waterval van mijn leven. Ik heb veel te veel tijd doorgebracht met bedenken wat ik van mezelf vond en heb mezelf op heel wat manieren gedeprimeerd, vermoeid en verslagen gevoeld. Ik wil niet dat dat mijn hele leven is.

Ik zoek naar licht. Ik zoek naar eensgezinde geesten om mijn vrienden te zijn. Carla was een vonkje leven en licht in mijn jonge man-zijn. Het leven bracht haar na dertig jaar bij me terug, als een felle toorts om me te helpen zoeken in mijn duistere plaatsen. Ik wil die donkere plaatsen integreren in mijn leven.

Dit is Carla's verhaal, vanuit haar standpunt geschreven. Ze is een dappere vrouw. Ik word uitgedaagd door haar openheid, haar onschuld, door de onverschrokkenheid waarmee ze zichzelf zo bloot-geeft.

Dit verhaal gaat ook over mijn naaktheid.

Als de angst eenmaal is verdwenen, is naaktheid helemaal niet zo vreselijk. Wat overblijft is de wonderschone en nobele ziel. We putten op onze eigen manier allemaal uit hetzelfde soort innerlijk leven als Carla. We vallen allemaal, en we proberen allemaal weer op te staan. Ik hoop dat je van dit besef geniet; voor mij is dat oprecht het geval.

Liefde kan komen, liefde kan gaan. Alleen de liefde die je kunt geven zal blijven.

Ik hoop dat jullie allemaal net zo van Carla's verhaal genieten als ik.

Gods liefde voor iedereen.

Aaron

Inleiding

Mijn eerste boek, *Gods callgirl*, was het oprechte verhaal over mijn reis van seksueel schuldgevoel naar stralende onschuld. Wat er na de publicatie van dat boek is gebeurd, is nog uitzonderlijker: het is een liefdesverhaal van een soort dat mijn hart ontzag inboezemt. De goddelijke intelligentie waaraan ik me dagelijks overgeef is zoveel barmhartiger, creatiever en verbijsterend liefdevoller gebleken dan ik me ooit had durven voorstellen. Dit boek is het verhaal van een vrouw in wie echte liefde tot wasdom komt. Ik ben vijfenzestig terwijl ik dit schrijf. Moge dit inspiratie zijn voor iedereen die weet dat liefde de enige ware manier van leven is, en dat het nooit, nooit te laat is.

Toen ik opgroeide was er overal seks, wellustig en wreed. Het geile, vieze licht schoot uit de ogen van mijn grootvader, uit die van de broers van mijn vader, uit die van mijn vader zelf en uit die van sommige mannen bij ons in de buurt. Ik voelde het en was op mijn hoede. Dat moest ik altijd zijn om te voorkomen dat ik erdoor werd overrompeld, wat me als kind zo vaak gebeurde.

Ik besloot op mijn achttiende om non te worden en een kuisheidsgelofte af te leggen: dat zou alles wat betreft seks oplossen, toch? Maar nee! Het weigerde weg te gaan. Ik had zelfs spontane orgasmes, op gênante plaatsen zoals in de kloosterkapel.

Ik vertrok uit het klooster en trouwde, en had nog steeds geen flauw idee waar seks over ging. Totdat ik een onweerstaanbare chemie en allesoverheersende seks ervoer met een veel jongere man... niet mijn echtgenoot. Dat was wat me ertoe zette mijn seksualiteit via de prostitutie te gaan ontdekken, en het was het moment dat Gods callgirl werd geboren.

Lust gaat over seks in een relatie zoals Gods callgirl die nooit heeft ervaren. Het leven heeft het zo voor me geregeld dat ik de man die me voor het eerst echte seks heeft laten kennen nogmaals ontmoette: Aaron. Hij was negentien en ik vierendertig toen we elkaar voor het eerst leerden kennen. Dertig jaar later ontdekten we dat de energie tussen ons nog dezelfde was en gingen we verder waar we waren gebleven. Deze keer waren we veel ouder, hadden we allebei veel meegemaakt en verschillende denkwijzen en gewoontes ontwikkeld. De relatie werd een sterke helende kracht voor ons beiden. We ontdekten dat gezonde seks het diep ingewortelde gedrag kan helen dat voortkomt uit pijnlijke ervaringen en negatieve keuzes.

Passie heeft een prijs. Die kan dankbaar worden betaald of niet, maar hij moet hoe dan ook worden verrekend. Dat feit is een van de vele lessen in dit verhaal.

Moge jij, lezer, mijn reis met me delen. Ik hoop dat mijn verhaal je ertoe aanzet de heling waar jouw ziel wellicht naar verlangt te omarmen.

Carla

Liefde is een onvermijdelijke realiteit
die je onderuithaalt
je de adem ontneemt
en geen hart kloppend achterlaat
behalve dat van zichzelf

– Nirmala, gedicht zonder titel

Hier is Dionysus, Carla

Gemakkelijk is goed. Begin goed
en het is gemakkelijk.

– Zhuangzi

Sinds de publicatie van mijn eerste boek, *Gods callgirl*, het verhaal over hoe ik non werd en daarna prostituee en hoe ik beide keuzes heb verwerkt, heb ik aangevoeld dat er een golf van verandering zou komen. Ik had echter geen idee hoe die eruit zou zien of welk deel van mijn leven er het diepst door zou worden getroffen.

Ik verliet mijn veilige haven in Denmark (West-Australië) – mijn prettige tweekamerappartementje met de schitterende tuin waaraan ik tien jaar lang heb gewerkt, mijn knusse leven met vrienden van wie ik houd, mijn kuuroord in de achtertuin – om gevolg te geven aan de sterke aantrekkingskracht die de stad Perth op me had. Ik kreeg in eerste instantie een huis van een vriend aangeboden, die vroeg of ik er drie maanden op wilde passen; daarna kwam de uitnodiging van twee goede vrienden of ik bij hen in hun nieuw gebouwde huis wilde komen wonen. Ik heb er een jaar gewoond, tot het werd verkocht. Mijn volgende verhuizing was naar een pand aan de Applecross-rivier, waar ik inwonend huishoudster werd. Ik had mijn eigen woonruimte op de begane grond en werkte drie ochtenden per week boven. Ik woonde er ongeveer anderhalf jaar toen mijn rustige, geregelde leventje plotseling veranderde.

Een paar weken nadat er een artikel over *Gods callgirl*, met mijn foto, in een zondagkrant is verschenen, staat er een bericht op mijn antwoordapparaat. Een mannenstem: 'Als jij de Carla bent die ik denk dat je bent en je hebt een dochter die Caroline heet, dan wil ik je spreken.' Hij zegt dat hij Aaron heet en laat zijn telefoonnummer achter.

Ken je dat vreemde gevoel dat je krijgt als je een telefoonnummer ziet waarvan je zeker weet dat je het ooit hebt gebeld, maar geen idee hebt bij wie het hoort? Mijn blik concentreert zich, zoals dat gebeurt als je terugreist in de tijd, en ik verbind het telefoonnummer met een adres van dertig jaar geleden. Een golf van herinneringen stroomt door me heen.

Aaron, de negentienjarige jongen met lang blond haar met wie ik als getrouwde vrouw een verhouding heb gehad. Hij was als een engel, een god uit het Pantheon, een jonge Dionysus die twee weken aan me werd uitgeleend, niet langer. Een verhouding die net zolang duurde als de rit van Perth naar Panawonica in het noordwesten van West-Australië, en die plotseling eindigde toen hij daar ging werken en ik verder reed naar Wickham, waar mijn werk en echtgenoot op me wachtten. De verhouding luidde het eind van mijn huwelijk in en het begin van mijn seksuele ontluiken. Ik had niet gedacht ooit nog iets van Aaron te horen. Aaron had met zijn negentien jaar zijn hele leven nog voor zich. Ik was vierendertig, getrouwd, met een dochtertje, een gecompliceerd verleden en had nog een lange weg naar volwassenheid te gaan.

Ik bel het nummer. Zijn moeder neemt op. 'Wacht even, ik roep hem voor je.' Ze vraagt niet wie ik ben. Er is zonder dat ik dat weet een wervelwind ontstaan. Een eenvoudige handeling, het opnemen van de telefoon, zet diepe wateren in beweging die achter damwanden liggen te wachten.

Aaron komt aan de lijn en we wisselen een minimum aan woorden uit om te bevestigen wie we zijn. Dan horen mijn ongelovige oren: 'Mag ik nú naar je toe komen?' Het klinkt meer als: 'En waag het niet om te weigeren!' Ik verras mezelf door ja te zeggen; we komen net zo snel bij elkaar als toen we uit elkaar zijn gegaan.

Het begint al donker te worden. Ik woon en werk als huishoudster in een huis aan de rivier. Bijna niemand kan het metalen hek vinden dat naar mijn veranda leidt, die tussen een rij kaarsrechte pijnbomen bij het eind van een steile oprijlaan staat, bijna aan de rand van het water.

Ik pak een zaklamp en sta boven aan de oprijlaan zodat ik Aaron een lichtsignaal kan geven. Ik zal aan de aarzelende manier waarop de chauffeur komt aanrijden wel zien dat hij het is.

De auto komt aanscheuren en komt naast me tot stilstand. Het raam is open. 'Buig eens voorover!' roept een stem, en er verschijnt een gezicht. Ik doe wat me wordt opgedragen en krijg een stevige kus, vol op mijn lippen. Het is Aarons manier om dertig jaar te overbruggen.

Ik ben totaal niet voorbereid op wat er daarna gebeurt. Hij duwt zijn tomeloze energie voor zich uit en loopt mijn huis in. Ik word nog voordat zijn lichaam me bereikt omhuld als in een omhelzing en mijn knieën knikken. Zijn energie – hoe hij voelt – is exact dezelfde als toen. Ik besef nu dat ik hem nooit ben vergeten. Ik herinner me hoe bijzonder onze band was en het dringt tot me door dat ik een dergelijke sterke verbondenheid in de dertig jaar erna niet meer heb ervaren. Het is schokkend en overweldigend. Hoe kan mijn bewuste geest dat zijn vergeten? Hoe kan hij me nu zo overrompelen? Ik heb mijn hele leven geweten dat ik zocht naar wat wij die twee verbijsterende weken hebben gehad. Een deel van mezelf had me er denk ik van overtuigd dat ik dat nooit meer zou voelen. Dus zocht ik er niet meer naar. En nu is het er. Onmiskenbaar. Ongelooflijk.

Hij heeft zijn brede armen om me heen. Ik leg mijn hoofd tegen zijn schouder en voel zijn buik, die zijn opwinding naar buiten pompt, tegen de mijne. De energie tussen ons ontsteekt oude, stoffige lichtpeertjes, het een na het ander, de gloeidraden nog intact, tot we in een ware poel van licht staan. Ik verlies mezelf in het gevoel, betoverd, en hij vangt me op als ik uit balans raak. Uiteindelijk duwt hij me van zich af, en ik loop naar het keukenbankje; het dichtstbijzijnde object dat me steun kan bieden. Ik draai me om en kijk eens goed naar hem.

Aaron, mijn Dionysus, die ik dertig jaar geleden heb leren kennen.

Dionysus, die de schuld kreeg van alles wat wellustig was nadat hij bij de Romeinse beschaving uit de gratie was gevallen. Dionysus, de energie van seksuele en sensuele uitbundigheid en spontaniteit, die jammer genoeg moest plaatsmaken voor Bacchus, de god van dronkenschap, losbandigheid en onbeschaafdheid, en daarna voor Apollo, de zonnegod, die orde, vlijt en redelijkheid vertegenwoordigde.

Dionysus, naar wiens energie vrouwen verlangen, voor wie al te rationele zielen bang zijn en die door religies, met alle macht die ze hebben, wordt onderdrukt. Het christendom heeft Dionysus hoorns gegeven en is hem de duivel gaan noemen. Religies van alle gezindten brengen de schande en het schuldgevoel rond seks en sensualiteit voort.

Aarons sterke, ongeschonden, onschuldige seksualiteit, zijn schaamtevrije erotische sensualiteit, doet me naar adem snakken. Ze stroomt uit de poriën van zijn huid; ze concentreert zich in de aanraking van zijn handen, in de blik in zijn ogen, en, zoals ik zal ontdekken, in de kracht van zijn penis. De penis die zo gemakkelijk reageert, die zo geduldig is, zo diep respectvol voor vrouwelijke energie, die weet hoe hij die moet opwekken en moet vasthouden. Aarons seksualiteit is absoluut mannelijk, zonder macho te zijn, en ontlokt het geheel vrouwelijke, vrij van de behoefte de controle te hebben. Dionysus zou er trots op zijn met Aaron te worden vergeleken.

Aaron heeft een stoel gevonden en glimlacht geamuseerd. 'Dus je bent al lang alleen?' vraagt hij, en hij opent spontaan zijn armen voor me. Ik sta voorovergebogen en voel me afwisselend heet en koud. Ik besluit ook te gaan zitten. Niet bij hem op schoot, Carla, nog niet. Doe niet zo wellustig, verman je.

Mijn blonde god is vijftig geworden. Zijn haar is niet meer zoals het was; het is heel kort en helemaal grijs. Zijn gezicht is voller geworden; in zijn voorhoofd zitten boven de neus een paar diepe rimpels en rond zijn kin is het vlees van middelbare leeftijd zichtbaar geworden. Zijn voet...

'Wat is er met je voet?' vraag ik.

'Iemand heeft me een paar weken geleden met een hockeystick op mijn achillespees geslagen en ik verrek van de pijn.'

'O.' Dat verklaart waarom hij strompelde toen we in het donker naar mijn hek liepen.

Ik kijk weer. Zijn honingkleurige huid zit vol lijnen, maar heeft nog steeds een jeugdige uitstraling. De vorm van zijn hoofd is zoals ik me die herinner; het silhouet van zijn hoofd en schouders maakte me gek toen ik vierendertig – bijna zestien – was. Die mond, zo mooi gevormd dat hij me aan een rozenknop doet denken. En zijn ogen... zijn ogen hebben nog exact dezelfde hypnotiserende aantrekkingskracht. Ze zijn nog steeds nonchalant mooi, nog steeds zo rustig, diepliggend en mysterieus onder die donkere wenkbrauwen die ze zo perfect benadrukken.

Zijn handen. Ze zijn een deel van hem dat niet ouder is geworden. Aarons sterke handen zijn onbeschadigd; hebben nog steeds die mannelijke onschuld. Zijn armen? Die kan ik niet zien; ze zijn bedekt met een zwart windjack. Zijn benen zijn gehuld in een weinig flatteuze grijze joggingbroek; er steken dikke sokken in afgrijselijke gevoerde laarzen uit. Mijn Dionysus is niet rijk en weet niet hoe hij zich moet kleden. Hij rijdt rond in een oude Mitsubishi Colt en heeft al een paar jaar geen werk. Ik zal zijn verhalen horen, maar niet vanavond. Ik vraag of hij zijn voet omhoog wil hebben en stel voor dat hij op mijn bank gaat zitten en zijn benen erop legt.

Mijn woning is klein: een paar stappen van de keuken naar de zitkamer. Hij gaat op de bank liggen en pakt mijn arm als ik langsloop. Ik word naast hem op de bank getrokken. Die is behoorlijk smal voor twee mensen; ik heb voor ik het weet een been over zijn borst geslagen om gemakkelijker naast hem te kunnen liggen.

Aaron kijkt intussen geconcentreerd naar me. Hij lijkt te voelen wat er in me gebeurt en wacht geduldig tot mijn gevoelens bedaren en ik zijn plotselinge aanwezigheid heb verwerkt. Ik heb het gevoel dat ik in het nadeel ben. Aaron komt rustig en beheerst over. Hij glimlacht inschikkelijk, buitengewoon tevreden met zichzelf, terwijl ik me gedraag als een schoolmeisje. We liggen elkaar stil aan te kijken, wennen aan het rustige ritme dat tussen ons ontstaat: inademen, uitademen. Onze ogen ontmoeten langzaam onze zielen, lang voordat onze lippen elkaar raken en ze de buitenkant van dertig jaar honger voelen.

Ik weet niet meer precies wat er daarna gebeurt, behalve dat we die eerste avond met elkaar naar bed gaan. Het voelt natuurlijk als regendruppels die op de bladeren van een boom vallen; onvermijdelijk als golven die tegen de kust slaan; ongelooflijk als zalmen die stroomopwaarts paren na een levensgevaarlijke reis. We hebben elkaar dertig jaar niet gezien. Ik ben sinds twaalf jaar celibatair en Aaron is sinds zes jaar alleen. We worden opgeslokt als in een wervelwind. Diepgewortelde vooronderstellingen zullen voor ons beiden veranderen, ideeën zullen anders worden, sommige concepten, diep ingesleten, zullen voor altijd verdwijnen. Maar dat weten we allemaal niet, die eerste keer dat we de liefde bedrijven. We zijn onnozele tortelduifjes.

Het geschenk uitpakken

En mijn ziel,
zo ben ik het gaan begrijpen,
is zowel geest als stof.

– Sint-Theresia van Avila

'Je bent zo schoon!' jubelt hij. 'Schoon! Schoon! Je ruikt zo heerlijk, en je smaakt zo zalig. Je bent schoon als een engeltje.' Hij omhelst me als een man die een schat in zijn armen neemt. Zijn eigen schone energie voelt als een zegen.

'Ik zie nog steeds die onschuldige kindvrouw in je,' zegt hij. 'Je gezicht en persoonlijkheid zijn nog precies hetzelfde.'

Het is een paar dagen later en we hebben het over de twee weken die we dertig jaar geleden samen hebben doorgebracht.

'Jij was mijn eerste vriendinnetje, wist je dat?'

'Wat?'

Was ik zijn eerste vriendin? Ik denk terug aan hoe hij zich toen gedroeg: attent en aarzelend, omdat hij niet in een huwelijk wilde inbreken. Maar ik had nooit geraden dat het zijn allereerste keer was.

Hij moet me een belangrijke vraag stellen: 'Carla, waarom besloot jij, als getrouwde vrouw, met mij naar bed te gaan?'

Ik kijk naar Aaron en mijn geest gaat terug in de tijd.

Ik weet nog dat ik degene was die de eerste voorzichtige toenadering deed. We lagen achter in mijn stationwagen terwijl een van de vrienden van Aaron ons van onze respectievelijke mijnbouwplaatsen naar Perth reed. Aaron had vrij van zijn werk en ik was op weg naar mijn ouders, die van Melbourne naar Perth waren komen vliegen om mijn zus te zien en van de gelegenheid gebruik wilden maken ook met mij bij te praten.

Aaron was vriendelijk gereserveerd, hield zijn pezige lichaam reuzestil achter in de auto, één hand onder zijn hoofd terwijl hij naar me keek en af en toe glimlachte. Onuitgesproken gedachten gingen ons allebei door het hoofd, maar ik was degene die mijn lichaam naar dat van hem bewoog. Aarons ogen werden groot; hij bewoog nog steeds niet, maar keek me geconcentreerd aan. Het waren die ogen die me dichterbij trokken; niets erin zei: 'Niet doen, Carla.' Onze gemagnetiseerde lichamen deden de rest. We lagen in elkaars armen en wisten dat de wereld een goede plek was.

Hij rook lekker; zijn adem was zo zoet en zulke handen had ik nog nooit gevoeld. Ik was betoverd, en geen geweten in de wereld had me uit die nieuw gevonden hemel kunnen trekken. Ik was met een goede man getrouwd voor wie ik liefde probeerde te voelen. De seks die we hadden was prima. Ik wist niet wat ik verder kon verwachten behalve prima. Ik wist ook niet wat ik van Aaron moest verwachten, maar het drong pas jaren later tot me door dat de seksuele energie tussen ons van de allerbeste soort was: de beste lichamelijke pasvorm, het beste respect, de beste waardering, het beste gevoel van: 'O wauw, ik ben thuis!' Het allerbeste alles, op één ding na: de basis van ons samenzijn was geen diepe vriendschap. We genoten onervaren van elkaar. We hadden geen tijd om de band die we hadden uit te laten groeien tot iets wat was gebaseerd op echte kennis van elkaar als mensen. Dat bleek uiteindelijk te zijn waarnaar we sindsdien allebei hadden verlangd, nadat het leven ons leerde dat wat we toen hadden gehad zeldzaam was. Maar toen was het al te laat; we hadden zoveel jaar geen contact gehad.

Ik had nooit gedacht dat ik Aaron nog eens zou zien. We waren allebei uitgeput toen we Panawonica eindelijk bereikten. De plotselinge pijn van het afscheid was diep, maar verwacht. Aaron heeft me niet eens gekust toen hij vertrok, en hij keek niet om toen hij naar de mannenslaapzaal liep. Ik was weer een getrouwde vrouw en moest terug naar Wickham en mijn echtgenoot.

Ware het niet... dat ik de vrouw van James niet meer kon zijn. Ik kon geen ontoereikende seks meer hebben; dat was niet eerlijk jegens hem noch jegens mezelf. Er was iets onstuitbaars in me ontwaakt. Ik moest datgene wat ze seks noemen ontdekken!

In de veronderstelling dat het seksuele ervaringen waren waarnaar ik op zoek was, begon ik mijn lange carrière als callgirl en ik genoot van de jaren waarin ik opbloeide als vrouw. Daarna had ik vijf jaar lang een exclusieve relatie met Hal, een man op wie ik verliefd werd voordat ik terugging naar de prostitutie en heel veel soorten aanraking ervoer. En nog steeds kwam ik niet tegen wat ik met Aaron had gedeeld.

Ik kijk hem nu aan, al die jaren later, en probeer de vraag te beantwoorden.

'Ik werkte in de kantine van de mijn in Wickham, omringd door alleenstaande mannen. Ik vond niemand seksueel aantrekkelijk. Ik was getrouwd en niet in hen geïnteresseerd.' Ik staar geconcentreerd naar de vloer. 'Bij jou ervoer ik voor het eerst in mijn leven een intense chemie.'

Aaron luistert met ingehouden adem. Hij is gevleid te horen dat hij die ene man was die me gek maakte.

'Je was een chemiemaagd,' concludeert hij.

Een chemiemaagd? Nog nooit van gehoord, maar ik snap wat hij bedoelt.

'Weet je nog, de elektriciteit die we voelden toen ik je de schakelbak in de auto liet zien en onze handen elkaar raakten?' vraag ik.

Ja, dat weet hij nog. Ik had zijn verbijsterde gezicht toen opgemerkt, en hij dat van mij, maar ik was degene die het meest was aangedaan. Ik ervoer die sensatie voor het eerst, en ze verwarde me. Die aanraking ontketende een golf van verlangen om meer te ervaren. Wat zou er gebeuren als ik hem nogmaals aanraakte?

Het is zo gek om weer met Aaron te vrijen. Mijn ogen proberen zich constant aan te passen: hij lijkt negentien, maar hij is vijftig; hij lijkt vijftig, maar hij is negentien. Om de verwarring nog groter te maken heeft hij foto's meegenomen, een ervan uit Panawonica. Hij is onscherp, maar daarop zie je zijn geweldig lange, sterke armen en die vakkundige maar zachte handen die nog steeds dezelfde zijn. Hij staat in een nonchalante pose op de foto, met een heup naar voren, zijn benen in een spijkerbroek, zijn voeten in werklaarzen van het bedrijf. Zijn krullende, schouderlange blonde haar verraadt dat hij een mijnwerker is, ver van huis, een vis op het droge.

Aaron heeft het een halfjaar volgehouden als monteur, en is toen teruggegaan naar de universiteit om zijn studie af te maken.

Aaron heeft gevoel voor het bovennatuurlijke, voor de onzichtbare krachten die ons leven vormen. 'Alles wat je ooit hebt ervaren heeft je hier gebracht,' zegt hij. 'Alles wat je ooit hebt gedaan, inclusief je leven in het klooster, was onderdeel van wat je moest doorstaan zodat we hier nu zo kunnen zijn.'

We gaan achterover liggen en de energie die door zijn woorden is losgemaakt stroomt als een beekje door ons heen. Dankbaarheid gaat omhoog van mijn buik naar mijn hart en klotst in heerlijke golven door mijn lichaam. Er springen tranen in mijn ogen.

'We hebben elkaar ontmoet, kwamen erachter dat we elkaar leuk vonden en zijn elkaar nooit echt vergeten. We hebben onze groei los van elkaar doorgemaakt. We hebben al die ellende meegemaakt, kwamen tot onszelf, en toen zijn we elkaar weer tegengekomen.'

'We hadden elkaar kunnen mislopen! We hadden ons leven kunnen leiden zonder dat onze paden ooit nog waren gekruist!' Dat ben ik, die het van de gruwelijke kant bekijkt, oppervlakkige ademhaling in een verstijfde borstkas.

'Onmogelijk,' zegt Aaron. 'Wij zijn de enigen die dit doen. Wíj creëren ons leven, en dat doen we bewust zo.'

'Is dat zo?'

'We hebben de toekomst aan een deel van onszelf toevertrouwd. We wisten precies wat we deden. Dit is hoe we het wilden: samenkomen op het moment dat we kunnen zien wie we zijn zonder dat er ballast in de weg staat. Stel je voor: zouden we onze eigen paranoia hebben overleefd? We zouden elkaar destijds levend hebben verslonden met onze neuroses. We zouden die fonkelende schoonheid die nog niet ontpopt lag te wachten hebben vernietigd. Onze naakte essentie te vinden, en te ontdekken dat we beiden dezelfde essentie hebben... dat is het geschenk waarop we allebei hebben gewacht.'

Als ik alleen ben vertrouw ik mijn gedachten aan mijn dagboek toe; ik moet schrijven. Ik heb het boek waarmee ik aan het werk was terzijde gelegd. Ik moet opschrijven wat me nu overweldigt, hoop dat het schrijfproces me zal helpen mijn gedachten en gevoelens duidelijk te maken. Ik schrijf alsof ik direct tegen Aaron praat.

Aaron, we kennen elkaar nu weer twee weken.

Gisteravond had je foto's bij je die je stiekem van me hebt gemaakt tijdens onze reis terug naar het noordwesten.

Ik weet wat je erin ziet; het is wat ik in jou zag op het moment dat je mijn huis binnentrad: de beelden in ons hoofd die ons allebei dertig jaar hebben achtervolgd. Dus nu zijn we allebei verliefd op degene die we toen waren, getransformeerd in een ouder lichaam, maar in essentie dezelfde persoon. Ik vind het een kwelling dat ik zoveel ouder ben geworden, dat ik weet wat de beperkingen van deze relatie zijn. Het breekt mijn hart, hoewel ik tegelijk word overweldigd door dankbaarheid voor wat ik heb: deze liefde die groter lijkt dan ikzelf.

Ik herken mezelf in jou. Je zegt dat ik kwetsbaar ben. Ja, dat ben jij ook. Onschuldig – ja, zeer – en ongelooflijk lief.

Ik heb jou een andere foto laten zien, een die is genomen door een vriend in Wickham nadat ik er weer terug was, en jij vond hem geweldig. Ik zat in mijn bikini op de veranda, rechtervuist onder mijn kin, elleboog rustend op mijn rechterknie, ogen zacht lachend, gezicht melancholiek, met lang haar, dat nonchalant is samengebonden. Zilverblond noemde je het, en je herinnerde je mijn huid, die als satijn voelde, zei je. Je bleef maar 'wauw!' zeggen en liep rond door de kamer met die foto en bleef herhalen wat je erin zag. Ik hoop dat deze betovering het begin is van iets diepers. Je zei dat je je vreemd onzeker voelde, bezorgd, afgeleid. Nu begin je te voelen wat ik al twee weken ervaar! Ik denk aan jou en snak naar adem als ik plotseling herbeleef hoe het is om je in me te voelen. Mijn bekken trekt onwillekeurig omhoog. Mijn handen gaan over mijn lichaam, genieten als ik terugdenk aan hoe je energie voelde. Ik ben zo lang alleen geweest.

Ik stop even met schrijven en leun achterover om te dagdromen. Ik heb in die geïsoleerde jaren in Denmark geleerd op een intieme, spirituele manier alleen te zijn met mezelf. Het leven werd mijn Geliefde toen ik eenzaamheid transformeerde tot intimiteit met mijn diepste zelf. Er was in Denmark zoveel meer dat een prachtige weerspiegeling van mijn geliefde was: de oceaan, de bomen, mijn tuin, mijn vrienden...

Ik rust in de armen van mijn geliefde als ik verstil. Ik zoek elke dag opnieuw mijn geliefde in alle vormen en gebeurtenissen van het leven.

Die liefdesrelatie met mezelf kan heel vreemd zijn. Soms, als ik ga wandelen, of in bed zit te lezen of naar muziek luister, reikt mijn mond omhoog voor een kus. Mijn mond is open, bloed vult mijn lippen tot een gevoel van rijpe tederheid, en de lichtste streling, als een koele westenwind, raakt ze aan. Die momenten zijn zo spontaan, en de kussen voelen zo als een samenkomst van gelijkgestemde zielen dat het onmogelijk lijkt dat ze zich uiteindelijk niet in een fysieke vorm manifesteren. De minnares die ik ben, maar ook een ander, is daar ergens. Tot nu toe zijn het engelen die me hebben gekust, maar op een dag zullen die lippen van vlees en bloed zijn.

Zo was het jaar na jaar. Ik leerde die meest verbijsterende van alle relaties kennen: de spirituele relatie met God als mijn geliefde. Die Geliefde huist in iedereen en alles, en met name in mijn innerlijke ruimte. Ik heb me jaren gegeneerd gevoeld er met iemand over te praten; nu weet ik dat het een normale relatie is die heel wat van mijn vrienden ook hebben. En er is heel veel bekrachtiging te vinden in de gedichten van de oude wijzen en heiligen.

Mijn geliefde, je bent dichter bij me dan een minnaar;
je vergezelt me als ik waak en als ik droom;
je bent in het eten dat ik tot me neem,
in de lucht die ik adem...

Zo gaat het gedicht 'Geliefde II' van Barbara Barton, een dame van in de tachtig die ik in een meditatiegroep heb leren kennen en die een boekje vol dergelijke liefdesgedichten heeft geschreven.

Ik herinner me een dag dat ik ging wandelen met mijn diep spirituele vriendin Penny. Het was winderig en er dreigde regen, maar Penny en ik waagden ons ongeveer een uur voor zonsondergang naar het strand bij Green's Pool. We liepen stevig door met de wind in de rug – om de wolken in te halen, misschien – maar werden niet gespaard: de regen was sneller dan wij en we werden na een vriendelijke waarschuwing bekogeld met enorme druppels. We waren al snel nat tot op de huid, maar bleven naar het noorden lopen, naar het zwakker wordende licht en de paarsblauwe wolken die bewogen als onder het natte penseel van een schilder. Nadat we de rotsen hadden bereikt, die bruin en okerkleurig glinsterden, draaiden we ons weer naar de wind. Toen we de houten trap naar de parkeerplaats boven ons naderden, draaide ik me een laatste keer om om naar de hemel te kijken. Een onzichtbare kunstenaar schilderde hem in wilde streken met kleuren die ik niet kende en sindsdien ook nooit meer heb gezien: grijs- en blauwtinten die versmolten met strepen paars, en die met een adembenemende schoonheid in het afnemende licht rolden alsof ze een eenzaam spel speelden waarvan wij alleen getuige waren omdat we daar, zoals ze zeggen, 'toevallig' waren. Geen menselijke artiest heeft ooit zoiets schitterends geschilderd.

Penny en ik haastten ons naar huis voor de warmte en een kop thee, beiden vol ontzag over die uiting van kunstzinnigheid van onze geliefde.

Ik ontwaak uit mijn dagdromen en schrijf verder in mijn dagboek.

En daar ben jij, Aaron, en plotseling heb ik mijn geliefde in een mannelijke fysieke vorm... die van jou. Het raakt me zo diep dat er tranen uit mijn binnenste opwellen; tranen van blijdschap, dankbaarheid en gelukzaligheid. Geen wonder dat ik je heel, heel zacht wil kussen; dat ik de volheid van je lippen wil proeven, je ziel via je lippen wil aanraken. Dat weet jij niet, dus jij kust vaak uit passie in plaats van tederheid, of gewoon om mij na te doen, mij te behagen. Je weet hoe ik ervan geniet je te kussen, maar ik voel me over het algemeen alleen als ik je kus... je ontmoet me daar nog niet. Je weet niet dat ik niet gemakkelijk kus. Ik omhels mensen niet eens vaak. Ik zeg tegen hen dat ik het handenschudden-snel-doorlopen-type ben.

Maar ik houd van de diepte die langzaam in jou begint te groeien. Ik vind het heerlijk vlak bij je te zijn, je energie te voelen, onze benen verstrengeld, om me zo vredig te voelen, diep in te ademen, je liefde en aanwezigheid te drinken, om zelfs seks tot een andere keer te bewaren.

Jouw geschenk aan mij is dat je tot leven brengt wat in me verborgen lag, op een manier die ik altijd bij me zal dragen.

Het dringt met een schok tot me door dat ik seksueel ben ingeslapen, dat ik me voorstelde hoe ik onder de grond zou zakken om paradijselijk met de natuur samen te smelten in een vredige dood. Ik heb een groot deel van de afgelopen twaalf jaar in celibataire stilte doorgebracht, genietend van het wonder van de bloemen en planten die in mijn tuin groeiden, terwijl ik mezelf al die tijd toestond oud te worden, om onmerkbaar mijn levenskracht in te ruilen voor ultieme vredigheid.

En nu heb ik mijn geliefde Aaron ontmoet.

Deze liefde kent haar leeftijd

Liefde kent geen leeftijd

– Leo Buscaglia, hoofdstuktitel uit zijn boek *Love*

Ik loop buiten en word gekust door de lucht. Ik beweeg mijn gezicht omhoog en de zon streelt het, zo mooi dat mijn voeten van de grond komen. O! Lopen kan zo sensueel zijn! Een moment, dít moment, en de gelukzaligheid hier te zijn, in een lichaam, dat deze ene stap zet.

Ik doe mijn werk in huis, draai een kraan open. Hoe kan dat een sensuele handeling zijn? Alles kan dat zijn als ik een relatie heb met mijn geliefde en we elkaar ontmoeten in het nu.

Aaron, jij zet aan tot bewustzijn van wat zich recht voor mijn neus bevindt. Zo mooi.

Dan neemt mijn geest het over en voel ik de verleiding mezelf onder te dompelen in het genot te worden bewonderd en gewild te zijn. Het doet me zo'n pijn dat ik ouder ben, dat mijn lichaam zo oud is. Ik zou zo graag jonger en voluptueuzer willen zijn! Ik kijk teleurgesteld naar mijn magere ribbenkast, naar de rimpels in mijn hals, op mijn gezicht en lichaam, naar het gebrek aan vorm in mijn borsten en de harde knobbels erin.

Hoe kun je dat aan? Wanneer ga je zeggen: 'Zo, nu is het genoeg geweest. Sorry Carla, maar mijn libido heeft me van je weggeleid omdat ik een ander heb leren kennen, die twintig jaar jonger is dan ik, in plaats van vijftien jaar ouder?'

Ik schrijf weer in mijn dagboek:

Ik voel de mentale en emotionele spanning als een mantel, als een kledingstuk dat ik aantrek om te passen; zo duidelijk is het.

Als ik hem aanhoud omdat hij comfortabel zit, zal iets anders sterven, iets waar ik nu de vinger nog niet op kan leggen.

Ik voel de behoefte in het moment te leven en van niets een zekerheid te maken. Ik wil leven voor wat het ook is dat het moment brengt, voor wat het ook is dat voortkomt uit oneindige, onbekende mogelijkheden.

Op dit moment geeft het me de magie van een relatie die zich ontwikkelt. Dit is wat mijn intuïtie me vertelt:

De kans dat de magie blijft is het grootst als je er geen eisen aan stelt.

Houd je oorspronkelijke relatie met je geliefde in stand.

Als ik dit onthoud, ben ik zo vrij om lief te hebben, zo vrij om achterover te leunen in de armen van mijn geliefde, in de zee van het Leven. Ik weet dat de metaforen hier een beetje door elkaar lopen. En ik ben me er ook van bewust dat ik dit ondanks alles wat ik op dit moment weet weer zal vergeten.

Ik kijk in de spiegel, zie mezelf en geloof mijn ogen niet.

Aaron, je lijkt wel blind. Het verleden zal je wel oogkleppen voor het heden opzetten. Ik wil niet dat je wakker wordt en plotseling een ouder wordende vrouw in je armen ziet liggen.

Je zegt nooit dat je iets aan mijn lichaam waardeert... behalve mijn heupen. Je lijkt inderdaad wel dol op mijn heupen, en ik merk ook dat je het fijn vindt dat ik naar je verlang.

Ik huil vanbinnen diepe tranen. Ik zie de realiteit onder ogen, en die is pijnlijk. Ik heb mezelf nog nooit zo oud gezien. Ik huil als ik bedenk wat een groot deel van het leven ik heb gemist. Het voelt een beetje als sterven. Dit is hoe het voelt om te huilen om het sterven van het licht. Ik dacht dat ik dat al had gedaan, in Denmark, waar ik klaar was om mezelf langzaam mijn graf in te mediteren. Maar deze nieuwe ervaring met lichamelijke liefde maakt dat ik het leven opnieuw wil omhelzen; ze laat me zien wat ik heb gemist. In al mijn relaties uit het verleden, tijdens al mijn voorgaande seksuele ervaringen, was er nooit sprake van contact tussen zielen zoals nu. De ironie wil dat het door mijn rijpheid komt dat ik alles nu zo intens ervaar. In mijn jongere jaren had het lichaam zijn intensiteit. Nu is het de ziel, in een lichaam dat niet langer jong is, die zo verfijnd kan voelen. De paradox is een kwelling. Mijn lichaam kan mijn gevoelens niet langer adequaat weergeven of hun diepte evenaren. Het is wreed, verwoestend.

Hoe moet ik hier overheen komen? Ik moet waarderen wat ik heb, hoe fragiel ook. Deze liefde is als een bloem, zo delicaat terwijl ze schittert van schoonheid. Toch lijkt ze voorbestemd voor zo'n korte tijd. Een wit licht, een concentratie van energie in een moment, een explosie. Ik heb ooit gezegd dat ik dacht dat ik wilde sterven. Maar ik ben er nog niet klaar voor om de confrontatie aan te gaan. De prijs van passie is bodemloze twijfel.

'Gebruik dan wat glijmiddel,' zegt hij. 'Ik weet dat oudere vrouwen daar beneden wat droger worden. Dat geeft niets!'

De tube Eros-glijmiddel heeft een permanent plekje gekregen op de bovenrand van mijn degelijk gebouwde bed. Is er íets wat deze man niet begrijpt? Iets waar hij zich niet overheen kan zetten? Hij lijkt vastberaden me nergens om te veroordelen. Zijn onbevooroordeeldheid stelt me op mijn gemak, helpt me met de onzekerheid die ik voel over dat ik ouder word.

'Je bent wel een beetje rimpelig,' zei hij toen we de eerste keer samen naakt waren en ik ergens voor uit bed stapte, waarbij mijn lichaam – mijn achterwerk, om precies te zijn – duidelijk zichtbaar was. Dat soort dingen zegt hij niet meer. Hij is op een bepaalde manier voorbij het uiterlijk van mijn lichaam gegaan om te kunnen voelen wat erin zit.

Waar ik echt gedeprimeerd van raak is de toestand van mijn borsten. Nog maar een paar weken geleden was mijn huisarts ervan overtuigd dat de grote, harde, hoekige knobbel die hij in mijn rechterborst voelde kwaadaardig was. Hij stuurde me meteen door naar het ziekenhuis. De knobbels bleken cystes: een grote die was opgesplitst in twee kleinere, ronde. Vanwege het gebrek aan weefsel in mijn borsten waren ze zo goed te voelen.

Ik zie mijn borsten nog steeds als verminkt door het litteken dat ik aan een operatie tien jaar geleden heb overgehouden, toen er een paar knobbeltjes zijn verwijderd. De dokter zou moeten hebben geweten dat een dergelijke hoeveelheid kleine knobbeltjes hoogstwaarschijnlijk niet kwaadaardig is, maar ik wist in die tijd niet beter en heb zijn chirurgenvriendje toegestaan me de volgende dag te opereren. De harde, onregelmatig gevormde knobbeltjes bleven komen.

Het is gewoon niet Aaron zijn ding om mijn borsten aan te raken. Hij negeert ze volledig. Misschien dat hij niet onder de indruk is van de cupmaat. Ik wil het hem niet vragen; zelf knap ik al af als ik aan mijn borsten denk. Wat zal hij denken als hij uiteindelijk die knobbels voelt? Ik durf er niet aan te denken. Maar ik wil wel dat hij mijn tepels aanraakt. Die zijn supergevoelig en reageren nog sneller dan mijn clitoris.

De eerste keer dat Aaron mijn tepels aanraakt is onhandig; een weinig enthousiaste reactie op het nieuws dat ze gevoelig zijn. Hij draait eraan.

'Dat doet pijn,' zeg ik.

Hij geeft het op.

Een week later zegt hij het onvermijdelijke: 'Je hebt daar een knobbel.' Hij wijst ernaar. Je kunt hem zo zien zitten.

'Ja,' zeg ik met een zucht, en ik kijk hem niet aan. 'Maar het is gewoon een bobbel, hoor,' waarmee ik bedoel: ik weet er alles van, en het is geen kanker, als je dat bedoelt.

Aaron houdt er verder over op en richt zijn aandacht op andere delen van mijn lichaam, maar de volgende keer dat we samen zijn legt hij heel zacht zijn vingertoppen op mijn tepels en streelt ze met een minimale beweging terwijl hij mijn gezicht bestudeert. De plotselinge gunst doet me naar adem snakken en mijn rug kromt van genot. Hij glimlacht en neemt me in zijn armen, trekt me strak tegen zijn borst, waarbij het beetje borsten dat ik heb wordt geplet.

'Het zou mooi zijn als je iets voller was,' zegt hij een tijdje later achteloos.

Dat is ook precies wat ik van plan ben. Ik eet sinds zes maanden geen tarwe en zuivel meer vanwege een overgevoeligheidsreactie op beide en ben dunner dan ooit. Ik ben van plan om voedingssupplementen voor bodybuilders te gaan slikken om een beetje meer vorm te krijgen.

'Het masseren van je borsten stimuleert de bloedsomloop,' zegt mijn natuurarts als ik hem mijn probleem voorleg. 'En de extra aandacht helpt ook.' Hij raadt me aan naar de sportschool te gaan en te stoppen met de hormoontherapie. 'Die knobbeltjes gaan wel weg,' zegt hij.

Wat? Heb ik ze overgehouden aan de jarenlange hormoontherapie? Ik heb altijd gedacht dat mijn vrouwelijke vormen daar afhankelijk van waren. Wat gebeurt er met mijn figuur als ik ermee stop?

Ik lees over plantaardige oestrogenen, zilverkaars, dong quai en zoethoutthee, die allemaal bijdragen aan gevoelens van vrouwelijk welbehagen en zonder recept verkrijgbaar zijn. En ik bel het Menopause Institute of Australia, dat (via een telefonisch consult) aanraadt een programma te volgen met natuurlijk progesteron en een piepkleine hoeveelheid natuurlijk oestrogeen. Ik kan nu uitkijken naar een goede hormonale balans, meer energie en een stabieler goed humeur.

'Ik vind het jammer dat ik niet ouder ben,' zegt Aaron.

Als ik hem dat hoor zeggen gaat er een steek door mijn hart. Spijt dat ik niet jonger ben. Ik vraag hem waarom hij ouder zou willen zijn.

'Zodat jij je gemakkelijker zou voelen met jouw leeftijd,' zegt hij.

Nou, ik wil niet dat hij ouder zou zijn. Ik vind het heerlijk dat hij zoveel seksuele energie heeft en dat zijn feromonen hem nog steeds aantrekkelijk maken voor jonge meisjes. Weet hij hoe sexy hij is zonder openlijk seksueel te zijn, ondanks zijn slonzige uiterlijk?

Ik wil niet dat hij ouder zou zijn. Maar dat ík ouder ben grijpt me soms vreselijk aan, dus misschien voelt hij dat. Misschien dat hij het daarom zei.

Ik dans, zoals zo vaak, in de open ruimte tussen mijn eettafel en de zitkamer. Het is mijn favoriete manier van bewegen en rekken. Ik zet een cd op en loop naar een onzichtbare hand die mijn passen en gebaren leidt. Ik besluit vanavond naakt te dansen en mezelf in de grote spiegel te bekijken die op de kamferkist tegen de muur van het eetgedeelte staat.

Ik zie voor het eerst wat Aaron ziet: iemand die zo mager is dat haar ribben naar buiten steken. De taille is ook heel smal, de torso plat en pezig, maar o, die ribben! Ik snak naar adem. Ben ik zoveel afgevallen? Blijkbaar. Mijn borsten zijn piepkleine uitstulpingen op dit magere geheel; alleen de tepels steken uit. Het is een deprimerend gezicht en mijn seksuele energie stroomt uit me weg. Het dansen wordt een fysieke oefening in plaats van een extatische viering.

En er is nog meer: een grote paarsblauwe plek op de achterkant van mijn rechterdij. Die was me nog niet opgevallen, en ik kan me niet herinneren dat ik me ergens heb gestoten. Het is een plek met een doorsnee van een centimeter of acht. Ik weet uit ervaring dat hij er best lang zal blijven zitten, en dan geel zal worden voordat hij verdwijnt.

Ik wil weer dat een man naar me verlangt, ik wil een goede indruk maken. Wat ik nu zie is ineens niet goed genoeg.

Het valt me op hoe deze gedachten mijn energie opslorpen. Hoe gemakkelijk het is om in deze val te trappen. Daarbij komt het idee dat ik maar beter kan zorgen dat het goed blijft tussen Aaron en mij, aangezien het onmogelijk zou zijn om een andere man te vinden die in mij is geïnteresseerd. Vanuit dit perspectief lijkt het zo moeilijk om in mijn andere ruimte te zijn, waar alles goed is zoals het is. In deze ruimte lijken gedachten aan de geliefde zo surrealistisch.

Ik blijf stil zitten en kom langzaam tot mezelf.

Er is maar één gezonde manier om hierop te reageren: nogmaals accepteren dat dit het lichaam is dat ik heb, met alles erop en eraan.

Die blauwe plek: ja, en die schriele hals, ja; de adertjes aan de binnenkant van mijn rechterbovenbeen, mijn gebroken nagels, rimpelige handen en magere armen met zichtbare pezen en bobbels.

Mijn achterwerk was vroeger ongelooflijk pront; sinds kort hangt er onder elke bil een extra kwab. Ik accepteer ze; ik accepteer alle minpunten, sla niets over.

Zelfs die piepkleine borsten.

Terwijl ik dat doe voel ik mijn seksuele energie weer opborrelen, alsof die was verbannen en nu mag terugkomen. Ik besluit me aan te kleden. Schaarse kleding: mijn nieuwe zwarte minirok en een sluik vallend roze topje waarin mijn grote tepels mooi uitkomen. Ik dans en de dans neemt de regie over. Ik probeer verschillende topjes en dans weer. Rokje, geen rokje; rood onderbroekje, geen onderbroek. Ik voel me vrij, zoals ik me voelde voordat er een man in mijn leven kwam en alles gecompliceerd werd.

Dan is het tijd om naar bed te gaan, en ik slaap in met een diep gevoel van vredigheid.

Mijn geliefde van vlees en bloed

Ik kijk naar je lichaam, liefste...
Iedere porie en iedere haar op ieder lichaam is een altaar;
belijd dat, lieve God,
belijd dat.

– Sint-Johannes van het kruis, 'Een belangrijke waarheid'

Hij wil me daar beneden bekijken.

'Je bent best klein geschapen,' zegt hij.

Zijn observaties intrigeren me. Mijn ervaringen zijn vrijwel exclusief met mannen en alle vormen en maten penissen, maar Aaron heeft uiteraard in zijn leven wel een paar vagina's gezien.

'Je schaamlippen zitten keurig bij elkaar,' zegt hij glimlachend, 'ze flapperen niet heen en weer als de blaadjes van een grote fleurige bloem.'

Ik kijk hem met mijn armen achter mijn hoofd geamuseerd aan.

'Ik wil gewoon weten hoe ik mijn pik precies goed kan richten,' legt hij aan mij uit terwijl ik hem geïnteresseerd aankijk. 'Je lijkt net een jong meisje, wist je dat? Ik vind die kleine haartjes mooi,' (om maar even van tafel te vegen dat ik op mijn leeftijd bijna mijn hele bos kwijt ben!) 'en dat ze blond zijn, net als je hoofdhaar. Je bent precies wat ik wil: slank, lang en blond. En seksueel lijk je wel een jong meisje. Echt.'

Hij kijkt me verwonderd aan, alsof hij zegt: *hoe is het mogelijk?* Dan komt hij naast me liggen en neemt me in zijn armen, en ik voel dat hij dankbaar is dat hij is thuisgekomen; dat hij heeft gevonden waarnaar zijn ziel heeft verlangd: een vriendin die hem in zijn hart sluit, zoals hij is, omdat haar verbittering, op haar leeftijd, is opgebrand.

Vrijen is heel inspannend voor Aaron. Toch is het zijn favoriete sport. Het zou me niet verbazen als hij het tot zijn enige vorm van beweging zou willen maken! Hij zegt dat het een goede manier is om af te vallen. Hij gaat ervan zweten. Hij zit op me om even bij te komen, veegt met een hand door zijn korte haar en een douche van druppeltjes valt op mijn gezicht.

Aaron weigert de eerste weken dat we vrijen klaar te komen. Hij legt nooit uit waarom en ik neem aan dat hij wil dat de seks zo lang mogelijk duurt. Uiteindelijk vraag ik het toch.

'Ik was bang om in je te komen,' zegt hij.

'Bang waarvoor?'

'Ik ben eraan gewend na de seks uitgekotst te worden. Seks heeft heel wat problemen voor me veroorzaakt. Het heeft even gekost voordat ik je genoeg vertrouwde om in je te komen.'

Het is een hint naar een probleem waarover ik nog meer ga horen. Aaron is gekwetst.

'Ik wil dat je alles hebt,' zegt hij. Hij leunt op een elleboog en kijkt me ernstig aan. 'Ik wil je alles geven wat ik kan, maar je moet er wel om vragen. Wat wil je op dit moment?'

'Ik wil je zoenen.'

'Maak dan de beweging om me te kussen,' draagt hij me vriendelijk doch streng op. Niettemin beweegt hij zijn gezicht terwijl hij spreekt naar het mijne en raakt hij mijn mond voordat ik mijn hoofd echt van het kussen heb getild.

Het centrum van genot lijkt voor Aaron in zijn penis te liggen. Ik heb niet zo'n centrum; mijn hele lichaam wordt één groot veld van opwinding. Zijn rustige, voorzichtige, geleidelijke penetratie stuurt rimpelingen van verlangen door elke ader, naar mijn hoofdhaar, naar de nagels van mijn handen en voeten. Als dit gebeurt, zijn er maar weinig woorden of metaforen waarmee ik dat gevoel kan beschrijven.

Aaron vindt het verbijsterend. 'Hoe is het voor jou, Carla? Vertel! Wauw, kan mijn penis dat?'

'Ik weet niet of het je penis is,' zeg ik. 'Ik heb seks met jóú, niet met je penis!'

'Ik wil weten hoe ik je moet aanraken,' kreunt hij, en hij laat zijn gezicht op het kussen zakken. 'Ik wil weten hoe ik je moet aanraken zodat je ziel het weet, niet alleen je lichaam.'

Hij verrast me met zijn woorden. Ik voel me echt aangeraakt; niet alleen door zijn handen, zijn lippen of zijn penis, maar door de diepe onschuld van zijn ziel. Ziet hij dat niet?

'Je weet allang hoe je me moet aanraken, Aaron.'

Hij is blij dat ik dat zeg. De onzekerheid die in hem schuilt zoekt naar bevestiging; hij moet weten hoe hij wordt ontvangen.

Aaron zegt tegen me dat ik hem goed moet vasthouden, armen om zijn nek, benen om zijn rug, zodat we over het bed kunnen schuiven, waardoor ik bij het bekken nog strakker aan hem vastkleef. 'Houd je vast schat... we gaan een ritje maken.'

Mijn acute genot stroomt van mijn armen en benen omhoog naar mijn gezicht. Aaron kijkt toe, gefascineerd door het effect dat zijn handeling op me heeft.

'Waar ik van geniet is jou te zien genieten,' zegt hij. Ik heb het gevoel dat hij zegt dat hij het voor mij doet en niet voor zichzelf, en hij schreeuwt enthousiast: 'Dit is wat ik al zo lang wil. Dit is SEKS! Dit is echte seks, schat!'

Soms is het uitspreken van het voor de hand liggende vreselijk opwindend. Vooral als Aaron het zegt.

'Door jou krijg ik weer vertrouwen in seks, Carla,' voegt hij toe.

Aaron begint langzaam te genezen van de pijn waarmee seks in zijn verleden te vaak gepaard is gegaan. Hij is nog steeds achterdochtig, als het mannetje van de zwarte weduwe, maar hij leert vertrouwen te hebben en dat staat hem toe zich tijdens de seks te laten gaan.

'Is dit niet wat iedereen uiteindelijk wil, schat?'

Aaron is anders dan sommige minnaars die ik heb gehad, die zich na de seks omdraaien en acuut in slaap vallen. Hij blijft bij me, zijn armen ferm om mijn schouders, die zijn gedraaid zodat ik hem aankijk, tevreden met het samenzijn na onze intensiteit. Het is een diep delen van de ervaring, het inademen van de geuren die zijn ontstaan tijdens het vrijen: zijn zweet, mijn huid, zijn sperma, mijn vaginale vocht, de zoetheid in onze snelle ademhaling.

En dan, eindelijk, spreekt Aaron woorden van liefde.

'Ik houd van je lichaam omdat het van jou is.

Ik heb nog nooit zulke seks gehad.

Jij bent helemaal bij me, zonder ratio, zonder gedachten.

Ik voel je vriendelijkheid.

Ik voel me veilig bij jou.

Weet je hoe moeilijk het voor me was om dat te zeggen?

Ik houd van de vorm van je gezicht,' zegt hij. 'En de driehoek om je ogen, die is zo vriendelijk. Je profiel doet me aan David Bowie denken!' Zijn adem stokt in zijn keel. 'Is dat waarom ik zo dol op hem was... omdat hij me aan jou deed denken?

Je bent de meest volledige vrouw die ik ooit heb ontmoet.

Ik heb grote passie gekend, maar niet met deze oprechtheid.

Ons verlangen bij elkaar te zijn is even groot. Jij verlangt net zo naar mij als ik naar jou.'

Het weefsel van ons leven

Ik wist niet dat het leven een weefsel is
dat door mijn ziel wordt geweven.

– Sint-Catharina van Siena, 'Tot je zelf ontwaakt'

Lynda, mijn allerbeste vriendin, wil de man ontmoeten die mijn ogen zo laat fonkelen. Ze heeft aangeboden naar mijn huis te komen om een zondagse brunch voor ons te maken en haar echtgenoot Don, van wie ze is gescheiden – en die ook een goede vriend van me is – is ook uitgenodigd. Aaron is niet zo sociaal ingesteld en aarzelt bij het vooruitzicht in contact te worden gebracht met vreemdelingen, ook al zijn het mijn vrienden. Wil hij misschien niet in een positie worden geplaatst waarin hij wordt beoordeeld? Niet dat Lynda en Don van de kritische soort zijn; verre van. Hun spirituele leven concentreert zich rond het accepteren van de aanwezigheid van God (zoals zij die ervaren) in iedereen. Deze mensen hebben oprecht en grootmoedig lief.

Aaron komt keuriger gekleed dan ik hem ooit heb gezien binnen. Hij heeft een nieuwe groene trui aan, die zijn moeder voor hem heeft gebreid, en daaronder een overhemd met een kraagje: heel wat netter dan de sleetse grijze T-shirts waarin ik hem tot nu toe heb gezien. Zijn benen zijn echter nog steeds gehuld in de oude grijze joggingbroek die te kort is om aan de achterkant over zijn billen te trekken en die onderaan zijn gympen niet bereikt. Hij heeft nauwelijks winterkleren bij zich, heeft hij een tijdje geleden uitgelegd; de rest van zijn garderobe ligt in Darkan, een stadje ten oosten van Collie, in het zuidwesten, waar hij een huis heeft. Hij woont tijdelijk bij zijn ouders in Perth, zolang zijn opleiding als leerkracht hier duurt. Ik betwijfel zeer of zijn kleren daar hipper zijn dan wat hij heeft meegenomen. Het gaat Aaron niet om hoe hij eruitziet. Hij vertrouwt op zijn persoonlijkheid.

Lynda, met een schort over haar keurige topje en pantalon, komt van het fornuis vandaan om hem open en warm te verwelkomen. Dit is per slot van rekening de minnaar van haar beste vriendin, en ze vindt het zo fantastisch dat hij mijn leven opfleurt dat ze hem bij voorbaat al aardig vindt. Aaron geeft haar beleefd een hand. Don arriveert iets later en danst bijna naar binnen, waaruit duidelijk blijkt hoe leuk hij het vindt om erbij te zijn. Zijn gewoonlijk zo gereserveerde, waardige manieren zijn vervangen door jongensachtig enthousiasme in afwachting van goed gezelschap.

Zodra we zitten wordt het gesprek aangestuurd door Aaron. Hij begint met het afvuren van vragen op Don, op een manier die klinkt alsof hij hem ondervraagt. Zijn stem gaat aan het eind van een zin niet omhoog om aan te geven dat er een vraagteken hoort; het zijn meer uitspraken die als orders klinken: 'Vertel eens, hoe zit het met... overtuig me met je antwoord dat je meent wat je zegt.'

Don is overdonderd, maar niet gekwetst. Zijn antwoorden zijn kort, niet verdedigend, hij gebruikt zo min mogelijk woorden. Ik zie dat hij geamuseerd is. Wat is die vent van plan?

Aaron is tevreden. 'Mooi,' zegt hij, 'nu zijn we vrienden. Laten we elkaar de hand schudden.' En dat doen ze.

Mijn mond valt bijna open. Het is de eerste keer dat ik met Aaron in gezelschap ben van anderen en ik zie een andere kant van hem: de Aaron die de controle moet hebben over de dynamiek van een gesprek en die indruk op anderen moet maken met zijn speciale soort anders-zijn. 'Ik ben anders, ik ben niet zomaar iemand en ik ben waarschijnlijk superieur aan jou.' Ik zie wel hoe dat bij veel mensen kan werken: die zouden gefascineerd zijn, en dat zal ook wel zijn wat hij wil: fascinatie met open mond. Die gaat hij niet krijgen van Don; en ook niet van Lynda, die weer aan het aanrecht staat terwijl ik een vruchtensapje maak. We zijn ons allemaal bewust van wat Aaron doet en niemand voelt zich gekwetst. Dit is een ziel die veel heeft geleden, dat is wel duidelijk, en die vriendschap wil sluiten, dat is zo klaar als een klontje. Het gesprek gaat opgewekt verder.

Aaron zegt tegen Don: 'Ik wil je een belangrijke vraag stellen.'

'Ga je gang,' antwoordt Don.

Aaron wil weten wat het belangrijkste is wat Don in zijn leven heeft gedaan.

Lynda staat te lachen om Aarons impertinentie terwijl ze de zoete-aardappelpannenkoekjes in de pan omdraait. Het is een onverwachte vraag, maar Don hoeft niet lang na te denken over een antwoord.

'Dat ik ben gaan mediteren,' zegt hij eenvoudigweg en oprecht. Hij kijkt Aaron vriendelijk aan, met een welwillend glimlachje om zijn lippen. Wat gaat Aaron hiermee doen?

Uit Aarons reactie blijkt dat hij het interpreteert als iets uit Dons verleden, dat betekenis hád, maar dat niet meer heeft.

'Integendeel, het is het belangrijkste wat ik in mijn leven heb,' verzekert Don hem.

'En waaróm mediteer je dan?' vraagt Aaron, met een houding van: *hé gozer, wist je niet dat alle volgelingen al jaren geleden de commune hebben verlaten?*

Dons antwoord is nog verrassender: 'Om de waarheid te vinden.'

Aarons volgende vraag is voorspelbaar: 'En wat is de waarheid dan?'

Maar Don hapt niet. Hij draait er ook niet omheen. Hij zegt gewoon: 'Dat weet ik niet.'

Don ligt zonder twijfel voor in de verras-me-dan-als-je-kan-wedstrijd, maar hoewel hij een van de intelligentste mensen is die ik ken, gedraagt hij zich niet pedant. Ik denk dat hij gewoon een ultieme waarheid uitspreekt. 'Ik zou vreselijk graag willen weten wat de waarheid is, maar ik weet het niet,' zegt hij nogmaals. Hij vindt het geen enkel probleem om dom in plaats van wijs over te komen.

Aaron wil hem nogmaals de hand schudden, zijn teken van goedkeuring. Waarom denkt hij dat Don goedkeuring nodig heeft? Of dat een teken van zijn goedkeuring betekenis heeft?

Don is aan de beurt om vragen te stellen. Hij wil weten wat voor werk Aaron in zijn leven heeft gedaan. O jee! Een belangrijke vraag van de gevoelige soort, aangezien hij de gecompliceerde set van waarden raakt die Aaron heeft ontwikkeld; waarden die lijnrecht tegenover de maatschappelijke norm staan. Aaron begint met vertellen dat hij oorspronkelijk architect is. Hij heeft er tien jaar en drie universiteiten over gedaan om zijn graad te behalen, maar het is hem uiteindelijk gelukt. Hij vertelt er niet bij dat hij nooit meer iets met het vak te maken wilde hebben zodra hij in de gaten kreeg wat voor werk de gemiddelde architect doet – wat een gebrek aan creativiteit hij daar ervoer – en dat hij niet durfde te hopen dat hij een van de zeldzame gelukkigen zou worden die succesvol zijn eigen unieke ontwerpen verkoopt. Hij vertelt niet dat hij bij een mijnbouwbedrijf heeft gewerkt als een van de effectiefste afwassers ooit, en bij een ander als machinebouwkundige. Of dat hij tien jaar taxichauffeur is geweest en tot Beste Chauffeur van het Jaar werd uitgeroepen in dezelfde maand dat een passagiere hem beschuldigde van seksueel misbruik, waardoor hij bijna een zenuwinzinking kreeg. Hij had ook nog kunnen vertellen dat zijn kennis van geologie, astronomie, oorlogsgeschiedenis en alles wat buitenaards is ongetwijfeld gelijkstaat aan die van een universitair docent, maar dat zou niet in hem opkomen.

'Heb je als architect gewerkt?' vraagt Don.

'Nee,' geeft Aaron toe. 'Ik ben daarna een opleiding tot computerprogrammeur gaan volgen.'

'Ik wilde weten wat voor wérk je hebt gedaan,' helpt Don hem herinneren. 'Heb je dan als computerprogrammeur gewerkt?'

'Nee,' zegt Aaron, en dan, alsof hij er trots op is en bovendien volgende vragen wil afweren: 'Ik ben al het grootste deel van mijn leven werkloos.'

Dat is geen schandelijke uitspraak voor Aaron, die heeft gerebelleerd tegen de discipline, het gecontroleerde gedrag en de productiviteit die de maatschappij eist. Don is niet onder de indruk, maar laat deze aantrekkelijke man met overduidelijke talenten niet met rust. Hij krijgt Aaron achteloos aan de praat over hoe hij zijn land en huis heeft verdiend: door een ander huis voor een vriend in dezelfde stad te bouwen. Niemand vraagt of Aaron wel kan bouwen, maar ik weet dat hoewel hij er niet voor is opgeleid, zijn vakkundigheid fenomenaal is. Hij zet dingen solide in elkaar, met uiterste zorg en aandacht, en beseft niet hoe bijzonder dat is.

Ik zit tijdens dit gesprek inwendig te huilen; als ik me daar bewust van word, krimp ik nog meer ineen. Maar ik kan niet anders dan van deze man houden. Ik zie zijn tekortkomingen en ik zie ook waar zijn zelfvertrouwen overgaat in de behoefte de controle te hebben, het alfamannetje in de ruimte te zijn. Hij klaagt vaak hoe anderen controle over hem willen hebben. Het is echt zo: onze klachten gaan over het algemeen over dingen die we in onszelf ontkennen! Nou en? Ik heb besloten onvoorwaardelijk van Aaron te houden. Op dit soort momenten voel ik de kracht die dat meebrengt.

Lynda komt aan tafel zitten. Ze vindt het heerlijk om haar liefde uit te drukken met eten en heeft zichzelf vandaag overtroffen: de brunch is een feestmaal.

Het gesprek gaat over een film die Lynda en ik gisteravond hebben gekeken, *Antonia*. Ik ben in Nederland geboren en heb er een deel van mijn kindertijd doorgebracht. We hebben het over loyaliteit aan je afkomst, de kracht van tolerantie, de kracht van vriendschap tussen vrouwen en of een groep het recht heeft iemand uit de eigen gemeenschap te doden als die een destructieve kracht is geworden. We hebben het ook over de keuze die persoon te vermoorden of diegene levenslang te moeten veroordelen en gedwongen te zijn controle over hem uit te oefenen.

De affectie die Don en Lynda voor elkaar voelen is gedurende de hele brunch duidelijk.

'Deze twee mensen houden echt van elkaar,' leg ik uit in reactie op Aarons vragende blik. 'Ze kunnen alleen op dit moment niet onder één dak leven.'

Nadat Lynda en Don afscheid hebben genomen zitten we tegenover elkaar, Aarons blote voet bij mij op schoot zodat ik die kan masseren.

'Al mijn ziektes en fysieke symptomen zijn symbolisch,' waagt hij, waarmee hij mij de kans geeft te vragen wat de blessure aan zijn achillespees kan betekenen. Hij weet dat het om zijn vader gaat, maar wat zijn de problemen die hij met hem heeft?

'Ik moet hem uit mijn systeem krijgen,' antwoordt Aaron, licht geïrriteerd en afwijzend.

Ik houd aan. 'Wat heb je altijd van hem willen hebben en nooit gekregen?'

Daar hoeft Aaron niet over na te denken. 'Zijn respect natuurlijk.'

Het is een gecompliceerd verhaal, Aarons geest. Ik besluit hem met rust te laten en te kijken wat er gebeurt. Het leven is druk bezig manieren te vinden om ons dingen te leren. Waarom zou ik de rivier willen dwingen sneller te gaan stromen?

Liefdesverzen

Dit is wat Ram Tzu weet:
niets is onverklaarbaar,
alles is een mysterie.

– Ram Tzu, vers 48

'Hoi schat,' zegt Aaron als ik de telefoon opneem. 'Ik heb net een opdracht af en ik kan wel een pauze gebruiken. Kan ik een halfuurtje komen?'

Het kost hem alleen al een halfuur om hier te komen. Als ik opendoe, is het negen uur. Hij loopt de kamer in en mijn muziek klinkt op volle toeren: Emma Shapplin die haar hart onverschrokken weggeeft terwijl haar stem probeert haar passie te evenaren. Wat heerlijk om Aarons armen om me heen te voelen: de perfecte vorm, aangezien hij maar iets groter is dan ik. Hij heeft geen haast om me weer los te laten. Zijn mond raakt de mijne zachtjes aan. Hij gaat niet open met een gretig zoekende tong. Zijn lippen vragen eenvoudigweg meer, liefkozend contact.

Ik smelt in zijn tederheid en mijn knieën knikken. Valt hem dat op? Ja, hij pakt me steviger vast, houdt zijn ogen gesloten en blijft me kussen. Wat kun je schrijven over kussen? 'Zoeter dan wijn,' heeft iemand eens in een liedje gezegd.

Volgens mij is de mond gevoeliger dan de vagina. Deze keer ben ik degene die haar tong uitsteekt en zijn lippen ermee begint te omcirkelen, wat ons allebei opwindt. We raken in zwijm van het pure genot. Zijn lippen zijn zo teder, zo zacht, stellen geen eisen, zijn zo ontvankelijk en vol. Hij laat mij de leiding nemen – daar houdt hij van – tot hij me verrast met zijn plotselinge initiatief. Het zoenen wordt een verkenning van onze ziel: *hoe is het met je, hoe is het altijd met je geweest, hoe is het toch mogelijk dat we op deze manier kunnen samenzijn?*

'Je moet niet zo lang staan,' hoor ik mezelf zeggen. Ik denk aan zijn pijnlijke voet en hij opent verrast zijn ogen, alsof hij vraagt: *nodig je me in je bed uit?*

Ik begrijp zijn blik en zeg: 'Je bent hier om te rusten en dat kun je het best in bed doen.'

Hij knikt instemmend, gaat op de rand van mijn bed zitten, trekt zijn gympen en sokken uit, lacht de mogelijkheid weg dat zijn voeten na een dag opsluiting mogelijk stinken. Maar het valt vandaag niet zo op. Hij is iets te dik; hij is al een paar maanden niet zo mobiel en de calorieën hebben zich opgestapeld.

Hij ligt op het bed, met zijn benen wijd, hij voelt zich hier helemaal op zijn gemak, handen op zijn borstkas, ogen dicht. Hij lijkt al een eind op weg richting een diepe slaap. Het is negen uur 's avonds en hij heeft een zware dag vol opdrachten achter de rug.

Ik ga naast hem liggen, helemaal aangekleed, en sla mijn armen om hem heen. Mijn cd-speler is overgeschakeld naar een cd die *Verses of Love* heet. Ik heb hem van een vriendin gekregen en hoor hem voor het eerst. 'Zal ik hem uitzetten?' vraag ik, maar hij zegt: 'Nee, ik hoor je muziek graag,' en we luisteren samen. Het is dramatische muziek, sterke muziek, met gedichten erin. Mannenstem, vrouwenstem, gevarieerd, licht klassiek, niet zacht. We horen geen woord van de gedichten. Het zijn ongetwijfeld allemaal teksten over relaties en over hoe liefde je hart kan breken.

Ik streel over zijn borst, schuif mijn hand onder zijn dunne T-shirt om zijn huid te voelen. We hebben al besproken dat hem zo aanraken mijn manier is om affectie te tonen; het betekent niet dat ik hem verleid.

'Daar ben ik niet aan gewend,' zegt hij. 'In mijn familie raakte niemand elkaar aan, en de vrouwen met wie ik ben geweest, gaven zo altijd aan dat ze naar me verlangden.'

'Nou,' zeg ik terwijl ik in zijn grijze ogen kijk, die dezelfde kleur hebben als die van mij: 'Ik vind het fijn om mezelf op te winden door je lichaam aan te raken. Dan voel ik me sensueel, en dan voel ik jou, de innerlijke jou.' Ik prik met een vinger tegen zijn borstkas.

Hij weet wat ik bedoel en glimlacht tevreden.

'Je mag met me doen wat je wilt,' zegt hij. 'De echte ik vindt het heerlijk.' Hij sluit zijn ogen en glimlacht. 'Maar we liggen hier omdat we zouden gaan uitrusten, hoor.' Hij rolt op zijn zij en zijn hoofd raakt dat van mij.

Als ik mijn ogen opendoe, zie ik net zijn profiel. Hij ligt er zo vredig bij. Onze ademhaling is vanzelf synchroon geworden, diep en tevreden. Zijn aanwezigheid, dat ik hem voel, is zo'n zegening dat er tranen over mijn wangen stromen. Hij merkt het niet – ze vallen niet op zijn gezicht – maar hij opent zijn ogen om een blik van verwondering met me te delen over wat we samen ervaren.

'Dit is hemels,' zegt hij, en hij sluit zijn ogen weer, ademt zacht. Hij ligt nu op zijn rug, met zijn rechterarm onder mijn schouders, benen weer wijd.

We rusten, tot hij omrolt en me stevig vastpakt in een omhelzing van plotselinge affectie. Wat zijn zijn armen sterk! Hij plet me bijna, maar nee, we kunnen zo ademen, tot hij me op zich trekt.

'Stil blijven liggen,' draagt hij me op.

Ik leg mijn hoofd op zijn borstkas, mijn benen wijdopen over die van hem, bekken op dat van hem. Ik kan niet lang zo rusten. Zonder erbij na te denken, zonder dat we iets van plan waren, lijkt onze ademhaling naar onze genitaliën te bewegen. Die gaan op en neer, in plaats van onze longen. Hmm... heerlijk... een nieuwe ervaring. Ontspan, geniet. Ik ben degene die overeind gaat zitten en ik beweeg mijn bekken gericht naar dat van hem. Ik ben nog steeds volledig aangekleed, in een wollen rok met een shirt met lange mouwen, en hij heeft zijn 'studentenuniform' aan: een grijze joggingbroek met een grijs katoenen shirt met een naam erop.

Ik kan eigenlijk best even zijn broek een stukje naar beneden schuiven zodat onze huid elkaar raakt. Zijn penis is niet volledig slap, maar komt niet omhoog. Ik zit erbovenop en beweeg heen en weer, héél zachtjes, bijna onmerkbaar, op mijn gemak. Ik kijk naar zijn vredige gezicht; de lijntjes zijn weg, vooral die rond zijn ogen. Hij is zo mooi; dat kan ik in het felle daglicht niet altijd zeggen. Zijn mannelijke onschuld is zo gemakkelijk te zien als hij stilligt, mond een beetje open terwijl hij ademt. Zijn haar is heel kort, bijna gemillimeterd. Het staat hem goed. Hij heeft een oorbel in zijn rechteroor; ik moet hem eens vragen wat die betekent. Hij krijgt er de uitstraling van een hippie door. Hij zou het niet leuk vinden als ik dat zou zeggen, denk ik, aangezien ik uit een van onze eerdere gesprekken heb opgemaakt dat hij hun idealen absoluut niet aanhangt. Sinds wanneer heeft hij die oorbel? Hij doet afbreuk aan zijn waardigheid. Hij heeft vast iets te maken met zijn individuele, onafhankelijke aard.

Er komt een hand die aan mijn spleetje voelt, naar mijn clitoris zoekt, er even omheen streelt en dan weer terugtrekt. Ik geniet, heb geen haast iets anders te gaan doen, maar het onontkoombare gebeurt: zijn penis zwelt tot het punt dat hij omhoog wil komen. Ik hef mezelf op, houd zijn penis in mijn hand en laat de eikel heel zacht de bovenkant van mijn vagina raken, wrijf er langzaam overheen. Zijn penis komt nog een stukje verder omhoog en ik voel mijn vocht naar beneden sijpelen. Ik duw de bovenkant van zijn penis een stukje bij me naar binnen, een heel klein stukje. Hij beantwoordt me door zijn bekken heen en weer te bewegen, zacht, helemaal niet gehaast. Zijn penis heeft nu geen steun van mijn handen meer nodig, dus die breng ik naar zijn borst om hem te strelen. Hij heeft zijn ogen nog dicht. Hij lijkt meer en meer op een engel, jonger en jonger, op de Aaron die ik dertig jaar geleden kende. Zijn armen en handen zijn nog bijna hetzelfde als toen: hij was op zijn negentiende al gespierd en mooi, zijn vingers niet lang als van een aristocraat, meer die van iemand die met zijn handen werkt, of iemand die met zijn handen zou kunnen werken als hij daarvoor zou kiezen, wat een precieze omschrijving van Aaron is.

Zijn penis gaat nu verder naar binnen. Hij kan niet veel met zijn broek om zijn enkels, dus die duw ik van zijn benen. Hij werkt stil mee, rolt ons dan ineens om, zodat hij boven op mij ligt, zijn blik ondeugend. Hij neemt het over; zijn ritme rustig, zijn stoten afgemeten en geleidelijk harder. Hij concentreert zich zo dat zijn tong uit zijn mond komt en zich in een mondhoek nestelt, wat er grappig uitziet. Hij duwt zijn penis helemaal naar binnen en kijkt naar mijn gezicht terwijl de extase van zijn aanraking door me heen golft. Ik ben zo diep geraakt. Niet alleen door zijn penis, maar door zijn zorgzaamheid, zijn volledige aandacht, zijn hele intuïtieve zelf... levenslustig, mijn acceptatie en genot schattend. (Ik zou willen zeggen: tot een punt dat hij exact hetzelfde voelt als ik, maar dat ontkent hij. 'Alleen God weet wat jij voor mij voelt,' heeft hij eens gezegd. 'Het enige wat ik weet is dat het goed moet zijn, en dat jij degene bent die dat gevoel bij jezelf teweegbrengt.' Ik help hem er maar niet aan herinneren dat hij me een andere keer heeft verteld dat hij weet wat vrouwen voelen omdat hij tijdens goede seks hun gevoelens voelt.)

Even later kies ik ervoor om de eerste keuze die we hadden gemaakt, om allebei te rusten, te respecteren. Ik trek me terug en ga weer naast hem liggen, leg zijn shirt over zijn nog harde penis, die weer begint te krimpen.

'Ik word 's ochtends wakker met een blije pik,' zegt hij uit het niets, alsof dat een onderwerp is waarover mensen het dagelijks hebben. 'Dan zit hij vol bloed, is gezwollen, maar niet hard. Alsof hij niet kan wachten je te bespringen. Hij weet gewoon dat hij tevreden is en respectvol wordt behandeld. Er wordt niet tegen hem gezegd dat hij stout is, hij krimpt niet van angst en verwaarlozing, hij wil nergens anders zijn dan bij mij. Hij is gegroeid sinds we weer bij elkaar zijn, dat weet ik zeker.'

Aaron pakt zijn pik vast en kijkt er vragend naar als om de maat in zich op te nemen, om te zien of hij gelijk heeft. Ik kijk ook, en ik wil hem opvreten. Dat vertel ik hem.

'Dat hoeft niet,' zegt hij, 'dat is geen prioriteit. Rust.'

We hebben het een paar dagen daarvoor over fellatio gehad. Het kwam voort uit een gesprek over zijn verlangen dat ik minstens de helft van de tijd 'het initiatief neem'. Ik heb hem verteld dat ik vanwege mijn verleden als prostituee, toen ik over het algemeen de leiding nam om de controle over de situatie te behouden, geen zin meer heb om het initiatief te nemen. Hij zei dat hij hetzelfde voelde: hij is het beu vrouwen te moeten verleiden die elke beweging aan hem overlaten. Maar ik moest hem meer vertellen, aangezien hij *Gods callgirl* niet heeft gelezen en niet wist wat er achter mijn aarzeling lag zijn penis in mijn mond te nemen – hoe schoon en mooi die ook is – en hem erin te laten klaarkomen.

Mijn vader kwam midden in de nacht naar me toe en overviel me dan met zijn afgrijselijke adem, die naar drank stonk. Zijn handen voelden ruw en zijn stoppels deden pijn als hij zijn kin over mijn wang schraapte en me op mijn mond probeerde te zoenen. En hij deed nog iets anders... iets wat zo erg was dat ik probeerde weer in slaap te vallen voordat het gebeurde. Hij stak een stinkend ding in mijn mond; het was hard, dik, en het smaakte vreselijk. Na een tijdje haalde hij het eruit en dan kon ik ontspannen, maar dan zat er nog iets smerigs in mijn mond, iets warms en kleverigs waarvan ik wilde kokhalzen. Ik smachtte naar een glaasje water, dat nooit kwam.

Mijn papa was mijn held; ik hield ondraaglijk veel van hem, maar als zijn ogen begonnen te glinsteren werd ik doodsbang. Vooral na mijn zesde, toen hij me vreselijk veel pijn heeft gedaan. Hij wilde me bang maken zodat ik nooit aan iemand zou vertellen, niet eens aan de priester tijdens de biecht, wat hij met me deed. Hij heeft me toen bijna vermoord: hij schudde me door elkaar met zijn grote, sterke handen om mijn hals. Zijn uitpuilende ogen die in me brandden, zijn voeten die me laag tegen mijn ruggengraat trapten toen ik op de vloer zakte en geen adem had om hem antwoord te geven.

Ja, ik begreep hem! Ik mocht niet naar de biecht. Ik mocht het er met niemand over hebben. Ik was het vreselijkste meisje op aarde, dat niet met mijn moeder of de priester kon praten. Ik was zo slecht dat God me niet kon vergeven. Mijn beschermengel liet me in de steek. Mijn enige hoop was Lucifer, de duivel, die toch wel de macht zou hebben om me in leven te houden zodat ik niet naar de hel zou gaan. Elke keer als mijn vader 's nachts naar me toekwam, wist ik zeker dat ik ging sterven. Maar als ik tot Lucifer bad, zou die me misschien in leven houden. Dat heeft hij gedaan, en ik wist zelfs toen in mijn kleine hartje al dat hij er een prijs voor zou vragen. Ik kwam er pas heel veel later achter wat die was, toen alles wat ik probeerde om mijn leven te verbeteren en de prostitutie de rug toe te keren mislukte.

Ik was negen toen ik mezelf betrapte op de aandrang een peuter pijn te doen. Ik wilde dat kind op de grond smijten, het trappen, het met mijn handen afranselen, met een stok op haar insteken, vooral op dat zachte deel tussen haar benen. Het drong ineens tot me door wat ik voelde, en ik haastte me weg. Ik sloop over straat als een vos in de nacht, mijn ogen brandden; niet van helderheid, maar van schaamte.

Wat maakt dat een kind van negen een peuter wil verminken en vermoorden? Ik weet nu het antwoord: afgunst om onschuld. Dat kleine meisje vertegenwoordigde wat ik kwijt was. Ik had mijn onschuld verloren, en dat verlies creëerde een bepaald soort woede die probeerde een uitweg te vinden door een ander die schat te ontnemen. Als kind begreep ik dat niet, het was enkel een primitieve reactie. Ik weet nu meer over de cyclus van seksueel misbruik; dat degene die geschonden wordt de aandrang voelt anderen te schenden. Niet alleen dat: het is een poging terug te krijgen wat is verloren. Het is zoals bij de heidenen vroeger, die geloofden dat de ziel van hetgeen ze doodden op de een of andere manier van hen zou worden. Het folterende verlangen heel te zijn is de drijfveer van hen die kinderen misbruiken.

'Toen ik als kind werd misbruikt, was dat oraal,' begon ik Aaron voorzichtig te vertellen. Hij keek me aan vanaf zijn positie op het bed, onzeker of hij me goed had gehoord. Ik zat op de rand van het bed met mijn rug naar hem toe, net genoeg gedraaid om hem aan te kunnen kijken. 'Mijn vader stak zijn penis in mijn mond en kwam erin klaar.' Ik sprak snel. 'Het was een smerig en stinkend ding.' Stilte. Het was te veel voor Aaron om direct te kunnen verwerken. Hij kwam op zijn ellebogen omhoog, maar ik vervolgde: 'Ik slikte het door en wilde me daarna wassen, maar dat kon niet. Ik heb in plaats daarvan kinkhoest gekregen.'

Aaron liet zich weer zakken. Hij kon een vrouw met een dergelijk trauma niet troosten.

'Het is goed, Aaron. Ik kan erover praten, en ik voel me niet overweldigd, maar fellatio is op dit moment geen aantrekkelijk concept.'

Hij pakte stil mijn handen zonder erin te knijpen, met gesloten ogen. Ik voelde zijn medeleven, en het feit dat hij geen medelijden met me had. Het was vooral iets uit het verleden. Ik ben er goed doorheen gekomen. Nu is nu. En hij is gewoon blij dat hij bij me is.

Luttele uren later streelde ik spontaan zijn penis met mijn tong en lippen. Ik heb het als prostituee vaak gedaan: mijn tong was behendig en wist wat te doen en laten om op te winden zonder het te ver te laten komen. Als ik me veilig voel, kan ik ervan genieten. Aaron heeft zoveel controle over zijn lichaam dat ik er zeker van kan zijn dat hij nooit in mijn mond zal komen als hij daartoe niet wordt uitgenodigd.

Het afwisselend de leiding nemen tijdens het vrijen wordt nu weer besproken. Zowel het vrouwelijke als het mannelijke in hem, dat in het verleden zo hard heeft gewerkt om een moeilijke vrouw te behagen, verlangen naar een assertieve vrouw. Nu hij boven op me ligt, wordt het vanzelf opgelost: ik kan niet veel in die positie! Aaron strengelt de vingers van zijn sterke handen door die van mij en duwt ze tegen het kussen, waardoor ik nog hulpelozer word en mijn borstkas geheel open en bloot is. Het is zijn versie van bondage en hij geniet ervan de controle te hebben. Zijn mannelijkheid komt vanzelf naar boven als hij voelt dat de vrouw met wie hij is een actieve partner is, niet enkel een passieve. Als hij me zo vasthoudt, geeft dat hem de kans zichzelf zo te plaatsen dat hij me anders kan penetreren. Vaginale orgasmes gaan door me heen als golven van een oceaan en ik schreeuw het uit.

'Doe ik je pijn?' Hij houdt ineens op, bezorgd.

Ik schud mijn hoofd en glimlach zwakjes. Hij gaat voorzichtig verder met zijn ritmische beweging, maakt me gek. Ik smeek hem te stoppen en hij laat me grijnzend los. Zei hij nou dat hij de leiding niet wilde nemen?!

Realiteiten

De geest probeert zich veilig genoeg te voelen
om liefde toe te staan
in de openbaarheid te treden.

– Nirmala, gedicht zonder titel

We liggen op bed, hij ligt op zijn rug, ik met een arm over zijn borst, mijn rechterbeen over dat van hem, en we praten.

'God heeft je gezegend met een ongelooflijke hoeveelheid zenuwuiteinden in je vagina en clitoris.' Dat is Aaron als ontroerende wetenschapper. 'Hij heeft een uitzonderlijke vrouw van je gemaakt. Wist je dat je dat in je had? Je hebt vast plezier gehad in de seks toen je prostituee was.'

'Inderdaad, soms heel erg, maar niet zoals nu.'

Alles is nieuw en anders met Aaron... dat zou hij moeten weten. Het probleem met het uitspreken van dergelijke zaken is dat woorden het heilige zo snel platvloers maken. Ik aarzel, maar ik ben hem wat schuldig. 'Jij hebt me plaatsen laten zien waar ik nog nooit was geweest.' Stilte. 'En nog meer plaatsen. En nog meer.'

Hij draait zijn gezicht om om me aan te kijken. Ik schuif mijn hoofd een stukje naar achteren omdat ik weet dat hij zijn ogen niet goed kan focussen van zo dichtbij.

'Dus dát was er aan de hand,' zegt hij. 'Het enige wat ik zag was...' Hij imiteert de geluiden die ik heb gemaakt en de manier waarop ik mijn hoofd bewoog.

'Houd daarmee op!' roep ik.

Hij glimlacht en draait zijn hoofd weer terug.

'Elke keer als ik me kwetsbaar opstel, maak jij er een grap van!' klaag ik, maar ik ben niet kwaad. Iets in me barst zelfs in lachen uit.

Scheten laten. Een van de afgrijselijke dingen die kunnen gebeuren tijdens de seks. Vooral bij een vrouw, aangezien haar ingewanden worden samengeperst als ze haar benen omhoog en rond de torso van haar man heeft, en nog meer als ze haar benen onder de oksels van de man heeft.

Ik laat geen lekkere scheten. Het zijn van die bommen waarvan iedereen flauwvalt. Controle over die methaanuitstoot is niet eenvoudig. En dat is niet het enige; de vagina van een vrouw kan trompetgeluiden maken wanneer er tijdens bepaalde standjes lucht vrijkomt. Je kunt alleen maar hopen dat het de romantische bui van je man niet verziekt. De prijs van passie kan gruwelijke gêne zijn.

Aaron laat zich op zijn kant van het bed zakken nadat een scheet de ruimte vult en hem in zijn gezicht slaat. 'Je hebt geweldige sociale vaardigheden,' zegt hij. 'Je laat me voor dood achter!'

Even later heeft hij er nog iets over te zeggen; typisch Aaron-commentaar.

'Volgens mij is het de woede die eruitkomt, van de keren dat je seks hebt gehad en het niet wilde. Dat deel van je is nu aan het helen... Ik vind dat een vrouw geen seks moet hebben tenzij ze een minnares wil zijn. Ze moet het niet voor het geld doen, dan kan ze geen minnares zijn. Sommige vrouwen doen het uit behoeftigheid. Mijn ex-vriendin Sheila bijvoorbeeld. Die had er zo'n behoefte aan dat er naar haar werd verlangd dat ze met iedereen in bed zou stappen. Die neukte alleen maar om verkeerde redenen.'

Sheila. Sheila die Aaron nog steeds wil. Ze laat hem niet los en belt elke avond naar zijn huis in Darkan voor het geval hij thuis is. Hij zegt dat hij tegen haar telefoontjes opziet, maar hij krijgt het niet voor elkaar om tegen haar te zeggen: 'Sorry, maar ik wil niet naar je luisteren,' en dan op te hangen. Sheila lijkt een onuitwisbaar deel van zijn verleden. Wat zou zij vertegenwoordigen in zijn eigen symbolische taal?

Het wordt steeds duidelijker hoe Aarons zelfvertrouwen in gezonde relaties is beschadigd door herinneringen en interpretaties van zijn ervaringen met voormalige vriendinnen. Zijn gebrek aan slechtheid maakt hem vatbaar voor afwijzing en dat is keer op keer gebeurd. Al zijn vrouwen gingen uiteindelijk twijfelen aan zijn liefde voor hen, aan zijn loyaliteit of aan zijn geestelijke gezondheid. Ze bespotten hem verbitterd. Ze werden paranoïde dat ze niet het middelpunt van zijn wereld waren, veranderden in emotionele wrakken, en hij voelde zich verplicht te proberen hen te kalmeren. Dat heeft hem uiteindelijk uitgeput.

Sheila – die hun relatie had uitgeput door drie jaar lang van het ene emotionele drama naar het volgende te gaan – vernielde zijn huis. Dat was nadat ze hem had verteld dat ze er klaar voor was om alleen te gaan wonen en was vertrokken. Drie avonden later kwam ze terug en klopte op zijn raam. Hij wilde haar niet binnenlaten om een volgend drama te voorkomen, hij drong erop aan dat ze zich aan haar woord hield en naar huis ging. Ze werd hysterisch en beschuldigde hem ervan dat hij een vrouw in huis verborgen hield.

'Ik ben pas drie dagen weg en je hebt nu al een andere vriendin!'

Aaron kon haar er niet van overtuigen dat het niet waar was. Toen ze zijn ruiten begon in te slaan is hij het huis ontvlucht en heeft zich in de bosjes verstopt tot lang nadat ze weer was vertrokken.

Je zou denken dat het daarmee was afgelopen, maar niet voor Aaron, wiens loyaliteit veel verder gaat dan normaal.

'Heb je haar teruggenomen?' vraag ik.

'Uiteindelijk wel. We zijn nog drie jaar samen geweest, omdat ze mijn vriendin was en ik van haar hield. Zo lang heb ik erover gedaan voordat het tot me doordrong dat je niets voor een ander kunt beslissen en dat je een ander niet kunt dwingen te groeien. Ik ben bij Sheila volledig opgebrand. Ik dacht altijd dat ik vrouwen moest redden en dat liefde het antwoord op alles was. Maar de beste manier om met dergelijke onzekerheid om te gaan, als je die er niet uit kunt praten, is hen bij hun nek te pakken, ze boven een klif te hangen en dan los te laten. Het is hún angst. Die kan ik niet oplossen; zíj moeten hem uiteindelijk aangaan. Je kunt iemand alleen op een idee brengen, en het dan aan hen overlaten om een beslissing te nemen.'

Aaron zit in de kantoorstoel rond te draaien terwijl hij praat.

'Sheila was emotioneel een klein meisje. Ze genoot wel van seks, maar ze kon niet loslaten. Haar ouders hebben haar altijd geknuffeld om te zorgen dat ze zich beter en minder eenzaam ging voelen, zelfs toen ze volwassen was. Ze hebben geprobeerd haar tegen het leven te beschermen. Dus bleef ze haar eenzaamheid oplossen door altijd met iemand samen te zijn. Ze had er alles voor over om bij mij te kunnen zijn. Ze had geen enkele individualiteit. Ze kon het "ons" niet loslaten. Ze was niet sterk genoeg om alleen te zijn. Als ze geen relatie had, ging ze met iedereen mee die haar probeerde te versieren. Zo is ze verkracht. Nadat dat haar was gebeurd, maakte ieder ingebeeld signaal van verraad haar razend. Toen ik bij een vriendin op bezoek wilde gaan die ik via Sheila had leren kennen – ze was gehandicapt en vond het heerlijk om met me te kletsen – werd ze kwaad. "Nee! Je mag niet naar mijn vriendin!"' Aaron slaakt een zucht. 'Een relatie moet iets extra's zijn. Voor Sheila was het een medicijn.'

Ik ben geïnteresseerd in de gebeurtenis die hij heeft aangestipt: Sheila's verkrachting.

'Hoe is dat gebeurd, Aaron?'

'Ze huurde een kamer bij een stel met twee kinderen. Ze was zo onnozel... en die kerel heeft haar verkracht. Hij sloot haar op, maar ze ontsnapte. Toen ze daarna in het ziekenhuis lag heb ik over haar gedroomd. Ik was toen het gebeurde in de rimboe. Ik belde en toen ik hoorde wat er was gebeurd, ben ik meteen naar haar toe gegaan. Ze rende de ziekenhuisgang door en stortte zich in mijn armen. Ze had me nodig.'

Nadat hij en Sheila drie jaar daarna uit elkaar gingen nam Aaron een onwrikbaar besluit: hij zou geen tijd meer verspillen met zich afvragen wie of hoe hij moest zijn om conflicten uit de weg te gaan. Hij zou gewoon zichzelf zijn en dat konden vrouwen leuk vinden of anders vertrekken. Aaron vond zijn zelfrespect terug, maar bleef achter met een enorme wond: de wond die was veroorzaakt doordat hij het vertrouwen in vrouwen en de mogelijkheid van een goede relatie had verloren. Zijn problemenradar zag zo snel gevaar dat hij zes jaar lang seks heeft ontweken; niet omdat hij geen aantrekkelijke vrouwen tegenkwam, maar omdat hij kon voorspellen hoe het zou gaan lopen en dat dat het niet waard zou zijn.

Bij mij trof hij iets nieuws aan: een vrouw die eisen aan hem stelde om aan haar standaard te voldoen omdat hij in haar ruimte leefde. Zou hij aan die standaard voldoen of vertrekken? Zou hij met een sporadisch conflict omgaan zonder de handdoek in de ring te gooien of het gevoel te hebben dat hij zichzelf ontrouw was?

Aaron heeft vele slechte herinneringen, van uit zijn jeugd tot en met zijn recentste relatie, en die hebben hun littekens achtergelaten. Hij zal meer inzicht moeten krijgen dan hij tot nu toe heeft, want hij heeft nog steeds het gevoel dat het terecht is dat hij kwaad, bang en een slachtoffer is.

Ik heb heel vaak een uitweg moeten vinden uit mijn eigen waanideeën en illusies op de reis van extreem schuldgevoel en ongemak over wie ik was naar het hervinden van onschuld. Ik heb mezelf vergeven en geaccepteerd, moment voor moment. Het was een oprecht ootmoedige en bevrijdende periode voor me, aangezien er spontaan een nieuw gevoel van zelfwaardering uit de as oprees, dat niet zo afhankelijk was van de mening van anderen. Ik ging mezelf zien als een eeuwig wezen, schitterend, sterk, liefdevol, vredig, zowel sereen als vitaal levenskrachtig.

Aaron heeft vele positieve beslissingen in zijn leven genomen... een wonder, in aanmerking genomen wat hij heeft meegemaakt. Toen hij als taxichauffeur voor het gerecht werd gedaagd met een valse aanklacht wegens seksueel misbruik, ontdekte hij dat niemand die de waarheid kende die wilde komen vertellen. Hij is vaak verraden, als ik zijn verhalen moet geloven.

'Ik heb drie kinderen vermoord,' zegt Aaron treurig. Hij heeft nooit kinderen gewild en heeft dat zijn toenmalige partner, Anika, keer op keer duidelijk gemaakt. De eerste zwangerschap was een fout van beide partijen. Hij eiste een abortus.

'Volgens mij was de eerste een ongeluk, maar de tweede was gewoon onzorgvuldigheid. Ze heeft altijd geweten dat ik geen kinderen wilde.'

'Gebruikten jullie condooms?'

Aaron kijkt me aan of ik iets idioots en ondenkbaars voorstel. 'Nee.' Een sombere toon. 'En ze heeft me verraden door haar spiraaltje te laten verwijderen. Ik heb haar gedwongen die derde abortus te ondergaan.'

'Waarom was haar spiraaltje verwijderd?' vroeg ik.

'Dat weet ik niet. Misschien voelde ze zich schuldig dat ze die andere twee foetussen had verloren en wilde ze die vervangen.'

'Waarom was die derde abortus dan reden om uit elkaar te gaan?' Ik wil precies weten hoe het zit.

'Hij heeft haar lichaam vernield, en mijn vertrouwen in haar, en onze relatie.' Aaron is even stil. 'Ik ben weggegaan omdat het vertrouwen tussen ons weg was.' Hij kijkt verbitterd. 'Vrouwen zijn niet te vertrouwen. Ze willen je allemaal aan banden leggen.'

Ik stel me de wanhoop voor die tussen hen in moet hebben gehangen terwijl het gewicht van wat hen scheidde zwaarder werd dan de liefde die ze zeven jaar hadden gedeeld. Geen seks meer. Geen relatie meer.

'Ze vindt me een heel slecht jongetje,' zegt hij zacht terwijl hij een potlood op het bureau omdraait en achterover zakt in zijn stoel.

Hij was dertig toen hij bij haar wegging, en de veertien jaar daarna ervoer hij meer verdriet in een serie relaties die allemaal gelukkig begonnen en rampzalig eindigden. Zes jaar alleen en dan komt hij mij tegen. Hij is intussen heel praktisch geworden waar het relaties betreft. 'Mensen onderschatten mijn vaardigheid om los te laten,' is een opmerking die voelt als een ijspegel in mijn hart. Hij is onbereikbaar. Hij kan niet liefhebben, zoals ik, met pijn. Hij wil geen pijn meer voelen. Nooit meer.

Eenvoudige zaken

En het grootste geschenk
dat God kan geven, is Zijn eigen ervaring.

– Meester Eckhardt, 'Zien zoals God ziet'

'Soms is zijn alles wat nodig is,' zegt Aaron, en hij ziet eruit als een cherubijntje nadat we op zondagochtend hebben gevreeën. Hij spreekt zijn tevredenheid uit vanaf zijn kussen, met gesloten ogen, een hand onder zijn hoofd. Aaron vindt het heerlijk om over 'wijze zaken' te spreken als hij zich zo voelt. 'Alles wat ik weet is dat ik besta,' zegt hij. 'Alles wat ik weet is wat ik voel. Het leven is een sensatie. De geest weet niets, is alleen een slaafse volgeling. Zoals de software in een computer: altijd rekenen, altijd proberen de gegevens over de realiteit te toetsen, de waarheid zo goed mogelijk te achterhalen. Maar ík besta gewoon.'

Ik nip van mijn thee. Ik heb een pot voor ons samen gezet en ben met het dienblad terug naar bed gekomen. Ik heb ook een boek bij me, maar dat zal ik niet lezen nu Aaron een van zijn praatgrage buien heeft.

'Je bent de verzorger van je geest,' zegt hij. 'Je zorgt voor je geest en kijkt toe hoe die dingen doet. Maar je bent die geest niet. Het enige wat je bent is wie je bent, verder niets. Ik ben. De rest is alleen gekte.'

'Die woorden betekenen veel voor me, Aaron.'

Ik denk erover na terwijl ik denk aan de manier waarop ik recentelijk word geraakt door de indrukwekkende bijeenkomsten van de *National Speakers Association* die ik bijwoon. De meesten van mijn vrienden en kennissen daar zijn zeer succesvolle en gemotiveerde mensen voor wie ik diep respect voel. Ik heb mezelf afgevraagd of ik meer zou moeten doen om zoals zij te worden: harder werken, meer netwerken, meer geld verdienen. Maar die motivatie heb ik gewoon niet. Ik ben tevreden met wat ik doe: schrijven, mijn website bijhouden, reageren op de e-mails die ik ontvang, lezingen geven als ik daarvoor word uitgenodigd, tijd doorbrengen met Aaron, mijn dochters en kleinkinderen, nu en dan vrienden te eten uitnodigen en af en toe naar een spirituele bijeenkomst. Daar kan natuurlijk verandering in komen, maar op dit moment stroomt de rivier prima: niet te snel en niet te langzaam.

Misschien moet ik meer doen om spiritueel nog verder te ontwaken. Ik heb over zulke geweldige bewustwordingsprocessen gelezen. De sterk bewuste individuen die ik heb mogen ontmoeten zijn een genot om bij in de buurt te zijn, en ze zijn zo stimulerend. Maar ook daar mis ik de motivatie voor. Ik ben tevreden om blij met mezelf te zijn, op wat voor niveau ik me ook wel of niet moge bevinden. Ik ben zo blij om gewoon te zijn, het moment te beleven zoals het komt, en dan het volgende, dag in dag uit, dat ik me afvraag of ik mezelf voor de gek houd. Maar als dat zo is, is het een risico dat ik wil nemen. Ik bedenk dat als mijn diepste, waarlijke zelf wil dat ik iets anders ga doen, het me dat wel duidelijk zal maken.

Ik begin die geest van me op heel veel manieren in de smiezen te krijgen. Maar nog niet op alle.

Aaron komt binnen met een tweede pot thee, om me te verrassen. De volgende verrassing is dat het groene thee is die ik in kopjes schenk waar al melk in zit. Hij is toch wel lekker. Dat is wat hij lekker vindt, zegt Aaron. Hij zegt dat ik mijn roze badstoffen ochtendjas moet aantrekken, zodat ik het niet koud krijg. Hij zet zijn kopje op de rand boven ons bed, waar zijn thee zal afkoelen tot hij lauw is. Hij gaat in afwachting daarvan liggen en slaat zijn armen om mij heen, duwt zijn hoofd tegen mijn borst en schuift een hand onder mijn ochtendjas om een borst vast te houden.

'Ik houd van je, schat.' De woorden worden altijd met zo'n tederheid uitgesproken. 'Een relatie is een uitwisseling van energie. Als je mij je liefde geeft, is het gemakkelijk voor mij om je alles te geven wat ik heb. Ik geniet van de manier waarop je met me versmelt; je geeft jezelf aan me en vertrouwt me. Ik heb altijd op deze manier willen liefhebben.'

Ik glimlach en neem nog een slokje van mijn groene thee.

Aaron vertrouwt me nog een stukje van zijn ziel toe.

'Ik dacht altijd dat ik een mislukkeling was omdat ik een groot deel van mijn leven een uitkering heb gehad. Toen keek ik naar de mensen die alles hebben – een goede baan, een groot huis, een auto, een vrouw, kinderen enzovoort – en zag dat ze tegen elkaar schreeuwden. Ze waren niet met elkaar verbonden zoals wij dat zijn. Ik ben niet succesvol zoals zij dat zijn, maar ik leid wel het leven dat ik echt waardeer: ik weet hoe ik me met iemand moet verbinden en hoe ik iemand moet liefhebben. Ik voel me succesvol in wat belangrijk is in het leven.'

'Daar ben ik het mee eens, Aaron. Daarom ben ik bij je.'

Ik zet het dienblad op het nachtkastje. Hij laat zijn handen over mijn lichaam glijden terwijl ik in bed zak en mijn rug tegen zijn lichaam krom. Onze handen bewegen over de ledematen waar we bij kunnen; zo vriendelijk, alsof je een kat aait: die vindt het prettig dat je dat doet, en je krijgt er zijn magnetisme voor terug. Een uitwisseling van energie.

'Die ronding, die vorm... die is zo bekend voor me en zo opwindend,' zegt hij terwijl zijn handen mijn lichaam masseren. 'Je staat me toe in je te komen,' zegt hij. 'Dat is zo fijn.'

Zijn woorden zijn gewoon, maar uit de toon spreekt waardering. Hij probeert me er niet mee te verleiden of me te vleien. Dat waardeer ik zo aan Aaron: hij manipuleert niet met woorden.

Het is zo gemakkelijk en vanzelfsprekend, op mijn zij liggen en warm blijven onder de dekens terwijl we vrijen in de koele vroege ochtend. Ik vind het heerlijk als hij mijn schouders vastgrijpt om gecontroleerder te kunnen stoten. Ik leg mijn handen op die van hem en voel de energie van liefde en verlangen. Zijn linkerhand glijdt over de ronding van mijn heup en hij houdt hem vast met zijn hand terwijl hij stoot, masseert dan mijn hele rug en trekt mijn hoofd naar zich toe voor een kus. Ik hoor hem uiteindelijk een paar keer diep zuchten van genoegen; het is voorbij en we blijven stil liggen.

'Je thee staat nog op je te wachten,' zeg ik terwijl we ons van elkaar losmaken en een kus uitwisselen.

'Dat geeft niet, die kan wachten tot volgende zomer, tot hij weer helemaal is opgewarmd. Laten we dat eens proberen,' zegt hij, en hij drinkt met grote slokken zijn kop leeg. Zo vindt hij hem het lekkerst; als hij niet warmer is dan dat.

Hij vroeg me eens of ik het leuk vond om het op zijn hondjes te doen. 'Ja,' zeg ik, 'heel erg, maar dat was gewoon seks, geen liefde bedrijven. Als we het op zijn hondjes doen, kan ik je niet aankijken. Ik vind het veel fijner om je aan te kijken en met je verbonden te zijn.' Hij zei er verder niets over.

Vandaag begon hij er nogmaals over. Deze keer zeg ik: 'Oké, laten we het eens proberen.' Ik ga met mijn benen wijd bij de rand van het bed staan en presenteer hem mijn achterwerk. De hoogte is niet helemaal goed, dus ik klim op het bed en rust op handen en knieën. Ja, perfect.

Hij penetreert me en ik kreun. Hij stoot zacht en ik kreun weer. Elke beweging is een intense ervaring, fysiek intenser dan welke andere beweging dan ook. Ik kan Aarons gezicht niet zien en voel me verloren in het paradijs. Dan gooit zijn linkerhand een laken naar mijn kreunende mond; ik maak zo'n kabaal dat hij bang is dat de bovenburen, mijn werkgevers, het zullen horen. Ik lach, huil en gil in het laken. Hij trekt terug, rolt me op mijn rug en mijn hand gaat direct naar mijn clitoris. Hij buigt voorover en neemt een tepel in zijn mond. Het is de eerste keer dat hij mijn tepels zijn onverdeelde, enthousiaste aandacht geeft. Ik voel schokkend genot bij deze verandering in hem, het wordt intenser en intenser... in een golf die mijn lichaam naar dat van hem doet krommen, mijn hoofd over de rand van het bed heen. Deze keer is het zijn hand die mijn gil ervan weerhoudt naar boven te reizen. Of eigenlijk zijn het zijn vingers. Hij weet instinctief dat ik ze in mijn mond zal nemen en ze onderdeel zal maken van mijn genot.

Mijn lichaam komt heel langzaam naar beneden en nu is Aaron aan de beurt. Hij wil in me komen. 'Dit is voor jou,' zegt hij.

'Weet je het zeker?' vraag ik, want ik wil niet dat hij moe wordt.

'Ik weet het zeker,' zegt hij, op een toon alsof hij zegt: 'Als ik iets zeg, meen ik het ook, meid,' en hij laat zijn passie binnen in me los. Het is een vermenging van spirituele sappen die ergens in de geestes- of aardse wereld een stel heel speciale kinderen zal genereren.

We zijn nadien allebei niet moe. Het is een les voor me: er zijn momenten dat toegeeflijkheid energie kost en er zijn momenten dat de energie in evenwicht is. Hier gebeurde dat voornamelijk op zijn hondjes.

'Je bent een maagd,' zegt hij, 'want elke keer dat we vrijen ben je nieuw. We gaan steeds naar nieuwe plaatsen. Ik ben een veteraan en jij bent een kindvrouw. Hoe wijzer je wordt, hoe meer je ervan geniet dat je een kindvrouw bent.'

Ik heb Aaron gevraagd: 'Waarom ben je in mijn leven teruggekomen?' Waarop hij kort daarna een gedicht schreef.

Om je te laten zien wie je bent, zegt hij.
Gods vriendin... zo speciaal.
Je ruikt lekker, zegt hij; ik herinner me je geur:
Die is nog dezelfde.
We zijn nog steeds dezelfde mensen, hoewel er dertig jaar is verstreken.
Nog steeds exact dezelfde energie.
Je opende jezelf voor me als een bloem toen ik negentien was.
Je bent nog steeds als die bloem.
Je hebt nog steeds dezelfde onschuld (nog steeds een kloostermeisje).
Maar toch ben je zo sterk in je kwetsbaarheid.
Je hebt dertig jaar geleden iets van jezelf in me achtergelaten
En ik moest het terugvinden,
Dus hier ben ik, om je te vertellen
Hoeveel je al die jaren voor me hebt betekend.
Je hebt gezorgd dat ik me de rest van mijn leven goed kan voelen over seks.
Je hebt me laten zien hoe een vrouw kan waarderen wat ik te geven heb.
Is het niet geweldig dat ik een man ben en dat ik een ik heb,
En dat jij een vrouw bent en naar me verlangt?

'Voel je de aantrekkingskracht tussen ons?' vraagt hij terwijl hij me heel dicht tegen zich aan houdt. Onze kussen zijn eindeloos geweest; we krijgen niet genoeg van elkaars zoetheid.

'Ja, natuurlijk.'

Ik ben me ervan bewust dat het een levende energie is die onze lichamen van top tot teen naar elkaar toe trekt, maar het sterkst bij de borst. Onze harten staan wagenwijd open voor elkaar. Wat we voelen is de gecombineerde vrouwelijke en mannelijke energie die samenkomt in ons hart en die een perfecte balans creëert. Het is die balans waaruit gelukzaligheid lijkt voort te komen. We willen allebei geen misbruik maken van de ander. We houden eenvoudigweg van elkaar met alle openheid die we kunnen geven, en willen dat het genot oneindig doorgaat.

'We zijn voor altijd vrienden,' zegt Aaron. Met die woorden definieert hij ons samenzijn als een wens om een goede kracht voor elkaar te zijn, voor eeuwig. 'Deze band is ergens anders al ontstaan; dit is gewoon een reünie. We zijn als engelen-geesten die genieten dat ze een stoffelijk lichaam hebben gekregen, zo blij dat we man en vrouw zijn.'

Ik denk terug aan hoe hij in het begin was: die ruwe diamant is een verfijnde en aanwezige man met enorme, zachte handen en de tederste, welwillendste lippen geworden.

Vertel me wie je bent

Uit welk deel van de hemel is hij komen vallen?

– Vrij naar een gedicht van Tukaram:
'Die engel praatte als een zeeman'

Aaron heeft een heel aparte manier om uit te drukken wat ik zijn dionysische kant noem; hij denkt in beelden. Hij houdt vol dat het leven niet is bedoeld om geld te verdienen; het leven is bedoeld om te leven en om lief te hebben. Aaron/Dionysus moet in de eenentwintigste eeuw een uitkering trekken die wordt betaald door de Apollo's van de buitenwijken, die gedisciplineerd willen studeren en nadenken en die hard genoeg willen werken om belasting te kunnen betalen. Dat is een levensfeit dat Dionysus leert aanvaarden en hij accepteert dat hij in de rij moet staan, nederig moet zijn en moet proberen een nuttige persoon in de maatschappij te worden en dat geld te verdienen. Maar niet alleen geld om het geld. Hij gaat er een huis van bouwen en stopt dan weer met werken om erin te kunnen wonen. Met het geld dat hij overhoudt gaat hij een moestuin beginnen. En dan gaat hij leven van de wind en is hij gelukkig, althans dat houdt hij zichzelf voor. Hij doet het per slot van rekening al jaren zo, dus hij weet hoe het moet.

Maar is er een mogelijkheid dat hij wellicht over een paar jaar een transformatie zal doormaken? Een grote kans, of misschien helemaal geen.

Ik vertrouw mijn vriend Don, een soort mentor voor me, mijn Dionysustheorie toe. Hij geeft me spiritueel perspectief in de innerlijke werking van mijn ziel.

'Carla, pas op met concepten,' waarschuwt hij als een goede leraar. Zijn stem is altijd zacht, zijn blik serieus, maar nooit ver van een glimlach. 'Je praat over Aaron als Dionysus en dat zou in de weg kunnen gaan staan van wie hij op dit moment werkelijk is. Als je in de onschuld van liefde wilt leven...'

Ik begrijp wat hij bedoelt. Concepten zijn ten minste één stap verwijderd van de realiteit.

'Er is geen concept dat een echte persoon kan definiëren,' gaat Don verder, 'en zelfs als het precies op het model lijkt te passen geldt dat slechts voor een deel van het model, nooit voor het geheel, en dan ook maar voor een beperkte tijd, nooit voor altijd.'

O. O, nou, bedankt Don. Dat had ik al moeten weten, hè?

Ik ga weg en voel me gelouterd. Van binnen geloof ik dat ik Aaron veel leuker vind dan welke Dionysus dan ook.

Hij vertelt me over zijn huis in Darkan terwijl hij op zijn rug ligt met een arm onder mijn nek en om mijn schouder. 'Mijn huis en schuur liggen vol hergebruikt materiaal,' zegt hij. 'Niets ervan is echt rotzooi. Het heeft allemaal een doel en een bouwplan.'

Hij beschrijft er een deel van, probeert het aantrekkelijker te maken zodat ik hem er een keer kom opzoeken, en dan trekt hij ineens mijn gezicht naar dat van hem om me op mijn mond te zoenen, waarna hij weer verder praat. Weet hij dat hij mijn hart doet overslaan als hij dat doet? Nee, zo is hij gewoon: hij vindt het heerlijk om lief te hebben. Maar ik zie mezelf niet in Darkan wonen. Nooit.

Het visioen van zijn toekomstige woning komt op mij over als een mengeling van oude cottagecharme en ruimtetechnologie: een huis dat bijna geheel is opgetrokken uit hergebruikt materiaal, maar dan met witte panelen die dingen verbergen als lichtschakelaars en foefjes die allerlei wonderlijke doeleinden hebben, plus een rond raam in de meditatiekamer, waar de muren worden behangen met kleden, en in de keuken een heleboel roestvrij staal. 'Het wordt grotendeels gewoon een grote open ruimte,' zegt hij. Maar op dit moment is het een houten huis vol spullen die hij van de straat heeft meegenomen. Heel veel roestvrijstalen pannen, kapotte kachels en andere spullen die het wel weer doen als hij ze heeft gerepareerd met onderdelen van andere kapotte voorwerpen die hij heeft verzameld. Hij wil dat ik alles kom bekijken.

'Heb je zin om een weekend te komen en zonder luxe te leven?'

'Geen haar op mijn hoofd!' Mijn antwoord is zo ondubbelzinnig dat het hem schokt. Ik weet zeker dat ik het geen aangename ervaring zou vinden, ik heb lang genoeg zonder luxe geleefd toen ik met mijn toenmalige twee partners, Hal en James, een gemeenschap in het landelijke Queensland aan het opzetten was.

'Darkan klinkt als een koude en van God verlaten plek; mooi dat ik daar niet naartoe ga!' Ik ga verder: 'Heb je sanitair in dat huis van je?'

'Bedoel je stromend water? Natuurlijk!'

'Een werkend toilet?'

Hij geeft niet meteen antwoord, bedenkt een geestig antwoord om de indruk te wekken dat het niet al te vreselijk is, maar ik vermoed dat de wc niet meer is dan een gat in de grond, een stukje van het huis vandaan, en dat er waarschijnlijk geen dak op zit.

'Ik ga niet naar Darkan!' herhaal ik.

Hij begint te grijnzen. 'Misschien kun je een keer komen om het alleen te bekijken, als je tijd over hebt.' Hij heeft het nog niet opgegeven.

Het is net na zes uur 's avonds, Aarons favoriete moment om naar me toe te komen. Normaal gesproken kunnen er drie dingen gebeuren als hij komt: we zitten te kletsen terwijl we eten of theedrinken; hij verbetert iets aan mijn computer terwijl ik het huishouden doe, of we gaan naar bed. We hebben vanavond alle drie gedaan en liggen in bed met de gezichten naar elkaar toe en ons hoofd op hetzelfde kussen.

'Lig eens stil en kijk me aan,' draagt hij me op. Het is een van zijn favoriete bezigheden, op een bepaalde afstand van me vandaan liggen zodat hij zijn ogen kan focussen en we elkaar kunnen aanstaren. In eerste instantie is dat heel onaangenaam: wat denkt hij als hij zo naar me staart? Ik voel me prettiger als ik dichter bij hem lig, als ik zijn huid en energie voel. Ik staar terug en voel de aandrang te gaan glimlachen, en het dringt tot me door dat dat een uiting van mijn ongemak is. Het vreemde gevoel dat dit niet gaat over het vormen van gedachten of een mening over elkaar dringt al snel tot me door.

Het is een aanschouwen, een wonderbaarlijk zien. Ik voel de tranen in mijn ogen springen en ze biggelen over mijn gezicht. Aarons gezicht verandert niet. Hij slaakt uiteindelijk een zucht en neemt me in zijn armen. Hij voelt de vochtigheid van mijn gezicht tegen zijn wang en houdt me steviger vast.

'Je kiest je partner omdat die je de mogelijkheid geeft de man of vrouw te zijn die je wilt zijn,' zegt Aaron. 'Je hebt het heel lang zonder liefde moeten stellen en dat wil ik goedmaken.' Hij wil me zo graag alles geven wat hij kan.

'Het is zo eenvoudig bij jou,' blijft hij zeggen, 'zo simpel. Ik begrijp maar niet dat je zo naar me verlangt, en dat je er geen onderhandeling van maakt. Het gaat bij jou allemaal om het geven van jezelf.'

'Jij vindt het gewoon heerlijk om te worden bemind!' plaag ik. En daarmee komt het idee dat hij niet echt van me houdt in me op. Wat een saboterende gedachte!

Hij geniet van wat hij ziet omdat hij zichzelf in mij ziet gereflecteerd. Daar kan ik wel in meegaan. Het is wat hij maar blijft zeggen: we wisselen delen van onszelf met elkaar uit. Hij is zich bewust van mij in hem, en ik heb verbijsterd gesignaleerd wat er verandert in zijn manier van de liefde bedrijven, kleine dingetjes die samen tederheid vormen. Hij gaat met zijn hoofd aan het voeteneind liggen zodat hij mijn voetzool tegen zijn wang kan duwen. Hij valt in slaap en wordt wakker terwijl hij mijn been streelt, hij reikt naar beneden en legt zijn hand op mijn schaamlippen, duwt de buitenste uit elkaar en legt zijn duim ertussen. Zo liggen we daar, ik met een arm om zijn been, een hand op zijn scrotum, tot we het allebei koud krijgen en weer onder de dekens kruipen.

We kennen elkaar intussen zo goed dat onze bewegingen gedachteloos gecoördineerd zijn, dat ze moeiteloos en onbewust stromen. We houden even op met kussen, onze monden blijven open tegen elkaar, we ademen elkaars adem in, nemen elkaars essentie in elkaar op. Hij trekt me tegen zich aan en we liggen zo dicht bij elkaar, zo stil, mijn wang tegen zijn zachte hals. Hij heeft die buitengewone gevoeligheid die ons allebei zo verbijsterde toen we voor het eerst vreeën, zo lang geleden.

En wat draag ik van hem in mij? Ik heb het gevoel dat ik assertiever ben geworden. Ik voel me vrijer om te zeggen wat ik wel en niet fijn vind. Als hij bijvoorbeeld 's middags op bezoek komt en zijn stoppels als schuurpapier voelen, vraag ik of hij zich even wil scheren voordat hij ermee over mijn gezicht schraapt. Het is aan mij hem naar huis te sturen als het laat is. Ik heb de wilskracht om uit bed te stappen zodat hij mijn voorbeeld volgt, in plaats van te wachten hoe hij er een eeuwigheid over doet en me laat slapen, hoe romantisch dat ook moge klinken. Die late avonden zijn mijn ondergang. Ik ben altijd vroeg wakker, dus ik moet op tijd gaan slapen om de volgende dag energiek op te kunnen staan. Ik heb het wel eens zover laten komen dat we doorgingen tot middernacht, of nog later: zeven uur vrijen. Tegenwoordig zeg ik het tegen hem als ik het gevoel heb dat ik een vijfgangenmaaltijd achter de rug heb en me volledig bevredigd voel. Als het aan hem ligt, begint hij gewoon meteen aan de volgende maaltijd.

Het is tien uur 's ochtends. Ik ben net terug van een lange wandeling, en ontdek dat ik mijn sjaal heb verloren. Ik volg de route nogmaals, deze keer in de auto, maar ik kan hem niet vinden. Ik voel hoe gehecht ik aan die sjaal was: hij was glad en stralend paars-zwart, en liet alles wat ik in het zwart droeg stralen. Mijn vriendin Laurian riep de laatste keer dat ze hem zag: 'Schitterend!', en misschien is 'schitterend' wel net zoiets als 'superieur'. Hij deed een beetje denken aan de glorie van kardinalen, hoewel die behalve paars en zwart ook rood dragen. Hoe dan ook, die sjaal is weg, behoort mij niet langer toe. Afgelopen donderdag heb ik Aaron in stilte bekritiseerd dat hij te gehecht is aan zijn eigen beeltenis, maar ik zie nu in hoe gehecht ik zelf kan zijn aan dingen die mijn ego definiëren. O, die onliefde van de gedachte dat anderen beter af zouden zijn als ze naar me zouden luisteren! Aaron is gewoon Aaron, mijn minnaar Aaron hoeft niet te veranderen, helemaal niet.

Ik denk na over mijn reactie op sommige dingen die hij doet, zoals urine achterlaten op de rand van het toilet. Een deel van me vindt het walgelijk en ik kan niets veranderen aan die reactie. Maar hij kan het nu dagelijks doen en het maakt niet meer uit. De vrijheid van die gedachte is zo stimulerend. Zijn sinussen kunnen voor eeuwig vol blijven zitten en zijn voet kan voor altijd pijnlijk blijven, tot hij er iets tegen wil doen, en dan zal het zijn wat híj wil doen, en niet wat ik wil dat hij doet.

Ik heb nooit gedacht dat die houding een mogelijkheid was. Ik heb altijd gedacht dat eerlijk zijn in een relatie betekent dat je je partner vertelt wat je niet prettig aan hem vindt, zelfs als hij dat niet wil horen. Eerlijkheid heeft nu een andere betekenis voor me. Het betekent eerlijk toegeven dat ik die man liefheb om wie hij is, niet om wat hij wel of niet doet om mijn ego op te beuren. Het betekent oprecht zijn als iets aan hem me kan irriteren, want dan is het tijd om zowel mezelf als hem ondanks mijn irritatie te accepteren. Het betekent dat ik besef dat het een enorm privilege is om lief te hebben, en dat die liefde iets voor iemand anders betekent. Het is zo'n immens privilege om te worden liefgehad. Wat zou er belangrijker kunnen zijn dan de harmonie bewaren zodat zijn liefde kan floreren?

Ik ben niet zo onnozel dat ik denk dat een relatie enkel en alleen omdat twee mensen besluiten van elkaar te houden blijft voortduren. Wat doen ze als er meningsverschillen ontstaan? Aaron en ik wonen niet samen, dus we lopen niet zoveel risico op conflicten als andere stellen die dag in, dag uit in dezelfde ruimte doorbrengen.

Zou ik het fijn vinden om met Aaron samen te wonen? We zijn eraan gewend onze eigen gang te gaan en vinden het allebei prettig om onze eigen ruimte te hebben. Toch vind ik het fijn als hij er is terwijl ik druk ben. Hij komt af en toe spontaan langs en ontdekt dan dat ik me moet voorbereiden op een gesprek of een andere taak en dat ik me dan in stilte moet concentreren. Hij pakt een studieboek om te lezen en het is echt heel aangenaam dat hij er is. We hebben op een zondag de hele dag zo doorgebracht: hij studeerde en ik schreef. De tijd werd onderbroken door kussen en knuffels en af en toe een babbeltje, tot het tijd was voor een echte pauze en om naar bed te gaan. Ik kan me geen betere zondag voorstellen.

Volle maan

Zwarte gaten zijn echt.
Net als de zon.

– Carla van Raay op een heldere dag

Toen ik mijn bed kocht, koos ik voor een degelijke structuur met een sterk, plat voeten- en hoofdeind. Ik moet het uiteinde van het bed vastgrijpen om mezelf in balans te houden als Aaron me uit een liggende positie op de kussens op zich trekt. Ik begin aan de vloeiende beweging te wennen, als een ballerina, maar deze keer slaak ik een gil als ik mijn balans verlies en mezelf van de rand van het bed op de vloer zie vallen. Aaron grijpt me vast en trekt me het bed op. Gelukkig is hij alert en heeft hij van die sterke armen.

Mijn nerveuze lachen van opluchting gaat over in kreunen van genot. Hij coördineert het omhoogduwen van zijn billen met bewegingen die zijn penis recht tegen mijn bekken duwen, waardoor zo'n intense sensatie ontstaat dat het onmogelijk is niet zacht te gillen. Mijn werkgevers zijn een weekend weg, dus om geluidsoverlast hoef ik me niet druk te maken.

Hij ziet dat ik de intensiteit van wat we doen niet lang kan volhouden, dus hij zegt: 'Wacht even!' en draait me op mijn rug, moet een beetje moeite doen om zijn benen weer onder zich te krijgen. Op deze manier heeft hij meer controle en kan hij ophouden als de intensiteit voor ons beiden bijna tot een orgasme leidt. Hij strekt zijn lichaam, zet zijn handen op zijn heupen, doet zijn hoofd naar achteren, en concentreert zich. Aaron heeft geleerd het oneindig lang uit te stellen. We gaan zo door tot ik zeg dat we moeten stoppen.

'Doe ik je pijn?'

'Nee, maar mijn kutje wordt moe.'

Dat wil hij eigenlijk niet horen. 'Een vermoeid kutje? Jij bent niet moe, maar je kutje wel?'

Ik sluit mijn ogen en blijf stil liggen.

'Niet te snel terugtrekken, hoor,' vraag ik hem, en daar stemt hij mee in. Hij blijft in zijn knielende positie zitten terwijl zijn penis langzaam slapper wordt. Hij sluit geen compromissen door een beweging te maken om hem weer stijf te krijgen en het proces te rekken. Hij maakt zich uiteindelijk van me los en gaat naast me liggen. Ik leg direct mijn arm op zijn borst. Hij legt zijn hoofd tegen dat van mij en we rusten. Het vrijen is afgelopen voor vanavond, wat mij betreft.

Een halfuur later laat Aaron me weten dat hij nog zin heeft. Hij oefent geen druk uit; zorgt alleen dat ik weet dat hij het heerlijk zou vinden om zich nogmaals aan me te verbinden. Ik ben behoorlijk bijgekomen en stem ermee in: we doen het. Aaron is dolblij. Als hij deze keer bij me binnengaat, is mijn vagina in een toestand die ik nog niet eerder heb ervaren. Ze is nog in dezelfde staat van opwinding als net.

Het gevoel gaat als een elektrische schok door hem heen en zijn penis vergroot onverwacht. Hij probeert terug te trekken, maar het eind komt eraan. Hij vraagt buiten adem: 'Wil je dat ik in je kom?'

Als ik eruit flap: 'Ik wil je, Aaron!' wacht hij nog tot ik voel dat ik tegelijk met hem tot een climax kan komen. 'Ja! Ja! Verdomme, Aaron,' is een duidelijke aanwijzing en een explosie van licht als van een atoombom omhult onze lendenen als hij zich laat gaan en we de ruimte in reizen.

Aarons gezicht is nat. Ik reik omhoog en raak het aan. 'Het zijn geen tranen,' verzekert hij me. 'Het zijn geen tranen! Het komt door de ontspanning.'

Hij haalt een hand door zijn haar en een fijne douche van zweetdruppels valt op mijn gezicht. Ik proef de zilte smaak. Zijn gesnuif, dat een uur of drie weg is geweest, begint weer. Zijn sinussen zitten weer dicht.

Hij blijft rechtop zitten. Ik kijk naar zijn rechte schouders: net een boeddha, heb ik al vaak gedacht. En later maakt hij zich van me los, zich er ineens van bewust dat zijn knieën en ledematen pijn doen. 'Daarom hou ik niet van klaarkomen. Nu is het een verschrompeld garnaaltje,' zegt hij bijna verdrietig terwijl hij naar zijn gekrompen penis kijkt.

Zijn energiepeil was misschien aan de lage kant toen hij vroeg of ik wilde dat hij in me kwam voordat hij zich overgaf aan een orgasme. Ik besefte niet dat hij het voor mij wilde doen. Dat wil ik niet. Óf hij wil niets liever, óf ik hoef die liefdadigheid niet. Een paar seconden geleden was ik nog helemaal in een romantische bui. Alle romantiek is nu uit mijn lichaam verdwenen.

Hij gaat liggen, vouwt zich in mijn armen en ik vraag: 'Vind je het nog fijn om bij me te zijn... Op dit moment?'

Ik vraag me af in hoeverre onze romance is verdwenen.

'Mijn gevoel is niet anders!' haast hij zich uit te leggen. 'Ik voel alleen geen verlangen meer. Ik kan op dit moment niet naar je lichaam hunkeren.' Hij ziet er ouder uit. Bleek. 'Het enige wat ik nu wil is vervagen en slapen.'

Ik voel zijn lichaam ontspannen alsof hij bijna in slaap valt, maar dat staat hij zichzelf niet toe. Ik weet wat het is: hij snurkt af en toe als hij slaapt en dat vindt hij vreselijk.

'Rust wat uit en ga even slapen,' zeg ik. 'En je mag snurken, hoor.'

'Echt? Zo?' En hij maakt een hard snurkend geluid, lacht gegeneerd.

Ik haal mijn schouders op. 'Hoe je maar wilt.'

Een paar weken geleden was ik geschokt door zijn snurken. Op dit moment zit ik er helemaal niet mee. Ik heb hem in mijn armen terwijl hij in slaap valt en net zo hard begint te snurken als in zijn gespeelde voorbeeld. Ik heb er zo weinig last van dat ik ook in slaap zou kunnen vallen, maar ik ben niet zo moe als hij, dus ik doe alleen mijn ogen dicht.

Na een paar minuten wordt hij weer wakker, draait zijn hoofd om me een kus te geven, en valt acuut weer in slaap. Dat gebeurt drie keer voordat het tot hem doordringt dat hij moet gaan. Hij draait zich om om me aan te kijken zodat we wat afscheidskussen kunnen uitwisselen. Hij kan niet weg zolang ik een arm om hem heen heb geslagen.

'Maak het ons gemakkelijk,' zegt hij. 'Rol van me weg.'

Ik maak mijn arm van hem los en rol op de koude kant van het bed. Ik lig op mijn rug en voel hoe naar het is om van hem los te zijn. Dat ziet hij, en hij komt naar me toe om me glimlachend een kus te geven. Hij weet wat er aan de hand is: Carla begint zich te hechten; Carla heeft pijn als hij niet bij haar is.

Aaron neemt een douche en ik zet voor ons allebei een kop kamillethee. Het is na middernacht. We zitten tegenover elkaar aan tafel, maar Aaron moet iets ophelderen voordat hij gaat.

'Je moet niet té gehecht aan me raken, Carla,' zegt hij. 'Ik heb het meegemaakt en het is de pijn niet waard.'

Ik denk er even over na. Met een gepaste gezichtsuitdrukking. Ik balanceer op de rand van mezelf in hem te verliezen, maar ik denk niet dat het echt gaat gebeuren. Ik probeer aan Aaron uit te leggen waarom ik niet te gehecht zal raken. Mijn woorden voelen onhandig; ik hoop dat ze niet te vreemd klinken.

'Sinds een jaar of tien is de belangrijkste relatie die ik heb die met het leven,' begin ik, 'wat dezelfde is als de relatie met mezelf.'

Aaron lijkt het onmiddellijk te begrijpen; hij begint te stralen en strekt zijn hand over tafel naar me uit.

'Laten we elkaar daarop de hand schudden,' zegt hij, en ik neem zijn brede hand in die van mij.

We lopen naar de voordeur. Hij duwt me tegen de muur om me een laatste kus te geven en voelt hoe ik val als ik mijn balans verlies. Het is ver na twaalven en het is nogal een avond geweest.

'Je bent af en toe net een klein meisje,' zegt hij lachend terwijl hij me rechtop zet.

Hij gaat de nacht in. Het waait hard, een frisse wind die van de rivier komt, maar het is niet erg koud.

'Het is volle maan, meid!' zegt hij terwijl hij de helling op loopt naar zijn auto.

Hij is weg. Ik voel me vol, bevredigd en klaar om naar bed te gaan, om nog zoveel mogelijk te slapen voor vijf uur, wanneer mijn lichaam zoals altijd zal ontwaken.

Ik vraag Aaron: 'Wat is romantisch?' omdat ik weet dat hij niet van romantisch houdt.

Hij zegt: 'Romantisch betekent dat je níet in het hier en nu bent. Het gaat over leven in je verbeelding; over twinkelende ogen. Het is niet echt.'

Nou, dat is het wel in een notendop. Anderen zouden het ook nog over bloemen en bonbons hebben, maar die staan zo ver van Aarons waarden dat hij daar niet aan denkt. Hij gebruikt zijn tijd liever om te zorgen dat mijn computer effectiever wordt. Hij geeft me liever een zoen om te voelen hoe fijn dat voor ons beiden is. Hij zit liever in een auto die aan de kust staat geparkeerd om met mij naar de hemel en golven te kijken. Liever present dan een presentje.

'Ik denk af en toe aan je en dan vergeet ik je weer,' zegt hij, want hij is altijd eerlijk tegen me. Hij weet dat ik vaak aan hem denk: tijdens mijn huishoudelijke taken, als ik in de auto zit, 's ochtends als ik wakker word en 's avonds als ik ga slapen.

'Jij hebt geen romantische inslag, dat is wel duidelijk!' zeg ik lachend. Ik heb nog nooit iemand ontmoet die minder zijn best doet om een goede indruk te maken.

'Carla van Raay,' zegt Aaron, 'welkom in de liefde. Dit is wie je bent! Dit is hoe een man en een vrouw van elkaar horen te genieten.'

Aaron is heel goed in monologen. Zo vertelt hij me vandaag: 'Ik ben de jouwe, in voor- en tegenspoed, tot de dood ons scheidt. En ik ben níet de jouwe, en jij bent níet de mijne.

We zijn alleen.

We zijn individuen.

We hebben onze eigen energie.

We bezitten niemand.

Dat blijf ik maar zeggen, dit is mijn boodschap aan jou: we zijn samen en alleen.

Als we elkaar verliezen, of als een van ons de ander verliest, zullen we verdriet kennen, maar dat zal scherp en schoon zijn, niet kleverig of voor altijd. Langetermijnverdriet betekent dat je jezelf verliest. Dan probeer je je leven via de ander te leven en vergeet je dat het enige wat je hebt je eigen energie is. Je verliezen in je verdriet betekent dat je je grenzen en je realiteit uit het oog verliest. Romantiek gaat over verlies. Liefde is echt.

Je voelt wie je bent. Ik wil dat je alles bent wat je kunt zijn. Dat is wat ik voor je kan doen: je laten zien wie je bent en je helpen alles te worden wat je kunt zijn. Als dat betekent dat ik met een pik van zestig centimeter moet komen en je moet neuken tot aan je oogbollen om dat tot je door te laten dringen, doe ik dat.'

Stilte. Een essentiële pauze.

Aaron vervolgt: 'We zijn heel geduldige mensen geweest. Ik ben heel geduldig geweest. En eenzaam. En dan komen we elkaar weer tegen. Het is het allemaal waard geweest.'

'Dat weet ik,' zeg ik. 'Zo was het voor mij ook. Alleen heb ik mijn eenzaamheid omgezet in alleen-zijn.'

'Wat zou je hebben gedaan als ik niet weer in je leven was gekomen?'

'Dat weet ik niet. Waarschijnlijk was ik dan op hetzelfde spoor doorgegaan, had ik me laten kussen door het leven. Ik heb gelegenheden om seks te hebben voorbij laten gaan omdat ik wist dat ze tot teleurstelling zouden leiden. Ik wil dít, deze liefde waardoor we elkaar laten groeien, niet alleen seks en gezelschap om eenzaamheid te verhullen.'

We liggen in het halfduister, tevreden over de manier waarop we kunnen communiceren, tevreden met de kennis dat we, deze keer, niet alles gaan verzieken met romantische of neurotische eisen. Of in elk geval niet zomaar.

'Is deze liefde niet wat iedereen wil?' filosofeer ik.

'Nee, mensen willen romantiek. Ze worden jaloers en geven niet meer om je als je hun niet geeft wat ze willen. Mensen willen dat anderen hun dromen vervullen. Ze willen geen verantwoordelijkheid en realiteit. Ze lijden en begrijpen niet waarom.'

Aaron spreekt uit ervaring. 'Ik heb eens een hond gehad. Nou ja, hij was in eerste instantie niet van mij. De vriendin die ik toen had wilde een puppy, dus gaf ik toe en zei: "Oké, maar het is jouw puppy en jij zorgt ervoor." Het ging bergafwaarts met onze relatie en toen ze vertrok zei ze: "De hond is van jou." Dus zo kwam het. Een prachtige hond met vrouwenogen, heel liefhebbend en met een zachte volle vacht. Ze werd mijn beste vriendin, liep overal achter me aan, sliep overal waar ze wilde, inclusief op mijn bed... in mijn bed. Ze deed precies wat ik zei dat ze moest doen. Ze hield zoveel van me, was zo loyaal, kwam meteen aanrennen als ik haar riep, wát ze op dat moment ook aan het doen was. Als ik dat zei, bleef ze uren bij een deur zitten, gewoon omdat ik dat had gezegd. We hebben samen heel veel plezier gehad.

Toen wilde ik een huis gaan bouwen en dat nam heel veel van mijn tijd in beslag... zoveel dat ze me vreselijk begon te missen. Ze begon te janken omdat we niets meer samen deden en ik geen tijd meer met haar doorbracht zoals vroeger. Zes maanden later was ze dood. Overreden door een auto, die haar linkerpoot en -heup eraf scheurde... haar vrouwelijke delen. Volgens mij was het zelfmoord, ze kon het niet meer aan.'

Aaron zegt het niet hardop, maar het verhaal symboliseert de relaties die hij heeft gehad: vrouwen die zo loyaal van hem hielden als zijn hond, vrouwen die niet zonder hem konden als hij het druk had, vrouwen die opbloeiden van zijn aandacht en hunkerden naar zijn aanwezigheid. Vrouwen die geen zelfmoord pleegden, zoals zijn hond, maar die hém eerst pijn deden om zijn aandacht terug te krijgen, en vervolgens zichzelf meer en meer pijn deden in hun wanhopige pogingen hem zich schuldig te laten voelen en hem te krijgen waar ze hem hebben wilden. Hij was geduldig met hen, heeft hij verteld, probeerde het gemakkelijker voor hen te maken, maar het eindigde altijd verbitterd. Aaron was buitengewoon achterdochtig geworden waar het vrouwen aangaat.

Na de laatste relatie, zes jaar geleden, had hij gezworen dat hij 'zijn pik nooit meer op een onveilige plaats zou steken' om het in zijn woorden uit te drukken. Hij kreeg elke vorm van seksuele opwinding en aantrekking liever zijn systeem uit door te masturberen.

'Vrouwen zijn dol op me,' zegt hij.

'Waarom?' Ik lig in de holte van zijn arm en voel me heerlijk. In plaats van op zijn reactie te wachten probeer ik zelf antwoord te geven. 'Dat weet ik wel, om een heleboel redenen. Om te beginnen voelen vrouwen aan dat je in staat bent om lief te hebben.'

'Hoe voelen ze dat dan?' Hij is oprecht verbaasd over mijn woorden.

'Dat voelen ze in je energie. Ze weten ook dat ze je niet kunnen bezitten, en voor sommigen is dat een uitdaging... om je van gedachten te laten veranderen.'

Daar denkt hij over na, en hij knikt. Dat weet hij blijkbaar al. Klootzak! Hij doet het met mij ook.

'Ik ben met name een uitdaging voor kenaus,' zegt hij met een veelbetekenende blik in zijn ogen. Kenaus hebben geen schijn van kans bij Aaron, want die herkent hij uit duizenden.

Ik besluit hem alle pluspunten te vertellen die ik kan bedenken. 'En het komt ook doordat je zo aanwezig bent.'

Dat lijkt hij niet te begrijpen, dus ik leg uit dat het erom gaat dat hij in staat is mensen echt al zijn aandacht te geven, zonder egocentrisme.

'Maar ik ben extreem egocentrisch,' werpt hij tegen.

Ja, natuurlijk, in die zin dat hij met vrouwen praat omdat hij dat wil, voor het plezier dat hem dat geeft. Maar hij is niet egocentrisch zoals sommige mannen dat zijn, die vrouwen willen manipuleren voor hun eigen doeleinden.

Hij knikt. Manipuleren is het laatste wat hij wil, en het is ook het enige wat hij in geen enkele vorm van een vrouw tolereert.

Ik kijk hoe hij aan de computer zit te werken. Het duurt een eeuwigheid.

Hij draait zich om. 'Wil je naar bed?'

Ik knik.

'Waarom zeg je dat dan niet, in plaats van in die stoel te blijven hangen?'

De waarheid is dat ik wilde kijken wat er zou gebeuren als ik geen initiatief zou nemen. Zou hij me daar gewoon laten zitten en dan vertrekken als het tijd zou zijn om te gaan? Of zou hij nog even dicht bij me willen zijn?

'Je was zo druk bezig,' is het enige wat ik zeg, maar hij klaagt.

'Ik vind het belangrijk dat je zegt wat je voelt... dat je communicatiever bent, assertiever.'

Ik ben verbijsterd. 'Ik heb altijd het gevoel dat ik duidelijk tegen je ben.' Ik denk aan momenten dat hij me heeft verrast met zijn observaties over mijn lichaamstaal als ik dacht dat ik een raadsel was.

'Ik moet weten wat je denkt en voelt,' zegt hij.

Dat is het moment dat ik een vreselijk geheim opbiecht. Nou ja, vreselijk en geheim voor mij, aangezien ik niet besef hoe vreselijk gewoon het is. Ik draag het pas recent bij me als geheim, aangezien ik weet dat Aaron altijd alle mogelijkheden openhoudt.

'Ik zeg niets omdat ik bang ben je kwijt te raken.'

Hij kijkt me met plotselinge verbijstering aan en trekt me naar zich toe.

'Ik wilde het je niet vertellen, Aaron, omdat het te veel als gehechtheid klinkt en je dat haat.'

Aaron is even stil. Dan pakt hij mijn kin vast zodat hij me recht in de ogen kan kijken. 'Ik wil echt dat je dit hoort.' Hij kiest zijn woorden zorgvuldig, woorden die hij meent met heel zijn hart: 'Ik ben op je gesteld en ik ben je vriend.'

Ik kijk hem even aan; ik voel me zowel blij als verdrietig door de woorden. Blij dat ik een vriend als hij heb en verdrietig dat hij niet meer is dan dat. Ik weet dan nog niet dat 'op iemand gesteld zijn' voor hem een enorm compliment is, iets wat duurzamer is dan liefde. Maar wat als hij om de een of andere reden verder gaat?

'Als ik uit je leven zou verdwijnen, kan ik niet geloven dat je niet exact zou vinden wat je nu hebt,' zegt hij.

Hij spreekt voor zichzelf, dringt het tot me door. Als ik zou verdwijnen, zou híj iemand anders vinden.

'Ik zou dergelijke seks vinden,' zeg ik, 'maar niet de energie die jij bent.'

Dat is de waarheid en dat weet hij. Hij begrijpt alleen niet wat er zo aantrekkelijk is aan zijn energie.

'Het is je geestesenergie,' probeer ik weer uit te leggen. 'Die is zoals die van mij. Ik zie mezelf in jou. We zijn hetzelfde. Het is je ziel, de kwaliteit van je zijn.'

Ik dacht dat hij dat begreep. Maar misschien dat mannen dat vergeten.

Ik ben blij dat ik naast hem lig, maar verdriet vult mijn hart. Deze man is te jong om dit te begrijpen. Ik dacht dat we elkaar eindelijk hadden gevonden: twee delen van één ziel – zielsverwanten – maar voor hem geldt dat helemaal niet.

'We zijn individuen,' zegt hij nog maar weer een keer. 'We sterven alleen. Het enige wat ik met me kan meenemen is mijn energie en wat ik daarmee heb gedaan, de eigenschappen ervan.' En dan: 'Ik wil met je vrijen.'

Ik trek de kleding uit die hij mijn modepalet noemt, hoewel het gewoon een spijkerrok over een panty is. Hij draagt een blauw geruit overhemd – een concessie aan de kou – met een wit T-shirt eronder. De kleur van het overhemd vult de kleur van zijn ogen zo mooi aan dat het bijna pijn doet aan mijn ogen. Ik moet wegkijken omdat zijn intense schoonheid mijn ziel zo grijpt dat ik er geen vat op heb. Het betekent dat ik verliefd ben; ik ben niet helemaal geestelijk gezond meer.

Er zijn momenten dat hij me doet smelten. Ik ben extatisch en hij kijkt verrukt naar me.

Een recente ontslakkingskuur heeft iets met zijn gezicht gedaan: ik durf te zweren dat hij er niet ouder uitziet dan negentien. Ik kan mijn blik niet van zijn gezicht houden, als ik naar hem kijk val ik zo in zwijm dat het bijna ongepast is. Op de achtergrond klinkt Creedence Clearwater Revival, muziek die ik in geen decennia meer heb gehoord.

'Je bedrijft de liefde nog net zo als dertig jaar geleden,' fluistert hij. Hij had zijn handen zachtjes tot vuisten gebald langs zijn zij, maar hij pakt nu mijn billen om me in de houding te bewegen die hij wil.

'Maar het is veel intenser dan dertig jaar geleden.'

Het was toen speciaal, maar niet zoals nu. Dan had ik hem nooit laten gaan, dat zou onmogelijk zijn geweest. Toch zal ik hem nu ook moeten laten gaan, maar nog niet op dit moment. We kennen de details nog niet, maar er begint een gevoel te ontstaan dat dit alles zal worden afgebroken, in elk geval door geografische afstand (zijn geliefde huis in Darkan is zo ver weg) en door de vele mogelijkheden die de ruimte van tijd kunnen vullen.

Aaron is gefascineerd door zwarte gaten. Hij ziet ze als krachtig symbool van de hel.

'Alleen in een zwart gat is het echt donker. De aantrekkingskracht tot alles wat zich in zijn veld bevindt is absoluut onweerstaanbaar. De kwellend pijnlijke realiteit over een zwart gat is dat de aangeboden aantrekkingskracht niet wordt geconsumeerd. Er is nooit, nooit een samenzijn. De tijd wordt letterlijk uitgestrekt tot oneindigheid, dus je kunt er nooit "komen".'

Aha! Nu snap ik Aarons fascinatie. Het gaat om de misère van aantrekkingskracht.

Wat is het tegenovergestelde van dit zwarte-gatscenario? Een wit gat? Maar dat bestaat niet. Nee, het tegenovergestelde moet zijn dat je uitstraalt in plaats van aantrekt. Dat je onvoorwaardelijk uitstraalt, zoals de zon.

'Ik zit wel eens in een zwart gat,' zegt hij. 'Blijf dan maar even bij me uit de buurt. Ik weet hoe ik eruit moet komen.'

Dat zal ik zeker doen. Ik voel geen enkele behoefte naar de waarnemingshorizon, zoals de tovenaar der natuurkunde, Stephen Hawking, hem noemt, te gaan en erdoor te worden opgezogen.

Don komt op bezoek

Echte extase is een teken
dat je beweegt
in de goede
richting.

– Sint-Theresia van Avila

Lady Chatterley's minnaar en de andere boeken van D.H. Lawrence stonden op de lijst van verboden boeken toen ik non in het klooster was. Toen ik uiteindelijk het beruchte verhaal over de liefde tussen lady Chatterley en de beheerder van haar landgoed las, was ik diep geroerd door Lawrences beschrijvingen van de gepassioneerde aard van ware en totale seksualiteit. Ik zag niet waarom de roman ooit pornografisch is genoemd. Die critici moeten zelf een ongelooflijk saai liefdesleven hebben gehad dat ze zo overstuur raakten van de rauwe schoonheid van ongeremde liefde.

'Wat gaan mensen over mijn boek zeggen?' vraag ik Don als hij bij me op bezoek komt. Ik heb hem nu en dan stukjes van de kladversie laten lezen en voel me gedreven om over mijn relatie met Aaron te schrijven. Hiervoor werkte ik aan een zelfhulpboek voor misbruikte vrouwen, maar luttele weken nadat ik Aaron opnieuw had ontmoet moest de beredeneerde stijl daarvan plaatsmaken voor het in woorden uitdrukken van wat zich in mij afspeelde, vanwege de enorme verandering in mijn stille leven. Ik zet al het grootste deel van mijn leven mijn emoties op papier in een dagboek om er zo meer grip op te krijgen. Ik heb pas recentelijk aan Aaron opgebiecht wat ik aan het doen ben en dat ik het gevoel heb dat ons verhaal best eens het onderwerp van mijn volgende boek kan worden. Aaron trok even wit weg en veegde zijn zorgen toen van tafel met de redelijke gedachte dat publicatie nog heel ver weg was. Bovendien durf ik te wedden dat ik ergens in zijn gezicht een glimp zag van de gedachte dat dit eigenlijk best eens heel leuk zou kunnen worden: hij, Aaron, in een boek. Niettemin weigert hij mijn aantekeningen te lezen; een verstandige beslissing vind ik, voor het geval hij er onzeker van wordt. Zelfs als hij mijn schrijfsels zou lezen en het er inhoudelijk niet mee eens zou zijn, zou het onmogelijk voor me zijn om te stoppen. Ik gehoorzaam aan een roeping, aan de immens sterke trekkracht op te schrijven wat in me opkomt.

Niettemin heb ik behoefte aan de mening van een objectieve lezer en heb ik Don een paar hoofdstukken gemaild.

Hij komt vandaag naar mijn huis om me zijn mening te geven, en antwoord op mijn vraag hoe het boek zal worden ontvangen. Don begint door me te vertellen over een goede vriendin die *lapdances* verzorgt in een club. 'Toen ze net in Perth woonde, heeft ze een prijs gewonnen omdat ze er zo oprecht en open over was,' zegt hij. 'Ze liet zichzelf helemaal zien, lichamelijk en emotioneel, zonder schroom en zonder begrenzingen. Mensen vonden het geweldig. Maar zo is ze nu niet meer; ze is heel gereserveerd geworden. Nog steeds provocerend, maar ze houdt achter waar het om gaat. Ze geeft goede voorstellingen, maar ze zijn niet meer van een schoonheid die je hart doet overslaan.'

Don aarzelt even. Dan: 'Mensen willen God. Ze hongeren naar wat recht uit de ziel komt. Kijk maar om je heen. Hoeveel is er, in de grote literatuur, geschreven over het bedrijven van de liefde? Wat jij met je schrijven doet is expressie geven aan de kern van je ziel, en dat is wat mensen willen. Het zo presenteren dat niemand het als iets anders interpreteert is je grote uitdaging.'

Crisismateriaal

En ik was oprecht bang, ik was doodsbang.

– D.H. Lawrence, 'Slang'

Het is woensdagavond en ik heb Aaron donderdag voor het laatst gezien. Zes dagen zonder enige vorm van communicatie. Hij heeft geen mobieltje en zijn kamer in het huis van zijn ouders heeft geen telefoonlijn.

Aaron heeft zijn huis in Darkan verlaten met het idee om leerkracht te worden en zo genoeg geld te verdienen om het te kunnen renoveren. Als hij in januari niet naar Perth was gekomen om te studeren, zouden we elkaar waarschijnlijk niet zijn tegengekomen. Aaron kwam dat artikel over mij in de krant van zijn vader tegen, maar nam pas contact met me op toen hij al lang en breed aan het studeren was. 'Ik moest me erop voorbereiden jou weer te ontmoeten,' zei hij. 'Ik wist dat mijn leven waarschijnlijk niet meer hetzelfde zou zijn.'

Aaron heeft gedurende zijn studie meerdere crises doorgemaakt. Hij is er meer dan eens van overtuigd geweest dat hij moest opgeven, ware het niet dat hij geen opgever is en dus met hernieuwde vastberadenheid verder ging.

Hij zit op dit moment een tentamen te maken. Ik heb hem in mijn hoofd bemoedigende woorden gestuurd. Mijn innerlijke oor luistert terwijl ik aan het werk ben urenlang naar muziek die we samen hebben gedeeld. Ik dans in mijn verbeelding op ons favoriete nummer om de energiestroom naar hem te vergroten. Het tentamen is heel zwaar voor hem; iets met taal.

'Ik heb een leesprobleem,' heeft hij me meer dan eens verteld. Hij is schijnbaar als kind blijven steken in een bepaalde manier van lezen; daar is hij zich bewust van geworden doordat hij ging bestuderen hoe kinderen leren. Bovendien gebruikt Aaron over het algemeen alleen zijn rechterhersenhelft. Het heeft hem tien jaar op drie verschillende universiteiten gekost om zijn graad in architectuur te behalen. Zelfs toen had hij al moeite met het begrijpen van academische taal. Zijn hersenen kunnen heel goed alles aan wat met de verbeelding te maken heeft, maar weigeren academische stellingen te onthouden die betekenisloos voor hem zijn. En toch wil hij leerkracht worden. Hij is zo goed met kinderen.

Ik begin een consistent studiepatroon bij Aaron op te merken: hij kijkt naar een vraag en ráádt het antwoord voordat hij de relevante informatie in de tekst heeft gevonden. Dat is de reden dat hij faalt: hij probeert vragen te beantwoorden met wat hij denkt dat de waarheid is, terwijl hem wordt gevraagd de docenten de informatie te geven die in de boeken en tijdens de colleges wordt verstrekt, met gebruikmaking van het juiste jargon. Informatie vinden die bij een vraag hoort zonder eerst de hele tekst te lezen kan razendmakend moeilijk zijn, en toch is dat precies wat hij probeert.

Ik adviseer hem op mijn meest serieuze toon een tekst ten minste drie keer te lezen voordat hij probeert er vragen over te beantwoorden. Een mindere man zou kunnen tegenstribbelen als zijn vriendin zijn lerares werd. Maar Aaron niet: hij geeft me een vurige kus om me te bedanken. 'Wat zeg je dat eenvoudig en elegant,' zegt hij.

Om kwart over tien 's ochtends gebeurt er iets geks. Zo gek dat ik bewust op de klok kijk. Terwijl ik boven mijn huishoudelijke taken aan het doen ben draait mijn maag zich ineens om en ik voel me misselijk. Ik heb meteen het idee dat er iets met Aaron is. Het voelt niet goed; dit gevoel kan een teken zijn van een verkeerd soort gehechtheid, een die me pijn kan doen. Een halfuur later is het gevoel weer weg. Ik voel me weer vredig en hoor mijn innerlijke muziek weer.

Waar ging dat over? Was Aaron ergens van slag over; was hij bang voor zijn tentamen? Voelde hij zich aangetrokken tot iemand en gaf hij haar de soort aandacht die de band tussen ons op dat moment verbrak?

Ik moet opnieuw onder ogen zien dat er een groot leeftijdsverschil tussen ons is. En behalve dat zal Aaron als hij zijn papieren haalt waarschijnlijk naar het noorden vertrekken om in een afgelegen aboriginalgemeenschap te gaan werken. Dat zou echt bij hem passen: hij zou het heerlijk vinden om een relatie met de mensen op te bouwen en de kinderen enthousiast te krijgen. Zijn gevoel voor plezier en zijn vernieuwende karakter zouden daar tot hun recht komen. In primitieve omstandigheden leven doet hem niets. Na een paar jaar zou hij genoeg geld hebben gespaard om zijn huis af te maken. Het enige is dat er geen ruimte voor mij is in al die plannen.

Om acht uur 's avonds belt Aaron; hij vraagt of hij mag komen om te praten. Dat is gek; hij zou op dit moment een tentamen moeten doen. 'Ik leg het zo wel uit,' zegt hij.

Er komt een andere Aaron binnen. Zijn glimlach is ambigu: hij is blij dat hij bij mij is – hij zegt dat mijn huis zo'n vredige haven is – maar hij is ook net gezakt.

'Voor de hele opleiding?' vraag ik verbijsterd.

'Ja. Ik moest dit tentamen halen om op de opleiding te mogen blijven en ik ben gezakt.'

'Weet je dat heel zeker?'

Aaron trekt een paar vellen papier tevoorschijn die door hem zijn volgeschreven. Ik lees ze:

Ik weet helemaal niets meer. Het doet me helemaal niets. Er schiet me helemaal niets te binnen dat me zal helpen het tentamen te halen. Ik heb me uitstekend voorbereid, tot in het laatste detail. Mijn kamer hangt vol met papieren waar alle informatie in logische reeksen op staat, met ezelsbruggetjes en verwijzingen, en ik kan me voorstellen dat ik mijn kamer in loop, maar ik kan niet lezen wat er op de papieren staat, en ik kan me helemaal niets herinneren van wat ik heb bestudeerd.

Ik ben stil. Wat kun je over zoiets als dit zeggen?

'Ik ben weggegaan zodat mijn verwarde energie de anderen niet zou storen,' zegt Aaron. 'Iedereen zat keihard te werken. Op weg naar de auto moest ik huilen. Ik ben zo blij dat ik op dat moment alleen was. Ik ben huilend hiernaartoe gereden. Mijn plannen liggen in duigen. Ik kan geen leerkracht zijn. Het enige wat ik wilde was in de rimboe werken met aboriginalkinderen, van het landschap genieten en in een eenvoudig huis wonen, maar ik ben niet in de wieg gelegd voor dat academische gedoe. Volgens mij is er iets mis met de bedrading in mijn hersenen, en anders zit er emotioneel gedoe in de weg dat voorkomt dat ik dit kan.'

'Of een beetje van allebei,' zeg ik.

'Ik voel me net een klein jongetje,' zegt hij, 'dat een hekel heeft aan school omdat hij wordt dwarsgezeten door dezelfde pestkoppen, jaar na jaar. Mijn ouders begrijpen niet hoe vreselijk het voor me is om naar school te gaan. Ik krijg het niet voor elkaar en de leerkrachten vertellen me dat ik het niet kan. Ik kan het niet zoals de andere kinderen het doen.'

Aaron praat in de tegenwoordige tijd, alsof hij nu dat jongetje is. Hij kreunt en duwt zijn handen voor zijn gezicht. Hij laat zo vrijelijk toe dat ik hem in deze enorm kwetsbare toestand zie.

'Jij kunt zo goed luisteren,' zegt hij. 'Ik ben visueel ingesteld. Ik heb mijn hele leven mijn visuele kant gestimuleerd. Ik heb architectuur gestudeerd, waarbij je heel veel visualiseert en ruimtes tekent, en ik kijk televisie in plaats van boeken te lezen.'

Hij weet ook vreselijk veel van natuurkunde, dat is me opgevallen tijdens onze gesprekken. Een visueel/natuurwetenschappelijke geest die niet geschikt is om veel academische feiten te onthouden en tijdens een tentamen te reproduceren.

'De realiteit begint tot me door te dringen,' zegt hij chagrijnig.

Ik weet eindelijk iets te zeggen. 'Ondanks hoe het er nu uitziet kan dit niet alleen maar slecht zijn. Ik heb je vanochtend zelfs wat speciale energie gestuurd, en vanavond om zes uur nog een keer.'

Daar schrikt hij van. 'Dus dat was jij! Dat heb jij gedaan!' Hij beschuldigt me niet, hoewel wat ik heb gedaan niet het effect heeft gehad waarop hij uit was. Maar ik heb onvoorwaardelijk geloof in de goddelijke intelligentie die dergelijke liefdesenergie leidt. Het moet op de een of andere manier het goede effect zijn geweest.

Hij knabbelt al mijn paranoten en amandelen op. Dan eet hij twee peren, een appel en een banaan. Hij heeft geen avondeten gehad; hij is nuchter naar zijn tentamen vertrokken.

'Zullen we knuffelen?' vraagt hij vermoeid.

Ik neem hem mee naar mijn slaapkamer en neem de leiding door me helemaal uit te kleden. Hij is opgelucht dat ik dat doe, vindt het heerlijk om naakt te zijn. We knuffelen en zoenen en hij voelt zich al snel beter, hoewel hij nog steeds geschokt is, nog steeds verdoofd en vatbaar voor depressieve gedachten. Ik ben getuige van het hele emotionele spectrum.

Uiteindelijk begint hij te lachen. 'Dit is zo'n vernederende ervaring! Ik had zulke hoogdravende gedachten over mezelf, zelfs dat ik speciaal was.'

Nu weet ik waarom ik vanochtend misselijk was. Het was niet eenvoudigweg dat zijn verbinding met mij was verbroken; hij verloor zijn geloof in zichzelf. Hij werd slachtoffer van het idee dat hij het tentamen niet kon, dat hij ging zakken voor de opleiding, en hij kwam in een maalstroom van negativisme. Toen hij eenmaal in die tentamenruimte zat, zat hij in het oog van de storm terwijl zijn hersenen stillagen.

'Dan kun je nu misschien aan het idee wennen dat je heel gewoon bent,' zeg ik.

Aaron vertelt me over de drie maanden therapie die hij heeft gehad. De therapeut vroeg hem welke eigenschappen van zijn vader hem kwaad maakten. Aaron kwam met zestien eigenschappen waar hij razend van werd. Het probleem was dat hij de woede ten aanzien van zijn vaders eigenschappen niet kwijtraakte, hij realiseerde zich alleen dat hij niet als zijn vader wilde zijn.

'Nou,' zeg ik pragmatisch, 'dat is te laat. Je lijkt al op hem.'

Aaron kijkt verbijsterd, maar het moet voor hem ook duidelijk zijn dat zijn woede niets positiefs oplevert; het moest alleen even door iemand anders worden gezegd, een openbaring als in 'De nieuwe kleren van de keizer'.

Twee weken later heeft Aaron een andere houding.

'Ik heb er alles voor over om te helen wat er in me zit,' zegt hij. 'Ik weet dat mijn geheugenverlies tijdens dat tentamen te maken had met stress uit het verleden, stress om te moeten presteren, om mijn vaders goedkeuring te verdienen. Mijn vader is drieënveertig jaar leraar geweest. Ik dacht dat ik hetzelfde kon als hij.'

Het is een heel lang en ingewikkeld verhaal, die vader-zoon-dynamiek.

Bij Aaron

Probeer op de sabbat geen geluid te maken
dat je het huis uitgaat.
Schreeuwen van passie tussen geliefden uitgezonderd.

Sint-Thomas van Aquino, 'Op de sabbat'

Mijn vriendin Virginia woont in een straat vlak bij het huis van de ouders van Aaron. Ze heeft haar auto total loss gereden en ik bied haar een lift aan na een avondcursus die we beiden hebben gevolgd. Ze geeft me een folder met de titel: HERSENMECHANISMEN: HOE DE HERSENS WERKEN. Ik bedenk meteen dat die informatie misschien nuttig kan zijn voor Aaron. De folder voelt als een goed voorteken: hij geeft me de moed om nadat ik Virginia heb afgezet naar zijn huis te rijden, hoewel het al na tienen is en het regent.

Mijn hart begint sneller te kloppen als ik de bekende straat in rijd. Ik ben hier eenendertig jaar geleden voor het laatst geweest. Aaron heeft me verteld waar hij zijn auto parkeert: onder aan de helling van het grasveld, achter wat Australische grasbomen. Ik zie die bomen – enorme, oude dingen – maar geen auto. Aaron is er niet. Maar er brandt licht in huis, dus ik loop met de folder onder mijn jas om hem droog te houden naar de voordeur. Ik klop zacht op het raam. Ik zie een glimp van een vrouw, die opschrikt en dan opendoet. Het is Aarons moeder en ze weet meteen wie ik ben.

'Aaron is er niet,' zegt ze.

'Dat geeft niet,' zeg ik snel, en voorkom daarmee dat ze misschien nog iets gaat zeggen. 'Ik heb een folder voor hem die ik alleen even wilde afgeven. Ik was in de buurt, maar het is al laat. Ik hoop dat u dat niet erg vindt.'

Ze wil niet dat ik zo de nacht weer in ga en nodigt me uit binnen te komen. Ze biedt me een kop thee aan met een koekje dat zo te zien zelf gebakken is. 'Maar dat is het niet,' zegt ze. 'Het komt gewoon uit een pakje. Neem er nog maar een... je kunt het zo te zien wel gebruiken.'

We kletsen en ik neem haar in me op. Het is een oudere vrouw die nog steeds een bepaalde aantrekkelijkheid in haar gezicht heeft. Ze is klein en heeft wit krulhaar, maar haar ogen stralen van intelligentie en interesse. Ik herken Aaron in de vorm van haar mond, haar kin en haar ronde ogen. Ik spreek haar aan met mevrouw Walters. Als iemand mij 'mevrouw' zou noemen, zou ik hem vragen me bij mijn voornaam te noemen. Zij doet dat niet. Het benadrukt het leeftijdsverschil tussen ons, hoewel dat waarschijnlijk helemaal niet zo groot is.

Een kwartier later komt Aaron thuis. Hij klopt op de voordeur. Zijn moeder staat niet meteen op. Volgens mij voel ik dat ze moe is, of wacht ze tot ik ga opendoen? Ik zit per slot van rekening het dichtst bij de deur, maar het is niet mijn huis. Dan staat ze op, doet open, en Aaron komt naar binnen vallen. Hij loopt recht langs haar heen om mij een kus te geven.

'En ik dan?' klinkt de gepikeerde stem van zijn moeder. Ze staat nog bij de deur, ongelovig dat hij haar omhooggestoken, afwachtende gezicht negeert.

Aaron loopt naar haar terug. 'Jij bent als tweede aan de beurt, mam,' zegt hij terwijl hij haar een kus geeft. 'Jij bent nummer twee.'

Hij gaat op de bank tegenover me zitten en zij moet de informatie verwerken terwijl ze terugloopt naar haar stoel.

'Wil je een kop thee?' vraagt ze hem, terwijl ze weet dat hij dat wil. 'Ga hem zelf maar halen,' voegt ze eraan toe. 'Ik heb geen zin om nog een keer op te staan.'

Mevrouw Walters herinnert zich waarom ik er ben. 'Carla heeft een folder voor je. Hij ligt op het dressoir.'

Aaron pakt hem en kijkt er vluchtig doorheen. Het voelt voor mij als ontzagwekkende goddelijke intelligentie die heeft gezorgd dat die folder Aaron bereikt. Hij moet nu weten hoe zijn hersens werken.

Als hij zijn thee op heeft, verzamelt Aaron alle vaat en loopt ermee naar de keuken, waar hij weet dat zijn vader uiteindelijk zal afwassen. Dan nodigt hij me uit om zijn rommelkamer, zijn studeerkamer, zijn grot, zijn kamer onder het huis te komen bekijken. Hij leidt me de keuken door, via het washok naar de donkere veranda. 'Hoi!' zegt hij, en hij geeft me een echte zoen en knuffel voordat hij me de onregelmatige treden af leidt naar zijn domein.

Ik vind het er direct aangenaam: een gezellige, extreem georganiseerde, keurige ruimte. Het ruikt er naar frisse lucht; wat ook niet anders kan, aangezien de deur een dik gordijn is dat in het nachtelijke briesje beweegt. Er hangen aan de meeste muren planken die kreunen van de hoeveelheid boeken en er staan dossierkasten, een grote tafel met twee computers, een berg elektronische spullen en twee luidsprekers. Aan een kant van de kamer staat een rek met kleren, en een bed – een eenpersoons ijzeren ledikant – staat rechts van waar je binnenkomt. Er staan twee bureaustoelen, een ervan met leuningen.

We gaan zitten en praten over gisteren, over zijn vreemde en compleet nieuwe ervaring van hersenloze vrede.

'Je bent gewoon gestopt met nadenken,' zeg ik.

'De vredigheid was onbeschrijflijk,' vertelt hij me. 'Ik was zo zorgeloos. De wereld was kilometers van me weg en toch zat er iemand aan het tafeltje naast dat van mij. Er was stilte, het niets.'

Wat gebeurt er met hem? Hij heeft vandaag met een studiebegeleidster op de universiteit gepraat. Ze luisterde heel goed en begreep veel, zegt hij, maar ze kon niet meegaan in zijn verhaal. Hij wilde dat ze zou inzien dat deze euforische ervaring hoort bij een donker ingewikkeld deel van zichzelf dat hij nog met zich meedraagt van heel lang geleden.

'Ik heb zoveel trauma's opgelopen in mijn leven,' zegt hij. 'Ik heb te veel liefgehad.'

Het is waar dat Aaron het reddende-engeltype is. Dat heeft hij in de loop der jaren gedurende zijn relaties met vrouwen wel bewezen. Hij heeft nu echter het gevoel dat zijn meedogende aard zo vaak door de wringer is gehaald dat hij zich heeft moeten afsluiten en gevoelloos heeft moeten worden.

'Ik ben er niet eens zo heel erg slecht aan toe, als je nagaat wat er is gebeurd,' zegt hij. 'Dat zeggen mijn vrienden tenminste.'

'Ik wil dat je van deze verbinding geniet,' zegt Aaron. Ik lig op zijn smalle bed, geheel aangekleed, op mijn jas en schoenen na, net als hij, met mijn voorhoofd tegen zijn rechterwang terwijl zijn arm om mijn schouder gaat. Hij veegt nu en dan wat haar van mijn voorhoofd en kust het. 'Ik wil niet dat je wordt gekwetst.' Dat heeft hij al een paar keer gezegd.

Boven ons brandt een gedempt licht en zachte muziek vult de ruimte. Het is mijn muziek. Aaron heeft een paar van mijn cd's in zijn computer opgeslagen. Het is vreemd om mijn muziek in zijn kamer te horen. Zijn installatie is beter, het geluid is veel puurder, veel verfijnder, veel meer hoe het hoort te zijn. Het is net alsof hij zich mijn muziek heeft eigengemaakt en die heeft overtroffen. Dat is wat Aaron doet, bedenk ik me. Hij neemt in zich op wat hij liefheeft en leeft het dan nog beter dan het origineel.

'Het deel van mij dat met relaties omgaat is enorm gegroeid,' mompelt hij tegen me met gesloten ogen. Zijn stem weerklinkt in zijn borstkas. 'Ik ben tien jaar taxichauffeur geweest en had toen veertig relaties per dag! Veertig vluchtige relaties. Mensen kwamen en gingen in mijn leven, mensen die me raakten en verdwenen. Ik heb geleerd continu los te laten. Ik had verbindingen met vriendinnen, innige liefdes, en uiteindelijk liepen ze allemaal stuk. Ik weet nu echt wat ik doe als ik een relatie heb.'

O... is dat zo? Is dit een overtuigende verklaring voor waarom hij soms geen contact met me opneemt? Moet ik al deze onzin geloven? Of is het geen onzin? Dat is moeilijk te zeggen met Aaron.

Ik bestudeer zijn profiel terwijl hij praat: zijn mond, zijn lippen. Zijn afstandelijkheid heeft op de een of andere manier het effect dat hij de verbinding met mij intensiveert, en dat weet hij. Hij weet het allemaal.

Hij trekt nu zijn kleren uit. Ook ik trek die van mij uit, zo snel mogelijk want het is koud, en ik duik onder de dekens.

'Ik weet dat je me wilt aanraken, maar mijn vader slaapt hier recht boven, dus we moeten braaf zijn.' Aaron wijst naar de balken van zijn plafond. Het – hopelijk slapende – lichaam van zijn vader is letterlijk een paar meter van ons vandaan.

Hij kust me terug als ik mijn hoofd naar zijn mond breng, maar het is een truttig kusje.

'Waarom doe je zo afstandelijk?' wil ik weten.

'Ik zorg dat je koel blijft,' zegt hij. 'Ik leer je rustig te blijven in mijn gezelschap.'

'Toevallig was jij degene die de laatste keer in vuur en vlam stond, hoor,' werp ik tegen.

Hij glimlacht. 'Toen moest ik jaren opgekropte energie kwijt. Zo is het nu niet meer. Ik word een dagje ouder.' Dan voegt hij toe: 'Maar ik wil dat je weet dat ik je toebehoor.'

Hij kijkt me aan om het effect van zijn woorden in te schatten, maar ik heb er geen woorden voor, ik ben perplex.

Ik zie ineens dat het al na middernacht is. 'Ik ga over vijf minuten naar huis,' waarschuw ik.

'Nee hoor.' Hij is op een kalme manier resoluut. 'Je mag weg als je even hebt geslapen, maar niet over vijf minuten.' Het is even stil. 'Als ik bij jou wegga nadat ik even heb geslapen, ben ik gelukkig,' zegt hij, 'en als ik naar huis rijd, ben ik gelukkig. Dan ga ik naar bed, slaap verder, en ben gelukkig. Wees zoals ik.'

Ik blijf, maar slaap niet. Ik ben te verliefd. Ik wil dit moment van zo dicht bij hem rusten in me opzuigen, zo vredig, ook al ligt hij te snurken, ook al lijkt hij aan een lichte vorm van apneu te lijden. Ik sta uiteindelijk op, en hij ook. Hij trekt zijn sokken en gympen aan en grapt dat het leuk is om eens te zien hoe ík me aankleed om naar huis te gaan. Hij loopt met een zaklamp met me mee naar mijn auto en opent het portier voor me.

'Je bent een heer, Aaron.'

Het regent niet meer. Hij zegt hoe ik moet rijden. Ik doe er een halfuur over om thuis te komen. Dan zie ik dat het al twee uur is.

Aaron noemt zichzelf op een avond een 'seksman'. 'Ik ben zo blij dat ik bij jou gewoon een seksman kan zijn. Ik heb zoveel kritiek gekregen dat ik zo dol ben op seks.'

Niet dat hij is gefixeerd op zijn penis. Hij heeft gedienstige handen en raakt tegenwoordig zelfs mijn borsten aan. Dat doet hij waarschijnlijk omdat hij merkt dat ik dat zo fijn vind, niet omdat ze hem opwinden. Toch is het een wonder dat hij er geen idee van heeft dat hij me in een kwestie van seconden helemaal nat zou kunnen krijgen door mijn tepels aan te raken in plaats van te proberen me op te winden met alleen zoenen.

Aaron vraagt of ik nog zin in seks zal hebben als ik vijfenzeventig of tachtig ben.

Ik moet lachen om het idee, maar ben me er op hetzelfde moment pijnlijk van bewust dat vijfenzeventig nog maar tien jaar van me verwijderd is. 'Tegen die tijd ben ik alleen nog maar geïnteresseerd in sereniteit,' zeg ik opgewekt.

'Vertel eens... maakt je leeftijd, het bewustzijn van je sterfelijkheid, de ervaring intenser?'

'Ja, absoluut. Ik ben me bewust van hoe eindig alles is.'

'Mooi!' zegt hij. 'Dat helpt je om je te laten gaan tijdens de seks.'

Even later stelt hij de vraag op een andere manier. 'Hoe lang blijf je nog een seksueel wezen?' wil hij weten.

'Hmm, geen idee. Een jaar of tien, vijftien?'

'Wil je mijn naam in je adresboekje laten staan?'

Ik kan niet geloven dat hij het serieus meent. Maar dat doet hij wel.

Een vrouw die zwarte kleding draagt, zo zegt hij, wil seks aantrekken. Zwart absorbeert, het straalt niet uit. Vrouwen die weten dat ze sexy zijn en dat uitstralen hoeven geen zwart te dragen.

'Wat een idioot idee,' zegt een vriendin uit Melbourne van me die niets liever draagt dan zwart.

Aaron heeft ook een theorie over vrouwenschoenen. Hoge hakken zijn van de aarde los en gaan over onstabiele controle. Platte schoenen, zo zegt hij, staan op de aarde en laten de aardse energie het lichaam in stromen.

Daar moet mijn vriendin, schoorvoetend, mee instemmen.

Wat is liefde dan?

Romantiek is een simpele
vergissing

– Nirmala, gedicht zonder titel

Denise en ik zijn sinds een jaar of twintig bevriend, hoewel we een heel andere levensstijl en smaak hebben. Zij is een aantrekkelijke brunette van zesenveertig en haar romantische kledingstijl past bij haar. Ze heeft een lieve lach en een zangerige stem. Ze is een perfecte gastvrouw die vreselijk goed kan koken, weet heel veel over gezondheid en heeft een succesvolle zaak in waterzuiveringssystemen. Ik maak af en toe bij haar schoon en ben haar vriendin; ik ben goed in het werk en vind het leuk.

Vandaag ga ik bij haar op bezoek om een boek van Dan Brown op te halen dat ik haar heb uitgeleend. Denise is haar vrolijke zelf en kletst graag. Ik wacht op een gelegenheid om te kunnen vertellen dat ik een minnaar heb, na twaalf jaar celibatair te hebben geleefd. Zodra ik erover begin heb ik er al spijt van.

'O!' krakeelt Denise. 'Net als ik! Ik heb Alan twee maanden geleden leren kennen. We kunnen niet van elkaar afblijven!'

Mijn hart zinkt in mijn schoenen vanwege haar frivole houding. Is dat wat liefde is? We kunnen niet van elkaar afblijven? Ondanks de passie die Aaron en ik delen zijn we niet zo. Mijn hart voelt mee met Denise, die een hele serie verbindingen heeft gehad die eindigden met een gebroken hart. Ze lijkt verder niet benieuwd naar mijn relatie en ik voel me opgelucht. Ik eet een kom van haar fantastische zelfgemaakte soep en ga naar huis. Maar ik mijmer nog lang na over het concept relaties.

Aan alles komt een eind, help ik mezelf herinneren, en dat voorkomt dat ik uit balans raak. Aan de relatie van Denise zal een eind komen. Aan mijn relatie met Aaron zal een eind komen. Ze verandert al voortdurend; de vorm sterft al op dit moment, en een nieuwe, frisse vorm zal eruit voortkomen.

O, mijn geliefde! Ik spreek in mezelf tot de enige die nooit verandert: mijn zelf, aan wie ik trouw kan blijven tot in de dood, en dan zal de dood ons niet scheiden, maar in plaats daarvan elk idee van scheiding dat ooit heeft bestaan doen verdwijnen. Het is de enige constante, alles draait daaromheen. De relatie kan veranderen, zelfs wegvallen, maar ik zal mijn kern, mijn zelf, altijd hebben.

'Ik ben mijn zelf trouw en dat zal nooit veranderen,' heb ik eens tegen Aaron gezegd, luttele dagen nadat we voor het eerst hadden gevreeën. Aaron hoorde de hoofdletter Z natuurlijk niet, maar begreep wel dat ik mezelf niet in hem zou verliezen en dat ik niet zou proberen mijn leven via hem te leven. Daar was hij blij om. Aaron wil onder geen voorwaarde de verantwoordelijkheid toegeworpen krijgen dat hij moet voorkomen dat een hart breekt.

Ik heb Aaron dagen geleden voor het laatst gesproken. Ik mis hem. Ik voel me ellendig. Hoe zit het met al dat geklets dat ik hem niet nodig heb? Als hij me nou maar zou bellen, zou vertellen hoe het met hem is. Ik sta mezelf uiteindelijk toe te jammeren. Mijn jammeren wordt janken. Ik klink als een hond die door zijn baasje is achtergelaten. Tranen biggelen over mijn gezicht. Ik snik.

Zo. Mijn ziel ligt bloot. Ik voel me als een doormidden gesneden elektriciteitsdraad, rafelend. Ik kan niet meer uitkijken naar ons volgende samenzijn, dit moment is zo pijnlijk omdat er geen communicatie is geweest. Geen enkel gevoel in hem is sterk genoeg om hem de telefoon te laten pakken.

Er komt nog een gehuil omhoog, onderbroken door de plotselinge behoefte mezelf te ontlasten. Ach, ik heb tenminste de tegenwoordigheid van geest de Oneindige te danken voor mijn gezonde darmen terwijl ik de dikke, gladde poep doorspoel, lang voor het ontbijt. Wat een wereld van verschil vergeleken bij mijn verstopte dagen als non in het klooster.

Ik voel de behoefte aan Aaron, maar dat is goed. Ik verlang liever naar hem dan niet. Ik voel liever pijn dan zelfvoldaanheid. Ik ben liever overgevoelig dan gevoelloos, huil liever dan dat ik uitdroog. Mijn lichaam ligt niet op de pijnbank, zoals vroeger toen ik jaloers was. Dit is een zoetere pijn, de keerzijde van genot.

Ik voel dat de prijs voor mijn passie altijd pijn zal zijn. Terwijl ik dat denk, voel ik het genot al terugvloeien. Zijn alle emoties dan illusie? Ze lijken wel een illusoire kwaliteit te delen.

Ik denk aan de film *Troy*, die ik recent heb gekeken, en die ene zin van Brad Pitts personage die zijn Hollywood-rol van bloeddorstig machismo de moeite waard maakt: 'De goden benijden ons omdat we sterfelijk zijn.' De Griekse goden leven voor eeuwig, maar wij mensen sterven dagelijks duizend doden en sterven dan voorgoed. Is dat waarom we aan de dood denken op het moment dat we het grootste genot ervaren?

In tegenstelling tot de goden kunnen wij niet zelfgenoegzaam zijn over onze liefde en passies. De prijs die we betalen als we de dag niet plukken is het geluid van de klok die verder tikt.

In tegenstelling tot wat Aaron dacht is hij niet gezakt voor al zijn tentamens en hij is weer hard aan het werk. Ik ben op bezoek in zijn studeerkamer, hij zit al meer dan een uur met zijn neus in de boeken. Hij komt uiteindelijk naar me toe (ik lig al veilig in zijn bedje) en houdt net als ik zijn shirt, sokken en onderbroek aan. Het is ver na de bedtijd die Aaron zichzelf heeft opgelegd. Hij wil morgenochtend vroeg fris opstaan voor zijn derde stagedag. Hij heeft al die tijd nodig gehad om zich voor te bereiden, en ik bewonder de discipline en concentratie waarmee hij dat doet.

Hij fluistert, aangezien zijn vader, Rick, boven in zijn kamer is. We horen hem rond schuifelen en dan kraakt het bed boven ons hoofd als hij erop ploft.

'Maar je vader is doof,' zeg ik.

'Nee hoor.'

'Wat?'

'Nee hoor!' herhaalt hij nadrukkelijk.

'Bedoel je nou dat hij doet alsóf hij doof is?'

'Hmm.'

Interessant. Misschien is het een strategie die Rick heeft ingezet om afstand tussen hem en zijn vrouw te creëren. Die werkt dan niet. Ze voelt zich alleen maar vrijer om gehoor aan haar gevoelens te geven, die ze scandeert in gezamenlijke ruimtes, terwijl hij eenvoudigweg stil is.

Aaron heeft me niet formeel aan zijn vader voorgesteld, in plaats daarvan rende hij het huis in en liet me met Rick bij de deur achter. Hij stak zijn hand niet naar me uit, maar dat interpreteerde ik niet als signaal dat hij me er niet wilde hebben. Ik nam aan dat hij gewoon extreem was vastgeroest waar het het uiten van beleefdheden betreft. Het was moeilijk om Rick te peilen, aangezien hij mijn blik ontweek.

Dus fluisteren we in het halfduister, Aaron en ik. De enige lichtbron is die uit de computer aan de andere kant van de ruimte, waaruit ook de zachte muziek klinkt die over ons heen komt. Wat kunnen we doen in deze beperkte ruimte, met zijn vaders oren boven ons?

We beginnen met het uittrekken van onze broek en sokken, ze vliegen door de duisternis. We houden ons shirt aan, dan is het aankleden straks gemakkelijker. Ik maak met tegenzin aanstalten om met mijn rug naar hem toe te gaan liggen; hij weet waarom – het is de meest praktische positie in deze omstandigheden – maar hij vraagt me of ik met mijn gezicht naar hem toe wil gaan liggen.

'Kan ik van voren bij je naar binnen?' vraagt hij.

Ik knik en draai me naar hem om. Maar hoe gaat hij dat voor elkaar krijgen?

Penetratie is gewoon te ingewikkeld vanwege de beperkte ruimte. Ik besluit op hem te gaan zitten. Mooi, het perfecte standje in een te kleine ruimte. Hij krijgt er meer controle door over wat er gebeurt dan wanneer hij bovenop ligt, wanneer zijn gewicht het metalen bed angstaanjagend doet kraken. Bovendien is ons gewicht met mij bovenop evenrediger verdeeld, waardoor het matras minder doorzakt. Hij slaat het dunne witte dekbed over mijn schouders om me warm te houden. Hij trekt het – en mij – naar zich toe, waardoor er een tentje ontstaat. De geur van ongewassen lichamen stijgt op: we hebben allebei vanochtend voor het laatst gedoucht.

'Mag ik even?' vraagt hij, en hij wrijft wat spuug op onze genitaliën.

Mijn vagina omhult zijn penis en ik ben direct op die onbeschrijfbare plaats. Hij is bang dat ik geluid ga maken.

'Rustig aan... zo,' demonstreert hij terwijl hij me bij mijn heupen pakt. 'Blijf zitten; laat mij maar,' en hij beweegt mijn lichaam op en neer met zijn sterke armen. Hij ontspant tegen het kussen, houdt de stabiele beweging in stand, en zijn ogen worden groot in de duisternis.

Hij weet niet hoe mooi hij eruitziet als hij de liefde bedrijft, dus dat zeg ik tegen hem. De laatste keer dat ik dat deed maakte hij bewegingen met zijn handen die aangaven dat hij een rode kleur kreeg van mijn woorden, maar toen zei ik dat het losstond van hem. Dat weet hij nog als ik zeg: 'Je bent beeldschoon, maar denk niet dat ik het over je ego heb.'

Het is blijkbaar tijd voor complimentjes.

'Je ziet er zo jong uit als je de liefde bedrijft,' zegt hij plotseling.

Mijn gezicht is anders, rood van de opwinding, en ik bevestig zijn woorden met mijn ogen.

Zijn volgende woorden lijken over iets heel anders te gaan. 'Ik zal alleen sterven,' fluistert hij bedachtzaam, alsof hij me op de hoogte brengt van iets wat hij al heel lang weet. 'En als ik sterf, zal ik weten dat jij van me houdt.'

Zijn handen hebben het dekbed losgelaten en rusten op mijn schouders als hij dat zegt. Ik pak er een en duw hem tegen mijn wang. Hij voelt zo warm, en de energie is zo vriendelijk, zo mannelijk en lijkt zo op de aanraking die ik me van dertig jaar geleden herinner dat ik er klaar voor ben om zelf te sterven... van louter emotionele overbelasting.

Ik ben in je leven omdat ik wil dat je alles bent wat je kunt zijn. Dat is liefde.

'Samen en alleen,' hoor ik hem zeggen. Hij vertelt me nogmaals over zijn bindingsangst.

Ik kus hem en hij vraagt me te stoppen.

'Anders kom ik klaar.'

'Nee, Aaron, niet doen!' Ik denk aan morgen. Zijn energie moet helder en vitaal zijn als hij voor de klas staat. Dus stoppen we met waar we mee bezig zijn en zijn gewoon samen, terwijl ik nog op hem zit. Even later neemt hij me nogmaals, maar houdt me op de perfecte afstand om te voorkomen dat de penetratie te diep is. Ik bewonder zijn behendigheid en kracht.

'Ik heb veel geoefend,' grapt hij. 'Ik ken wel een paar trucjes, net als jij.'

'Trucjes?' Mijn elleboog leunt op zijn borst, mijn gezicht is vlak bij dat van hem. 'Ik gebruik helemaal geen trucjes!'

Hij ziet mijn serieuze gezicht en schiet in de lach. Het begrip 'trucjes' staat me helemaal niet aan. Wat goedkoop! Hij maakt het even later goed met een stroom complimentjes. Hij spreekt de woorden staccato, in ons ritme, uit: 'Ik... vind... het... zo... heerlijk... om... mijn... pik... in... je... vagina... te... hebben... ik... kan... er... geen... betere... plek... voor... bedenken... Ik... ben... zo... blij... dat... je... zo... van... seks... houdt... en... dat... je... van... mij... houdt... en... ik... zou... de... hele... nacht... zo... kunnen... doorgaan.'

Ik buig me voorover om hem weer te kussen.

'Hoe heb je het twaalf jaar uitgehouden zonder kussen?' vraagt hij zich hardop af.

'Ik ben gekust door engelen,' zeg ik. Volgens mij kent hij me nu wel goed genoeg om dat te begrijpen.

'Ik vind het zo heerlijk om bij je te zijn,' fluistert hij. 'Ik vind het zo heerlijk om met je te neuken.'

Het is de eerste keer dat hij dat woord gebruikt. Het is ongelooflijk, hoe vriendelijk en erotisch het kan klinken.

'Ik vind het heerlijk om door jou te worden geneukt, Aaron.'

De woorden brengen ons in een staat van hypnotische opwinding, en dat we moeten fluisteren maakt ze extra intens. Ik voel de sappen in me stromen; we hebben vanavond geen glijmiddel nodig.

Aaron moet me vertellen wat zo belangrijk voor hem is. 'Er is bij jou absoluut geen dubbele agenda. Je houdt van me en wilt me, en dat laat je me weten, en er komt geen enkele manipulatie bij kijken. Ik verwacht steeds dat dat gaat veranderen, maar dat doet het niet! Ik weet nu dat dit is wie je bent: eenvoudig, direct, geen spelletjes.'

Als ik hem dat vraag, houdt hij op, en ik denk dat ik me zo van hem losmaak en op huis aan ga. Maar voordat ik opsta begint hij weer te stoten, in de wetenschap dat de sensatie intenser zal zijn omdat we even hebben gepauzeerd. Hij wil nog een keer op mijn gezicht zien dat ik in zwijm ben, hulpeloos, zo ver weg en zo stil, dat ik de behoefte om te jammeren onderdruk. In plaats daarvan hoor ik het geluid uit mijn gesloten keel ergens in de ether. Uiteindelijk laat hij zich gaan.

Ik denk, terwijl we bezig zijn ons van elkaar los te maken, terug aan een gesprek dat we eerder vanavond hebben gehad, toen hij een afbeelding van Kate Bush op zijn beeldscherm had getoverd.

'Wat zie jij?' vroeg hij.

'Een verleidelijke vrouw,' antwoordde ik.

'Verleidelijk? In wat voor opzicht?'

'Verleidelijke mond,' zei ik.

'Je weet toch wel dat dat make-up is, hè?'

Ik haalde mijn schouders op en vervolgde: 'Geweldig wild haar, prachtige donkere ogen, mooi gezicht.'

'Ze is het soort vrouw dat geen tijd voor je heeft,' zei hij. 'Als je iets zou doen wat haar niet aanstond, zou ze je zonder pardon uitspugen. Zonder aarzelen.'

Ik keek nog een keer naar haar, naar die koele, beheerste gezichtsuitdrukking. Misschien had hij gelijk; hij sprak uit ervaring over het vallen voor onweerstaanbaar aantrekkelijke vrouwen die hem wilden bezitten op de manier waarop Kate Bush in haar pijnlijk tragische en bittere liedjes zingt. 'Waarom heb je me verlaten terwijl ik je alleen maar wilde bezitten?'

Aaron verlangt wanhopig naar iets wat normaal is, iets waarop hij kan vertrouwen.

'Ik zie overal om me heen verstoorde relaties,' zegt hij. 'Ik kijk om me heen en zie een heleboel eenzame mensen. Jij en ik hebben geleerd alleen te zijn, en we zouden het zonder elkaar prima redden en toch gelukkig zijn. Ons samenzijn is een bonus.'

De volgende avond ben ik weer bij Aaron. Hij is klaar met zijn huiswerk en we liggen gezellig samen in zijn bed.

'Jij was mijn eerste liefde,' zegt hij, 'en ik heb je sindsdien in elke nieuwe liefde gezocht. Jouw liefde werd een referentiekader voor wat waar was en wat niet. Dat weet ik nu. Ik heb dertig jaar naar je verlangd.'

We zijn allebei verliefd geworden op iets in de ander wat zo puur was dat we het nooit meer zouden vergeten. We zagen toen niet hoe zeldzaam een dergelijke ontmoeting van zielen is; dat kon alleen de tijd ons leren door middel van andere ervaringen... ook prachtig en liefdevol, maar zonder die unieke, pure kwaliteit. Die kwaliteit leek wel een bepaald soort muziek die eeuwig in de ether blijft weerklinken.

Ik heb die woorden niet uitgesproken, dacht ze alleen. Uit Aarons mond vloeien de woorden zo zelfverzekerd, zo gracieus, maar ik heb de neiging over die van mij te struikelen. Hij kijkt me aan en glimlacht, weet dat ik die beperking heb als we aan het vrijen zijn; mijn verbale brein schakelt uit als het wordt overvoerd door extatische hormonen.

Aaron stelt voor dat we kussens op de vloer leggen zodat we daar kunnen vrijen en dieper kunnen penetreren op de stevigere ondergrond. Ik denk er even over na, maar vertel hem wat ik al weet: de kans is groot dat ik ga gillen als ik diep wordt gepenetreerd. Dus doen we het niet. Het is bovendien veel te koud. Dus besluit ik nogmaals op hem te gaan zitten.

Tijdens het vrijen, als ik op zijn borstkas lig, is Aaron plotseling van slag. Hij wordt ineens gespannen en vraagt of ik nú van hem af wil gaan. Het duurt even voordat mijn brein op de urgentie kan reageren en als het zover is, plof ik zonder plichtplegingen naast hem neer, steun op mijn elleboog, rust met mijn hoofd op mijn hand en vraag: 'Wat is er?'

Hij luistert naar geluiden en het dringt tot me door dat hij verwacht dat zijn moeder komt binnen lopen, hoewel het al heel laat is. Ze was eerder vanavond al naar beneden gekomen om hem de woonkamertafel aan te bieden om aan te werken, aangezien het boven lekker warm is en in Aarons kamer vrij koud. Ze had toen we elkaar een hand gaven tijdens het bidden voor het avondeten gevoeld dat ik koude handen had en had Aaron berispt dat hij niet goed voor me zorgde.

'En als ze nou binnenkomt?' Zijn bezorgdheid raakt me niet. 'Als ze ons ergens op wil betrappen, krijgt ze wat ze wil. Nou en?'

Hij ontspant en zegt: 'Je hebt gelijk, ik ben geen dertien meer. En nu ik er even over nadenk: jij ook niet.'

Hij wil onze voorgaande positie weer aannemen. Ik zeg nee en sta op om me aan te kleden. Aaron loopt met me naar mijn auto. Het is een uur of halfelf, wat later dan gepland, maar nog niet te laat om allebei een goede nacht te kunnen maken, klaar voor de nieuwe werkdag.

Hij vertelt me meer over zijn moeder. 'Ze vond het heerlijk dat ik uit Darkan vertrok om weer thuis te komen wonen. Dan kon ze weer lekker moederen en voor me zorgen. Sinds ik jou weer zie, weet ze dat ze niet de enige vrouw in mijn leven is. Ze heeft geen controle over me en probeert die ook niet te hebben. We zitten samen veel te kletsen en ze heeft me laatst over haar tienerjaren verteld. Waarom doet ze dat? Misschien overweegt ze haar leven, in voorbereiding op de dood. Ze is al jaren verdrietig en boos, wil altijd dat mijn vader op een manier van haar houdt die hij haar niet kan geven. Ik heb haar gevraagd waarom ze naar liefde zoekt op een plek waar ze hem niet zal vinden. Maar mijn ouders leven in een vorm van ontkenning die waarschijnlijk nooit zal veranderen.

Ze kan jou niet plaatsen,' gaat hij verder. 'Je bent ouder dan ik, maar niet zo oud als zij. Zij is echt oud.'

'Hoe oud is ze?' vraag ik.

'Vijfenzeventig.'

Ik had gedacht dat ze ouder was om 'echt oud' te zijn, maar ze ziet mij als jongeling. 'Zorg eens wat beter voor je meisje,' zei ze aan tafel. 'Ze heeft koude handen.'

Laten we een pact sluiten

... geniet hiervan
voed je diepste verlangen
drink tot de dorst een vage herinnering is

– Nirmala, gedicht zonder titel

Het is vroeg in de ochtend, een uur of vijf. Ik heb over Aaron gedroomd. Ik herinner me de beelden niet, alleen de sensatie: een zwaar gevoel, dat de dood niet ver weg is... niet die van mij, maar die van Aaron. Aaron heeft nog niet zo lang geleden een bom laten vallen. 'Ik ga sterven als ik vierenvijftig ben,' zei hij. 'Ik had er toen ik zes was zo'n gevoel over en heb God gevraagd hoe lang ik op deze aarde zou hebben.'

Mijn ademhaling is oppervlakkig, merk ik op. Ik pak pen en papier en schrijf Aaron een brief.

Ik heb vandaag gehoord dat je eerder gaat sterven dan ik. Je hebt me maanden geleden verteld dat je het gevoel hebt dat je op je vierenvijftigste doodgaat. Zijn al je waarschuwingen dat ik niet verliefd op je moet worden bedoeld om me op dit moment voor te bereiden?

Mijn liefste, laten we als we sterven beslissen niet meer terug te komen naar deze bestaansvorm. Laten we dat samen beslissen. Als we terugkomen, zullen we nogmaals de lijdensweg moeten doorstaan om alles te vergeten, voordat we nogmaals ontwaken als wie we echt zijn en er al die jaren over doen om elkaar te vinden. Kijk maar hoeveel jaar het deze keer heeft gekost! Kijk maar hoe weinig jaren er over zijn, als er tenminste nog jaren zijn.

Ik heb je dood in een droom gezien. Ik heb die lippen die me zo dierbaar zijn gezien. Die mond; stil, ademloos, zonder het vermogen te voelen of te reageren. Ik heb je ogen gesloten gezien, niet meer in staat me aan te kijken. Hoewel mijn droom niet vertelde hoe je stierf, was je dood niet ver weg. Je stierf alleen, in de wetenschap dat ik van je houd, precies zoals je zelf hebt voorspeld. Aan mijn verdriet is niets te doen. Het zal een hemelse schreeuw doen ontstaan die iedereen zal horen. Je moet weten dat verdriet deze keer een heel kort lied zal zijn, en je beslissing uit mededogen bij me in de buurt te blijven onderdeel van een lange, lange geschiedenis. Ik wil je niet om me heen, ook al verlangt mijn hele hart naar je aanwezigheid.

Laten we in plaats daarvan een pact sluiten. Beloof me dat je, als de engelen je eenmaal hebben meegenomen uit dit bestaan, niet aarzelt om naar het Licht te gaan. De gelegenheid zal zich maar zo kort voordoen, als ik het *Tibetaanse Boek der Doden* moet geloven. Alleen de ziel die zich kan overgeven zal de vergetelheid kennen.

Ben jij niet degene die me leert me niet in jou te verliezen? Nou, mijn liefste, zorg jij dan dat je je niet verliest in mededogen. Jij moet mij laten zien hoe dat moet. Laten we ophouden met over-en-weer praten en onszelf voor eeuwig trouw blijven.

Laat me intussen voor je dansen. Ik heb gedroomd dat je stierf voordat ik deze dans deed, dus je moet gaan zitten en je laten vermaken. En luister daarna naar het lied van verdriet en verlangen dat in de hemel zal weerklinken nadat je bent gestorven. Luister er nu naar zodat je het herkent en je erdoor kunt laten raken. Geen enkel lied is de waarheid. Dit lied zal sterven.

Ik zou het voelen als je zou besluiten in etherische vorm in de buurt te blijven. Dan zou je een gids voor me blijven tot die vorm ook zou oplossen en je uiteindelijk ten ruste zou worden gelegd.

Overweeg goed wat je echt wilt, mijn liefste. Misschien stelt het voor jou niets voor en misschien spreek ik alleen mijn eigen hart aan: de uitdagingen die ik zou moeten aangaan, als ik als eerste zou gaan. Maar ik weet dat jij het zult zijn.

En nu houd ik hier gewoon mee op. Het heeft per slot van rekening geen zin om te malen. De drama's die we onszelf aandoen! Mijn hart breekt nu al. Ik ben gisteren namelijk naar een begrafenis geweest. Een zus van een vriendin is op haar tweeënvijftigste overleden aan trombose. Haar dochters spraken over hun moeder, en haar echtgenoot liet zijn woorden door de voorgangster spreken. 'Je wilde altijd dat we de goede woorden gebruikten,' sprak ze, 'en dat we de juiste betekenis van woorden kenden. Ik weet nu wat het woord "verdriet" betekent.'

Je bent er niet, dus ik kan nu niet voor je dansen. Je wilde naar de verjaardag van je neefje en wilde een kaart voor hem maken. Dat is precies zoals het moet zijn. Je neefjes en nichtjes hebben geluk dat ze een oom hebben die zo oprecht in hen is geïnteresseerd... de beste droom die er is! Dat tovert een glimlach op mijn gezicht en verlicht de pijn. Het heeft geen zin om te denken dat we een eeuwigheid zonder elkaar zullen doorbrengen en dat tot reden te maken om samen te zijn. Leef in het moment, moment voor moment, wees een oom, een minnaar, een zoon, wees wat het moment op dat moment van je vraagt te zijn.

Laat mij in vrede.

Ik spreek de pijn in mijn borst aan. O, ik hoop maar dat ik morgen weer lichter zal ademen, na een andere droom.

Aaron komt langs nadat hij op het feestje van zijn neefje is geweest. Hij heeft tijd doorgebracht met een clubje jongeren en straalt. Ik ben zelf net terug van een Pilatestraining en gloei van vitaliteit. Hij staart me vol bewondering aan en zegt dat ik er goed uitzie. Ik kijk hem vreemd aan; ik zie iemand die leeft terwijl ik hem me dood had voorgesteld. Het is zo'n genoegen hem te zien. Ik begrijp nu hoe mensen zich voelen als ze gespannen op nieuws hebben gewacht over een geliefde die mogelijk is gestorven... na de aanslag op Bali in oktober 2002, bijvoorbeeld. Om een dochter, zoon, echtgenote of vriend op zo'n moment levend te zien is een geschenk. Het leven wordt er plotseling waardevoller door. De aanwezigheid van iemand wordt diepgaand gewaardeerd.

'Ik wil voor je dansen. Ga zitten, Aaron, en kijk.'

Ik zet muziek van Emma Shapplin op en neem een pose aan die is geïnspireerd door haar passie. Muziek maakt mijn lichaam vloeibaar. Als ik op muziek reageer, kan ik dingen die ik in een gymzaal niet kan. Mijn ruggengraat wordt losser, mijn hoofd komt los uit de rigide houding en mijn handen, armen en benen worden vloeiende rivieren van energie. Mijn hele lichaam gaat leven van sensualiteit. Ik kan mezelf vergeten en mezelf onderdompelen in het genieten van de beweging...

Ik kom niet ver. Aarons ogen lichten op en hij kan zichzelf niet inhouden: hij staat op, komt naar me toe en wil ook dansen. Deed hij dat nou maar vrijelijk in zijn eigen ruimte! Maar nee, hij grijpt mijn handen en wil samen dansen. Aaron heeft geen gevoel voor ritme en zijn voeten zijn langzaam. Het effect ervan is dat ik lood in de mijne krijg.

In eerste instantie frons ik mijn voorhoofd, maar dan moet ik lachen. Ik vergeef het hem: hij is per slot van rekening enkel een hopeloze bewonderaar. Zijn gezicht gloeit en hij is zich er niet van bewust dat hij net mijn dans de nek heeft omgedraaid. Maar wat maakt dat uit? Ik kan morgen alleen dansen, zoals ik zo vaak doe, als vorm van sport.

Nadat Aaron is vertrokken, lig ik op de vloer met mijn voeten op mijn wiebelaar: een apparaat dat de voeten opzij laat wiebelen en de ruggengraat heel aangenaam laat volgen. Als het begrip zielsverwanten iets betekent, mijmer ik, moet dat voor deze relatie gelden. Niet omdat we goed met elkaar kunnen opschieten, wat is wat mensen zich voorstellen bij een zielsverwant, maar omdat we verschillende aspecten van dezelfde energie lijken te zijn: energie die is gedifferentieerd in mannelijk en vrouwelijk, maar met een gemeenschappelijke kern.

En dan denk ik terug aan mijn droom, en dat ik geen dans voor Aaron kon afmaken voordat hij stierf.

Aaron is vanavond gekomen om zijn gedachten over een begrafenis waar hij vanmiddag is geweest, die van Bill, een verre vriend uit zijn opstandige dagen als hippie, met me te delen. Aaron is zelf geen hippie meer, maar zijn vrienden uit die tijd blijven contact met hem onderhouden, en hij waardeert hun loyaliteit. Het is gek dat we allebei in dezelfde week naar een begrafenis gaan. Een beetje zoals hij de ringvinger van zijn linkerhand twee dagen geleden heeft bezeerd en ik me vandaag in mijn rechter ringvinger heb gesneden. Hij legde zijn hand tegen die van mij: we weerspiegelden elkaar!

Bills begrafenis heeft Aaron onverwacht geraakt. Er was geen rouwkamer, er waren geen speeches, alleen de ceremonie door een ingehuurde priester voor een man van tweeënzeventig die een grotendeels nooddruftig leven had geleid. De kist was heel klein. 'Hij was vast gekrompen,' mompelt Aaron.

'Er waren een stuk of veertig mensen,' gaat hij verder. 'Allemaal met een hard gezicht. Sheila, mijn ex, was er ook, met haar nutteloze vriendje. Ze bleven maar over elkaar klagen, zoals ze dat altijd doen. Dus zei ik tegen hen: "Waarom zoeken jullie niet allebei iemand die je wel aardig vindt om een relatie mee te hebben, dan kun je elkaar tenminste met rust laten!"'

'En wat zeiden ze toen?'

'Ze zeiden: "Waar kun je aardige mensen vinden?" Ze hadden geen idee! Het drong tot me door dat ik jaren in zo'n afgrijselijke wereld als die van hen heb geleefd. Jij leeft in zo'n andere wereld, Carla. Jouw wereld is zo eenvoudig. En zo goed.'

Ik kijk hem aan en voel het gewicht van jarenlange afwijzing door de maatschappij waarin hij is geboren, die hij beschouwt als gebrekkig in elke goede en zinvolle waarde. Hij sloot zich aan bij een groep mensen die afwijzing als een eremedaille droegen, zonder dat ze beseften dat ze zichzelf intussen nog veel meer pijn deden met hun eigen sarcastische, giftige kritiek. Het vervult hen als een ziekte.

Aaron biecht op dat hij zich gedeprimeerd voelt. Ik knik, merk op hoe grauw zijn gezicht is, dat er geen humor in zijn ogen is te bespeuren. Ik vraag hem wat hij denkt. Hij vertelt dat zijn mooie plannen om leraar te worden en genoeg geld te verdienen om zijn huis af te kunnen maken in duigen vallen omdat hij zijn studie niet kan voltooien. 'Mijn leven is in een groot gat gevallen,' zegt hij. Dat heb ik hem al een paar keer horen zeggen. Het wordt tijd dat ik er eens over doorvraag.

'Is dat echt waar?'

'Nee,' zegt hij. 'Ik weet het niet. Ik voel me gewoon gedeprimeerd.'

Ik vraag hem door wie dat komt.

'Door mezelf, alleen door mezelf,' geeft hij toe. 'Ik weet gewoon niet hoe ik iets anders moet denken. Mijn hersens zijn zo moe. Weet je wat ik zou willen?' vraagt hij.

Dat weet ik natuurlijk niet, dus beschrijft hij verlegen een ingebeelde scène.

'Ik zit ontspannen in een rieten stoel, omringd door bomen en struiken. Het enige geluid komt van wat dieren, en ik voel een briesje op mijn gezicht. Geen verkeer en geen muziek. De zon schijnt fel en warm en jij bent er ook, op de achtergrond; je loopt rond in huis en rommelt wat.'

Hij kijkt me aan.

'Mooi plaatje.' Ik houd zijn hoofd even in mijn armen voordat ik de koelkast opendoe.

Het beeld is geneeskrachtig. Zijn leven is in werkelijkheid nu het tegenovergestelde, hoewel hij in Darkan mogelijk dicht in de buurt kan komen van wat hij zich voorstelt. Hij zal er snel naartoe gaan, om de helende invloed van de natuur te voelen. Zijn ziel verlangt ernaar. Maar ik zal er niet zijn; ik heb dingen te doen die me in Perth houden. Dat deel van het plaatje zal later ingevuld moeten worden.

Ik zet een bord met in reepjes gesneden bleekselderij en een net geopende pot tahin op tafel. 'Biologisch en heel zoet,' zeg ik tegen hem over de selderij in een poging hem aanlokkelijk te maken; zijn eetlust is ver te zoeken. Hij heeft mijn aanbod soep op te warmen al afgeslagen. We praten; hij vertelt over zijn volgende tentamen. Ja, hij wil het tentamen waarvoor hij is gezakt herkansen en wil er dagelijks voor studeren zodat hij niet op de laatste dag alles erin moet stampen, zoals de eerste keer. Hij verslindt de selderij, en daarna een peer en een appel. We drinken er allebei een glas donker bier bij.

Ik drink de laatste tijd graag donker bier, en het helpt me aan te komen. Ik kan niet tegen wijn: daar word ik meteen suf van, het vernietigt mijn hersencellen. Er zitten geen conserveermiddelen in dit zoete bier en het zit vol gezonde vitaminen; het doet me goed. Ik heb vorige week na een lezing op de Bunbury Golf Club als bedankje om een fles gevraagd, in plaats van de aangeboden fles wijn. Dat had ik veel eerder moeten doen: mensen vertellen dat ik geen wijndrinker ben, dank je wel, maar dat je me heel blij kunt maken met een paar flessen donker bier.

Aaron voelt zich een beetje beter en gaat naar de slaapkamer om wat te rusten. Ik volg hem. Het is niet prettig als hij zijn joggingbroek, of ik mijn ribbroek, aanhoudt onder het dekbed, dus die trekken we uit. Aaron houdt zijn onderbroek en shirt aan, en ik mijn witte sokjes, onderbroek en een hemd. Ik trek mijn beha uit... dat ding met nepvulling waarvoor ik me schaam. Ik houd afstand, ik weet dat Aaron niet in een romantische bui is, maar hij duwt zijn rechterarm onder me en trekt me naar zich toe. Ik lig op mijn zij met mijn hoofd dicht bij dat van hem terwijl hij op zijn rug blijft liggen. En zo rusten we, benen losjes over elkaar geslagen. Ik doe niets om hem op andere gedachten te brengen, respecteer onze afspraak en zijn behoefte even bij te komen.

Aaron draait zich elke paar seconden naar me toe om mijn kruin te kussen en keert dan terug naar zijn gedachten, of zijn halfslaap. Ik merk op dat zijn ademhaling verandert, alsof hij slaapt, maar hij zakt niet genoeg weg om echt te slapen. Hij pakt mijn hoofd in zijn handen en kust me. Ik beantwoord zijn kus, maar laat mezelf terugzakken in rust. Aaron kleedt zich verder uit en gooit zijn kleren op een stoel die in de kamer staat. Ik voel me prettig met wat ik aanheb en lig terwijl hij zich uitkleedt met mijn ogen dicht te rusten.

Aaron is degene die me lui begint te zoenen, opnieuw en opnieuw, tot ik mijn hoofd van het kussen til om hem een echte kus te geven. Het windt ons allebei op. Ik voel zijn penis tegen mijn been omhoogkomen, maar het is een tijdelijke opwinding, geen dringende of puur seksuele. Ik voel me prettig hem met smaak te zoenen, volledig, met mijn hart helemaal open, van hem genietend. Dan voel ik hem aan mijn onderbroek trekken, speels, het materiaal omhoog tegen mijn clitoris. Ik voel me seksueel en het is een fijn gevoel. Ik ontspan.

Voordat Aaron vanavond kwam zat ik te lezen over de genezende kracht van seks in Mantak Chia's boek *Taoïstische geheimen der liefde.* Hij beschrijft houdingen tijdens het vrijen die energie vrijmaken in specifieke delen van het lichaam van zowel de man als de vrouw. Ik krijg een idee.

'Ik wil op je zitten,' zeg ik tegen Aaron, 'en jij mag niets doen behalve de spieren van je anus aanspannen terwijl je energie naar je lever en nieren stuurt.'

Aaron vindt het goed. Hij is geïntrigeerd, maar voelt niet de behoefte om vragen te stellen.

Ik trek mijn sokken uit en gooi ze op de vloer, gevolgd door mijn slipje. Ik ga op mijn knieën zitten en pak het glijmiddel, dat ik royaal op zijn half stijve penis en mijn genitaliën smeer. Ik weet dat hij het fijn vindt om met het topje van zijn penis tegen mijn clitoris te wrijven, dus dat begin ik langzaam te doen, ritmisch, met al mijn aandacht. Als zijn penis hard genoeg wordt om hem in te kunnen brengen, duw ik hem een klein stukje naar binnen en beweeg zonder haast te maken alleen over het topje. Als dat een volledige erectie oplevert, duw ik mezelf langzaam helemaal naar beneden en rust op zijn buik. Ik voel hem niet zo goed in deze houding, maar daar gaat het niet om. Ik blijf op en neer over zijn schacht bewegen, half, dan helemaal, variërend in tijdsduur. Ik pak met mijn rechterhand zijn ballen en masseer ze zacht.

'Gebruik je je sluitspier?' vraag ik.

Hij knikt, zijn handen gebald naast zijn torso, zijn ogen gloeiend, zijn gezicht verlicht. Zijn penis groeit in me en ik kreun als ik voel hoe mijn vagina opgewonden wordt. Aaron duwt zonder dat hij daar zeggenschap over heeft zijn billen omhoog om zijn penis verder naar binnen te kunnen stoten, waardoor ik een zucht slaak van plotselinge opwinding. Hij ontspant weer, neemt alles in zich op, herhaalt af en toe zijn korte stoten.

'Denk je aan je lever en je nieren?' vraag ik.

'Ik geniet van het kijken naar je gezicht. Je gloeit helemaal als je de liefde bedrijft.'

Ik herinner me uit het boek dat dit precies de bedoeling is. 'Ja, dat is onderdeel van de healing; geniet er maar van!' Ik blijf de beweging volhouden; het genot groeit, mijn ogen en gezicht zijn in zwijm, en ik hoop dat dit ook bij de healing hoort.

Ik trek mijn katoenen hemdje uit en besluit niet langer te verbergen waarvan hij weet dat ik me er ongemakkelijk bij voel. Hij doet iets wat hij nog nooit heeft gedaan en ik slaak een gil van verrassing: hij trek me naar zich toe zodat hij mijn borsten en tepels met zijn mond kan liefkozen. Ik grijp de bovenkant van het bed om in balans te blijven terwijl hij van de ene borst op de andere overgaat. Kleine mismaakte borsten noem ik ze in mijn hoofd, en zelfs nu denk ik er zo over, maar het maakt hem niets uit. Hij ziet hoe goed het me doet en blijft ze liefkozen.

Ik ga rechter op zitten en overweeg mijn activiteit voort te zetten.

'Carla, wacht!' zegt hij ineens. 'Ik wil bovenop.'

Daar stem ik niet mee in.

'Nee, het is wat ik echt wil,' zegt hij. 'Ik wil jou iets geven.'

Onze rollen worden omgedraaid. Ik ben niet voorbereid op wat er dan gebeurt. Hij gaat rustig in me en trekt het kussen onder mijn hoofd vandaan. Het landt op de vloer. Ik moet lachen; ik weet dat het de hoek van de vagina verandert. Dat weet hij ook, maar ik merk de intense ernst op zijn gezicht op. Aaron buigt zijn gezicht naar dat van mij. Zijn kussen zijn teder en volledig, zijn lichaam voorovergebogen om dat van mij te ontmoeten zodat onze wangen elkaar raken terwijl hij beweegt. Het is de bedoeling dat ik niets doe behalve ontvangen. Hij houdt me zo dicht tegen zich aan, onze lichamen samen zodat zijn zachte stoten ons niet scheiden.

'Doe je ogen eens dicht,' fluistert hij.

Ik gehoorzaam en zink weg in wat er gebeurt. Wat ik begin te voelen breekt mijn hart: deze energie die Aaron is is zo liefhebbend, zo zoet, dat het genot me erin te bevinden zich vermengt met de pijn dat ik haar niet volledig kan voelen. Deze liefde is grenzeloos.

Ik begin te huilen. Hij houdt mijn gezicht tegen het zijne en is stil. Hij houdt me zo dicht bij zich, en zo lang, dat ik niet anders kan dan het voelen: hij houdt onvoorwaardelijk van me, overvloedig, grenzeloos en voor eeuwig. Hij blijft me zo vasthouden, dichter- en dichterbij, zijn armen om mijn lichaam en hoofd, mijn armen om zijn torso. Ik gebruik mijn armen om zijn billen strakker tegen me aan te trekken, en hij gebruikt de beweging als leidraad om dieper te stoten. Ik weet niet hoe lang we zo samen zijn.

'Carla, doe je ogen dicht!' draagt hij me weer op als hij mijn wimpers over zijn wang voelt bewegen. 'Voel het!'

Dat doe ik, en ik voel mezelf voor het eerst in mijn leven over een drempel gaan waarvan ik niet wist dat hij bestond. Ik sta mezelf toe de energie die Aaron is te ontvangen in een diepere ruimte in me, en op hetzelfde moment geef ik elke rol die ik voor hem speel op. Ik laat het gewoon gebeuren, ik geef me aan hem over. En ik word naar een plek gevoerd waar geen man me ooit heeft gebracht. Op een bepaalde manier verlies ik mijn bewustzijn. Hij neemt me mee naar een plek waar ik mezelf duidelijk ken als Vrouw, die ultiem wordt geëerd om haar vrouwelijke energie, waar zij haar man duidelijk kan liefhebben om de puurheid van zijn mannelijkheid. En het nemen gaat zelfs nog dieper. Op een bepaald moment verdwijnt zelfs het concept van Vrouw en Man en is er alleen een oneindig gevoel van ruimte. Hij kust me en ik moet huilen om de gepassioneerdheid, de pijn die vermengt met genot als de zintuigen uiteindelijk hun ultieme grenzen bereiken.

'Ik wil klaarkomen,' hoor ik Aaron zeggen. Zijn stem klinkt smachtend, zacht, vol vuur, maar helemaal niet alsof hij de controle kwijt is. Hij heeft een beetje afstand van me genomen zodat hij zich kan concentreren op mijn gezicht.

Ik open in paniek mijn ogen. 'Nee, wacht!' Maar hij glimlacht. 'Weet je wel wat je doet?' Ik klink deels verwijtend. Hij weet wat ik bedoel: gaat hij nu zijn energie verspillen? Maar het dringt tot me door dat hij precies weet wat hij wil.

'Doe je ogen dicht, Carla. Voel!'

Dat doe ik, en ik voel terwijl hij komt de finesse van de energie die nu door mijn lichaam stroomt. Het is als een zachte lichtexplosie en het licht is gemaakt van pure liefde. Aarons lichaam is weer helemaal met dat van mij verbonden. 'Zoveel houd ik van je,' zegt hij uiteindelijk, en hij tilt zijn hoofd op zodat hij me kan aankijken. 'En dat heeft geen romantische connotatie.' Ik raak weer in katzwijm.

Ik zal nadien onthouden dat er geen muziek op de achtergrond klonk om onze stemming te beïnvloeden, dat er niets was om de romantiek te stimuleren. Dit is waar het om gaat als je de liefde bedrijft, en dat heb ik mijn hele leven maar half geweten. Mijn dankbaarheid aan het leven dat het me deze ervaring geeft is grenzeloos.

Aaron gaat uiteindelijk in een knielende positie zitten. Hij glimlacht, er is vandaag iets gebeurd wat onze relatie een eeuwig karakter geeft.

'Ik kom niet op de gebruikelijke manier terug,' valt hem op. 'Ik voel me nog steeds seksueel.'

Verbijsterend! Hij maakt zich pas van me los als de vloeistoffen op de lakens vrij willen komen, en dan pakt hij wat tissues, die hij me aangeeft.

Als hij eenmaal naast me ligt, wil hij dat ik iets weet. 'Ik ben hiernaartoe gekomen met het onwankelbare voornemen geen seks met je te willen hebben,' begint hij. 'Ik leer alleen te doen wat ik wil doen.'

Dat is tenminste één positief gevolg van het feit dat hij heeft besloten zijn studie voort te zetten.

'Alles wat ik heb gedaan was geheel omdat ik het wil. Jij wilde op me zitten om me te helen. Dat was volledig onbaatzuchtig. Je wilde niets voor jezelf. Het maakte dat ik jou wilde geven wat ik je heb gegeven.'

Ik kijk naar het vredige, stralende gezicht naast me. 'Voel je je nog steeds gedeprimeerd?' vraag ik, maar ik weet het antwoord al. 'Die gedeprimeerde persoon ben jij niet.'

Hij legt een vinger tegen mijn lippen, waarmee hij me tegenhoudt te gaan psychologiseren op dit bijzondere moment.

'Ik voel me niet meer gedeprimeerd,' zegt hij eenvoudigweg. En dan: 'Onthoud dit. Onthoud dit moment, Carla.'

Zijn woorden hebben het gewicht van een waarschuwing, een voorteken... of misschien ook niet. Misschien zegt hij gewoon: Onthoud dit. Onthoud dit omdat het is hoe je altijd kunt liefhebben.

Ik leg mijn hoofd tegen zijn borstkas te rusten. Ik zal het onthouden. Ik kan het onmogelijk vergeten. Dit is een geschenk voor de eeuwigheid.

'Ik heb ooit al een keer eerder iemand zo liefgehad,' zegt hij.

Ik weet dat zijn woorden belangrijk moeten zijn, het zijn gedachten die zo vlak na ons intiemste en heiligste vrijen zijn ontstaan.

'We waren intiem, zoals jij en ik, en we hebben zeven jaar samengewoond. Ze wil al twintig jaar niet met me praten omdat ze me zo haat.'

Aaron heeft zeven jaar met haar samengewoond! Dat klinkt ongelooflijk. Hij heeft het al eens eerder over zijn grote liefde gehad, het verhaal over een ring die hem als schat werd gegeven en een prul bleek te zijn... maar hij heeft me nooit verteld wat er precies is gebeurd. Ik vraag om meer details.

'Het liep uit de hand,' zegt hij.

'Wat?' Ik wil het weten zodat mijn verbeelding de gaten niet hoeft in te vullen en misschien een beeld gaat vormen dat erger is dan de waarheid. Maar hij gaat het me niet vertellen. Wat het ook is, het is niet alleen pijnlijk, maar ook schaamtevol, en te persoonlijk om nu met me te delen. Dus vis ik niet naar een antwoord.

'We hebben allebei een gruwelijke fout gemaakt en ik ben vertrokken toen die te moeilijk werd om mee te leven.'

Dus hij is bij haar weggegaan.

'Het heeft ons allebei kapotgemaakt.'

Zijn diepe gevoel van spijt is duidelijk. Hij kijkt me niet aan terwijl hij spreekt. Hij ligt naast me, veegt nu en dan met een hand over zijn gezicht, alsof hij opgedroogde tranen wegveegt.

'Misschien voelt ze wel dat je aan haar denkt,' zeg ik, 'en kunnen jullie elkaar op een dag weer ontmoeten. Weet je waar ze woont?'

Nee, dat weet hij niet. 'Ik heb gehoord dat ze hier ergens woont, maar dat is alles.'

Er dringt ineens iets tot me door. Het opnieuw ervaren van wat hij al eerder heeft meegemaakt zal het verleden duidelijk maken. Zijn verleden krijgt misschien de gelegenheid te worden geheeld. Misschien ontmoet hij haar nog eens en dan is er een kans dat haar haat wordt getransformeerd in wat die echt is: teleurgestelde liefde.

'Ze haat me alleen maar zoveel omdat ze van me houdt,' zegt Aaron droefgeestig, alsof hij mijn gedachten leest.

Zullen ze elkaar uiteindelijk nog eens ontmoeten? Wat ik wel zeker weet is dat hun relatie nu de kans heeft te worden geheeld, zelfs op afstand, en dat de mogelijkheid er is dat ze weer vrienden kunnen worden.

Zal ik Aaron dan kwijtraken? Absoluut niet, zeg ik tegen mezelf, zelfs de dood kan me hem niet ontnemen. Hij zal misschien niet meer mijn minnaar zijn, maar dat is iets anders dan hem kwijtraken, hoewel mijn lichaam en geest me dat misschien een tijdje zullen doen geloven.

We zijn nu al 'samen en alleen'. Het alleen-stukje heeft ermee te maken dat we ondanks onze intimiteit weten dat we individuen zijn, en in die hoedanigheid niet in staat tot volledige verbinding met de ander. Liefde en seks brengen ons zo dicht bij elkaar als mogelijk is en plaatsen ons dan voorbij onszelf, naar een locatie waar onze geesten niet meer weten wie wat is, voordat we weer overgaan in onze individualiteit en ons leven vanuit onze eigen energie moeten leven, niet uit die van de ander. Dat is tenminste wat ik begin te leren. Er zijn ervaring en heel veel keuzes nodig om van een kleine wetenschap wijsheid te kunnen maken.

Een kwestie van controle

Geef me je onwetende gedachten...
Jij hebt ze niet meer nodig.

– Nirmala, gedicht zonder titel

Aaron geneest me van de gewoontes die ik jaren geleden tijdens het vrijen heb ontwikkeld. Toen ik aan mijn carrière als prostituee begon was ik gemotiveerd de ongelooflijke onderdrukking van mijn seksualiteit in mijn periode als non goed te maken en mezelf als vrouw te vinden. Mijn seksuele contact met klanten die me waardeerden en vleiden met geld en complimentjes hielpen daarbij. Ik bloeide op, genoot van mijn seksualiteit en van het feit dat ik anderen seksueel genot gaf. Ik verloor mijn remmingen. Dat dacht ik tenminste. Maar remmingen kunnen subtiel zijn. Ik moest als prostituee altijd controle over de situatie hebben, ik kon mezelf nooit volledig laten gaan. Een deel van me kon niet loslaten, verre van. Ik wilde niet gaan naar waar ik geen controle leek te hebben.

Met James, de man met wie ik ben getrouwd toen ik tweeëndertig, ofwel bijna zeventien, was, had ik keurige, vriendelijke seks. Het was prima, maar er waren geen diepliggende delen van me bij betrokken. Ik ben met James getrouwd omdat hij van me hield, en hoewel ik heb geprobeerd liefhebbende gevoelens voor hem te ontwikkelen, waren die niet vanzelfsprekend.

Met Hal was het moeilijk omdat ik verliefd op hem was. Hal was nog maagd toen ik hem leerde kennen, maar hij was een goede leerling en ontwikkelde enkele uitstekende technieken. Onze lichamen en seksuele energie pasten goed en ik heb bij Hal overrompelende orgasmes gehad. Ik voelde me dicht bij hem als we vreeën en heel ver van hem vandaan als ik niet in zijn armen lag. Hal was niet goed in verbaal communiceren en ik ook niet. We kwamen er niet op om te proberen of we onze communicatievaardigheden konden verbeteren en na een paar ruzies die erin resulteerden dat een van ons opstapte, weer terugkwam, en weer vertrok, zijn we uit elkaar gegaan. Hal verklaarde later dat hij nooit van me had gehouden. Dat impliceert dat de seks met hem wat hem betreft volledig om lust en techniek draaide. Dat geloof ik niet echt. Ik denk dat Hal zichzelf ervan moest overtuigen dat hij nooit van me had gehouden om zich er beter over te kunnen voelen dat hij met een meisje is getrouwd dat drieëntwintig jaar jonger was dan hij. Het is niet anders.

Met de andere liefde in mijn leven, George, die ik in het stadje Denmark aan de zuidkust van West-Australië heb leren kennen, was het absoluut anders. Ik voelde me bij hem zoals ik me voorstel dat vrouwen zich bij Raspoetin hebben gevoeld, de Russische monnik die dierlijk magnetisme uitstraalde en er aparte seksuele praktijken op nahield. Raspoetin was een genezer en George ook. Hij was charismatisch, en fysiek contact met hem heelde op de een of andere manier de geest. Ik was tot over mijn oren verliefd op seks toen ik George leerde kennen. Het was heel eenvoudig voor hem: hij straalde een ongelooflijke energie uit waarin ik me verloor. Hij gebruikte zijn seksuele vaardigheid om me te betoveren, tot hij ging inzien dat ik hopeloos aan hem was verslingerd. Dat was het moment dat hij zich begon terug te trekken – lichamelijk en geestelijk – en mij achterliet om het zelf uit te zoeken. George was bang voor intimiteit. Hij wilde gewoon een leuke vriendin om mee te neuken zonder de verantwoordelijkheden die een relatie met zich meebrengt. Ik had geen idee hoe ik bij hem in de buurt van mijn centrum moest blijven. Hij was dol op mijn seks en wilde mijn vriendschap. Ik wilde meer, maar heb nooit serieus nagedacht over wat ik dan meer wilde. Ik wilde worden geadoreerd, ik wilde de enige in zijn leven zijn en mijn leven via hem leven. Geen wonder dat George daarvoor paste. Jammer voor ons allebei dat we dat niet wisten toen het gebeurde. Ik heb heel wat volwassener moeten worden om ook maar een begin te kunnen maken in het herkennen van de patronen die me leidden. Ik ervoer bij George hoe het was om los te laten in een mate die ik nog niet kende, maar ik gaf me nog steeds niet helemaal. En dat kwam doordat ik mezelf niet kende. Ik had de allerintiemste delen van mezelf nog niet leren kennen, dus ik kon ze niet delen of me overgeven aan de extase van seksuele overgave. Het enige wat ik deed was me verliezen in George, mezelf zoveel als ik kon aan hem geven om hem te behagen. Het zag eruit als totale seks. Ik weet nu wel beter.

'Sst, Carla. Doe je ogen dicht. Voel!'

Ik luister in diepe stilte terwijl we de liefde bedrijven, zodat ik mezelf en hem kan voelen. Als het voorbij is en ik met hem deel wat er is gebeurd, zegt hij dat alles wat ik heb ervaren mijn zelf is.

'Dit ben jij!' fluistert hij nadrukkelijk. 'Ik wil dat je weet wie je bent!'

'Maar jij bent degene die me mezelf zo laat ervaren, Aaron.'

'Ja, oké,' geeft hij toe, 'maar wat je voelt zijn jóúw gevoelens.'

Goed, ik begrijp het. Mijn gevoelens zijn mijn gevoelens. Het zijn niet zijn gevoelens en hij heeft ze me niet gegeven. Wat hij heeft gedaan is ze in me naar boven halen.

Dat is wat Aaron voor zichzelf doet. Zijn volledige aandacht is bij mij wanneer hij liefheeft en zichzelf voelt.

'Ik ben voor altijd in jou, en jij bent in mij, en dat komt door mijn liefde voor jou en jouw liefde voor mij,' zegt hij. Dat is hoe de twee één worden.'

'Ik ben dezelfde als jij,' zei de soefimysticus Rumi tegen zijn beste vriend Sham. 'Ik ben dezelfde als jij.'

'Wat doet mijn penis met jou?'

Aaron stelt confronterende vragen. Hij kijkt naar mijn gezicht en wacht geconcentreerd op mijn antwoord.

Ik kan natuurlijk zeggen: 'Daar geef ik een andere keer antwoord op.' In plaats daarvan doe ik om hem een plezier te doen mijn ogen dicht en zeg wat er in me opkomt.

'Ik word vervuld door het gevoel van jou; jij wordt mijn hele universum en ik geef me aan jou over. Het is een gevoel van uiterst genot als jij me verder en verder weg stoot van mijn gevoel van waar en wie ik ben en mijn geest stopt met nadenken.'

Ik hoor hem ademen. Hij zegt niets, dus ik open mijn ogen.

'Dat allemaal, dus?' zegt hij vol ontzag.

Ik wens om de een of andere reden dat hij niet zoveel ontzag in zijn stem zou hebben, dat het een ervaring zou zijn die hij herkent en dat zijn commentaar zou zijn: ik begrijp exact wat je bedoelt; ik heb precies hetzelfde.

In plaats daarvan zegt hij: 'Ik kon vroeger ook voelen, maar nu ben ik als verdoofd. Wat is er met me gebeurd?'

Ik heb geleerd Aarons woorden op waarde te schatten. Wat hij zegt is vandaag waar voor hem, was dat gisteren misschien niet en is dat morgen waarschijnlijk niet meer. Hij vergelijkt zichzelf met mij op dit moment en voelt zich tekortschieten. Dat heeft hij soms. Hij is vandaag uit zijn hum. De druk van studeren en deadlines is tijdelijk achter de rug en het enige wat hij kan bedenken is dat hij mij in de buurt wil hebben.

'Ik ben aan je gewend geraakt.'

'Ik mis jou ook, Aaron. Waar gaat dit allemaal naartoe?'

Hij heeft onbeantwoorde liefde gekend, vertelt hij me, toen hij op Rachel wachtte... een vrouw die vijf minnaars in drie maanden had nadat ze hem had afgewezen voor wat hij soms dacht dat andere vrouwen waren. Ze was een vurige minnares die alleen aan zichzelf dacht. Op een avond had Aaron genoeg van zijn ellende. Hij zocht naar een symbool van zijn verbinding met haar en besloot dat het de telefoon was: een symbool van communicatie. Het was winter en er brandde een vuur in zijn haard, dus hij gooide de telefoon in de vlammen en keek hoe die langzaam in elkaar zakte. Hij was van bakeliet, dus dat duurde even; Aaron stond erbij, met zijn vuist op de schoorsteenmantel om de verbinding te verbreken die hem als betoverd had vastgehouden... de navelstreng. Toen het eindelijk klaar was ging hij naar bed, vrij van de verbinding die hem drie maanden lang gek en anorectisch had gemaakt.

Hij werd de volgende ochtend vroeg wakker van kloppen op zijn raam. Het was Rachel, verwilderd en met warrig haar. 'Ik heb de hele nacht wakker gelegen!' zei ze. 'Het heeft iets met jou te maken. Wat gebeurt er?' En dat was het moment dat het tot haar doordrong dat ze van hem hield. Maar het was te laat.

'Te laat voor jou om van gedachten te veranderen?' vraag ik hem, en ik verstijf als ik het antwoord hoor.

'Er was niets over,' zegt hij. 'De breuk was compleet en kon niet meer worden hersteld.'

Ik kijk naar Aarons profiel terwijl hij daar ligt en me zijn verhaal vertelt, en ik voel de kracht die ik zo in hem bewonderde toen hij negentien was en alles had wat mijn man ontbeerde.

'Nu weet ik wat jou tot man heeft gemaakt,' zeg ik. Zijn kracht en zijn emotionele litteken staan allebei onuitwisbaar in zijn psyche gegrift.

Aaron wilde Rachel eren voor de brutale passie die ze belichaamde. Daarom heeft hij dat zilveren oorbelletje in zijn rechteroor: ter nagedachtenis aan haar. Dit is een verwarrend verhaal.

Gebroken hart

Wat was dat een gruwelijke droom...
dat ik dacht
dat ik die dingen nodig had
om gelukkig te zijn.

– Adyashanti, 'Dansende leegte'

Ik voel vanochtend mijn hart breken. Mijn borstkas voelt strak en mijn maag is overstuur. Ik kan me niet veroorloven te huilen: ik moet de hele dag naar een workshop. Maar die blijkt de perfecte gelegenheid te bieden om in te storten en te huilen. Ik leer er de *Emotional Freedom Technique*, een interventietechniek die is gebaseerd op dat ene ding dat me in het verleden zo veel heling heeft gebracht: zelfacceptatie van de gruwelijkste, meest meedogenloze soort. Vandaar dat ik erop vertrouw dat deze methode iets aan mijn huidige toestand kan doen.

'Ik accepteer mezelf helemaal ondanks het deel van mij dat bang is.'

Ik herhaal de affirmatie opnieuw en opnieuw; de woorden zelf smeken om acceptatie in mijn onderbewuste.

'Accepteer, accepteer! Wees niet te trots om angst en verdriet te voelen, om je hart te voelen breken. Accepteer dat je je zo voelt. Accepteer het deel van jezelf dat zich zo voelt. Het is een deel van jou, een déél van jou, niet jou helemaal. Omarm het, omarm het, omarm het!'

Ik herhaal het woord terwijl de pijn mijn mond vervormt en de tranen over mijn gezicht rollen.

Warren, een andere deelnemer, die mij begeleidt bij deze oefening, blijft bij me. Hij zit in een stoel tegenover me en moedigt me aan verder te gaan. Ik kan niet geloven hoe diep de pijn zit. Ik kan niet geloven dat dit deel van mij zo gewond is. Het is ook ongelooflijk dat een ander deel van me, dat veel groter lijkt, dit deel bestuurt, de acceptatie toelaat, die acceptatie in zich opneemt alsof die wordt geïntegreerd in een groot hart dat in staat is alles dat erin komt te helen.

De scherpte van de pijn in mijn borst en hart vervormt langzaam tot een meer diffuus, zachter gevoel dat mijn buik omsluit. De pijn ebt langzaam weg. Er komt langzaam een gevoel van vredigheid voor in de plaats.

Het dringt tot me door dat ik Aarons telefoonactie heb gedaan, maar dan in een paar minuten in plaats van een paar uur. Ik denk aan hoe Aaron zijn liefde in een nacht van verbitterde ontgoocheling heeft losgelaten. Hij heeft tijdens die nacht bescherming tegen een gewond hart ontwikkeld, en de volgende ochtend was er geen liefde meer over. Ik doe meer dan dat: ik maak me ook los van wat me pijn doet, maar ik zal er niet minder om liefhebben. Dit zal me zelfs vrijmaken om nog roekelozer te kunnen beminnen! Pijn zal me niet langer domineren. Pijn zal komen en gaan. Het kan komen als resultaat van genot, en het een kan even groot zijn als het ander, maar beide zullen komen en gaan. Ik ben in tact en zacht.

Mijn onervaren begeleider is heel bezorgd, maar Peter Graham, die de workshop leidt, stelt hem gerust. Warren haalt een kop thee voor me en heeft wat vragen voor Peter.

'Hoe krijg je het voor elkaar om niet te worden meegesleept door de emoties van je cliënten?'

Warren is volgeling van Hare Krisjna en heeft een vriendelijk hart. Gek genoeg krijgt Warren geen antwoord van hem, maar van mij, met nog nauwelijks droge ogen.

'Ik voel de pijn van mijn partner, maar hij grijpt me niet aan,' zeg ik tegen hem. 'Ik help mezelf eraan herinneren dat hoewel de pijn echt is voor mijn metgezel, hij in werkelijkheid lijdt onder een illusie, en dat hij dat zelf ook zal gaan inzien.'

Zo. Ik heb net mezelf beschreven. Mijn pijn was zo echt, maar het feit dat hij is geluwd tot vredigheid heeft me laten zien dat vrede de hogere realiteit is, die de pijn omhult.

En wat is die pijn? Het is de gedachte dat deze relatie nergens naartoe gaat, terwijl ik wil dat hij oneindig hetzelfde blijft, zoals nu. Een onmogelijk verlangen, maar zo sterk dat ik het niet kan loslaten. En dan is er ook nog het besef dat Aaron in essentie een kluizenaar is, een persoon die zo onafhankelijk is dat hij niet meer weet hoe hij een relatie in stand moet houden, waardoor communicatie en initiatief grotendeels, zo niet helemaal, van mij zullen moeten komen. Dat is niet wat ik wil. Ik wil een gelijkwaardige relatie. Ik wil dat hij net zo naar mij verlangt als ik naar hem. Ik wil dat hij net zulke gepassioneerde gevoelens heeft als ik.

En er is meer... nieuwe pijn. Ik wil weer jong zijn, een leven van jonge liefde beginnen, van twee mensen die vrij en gepassioneerd samenwonen, op de manier zoals Aaron dat deed toen ik non in het klooster was. Al die gedachten worden samengeperst tot een grote, doordringende pijn. Hij golft met felle pijnscheuten door mijn lichaam. Ik heb niets meegemaakt en ik ben in de rouw! Ik weet niet of iets wat ik tegen mezelf zeg waar is en voel me afgrijselijk!

Tijdens de volgende sessie van Peters workshop blijf ik in mijn misère porren zonder iemand te laten weten waar die wanhoop vandaan komt. Mijn begeleider zit er ongemakkelijk bij, stroomt over van medeleven. Ik heb mijn ogen gesloten en de tranen stromen over mijn gezicht, dat is verwrongen in grimassen van ondraaglijke pijn.

'Ondanks het feit dat een deel van mij deze pijn voelt, accepteer ik dit deel van mezelf diep en volledig,' blijf ik herhalen. 'Ondanks het feit dat een deel van me denkt dat het onmogelijk is om over dit probleem heen te komen, accepteer ik dit deel van mezelf diep en volledig.'

Mijn begeleider vraagt me te beschrijven waar de pijn zich in mijn lichaam manifesteert.

'In mijn buik,' zeg ik tegen hem, 'waar het een kolkend, overstuur gevoel is. Het doet mijn borst samentrekken, en ik voel de pijn in mijn hart.'

Op dat moment gaat de pijn ook naar mijn keel, die hij samenknijpt zodat ik alleen nog hees kan praten. We kloppen en kloppen erop en herhalen de verlossende affirmaties eindeloos. De gevoelens worden langzaam maar zeker minder, en zo ook het lichamelijke ongemak en de tranen. Alleen het gevoel dat mijn emoties worden gemasseerd tot ze zachter zijn blijft over. Op de plaatsen waar ik net hevige pijn voelde komt nu een vredig gloeiend gevoel. Maar het werk is nog niet gedaan, verre van.

Als ik thuiskom zonder te weten wat Aarons plannen zijn – hoewel ik vermoed dat hij zich voorbereidt op een reis naar Darkan zonder mij daar eerst over te vertellen – doet dat de pijn weer opvlammen. Ik bel hem op.

'Zeg het eens, schat.'

'Ik wil graag weten of je morgen om een uur of twee kunt komen.'

Een korte stilte. Dan: 'Ik was van plan om vanavond naar Darkan te gaan. Ik verwachtte dat je zou komen, dus ik ben in de buurt gebleven, maar je kwam niet. Is er iets aan de hand? Iets heftigs?'

'Ik wil dat je weet wat er met mij gebeurt,' zeg ik. 'Je mag ermee doen wat je wilt, maar ik wil dat je een keer naar mijn hele verhaal luistert.'

'Dat klinkt heftig,' zegt hij. 'Het is vast belangrijk. Ik kom eraan.'

Ik vertel dat ik hem eerder vandaag heb geprobeerd te bellen, voordat ik naar die workshop ging, om hem te laten weten dat ik niet langs kon komen, maar er nam niemand op. Aaron woont beneden en zijn ouders slapen tot laat uit.

Een gebroken hart. Zal het ooit genezen? Ik schrijf op wat ik tegen Aaron ga zeggen, verbeter het twee, nee, drie keer, en ben ervan overtuigd dat het niets wordt. Als hij er is, weet ik gegarandeerd niet meer wat ik ging zeggen. Dan neemt de kracht van zijn energie het over en wordt mijn hoofd helemaal leeg. Maar ik moet toch proberen te blijven bij wat ik nu in mijn hoofd heb en trachten het eruit te krijgen.

'Vertel,' zegt Aaron. Hij gaat op de poef in de zitkamer zitten, met zijn ellebogen op zijn knieën, en kijkt geconcentreerd. Ik zit op de bank en voel me onzeker.

'Kom op, gooi het er maar uit!'

Ik moet het zeggen. 'Hebben we een relatie?' De vreselijke ontkenning in mijn woorden dringt pas later tot me door.

Aaron deinst terug op zijn poef. 'Ik wel! En jij?'

'Je hebt eens gezegd dat je jezelf niet kon zien als de liefde van mijn leven. Wat bedoelde je daarmee?'

'Ik zie mezelf niet als de liefde van wiens leven dan ook,' zegt hij.

'Het leven verandert voortdurend. We weten niet hoe lang een relatie duurt. Zoals ik maar tegen je blijf zeggen: relaties gaan om het uitwisselen van energie. Ben jij de vrouw die me heeft geschreven: "Dit is hoe het is, tot het dat niet meer is?"'

Ik herinner me dat stukje nog, de precieze woorden. Woorden, zo dringt het tot me door, zijn goedkoop, hoe geïnspireerd ook, ze moeten worden geleefd om werkelijkheid te worden. Dit is mijn opening, een manier om hem te confronteren met waar het me werkelijk om gaat.

'Relaties gaan ook over communicatie.'

'Natuurlijk,' zegt Aaron. 'Constant.'

'Maar het is niet constant als ik drie dagen lang niets van je hoor!'

'Ik heb een hekel aan bellen,' zegt hij. Dat moet alles over het onderwerp ophelderen.

'Maar de telefoon is toch beter dan helemaal niets?'

'Carla, ik heb er geen behoefte aan om elke dag met je te praten. Als jij daar wel behoefte aan hebt, kun je contact met mij zoeken.'

Klootzak!

'Het is heel erg moeilijk om jou te bellen, Aaron! Je hebt geen telefoon in je kamer. Je bent afhankelijk van je ouders om je naar boven te roepen als er iemand belt, zij nemen niet voor het eind van de ochtend op, en als zij er niet zijn neemt er niemand op. Hoe kun je al de verantwoordelijkheid bij mij leggen? Waarom kun je er geen rekening mee houden dat contact houden belangrijk voor mij is?'

Aaron gelooft niet dat het over de telefoon gaat.

'Ik heb een hekel aan bellen,' herhaalt hij. 'Ik wil niet in een elektronische doos praten. Als je met me wilt praten, spring dan in de auto en kom naar me toe. Al is het twee uur 's nachts, dat maakt mij niet uit. Als je me nodig hebt, kom dan naar me toe.'

Dit gesprek gaat niet de kant op die ik wil. Ik kan nu natuurlijk dwars gaan doen en hem een arrogante klootzak noemen, maar iets in zijn lichaamstaal vertelt me dat hij probeert een boodschap over te brengen, al is dat op dit moment op een nogal confronterende manier. Hij ziet de spanning op mijn gezicht. Ik ben een beetje ontspannen doordat hij er is, maar mijn gezichtsuitdrukking is niet bepaald zacht of meegaand. Ik heb geprobeerd te verhullen dat ik er bleek en afgeleefd uitzie door een dikke laag getinte crème op te brengen, wat weinig effect heeft gehad. Gek, hoe mijn gezicht me altijd verraad. Ik ben zo'n slechte actrice. Ik voel me gedwongen te acteren alsof het goed gaat, en word onzeker van acteren. Aaron merkt mijn lichaamstaal op. Hij weet hoe ik me voel. Ik weet dat hij weet hoe ik me voel. Dat maakt me alleen nog maar onzekerder. Wat vindt hij ervan, dat ik zo onzeker ben?

'Ik zag op de eerste dag dat ik je leerde kennen dat je onzeker bent,' zegt hij, en hij leest daarmee mijn gedachten. 'Ik zag het in je lichaamstaal: het kleine meisje in je dat iedereen wil behagen. Dat is niet wie je bent.'

Ik weet niet wat ik met mezelf aan moet, ik wil me opkrullen en sterven. En dan dringt het tot me door dat ik niet word veroordeeld. Een vriendelijke innerlijke stem helpt me herinneren: hij heeft je toen niet afgewezen en doet dat nu ook niet.

'Je bent verliefd,' zegt hij tegen me. Dit is absoluut niet het gesprek dat ik in mijn hoofd had. 'Je houdt van Aaron en bent in zijn energie gaan leven. Je hebt jezelf in hem verloren. Je denkt dat je mijn aanwezigheid nodig hebt om gelukkig te zijn. Je moet mijn aandacht hebben. Je moet weten dat ik aan je denk.'

'Ik ben verslaafd, Aaron... Nee, luister: ik ben verslaafd. Aan jou, aan seks en aan deze relatie. Ik kijk het recht in de ogen. Dat is hoe het nu is.'

'Dat is nogal een bekentenis,' zegt hij. 'Lucht dat op?'

'Ja,' zeg ik, en het dringt tot me door dat dat zo is. 'Het is goed om iemand bij je in de buurt te hebben die je kunt vertrouwen, zodat je alles kunt communiceren wat je voelt.'

'Dan is dat voor jou belangrijker dan voor mij,' zegt hij. 'Ik weet niet of ik in de toekomst meer contact zal willen.'

Ik heb nog iets belangrijks te vertellen, iets over hem.

'Als ik bij je in de buurt ben, voel ik je pijn.' Hij weet wat ik bedoel; ik heb het hem al eerder verteld. 'Je geest heeft je toen je een jongetje was geholpen niet te voelen; dat is hoe je geest je heeft beschermd. Later, toen je pijn in je relatie had, heb je die ook verdoofd, om het aan te kunnen. Je geest gebruikt die onderdrukkende techniek, toch?'

'Ja,' zegt hij. 'En wat wil je daarmee zeggen?'

'Je hebt me verteld dat je heel slim bent en dat je na één sessie met een therapeut weet hoe je dat proces zelf kunt regelen. Je gebruikt je geest om je geest in orde te maken. Dat kan niet.'

Ik wil dat Aaron toegeeft dat hij problemen mijdt, maar ik heb hem misschien onderschat, heb hem misschien beoordeeld volgens mijn eigen standaard.

'Ik keer naar binnen om mezelf onder ogen te komen,' zegt hij. 'Dat doe ik elke dag: ik neem mijn onzekerheden en angsten door. Ze komen en gaan, maar ze zijn er dagelijks. In Darkan kan ik mezelf beter onder ogen komen. Ik kan daar alles wat omhoog wil komen omhoog laten komen, en dan bekijk ik het, en dat is hoe ik leer.'

'Wat ik ook nog wil zeggen...'

Maar hij heeft er genoeg van. Hij wil het er niet meer over hebben en toegeven is niet zijn manier.

'Carla, ik kan niets met woorden. Vergeet dit. Wil je vanavond bij me zijn, of zal ik gaan?'

Ik kijk hem aan. Hij lijkt niet kwaad, alleen vastberaden dit pad niet in te slaan. Hij nodigt me zelfs uit van hem te genieten. Ik moet tevreden zijn dat hij naar me heeft geluisterd. Aaron opent zijn armen en glimlacht spottend. Hij neemt twee stappen, ik zet er een, en hij omhelst me. 'Ik ben de confronterende Aaron, als je dat nog niet wist. Ik veins over het algemeen niet dat ik goede manieren heb.'

'Hoe ga jij sterven?' vraagt hij me later.

'Alleen,' antwoord ik.

'Besef je wat je net hebt gezegd?'

'Ja. Ik leer het al.'

'Ik wist niet dat ik zoveel onzekerheid in me droeg,' biecht ik hardop op. 'Ik had geen idee. Ik zie mezelf graag als stabiel!'

Toen ik Aaron een paar dagen geleden vroeg of hij zich wel eens bezorgd maakt over hoe ik me voel, zei hij nee; hij had het gevoel dat ik stabiel was en niet zou doordraaien.

'Ik vind het prettig dat je er zo open over bent,' zei hij. 'Je gaat me tenminste niet razend te lijf, verwijt me niet dat ik je heb verwaarloosd, beschuldigt me er niet van dat ik niet voor je zorg, of dat ik onverschillig en zelfzuchtig ben. Je zegt gewoon hoe het voor jou is zonder het zwaar te maken voor mij.'

Dus ik ben zowel onzeker als stabiel, bedenk ik nu. Ik stel me voor waarnaar hij verwijst: hysterische vrouwen die proberen er bij hem in te hameren hoe ze willen worden behandeld door een man met zo'n enorme energie... die hij beheerst.

'Ik zou die energie niet bezitten als ik hem zou weggeven door me druk te maken om wat mensen van me vinden,' zegt hij. 'Ik wil dat jij ook zo bent. Maak mensen maar razend, als dat nodig is. Doe wat Carla wil, zonder je voor jezelf te verontschuldigen. Mensen zullen je liefhebben en zullen je haten, maar jij zult op jezelf zijn gesteld, en dat is het enige wat belangrijk is. Zet dat maar in je boek. Schrijf erover tot je weet waarover je schrijft.'

Dat ga ik zeker doen. 'Dat zal me wel een boek worden.'

Hij trekt wit weg.

'Je wordt helemaal verlegen,' zeg ik.

'Nou,' zegt hij, 'dat ben ik ook.'

Hij glimlacht en kijkt op. Liefde druipt over hem heen van mijn adorerende gezicht boven hem. Ik houd zoveel van deze man dat ik denk dat het onmogelijk is om meer van iemand te houden... tot de volgende keer dat we samen zijn, als de grenzen nog verder zullen worden verlegd.

Waarom God, waarom?

Onze grootste angst is niet dat we ontoereikend zijn.

– Marianne Williamson, 'Een terugkeer naar liefde'

Lynda en ik hebben met Laura, een gezamenlijke vriendin, afgesproken. Laura staat voor een spirituele uitdaging: hoe ze in haar eigen energie moet blijven. Dezelfde uitdaging die ik heb. Ze heeft een echtgenoot met wie ze geen intimiteit heeft, en als ze seks met hem heeft geeft dat haar een vreselijk gevoel over zichzelf. Aan de ene kant is ze gelukkig met haar manier van leven en haar twee zoons, die allemaal financieel door hem worden onderhouden. Ze is een goed geïnformeerde, spiritueel ingestelde, sterke en getalenteerde vrouw die moeite heeft met de volgende stap richting haar bewustwording. Ze is bang om alles te zijn wat ze kan zijn. Ik vraag me af wat het is dat ons zo bang maakt voor ons eigen licht.

Mijn eigen angst heeft hier ook mee te maken. Aaron blijft maar zeggen: 'Wees alles wat je kunt zijn, Carla,' maar ik heb oprecht het gevoel dat dat het eind zou kunnen betekenen voor onze relatie zoals we die kennen. Het zou kunnen betekenen dat ik een levensstijl zou kiezen die hij niet zou willen delen. De ironie van de waarheid hiervan is zeer geraffineerd. Dat heeft Aaron al gezien, Aaron die wil dat ik alles heb.

'Ik hoop dat we, wat er ook gebeurt, onze speciale momenten zullen blijven houden,' zei hij een tijd geleden. 'Neem je man mee, als je dat wilt, maar kom bij me.'

Niets kan je zo uit je centrum trekken als een liefdesrelatie.

Lynda vertelt ons hoe zij met verlangen omgaat. Ze houdt van haar ex-man, Don. Lynda en Don zijn extreem goed bevriend, en dat is alles wat Don wil. Hoewel Lynda het heerlijk zou vinden om weer met hem samen te zijn, of in elk geval meer fysiek contact met hem te hebben.

'Beperkingen leiden tot meer passie en meer liefde,' zegt ze. 'Wat we met seks en liefde doen... dergelijke belangrijke aspecten van het leven. Dus ga ik mediteren, en dan zit ik met het verlangen,' gaat ze verder. 'Ik zit volledig in het gevoel en accepteer het. Ik accepteer het verlangen met de gehele geraffineerde pijn dat het niet wordt vervuld. Ik accepteer het als iets wat er is in het leven. Dit is wat het is en ik ren er niet voor weg.'

'Gaat het verlangen daarmee weg?' vraag ik haar. 'Of word je je ervan bewust dat je datgene waarnaar je verlangt al hebt?'

'Ja,' zegt ze in antwoord op het eerste deel van mijn vraag. 'En nee, ik krijg niet altijd het gevoel dat ik het al heb. Soms wel, soms niet. Hoe dan ook, dat maakt niet uit. Ik heb me eraan overgegeven.'

Dan voegt ze toe: 'Dit is het enige moment waarop ik geloof dat we een duidelijke keuze maken. Op andere momenten denken we dat we keuzes maken, maar het enige wat we doen is een programma volgen. We leven het grootste deel van de tijd op de automatische piloot, volgen een script, een programma. Alleen tijdens momenten dat we volledig accepteren wat ís maken we een echte keuze.'

Lynda vertelt me iets waarover ik heb gelezen in een dichtbundel van een onderwijzeres die Nirmala heet. Poëzie is mijn favoriete manier om zaken te leren die het hart aangaan. Ik heb er ook over gelezen in Eckhart Tolles *De kracht van het nu*. Om de een of andere reden wordt het steeds belangrijker voor me. Een soort satori-ervaring. De enige echte keuze die we hebben is acceptatie.

Lynda is van de diepgang. Het is zeer de moeite waard te luisteren naar haar waarheid.

'Als je de realiteit accepteert, verander je daarmee de loop van de geschiedenis,' stelt ze gedurfd. 'Alleen dat heeft de kracht om verdere evolutie te waarborgen, om het zomaar te zeggen. We kunnen niets doen om onszelf met wilskracht tot zijn te brengen; alleen acceptatie van wat het is doet dat. Dan worden we aanweziger en hebben meer energie. Energie blijft op die manier opbouwen, tot ze nogmaals implodeert tot eenheid, wanneer alles uiteindelijk wordt geaccepteerd.'

Ze heeft het over de gehele mensheid aan het eind van het pad van ervaring op deze planeet. Ik herinner me een frase over 'geleefd worden'. Die begrijp ik nu beter. Het lijkt erop dat we de keuze hebben te worden geleefd door het leven, of te strijden. We kunnen worden geademd, of ademen met stress. We kunnen ons overgeven of lijden. We kunnen rusten in de armen van de geliefde, of altijd een gebroken hart houden op zoek naar liefde en vrede.

Wauw, Lynda! Je bent beter in staat om deze waarheid na te leven dan ik.

Eenmaal weer tegen Aarons borst genesteld barst ik in tranen uit. Hij wil weten wat er deze keer aan de hand is. Dus dat vertel ik hem.

'Ik huil om de schoonheid van wat ik hier voel. Ik kan je hart voelen, het staat zo wijd open en is zo mooi. Ik voel de puurheid, de enorme capaciteit tot liefhebben... en de pijn.'

'Mijn pijn?'

'Ja, ik voel enorme pijn. Misschien uit je jeugd, misschien van recentere gebeurtenissen, maar hij is er en maakt me verdrietig.'

Aaron heeft voor een keer geen woorden om te antwoorden. Hij maakt achter gesloten ogen contact met wat ik net heb gezegd.

'Ik ben een energie. Alles kan me worden ontnomen, maar die zal ik met me meenemen als ik sterf.' Aaron heeft de neiging om in een post-orgastische staat zijn diepste wijsheden te uiten.

'Een relatie maakt je niet compleet! Ze geeft je geen leven! Je hebt eerst een leven en dan voeg je een relatie toe. Als je jezelf ziet als een halfvol glas dat een ander nodig heeft om het te vullen, raak je in de problemen. Dat is de manier waarop mensen elkaar in rap tempo helemaal leegmaken.'

Mis me zoveel je wilt als ik wegga, maar besef wel dat je jezelf mist. Er is niemand anders om te missen. Roep jezelf terug. Wees met jezelf. Dan zal je geliefde je kussen.

Ik word wakker en voel mijn borsten: ze zijn deze maandagochtend heel gevoelig. Ik masseer ze, zoals ik tegenwoordig doe om ze te laten groeien. Ik weet zeker dat het werkt: ik heb al een paar weken groeipijn. De tepels zijn zo gevoelig dat het pijn doet om ze aan te raken, tenzij ik dat met natte vingers of handen doe. Vandaag is de sensitiviteit normaal, prima als ik ze zacht aanraak, erin knijp met wijsvinger en duim en de directe lijn van opwinding naar mijn vagina voel. De sensatie brengt mijn vagina tot leven, en ik praat via de ether met Aaron, omdat ik alleen in bed lig en me niet zo goed voel.

'Zie ik je echt woensdag pas weer? Maar ik ben zo nat!'

Die natheid verrast me, want ik heb verhoging, waarschijnlijk griep. Waar komt al die energie vandaan? Ik voel in mijn vagina: kletsnat. Ik breng wat van het vocht naar mijn clitoris en schaamlippen, en alles is direct doorweekt.

'Kijk dan hoe mijn vagina naar je verlangt!' ga ik verder met mijn monoloog tegen de afwezige Aaron. 'Kijk dan hoe mijn clitoris opzwelt en mijn borsten groeien als ik aan je denk. Mijn schaamlippen zijn zo nat, verwelkomen dit genot zo enthousiast. Kijk, mijn bekken opent zich en gaat omhoog, naar jou, wil jou, gaat nog verder omhoog en wil je, wil je, wil je, WIL JE...!!!'

Mijn orgasme is hard en zoet en een ontlading van spanning waarvan ik niet wist dat die er was. Het masturberen was anders dan anders; ik deed het sporadisch voor ik Aaron kende. Deze keer was het de verbinding die ik met een ander maakte die het verschil maakte. Het is een paar minuten voor acht; ik zal Aaron later eens vragen wat hij op dit moment deed.

Het is maandag, en ik zie hem woensdag pas weer... als hem dat tenminste gaat lukken. Ik luister weer naar Emma Shapplin. Ik draai die muziek heel vaak en hij raakt me elke keer. *Je suis à toi*. Ik moet erom huilen en mijn hart neemt er een hoge vlucht van. Ik dans op een manier die niemand me zou moeten zien doen en krijg er geen genoeg van. Waarom luister ik er vandaag naar, nu mijn hart zich niet helemaal heel voelt?

Ineens weet ik het. Het dringt in een moment van ultieme helderheid tot me door wat voor iedereen die ons kent glashelder moet zijn: Aaron voelt zich anders dan ik. Zijn gevoelens zijn eenvoudigweg niet in staat te reageren zoals die van mij. Zelf zegt hij dat hij verdoofd is. Omdat hij verdoofd is, beseft hij niet wat ik voel, en beseft hij niet wat hij zou kwijtraken als ik bij hem zou weggaan. Daarom kan hij zeggen: 'Als jij mij verlaat, zoek ik gewoon een andere Carla,' en zegt hij dat drie keer in even zoveel weken.

Hij vindt het heerlijk om te worden liefgehad, daar komt zijn extase ongetwijfeld grotendeels uit voort. Hij heeft de passie van seksuele sensualiteit, maar hoe zit dat met de passie van liefde?

Hij is in het verleden gekwetst en heeft tegen zichzelf gezegd: nooit meer. Ik zal nooit meer zo intens liefhebben dat het pijn doet als ze weggaat. Het heeft hem sterk, maar ook ondoordringbaar gemaakt. Aaron zal zichzelf nooit geven zoals ik dat doe, dat zou hij dwaas noemen, dan zou hij zeggen dat hij zichzelf verliest. Hij heeft gezien hoe ik mezelf in hem verlies en vindt dat niet prettig. 'Heb me lief zoveel je wilt, zet me desnoods op een voetstuk, maar blijf bij jezelf!' zegt hij tegen me.

Blijf bij jezelf? Hoe durft hij mijn allerheiligste woorden te gebruiken? Dat recht zou hij hebben, als hij zou weten hoe hij zichzelf kon geven en tegelijk bij zichzelf kon blijven. Maar ten eerste geeft hij niet. Hij geeft me zijn penis, zijn sensualiteit, zijn kussen, zijn bewondering, zijn waardering, zijn woorden... ach, wat een geweldige woorden! De woorden van een dichter, intens gefluisterd, berekend om het hart te infiltreren. Hij zegt niet meer dat hij 'trucjes' heeft, niet meer sinds ik daar mijn neus voor heb opgehaald, maar misschien is dat wat ze grotendeels zijn: trucjes, de woorden die hij kent winden haar op en geven haar een goed gevoel over zichzelf. Getver, ik word er misselijk van.

Doe ik hem misschien onrecht aan? Zijn woorden komen toch heel vaak uit zijn hart? Ja, dat moet wel. En toch handelt hij er niet naar. Als hij kon voelen wat ik voel, als hij besefte welke passie er op hem is gericht, zou hij een prioriteit van deze relatie maken. Dan zou hij beseffen, zoals ik, dat wat wij hebben zeldzaam is, dat ieders tijd kort is, maar helemaal voor ons, vanwege onze leeftijd. De kans is groot dat het leven ons in de toekomst doet scheiden, zelfs als we dat niet willen.

Maar nee, zijn studie is zijn prioriteit geweest, hoewel hij weet dat hij hem niet zal afmaken. En niet een uurtje, of twee, maar hele dagen achter elkaar. Klagen raakt hem niet. Hij blijft weg. Hij zegt dat ik mag komen om rond te hangen als ik hem echt nodig heb.

Mijn wangen branden als ik die woorden op papier zie, geschreven in mijn dagboek. Mijn ogen zijn de laatste tijd altijd vochtig, en nu stromen ze over.

Carla, tijd voor de realiteit. Je bent verliefd geweest op Aarons potentieel: wat jij in hem ziet, wat hij niet in zichzelf ziet. Het is nu tijd om te kijken naar wat werkelijk is. Hoe groot is het gat tussen zijn potentieel en de realiteit? Het gat, lieve Carla, is een peilloze diepte.

Emma's woorden zijn plotseling die van mij. Ze schreeuwt naar de hemel: *Signor, perché?* God, waarom?

Aaron praat met me over mijn onzekerheid. Het is een onderwerp dat hem zeer aan het hart gaat, dus zijn toon is serieus. 'Ik wil dat jíj het weet zoals ík het weet. Ik vertrouw erop dat je het kúnt weten. Je moet over die onzekerheid heen groeien, Carla.'

Hij is meerdere malen zeer gekwetst toen zijn vriendinnen zich tegen hem keerden omdat ze hem niet konden 'bezitten', zoals hij het noemt. Aaron de Onafhankelijke, Aaron die niettemin vrouwen uitkiest die binnen de kortste keren niet zonder hem kunnen. Aaron die heeft geleerd zichzelf te beschermen en wellicht niet in staat is zich voor te stellen wat het effect van zijn bedachtzaamheid op anderen, onder wie ik, is.

'Verwaarlozing haalt het ergste in een vrouw naar boven,' zeg ik tegen hem. 'Ik begrijp wel dat je vrouwen er gek van werden dat je niet met hen communiceerde en dat je in je ivoren toren zat, zelfgenoegzaam en arrogant in je afstandelijkheid. Ik kan me voorstellen dat ze er gillend gek van werden!'

Aaron is niet van plan zijn grieven aan de kant te zetten omdat ik een preekje heb gehouden. Hij haalt de valsheid van sommigen van zijn exen aan. Ik vind nog steeds dat waar twee vechten, twee schuld hebben. Aaron staat niet op het punt om daar iets van te lezen en schuld te bekennen. Hij staat te trappelen om mij verder te onderwijzen over 'zijn manier'.

'Je wilt dat ik elke dag met je praat. Dat is niet mijn manier. Als ik wil weten hoe het met je gaat, krijg ik een beeld in mijn hoofd en dan weet ik hoe het met je is. Dat werkt; probeer het ook maar eens.'

'Onzin, Aaron! Als je dat afgelopen zondag had gedaan, zou je zijn gekomen. Ik was wanhopig.'

'Wat was er dan?'

Nu heb ik zijn aandacht. Hij wil niet meer discussiëren, hij wil horen wat er was.

'Ik was intens verdrietig over hoe deze relatie niet gaat werken,' begin ik dapper, waarmee ik mijn zwakte blootleg, waarvoor hij zo bang is. Het geheimhouden is erger. Als Aaron me gaat afwijzen om mijn onzekerheid, kan hij dat niet snel genoeg doen. 'Toen ik naar die workshop was, brak mijn hart om een toekomst die nog niet bestond. Ik weet dat dat stom was, en ik heb ervan geleerd. Het zal me niet nog eens gebeuren, maar het was afschuwelijk voor me.'

'Hóé heb je ervan geleerd?' vraagt hij.

'Ik heb het gevoel in me tekeer laten gaan terwijl ik op de acupressuurpunten klopte die Lynda je heeft laten zien.'

Ik heb een levende herinnering aan hoe golven meelijwekkend verdriet over en door me heen stroomden die dag, van hoe de tranen uit mijn gebroken hart vloeiden.

'Ik denk niet dat ik het nog eens hoef te doen. Ik ben het ergste aangegaan en ben er klaar mee,' zeg ik.

'We voelen ons tot elkaar aangetrokken omdat we allebei iets van de ander willen,' zegt Aaron, alsof hij met zijn conclusie komt. 'Jij wilt net zo onafhankelijk zijn als ik en ik wil jouw passie.'

Ik slaak een zucht van opluchting. 'Mooi gesproken, Aaron.'

'Wat jij wilt ga je niet van mij krijgen, Carla. Je zult het in jezelf ontwikkelen door contact met mij. Seks is een prachtige manier om energie uit te wisselen. Als we vrijen, begrijpen we elkaar helemaal.'

Ik hoor in zijn woorden dat het beter zal gaan tussen ons. Dat hoeft hij niet voor me uit te spellen. Hij komt mijn kant wel op als ik meer over zijn manier wil leren.

'Jij wilt mijn zelfvertrouwen,' zegt hij. 'Je wilt van je onzekerheid af. Ik kan je dat zelfvertrouwen nooit geven en jij kunt niet via mij leven, maar je kunt het wel in me voelen, je kunt het proeven, je kunt het weten en in jezelf naar boven halen. Dan ga je je net zo gedragen als ik.'

Ik luister naar de profetische woorden. Ondanks het residu van emotionele schade dat ervoor heeft gezorgd dat Aaron zo gereserveerd en voorzichtig is, klinkt dit als wijsheid die hij uit zijn levenservaring heeft gedestilleerd.

Het is een avond voor directe communicatie, en Aaron neemt het grootste deel ervan voor zijn rekening.

'Ik voel hoe kwetsbaar je bent als je me voor de volle honderd procent liefhebt. Daar wil ik je nooit in kwetsen. Ik wil dat je de Carla bent die je kunt zijn: zo gelukkig met jezelf dat je onsterfelijk bent, onverwoestbaar, onbreekbaar in je gevoel van zelfwaarde. Je bent het oppermachtige vertrouwen dat je als kind had aan het terugwinnen. Dat zag je vader in je en hij kon het niet uitstaan. Hij moest het je afnemen. Sindsdien loop jij rond met gevoelens dat je onwaardig bent. Je hebt altijd schoonheid gehad, maar kon die niet zien. Het begint nu tot je door te dringen dat je jezelf weer kunt zijn, alles kunt hebben. Je begint je ervan bewust te worden en ik ben hier zodat dat kan gebeuren.

Je bent gewild!' zegt hij plotseling gepassioneerd, net op het moment dat ik het heb opgegeven ooit nog gerustgesteld te worden. 'Je bent gewild! En niet alleen op seksueel vlak, maar ik wil me ook voelen zoals jij!'

Ik kijk hem aan en de tederheid stroomt uit mijn ogen. Hij beantwoordt mijn starende blik en we blijven even zo zitten, verloren in elkaars aanzicht. We genieten van wat er is gezegd, zijn ervan overtuigd dat we groeien op een manier die een of ander goddelijk bewustzijn, dat Aaron 'de radertjes' noemt, heeft georganiseerd. Mijn hart staat zo wagenwijd open dat het pijn doet, maar ik zou het niet anders willen. De pijn die ik voel is altijd dezelfde: het voorgevoel dat alles op een dag voorbij zal zijn.

'Dit is hoe twee mensen één worden,' zegt hij, en hij doorbreekt daarmee de stilte. 'Jij haalt in jezelf naar boven wat je in mij liefhebt en ik haal in mezelf naar boven wat ik in jou liefheb. Wees niet onzeker, Carla. We zijn dertig jaar uit elkaar geweest en hebben elkaar weer gevonden. Wat zijn twee dagen dan, vijf dagen, twee weken! Vertrouw op jezelf!'

Aarons huis

Je ziel zal op een dag
een witte vlag voor je hijsen.
En dan weet je wat dat betekent.

– Robert Rabbin, 'Nederigheid'

We zijn samen op weg naar Aarons huis in Darkan. Het is elf uur 's avonds, we rijden door mistige valleien en zijn alert op kangoeroes op de weg. De bomen langs de weg naar Darkan zijn net engelen met stevige ledematen, van een naakte schoonheid in het licht van de koplampen. Ze boezemen me enorm ontzag in. Wat Darkan ook niet moge hebben, het heeft wel de mooiste bomen ter wereld.

Ik heb de eerste helft van de reis gereden, maar ik laat het nu aan Aaron over om in het donker over de onbekende wegen naar zijn stadje te rijden. Hij wijst naar de in schaduw gehulde gebouwen die we passeren. 'Dat is het gemeentehuis, dat is het grootste pand, en daar is mijn schuur.' De hoge muren en grote ronde ramen zijn zichtbaar boven een hek. 'En daar ligt de berg dwarsbalken... weet je nog, daar heb ik over verteld.'

We rijden zijn oprit op. Het is zo stil. Hij zoekt zijn sleutel en doet een licht aan. Ik zie tot mijn opluchting een heuse wc, niet ver van het huis, met groen buitentapijt ervoor dat tot aan de kleine achterveranda loopt. Ik ontdek al snel dat het toilet een houten bril heeft. De kwaliteit ervan is niet uniek op deze geïmproviseerde plaats. Alles is gemaakt van hergebruikt materiaal – grotendeels van spullen die anderen weggooien – maar alles is uitermate goed doordacht.

Onze weinige bezittingen gaan het huis in en een paar seconden later staat er een ketel water op voor een beker warme chocolademelk en een paar kruiken.

Aaron maakt zijn bed op. Een laken van een eenpersoonsbed zal de schapenvacht moeten bedekken die over het bed ligt dat bijna, maar niet helemaal, tweepersoons is. Daaroverheen gaat een berg dekbedden. We moeten snel naar bed, aangezien het vriest en we moe zijn. Twee kruiken worden tussen de lakens gelegd. Ik poets mijn tanden, kleed me zo snel als ik kan uit en klim in bed. Aaron hangt mijn nieuwe cassetterecorder, die opneemt als hij geluid registreert, aan het koperen hoofdeinde bij zijn kussen. Hij wil weten hoe het klinkt als hij snurkt.

Het is gezellig en bijzonder om bij Aaron in bed te liggen, in zijn eigen huis. Hij is zo blij dat ik ben gekomen. Het is een soort doop, een verzegeling van een vriendschap, een bevestiging van zichzelf. Het is al laat, maar we bedrijven de liefde met een passie die wordt gevoed door Aarons waardering voor het feit dat ik in zijn bed lig. Het is uren na middernacht als we gaan slapen, ik met oordopjes in.

Aaron valt gemakkelijk in slaap. Ik lig nog lang wakker, geniet van de nabijheid van zijn lichaam, adem met hem mee en luister naar zijn gesnurk. Over het algemeen ademt hij normaal, totdat zijn ademhaling op de een of andere manier wordt afgeleid. Dan stopt hij even helemaal, terwijl zijn lichaam probeert iets onder controle te krijgen. Vijf of zelfs tien lange seconden wordt zijn ademhaling onderdrukt, tot hem een keiharde snurk ontsnapt. 'Mijn getroebleerde onderbewustzijn,' noemt hij het. 'Ik wil niet dat jij daarnaar moet luisteren.' Maar eigenlijk wil hij dat wel. Hij moet weten dat ik hem er niet om veroordeel.

Aaron wordt even wakker en kust me. 'Lag ik te snurken?'

'Ja, maar dat geeft niet.'

'Ze heeft er geen last van dat ik snurk. Er is iets mis!' zegt hij op honende toon, en dan valt hij weer in slaap. Ik slaap, word wakker en val weer in slaap, en ik heb het gevoel dat ik in de hemel ben.

Het is elf uur 's ochtends. Hij ligt nog in bed. Wil niet opstaan. Weet niet wat hij moet doen. Ik loop al sinds acht uur in mijn ochtendjas rond: kopje thee, wandelingetje buiten, havermoutpap als ontbijt (niet voor Aaron, die haat pap), wassen, lezen.

Dit huis is als geen ander op aarde. Elke beschikbare plank ligt vol met spullen die langs de kant van de weg of op de vuilnisbelt zijn verzameld, of voor een prikkie ergens op de kop zijn getikt. Hij heeft niet één koekenpan, maar zeven, niet één slakom, maar slakommen in alle maten die er zijn, inclusief megagrote, niet een paar dozen tissues, maar een hele muur vol. Aaron is een dwangmatige verzamelaar. Het hele huis voelt overvol, er is nauwelijks ruimte om te bewegen. Er zijn geen gemakkelijke stoelen. De badkamer is in geen jaren schoongemaakt, misschien wel nooit. Elke keer dat er iemand onder de douche gaat wordt de vloer nat. Het is het huis van een man die alleen basale dingen nodig heeft.

Ik besluit in mijn ochtendjas bij hem in bed te kruipen en te vragen wat er is. Hij zegt dat hij het niet weet, maar als hij zich naar me omdraait kruisen onze blikken elkaar even in een vraag, en het antwoord is een gedachteloos verlangen elkaar te omhelzen en te kussen.

Zijn handen willen door mijn kleren voelen. Ik trek ze onhandig uit: ochtendjas, nachtpon, onderbroek en sokken, die ik had aangetrokken als bescherming tegen de kille ochtendlucht in het winterse Darkan.

Eenmaal naakt en onder de berg dekbedden heb ik het gegarandeerd warm. Aarons handen zijn gretig en sterk. Ik ben hulpeloos als zijn mannelijkheid het zo ferm maar teder overneemt. Hij weet wat hij met me moet doen, hoe hij ons beiden kan plezieren, het is allemaal zo eenvoudig. Het is de passie die tussen ons en uit onze handen, ogen en huid stroomt, die kleine gebaren in een vloedgolf van genot omzet. Het is al snel te heet onder de dekens.

Ik lig boven op hem, open en bloot in de koude lucht en met mijn benen over hem heen gespreid als zijn hand over mijn billen heen reikt en twee vingers geoefend hun weg naar mijn clitoris vinden. Mijn al opgewonden lichaam lijkt onder spanning te staan. Ik beweeg weg om de energie die zich opbouwt te verspreiden, maar zijn vingers volgen mijn bewegingen. Ik rol van hem af en hij ligt direct boven op me. Zijn hoofd is boven mijn borst. Zijn mond valt mijn tepels aan. Mijn vingers nemen het over van die van hem om mijn clitoris te stimuleren. Aarons gretige mond en tong gaan van de ene naar de andere borst, hij houdt ze met zijn handen vast. Mijn hitte bouwt op en ik stop de stimulatie om golven naar buiten te laten vloeien, ga dan weer verder, stop weer en ga verder tot mijn lichaam het niet meer aankan en in een vulkanische explosie uitbarst. Mijn strot opent zich in een hoge gil, vloeiend als een noot in een lied dat de muren en tuinen penetreert. Maar ik denk niet aan voorbijgangers. Mijn gil duurt zo lang dat Aarons hand uiteindelijk omhooggaat en probeert hem te blokkeren, maar het is enkel een reflex: hij weet dat het geen enkele zin heeft.

Het is weken geleden dat ik een clitoraal orgasme heb gehad; de meeste van mijn topervaringen komen voort uit mijn vagina en baarmoederhals. Een clitoraal orgasme kost heel veel energie en ik ga me er zelden aan te buiten, maar er is een moment voor dit soort dingen en vanochtend is er een, in Aarons bed, in zijn huis, in Darkan.

Ik zak in uiterste tevredenheid achterover. Ik voel het complete genot van een perfecte balans in elk deel van mijn lichaam. Het is geheel in energie gelaafd, verwarmd door de uitgestrektheid van dit orgasme. Al mijn organen zijn zingend tot leven gekomen. Ik voel vooral hoe goed mijn darmen zich voelen. De kern van mijn buik straalt tevredenheid uit.

'Ben je altijd zo seksueel geweest?'

Aaron stelt nooit zomaar een vraag. Hij kijkt me geconcentreerd aan, hij wil het al een tijdje weten. Ik zit naast hem, op de rand van het bed, mijn antwoord te overwegen.

'Volgens mij heb ik altijd zo seksueel als dit wíllen zijn,' zeg ik. 'Ik heb het gevoel altijd in me gehad, maar het is er nooit eerder op deze manier uitgekomen.'

'Wat heeft je dan tegengehouden?'

'Ik ben nooit eerder mijn gelijke tegengekomen.'

'Dus dat is het. We zijn twee handen op een buik. We zijn allebei extreem dol op seks.'

'Dat is niet het enige...' begin ik, maar hij onderbreekt me.

'Dat weet ik. Er zijn ook andere dingen, maar behalve dat gaat het erom dat we volledig seksueel kunnen zijn bij elkaar.'

Later ziet hij de beker die ik gebruik, en hij geeft me een standje. 'Dat is mijn speciale beker! Ik ben de enige die hem gebruikt! En nu we het er toch over hebben, die daar is van Carol, de buurvrouw, en die is van Eddie. De andere mag je allemaal gebruiken.'

Aaron blijft me instructies geven over de manier waarop bij hem wordt huisgehouden. Ik begrijp dat het de bedoeling is dat je hem gehoorzaamt. Nou ja. Dit huis is Aarons kasteel.

Het heeft een vriendelijke uitstraling. Er staan overal sentimentele herinneringen aan het verleden: foto's, snuisterijen... allemaal met een verhaal erachter. Maar ik zou er niet kunnen wonen, dat is wel duidelijk. Ik zou het er zelfs niet langer uithouden dan een nacht en een dag.

Als de klusjes die moeten gebeuren zijn gedaan, zoals een onmogelijke hoeveelheid computers uit elkaar halen – en de onderdelen eruit peuteren waarvoor alleen Aaron een functie zou kunnen verzinnen – en de bladeren in de tuin aanvegen, duik ik weer onder de wol. Dat is waar Aaron me vindt.

'Waar ben ik goed in?' vraagt hij terwijl ik de dekbedden over ons heen trek.

'Ik denk dat je van nature een briljante architect bent.'

'Waarom zeg je dat?' Zijn stem klinkt bedompt onder de dekens.

Dat vertel ik. 'Je bent praktisch en intelligent, en je denkt buiten de kaders. Je vindt oplossingen voor mensen die je hun bouwproblemen vertellen. Je onthoudt wat relevant is. Je kunt alleen geen vluchtige academische concepten onthouden. Je bent praktisch ingesteld: je wilt dingen maken met je handen.'

Zegt dat niet alles? Nee, er is meer.

'Het drong tot me door hoe goed je bent toen je me uitlegde hoe je huis eruitziet, en wat je hebt gedaan om die verbijsterende schuur in elkaar te zetten.'

Het is een schuur als geen andere. Nadat de gemeente hem had goedgekeurd en hij was gebouwd, viel het iemand op hoe gigantisch het ding was, waarop er mensen van de gemeente kwamen kijken, die Aaron vroegen het gevaarte kleiner te maken. Niet dus.

Aaron heeft het talent om ontwerpproblemen op te lossen en doet dat heel creatief. Waarom heeft hij niet het vertrouwen dat hij een succesvolle architect kan zijn? Ik snap er niets van, maar het zal er wel mee te maken hebben dat hij te links georiënteerd is, wat betekent dat hij niet van de gevestigde orde houdt en oneerbiedig is. Hij voldoet niet aan het beeld zoals architecten dat graag van zichzelf zien.

'Bedankt dat je dat zegt,' zegt hij. Hij neemt mijn hoofd in zijn handen en geeft me een kus. 'Maar we weten allebei dat de banen nou niet bepaald voor het oprapen liggen voor mensen zoals ik.'

Gesprek beëindigd. Hij gooit de dekens van zich af, kleedt zich uit door zijn kledingstukken ongeveer in de richting van de dichtstbijzijnde stoel te gooien en draait zich weer naar me om.

Het is al donker als we op weg gaan naar Perth. Het is Aarons favoriete moment om te reizen: er lopen geen kangoeroes meer op de weg, er is weinig verkeer en de lucht is koel en zoet.

Ik heb Darkan overleefd. 'Hoe vond je het?' vraagt Aaron. Hij biechtte me nadien op dat hij geen woord geloofde van wat ik zei.

Missende garderobe

Als iets hiervan de echte wereld zou zijn
zou het nooit verdwijnen.

– Robert Rabbin, 'Realiteit'

Het is drie uur 's nachts. Ik word wakker in bed, kreunend van een nachtmerrie. In de droom was ik non, lid van een gemeenschap en gelukkig tot ik bedacht dat ik iets miste... iets essentieels... een garderobe! Ik werd depressief en verborg me onder mijn sluier. Niemand kon mijn gezicht eronder zien, maar ik voelde me steeds ellendiger worden, tot ik me op een stoel aan een tafel liet zakken, boven op een verzameling heilige objecten: een schaal, as en olie voor een ceremonie. De zusters snakten naar adem. Het kon me niets schelen. Ik liep naar een bankje tegen de muur en verborg mezelf nog steeds onder mijn sluier. Toen ik om me heen gluurde, zag ik een garderobe bij de deur staan, die op me af kwam. Die moest voor mij zijn, maar niemand zei iets, dus ik wilde geen voorbarige conclusies trekken en bleef gehuld in mijn sluier zitten.

Ik ging gisteravond met een vermoeid gevoel naar bed. Ik was me eerder die dag bewust geworden van een pulserend gevoel in mijn vagina, alsof een versie van Aarons penis me had gepenetreerd. De sensatie was sterk en onmiskenbaar. Ik begon te schrijven over wat ik voelde en terwijl ik dat deed gierde er een orgasme door mijn lichaam. Golven van seksuele energie schoten van mijn tenen naar mijn hoofd, deden me scherp inhaleren en mijn lichaam uitrekken om de energie te verplaatsen. Mijn spieren trokken samen en ik snakte naar adem; mijn vagina pulseerde, maar ik had mezelf helemaal niet aangeraakt.

Ik stelde me voor dat Aaron zijn 'blije pik' streelde, zoals hij hem noemt, maar niet dat hij masturbeerde. Natuurlijk niet, want dat zou zijn energie voor ons vrijen verstoren! Ik keek hoe laat het was en vroeg hem toen ik die middag naar hem toe ging wat hij op dat moment deed.

Hij wist exact wat hij had gedaan: masturberen om het erotische beeld kwijt te raken dat hem sinds de dag ervoór achtervolgde toen hij de 'gezonde borsten' van een studente had gezien. Ze hadden hem aan de borsten van zijn moeder doen denken toen hij een jongetje was en ze samen met hem in bad ging om water te besparen. Zijn moeder zag zijn starende blik en sprong in een aanval van preutsheid uit bad. Haar gegeneerde reactie had de erotische kwaliteit van het voorval versterkt, dat nooit meer werd herhaald en nooit meer werd vergeten.

Dit masturberen van Aaron – een resultaat van het zo opgewonden raken van de borsten van een ander – verontrustte me om de een of andere reden enorm. Ik keek naar hem, hij zat te gapen. 'Ik heb een drukke dag gehad,' legde hij uit.

Ja, nou en of, te beginnen met een enorme verspilling van energie vóór het ontbijt. Ik vroeg hem of hij wist hoe hij die energie naar zijn hart kon omleiden.

'Ja, ja, maar ik had geen zin om de hele dag met dat beeld in mijn hoofd rond te lopen, dat had me alleen maar afgeleid.'

Ik ging er verder niet op in. In plaats daarvan stonden we in zijn kleine kamertje en omhelsden elkaar. Zijn handen gingen over mijn lichaam, zoals mannenhanden dat doen, en stopten bij mijn borsten – maar die waren niet echt. Hij raakte mijn vullingen aan – loze ruimte.

En dus ging ik gisteravond naar bed met een gevoel, niet helemaal bewust, van diep verdriet over de toestand van mijn borsten. Zodra mijn hoofd in het donker op het kussen lag, werd het me maar al te duidelijk wat ik voelde en dacht. Aaron raakt niet opgewonden van mijn borsten; in tegendeel, hij negeert ze het grootste deel van de tijd, en daar ben ik dankbaar om, aangezien ik het gevoel heb dat hij er totaal op zou afknappen als hij er echt naar zou kijken. Hij vindt het heerlijk als ik op hem zit als we vrijen, en dat plaatst mijn borsten recht in zijn zicht. Als mijn rug recht is, zien ze eruit als redelijk normale, heel erg kleine borsten, maar als ik vooroverbuig – wat ik veel doe – worden het lege zakjes, die erbij hangen als rubberen trechters met een tepel eraan. Vreselijk! Ik kan ze het beste maar vergeten, maar dat lukt me maar heel zelden. Ik vraag me af of het me ooit lukt. Is het niet de waarheid dat ik me altijd bewust ben van het feit dat ze niet voldoen, bepaald niet sexy zijn, het ultieme en onmogelijk te verbergen symbool van het feit dat ik ouder word? O, wat een pijn! De pijn mijn seksuele identiteit te verliezen!

Mijn droom vertelde me over mijn schaamte: mijn verlangen naar een 'garderobe' – er 'goed' uitzien – en over dat ik me een non voel vanwege mijn ontoereikende borsten, het verlies van mijn vrouwelijkheid. Hoe kan een vrouw seksueel en sensueel zijn zonder dat ze borsten heeft: hét symbool van haar seksualiteit, en datgene wat Aaron opwindt?

Op dit moment heb ik het gevoel dat ik geen seksualiteit meer bezit. Ik wil Aaron bellen en hem waarschuwen dat hij geen seks moet verwachten als hij vanavond komt, want ik voel me ellendig. Dit is hoe het gesprek in mijn hoofd verloopt:

'Hoi, hoe is het, schat? Vertel het eens.' (Aaron voelt het altijd aan als ik iets aan mijn hoofd heb.)

'Aaron, ik voel me afgrijselijk. Ik heb geen zin in seks.'

'Nou, dan kom ik een tijdje niet langs.'

Stilte.

'Schat?'

Ik leg de telefoon neer terwijl een onderdrukte snik dreigt de stilte te doorbreken. En hij belt niet terug. Hij haat theatraal gedrag. Dat heeft hij genoeg bij andere vrouwen gezien. Hij wil geloven dat hij bij mij veilig is, dat ik stabiel ben en geen rare dingen ga doen waardoor hij zich verantwoordelijk voelt.

Dus wat is hier de waarheid?

Ik kijk naar mezelf en mijn gevoelens. Om te beginnen moet ik het gruwelijke feit onder ogen komen dat ik me met dit lichaam identificeer en dat ik verdrietig ben omdat het begint af te takelen. Ten tweede heb ik mijn ego gevoed met het feit dat Aaron mijn seksualiteit waardeert. Ik ben zo dom geweest om die twee dingen allesoverheersend te maken. Ik heb seks en Aarons idee over mij de belangrijkste dingen in mijn leven laten worden, in plaats van voor mijn vredigheid en de kracht van mijn eigen wezen te kiezen. Ik heb de geschenken van het leven voor mijn eigen voldoening willen hebben, voor mijn ego-imago, en heb toegestaan dat mijn seksuele bekwaamheid en relatie me opbouwden tot een waardevollere persoon dan ik vroeger was, toen ik celibatair en mild was.

Het is nu halfvijf 's ochtends en ik ben zo verstandig om geruststellende muziek op te zetten. De puurheid in de noten van Mozarts 'Zaide' vullen opnieuw mijn hart, als een vergeten waarheid, en ik ontspan op de manier waarop dat gebeurt als Aarons hand mijn gezicht aanraakt. Maar het is niet genoeg. Ik moet me ook niet laten verleiden door muziek of seks. Muziek komt en gaat. Minnaars komen en gaan. Minnaars hebben lief wat ze zien, wat ze ervaren; ze vinden het heerlijk om liefgehad te worden. Is het geen ultieme ervaring, die muziek, dat liefhebben... of niet? Ja en nee. Ik moet voelen wat hier de waarheid is, en het niet uit wrok vernietigen.

Essentie is zo delicaat, afwijzing in de vorm van een klacht vernietigt de integriteit ervan.

Mijn ziel fluistert me in dat klagen de integriteit van liefde vernietigt. Nou en, als mijn lichaam niet perfect is? Hoeveel lichamen zijn dat wel? Nou en, als mijn man van volle borsten houdt? Het is aan hem te reageren op wat hij ziet als hij met mij is, en zijn reactie is, tot dusverre, fenomenaal. Hij is er voor me geweest om mijn liefde in al haar glorie uit te storten... en terwijl ze in volmaakte dankbaarheid stroomde was ze waar en volledig bevredigend. Zodra ik me zorgen ging maken hoe mijn liefhebben lichamelijk werd waargenomen was ik niet meer met Aaron-als-mijn-geliefde; ik zat in mijn hoofd, keek of ik voldeed, of ik de goede indruk wekte. God! Het zijn niet mijn borsten die zo zielig zijn, maar het feit dat ik me zo'n zorgen maak. Hoe kan mijn ijdelheid in de weg gaan staan van de mooiste liefde! Wat maakt die mijn geest gemakkelijk kapot, met haar ideeën en concepten, met wat achter de premisse van de geest ligt.

Ik ben meer verbijsterd dan beschaamd. Wat is de geest toch een valkuil. Maar ik ben me er nu meer dan ooit van bewust hoe ze werkt: als ik begin te klagen, weet ik zeker dat mijn geest iets vernietigt.

Ik voel mijn gezicht ontspannen. Ik heb niet veel geslapen, maar voel me verkwikt. Mijn spieren doen pijn, vooral in mijn schouders en rug: signalen van de spanning die vertwijfeling er heeft vastgezet.

Ja, vertwijfeling: twijfel over mijn geliefde, twijfel over God. Ik heb geen controle over de vorm van mijn lichaam zoals die nu is. Het is mijn lichaam niet. Het is mijn seksualiteit niet. Het is niet eens mijn adem. Ik word geademd en geleefd en de enige echte vreugde die er is, is volledige overgave. Geen twijfel meer. Vredigheid. Tranen van dankbaarheid vullen mijn ogen.

Ik verklaar mijn extreem gevoelige tepels dat ze prima zijn, dat ze zo onverenigbaar vastzitten aan borsten die wel rubberen trechtertjes lijken. Dat is wat ze zijn. Dat is het gegeven van dit moment, de gave. Het grootste geschenk in mijn rubberen trechters is natuurlijk de gelegenheid, in de vroege uren van deze ochtend, om me los te maken van mijn lichaam als een realiteit die losstaat van mijn wezen.

Mijn hart zingt mee met de muziek. Mozart moet zich hiermee verbonden hebben gevoeld. De essentie van deze muziek is eeuwig, evenals de essentie van mijn liefde en mijn minnaar. Ik sta meer dan ooit open om lief te hebben, maar ik heb geen Aaron in mijn armen. Ik heb me nogmaals overgegeven aan het leven, aan mijn geliefde, en heb daarmee mijn mentale welzijn herwonnen.

Het is rond halfvier 's middags als ik de sterke aandrang voel om Aaron te bellen. Ik zet de gedachte terzijde dat dat niet verstandig is, dat hij dat zal interpreteren als de actie van een wanhopige vrouw die constant bij hem wil zijn.

Hij is net terug van het winkelen en is heel blij me te horen.

'Wat is er?' is zijn vraag, en ik vertel dat ik met hem wil werken, dat ik een tijdje zijn therapeute wil zijn, om aan de slag te gaan met die gebeurtenis toen hij taxichauffeur was, waarover hij me heeft verteld.

'Kom maar hiernaartoe,' zegt hij, en als ik er arriveer vertelt hij me dat hij net een aanvaring met een man in een computerwinkel heeft gehad. Hij voelt zich ellendig om de manier waarop hij is behandeld. Aaron is klaar om aan de slag te gaan. Hij is dankbaar dat ik er ben en we verspillen geen tijd.

De therapeute in mij komt naar de voorgrond. Ik trek zijn stoel naar me toe en maak zijn handen van zijn gezicht los. Hij huilt en wil niet dat ik het zie.

O, de stappen die we zetten gaan zo geleidelijk! Zijn pijn zit zo diep, zijn verborgen tranen zijn er zoveel dat hij er maar een paar per keer kan loslaten. Hij weet dat de pijnlijke ervaring van vanochtend enkel een katalysator is voor de pijn die hij al voelt sinds hij een kind was. Toen hij taxichauffeur was, is hij ervan beschuldigd zich seksueel te hebben misdragen en in plaats van gewoon de boete te betalen heeft hij duizenden dollars uitgegeven in een nutteloze poging zijn onschuld te bewijzen. Alle betrokkenen wilden bewijzen dat hij het had gedaan, aangezien het hun allemaal iets zou opleveren als hij schuldig werd bevonden. 'Iedereen in die rechtbank werd betaald voor zijn werk. Ik was de enige die kosten maakte,' was hoe hij het stelde. In zijn ogen waren zíj de boosdoeners.

Aaron neemt een zijweg door te beginnen over wat er gebeurt in een oorlogssituatie. Dat hij zo geobsedeerd is door de laatste wereldoorlog en oorlog in het algemeen gaat over hetzelfde: bewijs van hoe wreed mensen kunnen zijn, van wat ze elkaar voor gruwelijkheden aandoen.

'Tegen het eind van de oorlog zijn de Russen Berlijn binnengevallen,' vertelt hij me. 'Ze waren nog meedogenlozer dan de Duitsers. Hun commandanten stuurden hen het slagveld op als kanonnenvoer. Golf na golf werd door de Duitsers neergemaaid, tot die geen munitie meer hadden. Aan het eind van de oorlog waren er vijf miljoen mensen op deze manier opgeofferd. Een Russische soldaat kon geen 'nee' zeggen. Als hij de oorlog de rug toekeerde, werd hij onmiddellijk gefusilleerd. De Russische generaals vochten een uitputtingsslag.

De geallieerden daarentegen dachten dat het een goed idee zou zijn om Dresden vanuit de lucht aan flarden te schieten, ondanks het feit dat de oorlog al vrijwel was gewonnen. Ze hebben brandbommen gebruikt om de bevolking uit te roeien. De hitte was zo intens dat de verkoolde lichamen van het asfalt geschraapt moesten worden.'

Hij kijkt me aan. Het intense verdriet in zijn ogen vertelt me hoe hij lijdt. Dit verhaal staat symbool voor de verkoolde resten van het onschuldige kind in zijn psyche. De verhalen houden de pijn levend, zodat die op een dag kan worden verwerkt. Wat hem zijn hoop ontneemt is zijn overtuiging dat het kwaad niet uit te roeien is. Ze zorgt er ook voor dat hij eeuwig het slachtoffer blijft en eeuwig schuld heeft. Wanneer zal hij er klaar voor zijn om dat allemaal onder ogen te komen?

Aaron doet zijn uiterste best om erbij te blijven, maar legt keer op keer zijn hoofd op mijn schoot, handen over zijn gezicht, niet in staat verder in de afgrond af te dalen. Ik smeek hem om één ding voor me te doen: me aan te kijken zonder iets te denken, om alleen hier te zijn en te voelen wat hij voelt.

Oog in oog met mij lukt hem dat ongeveer een minuut. 'Dat voelt beter,' zegt hij. Ik vraag hem niets te denken, alleen hier te zijn. Het lukt hem nog een minuut voordat hij weer instort. Ik weet dat dit vandaag zijn grens is. Hij ziet er totaal uitgeput uit.

'Wanneer gaan we knuffelen, in jouw bed, onder dit dekbed?' vraag ik.

Hij glimlacht, trekt zijn jasje uit, trapt zijn slippers van zijn voeten en duikt aan de verre kant het bed in. Ik kruip erbij. Hij legt zijn hoofd tegen mijn schouder en zakt algauw weg in de dankbare vergetelheid van slaap. Ik ben moe en volg hem, slaap licht en tevreden, zo gelukkig dat ik mijn geliefde bij me heb.

Ik ben in de buurt na een middagworkshop bij de National Speakers Association en kan gemakkelijk even bij Aaron langs, maar besluit dat niet te doen. Ik voel niet echt de drang naar hem toe te gaan. Bovendien ben ik er gisteren nog geweest.

Laat ik maar uit de buurt blijven, denk ik terwijl ik op huis aan ga. Hij wil me vast niet nu alweer zien.

Thuisgekomen vertelt het knipperende lampje van het antwoordapparaat me dat er een bericht op staat. 'Met Aaron. Luister goed. Kus, kus, kus, KUS!'

Ik schiet in de lach... met pijn in mijn hart. Ik blijf die man maar onderschatten en blijf genieten van hoe gek hij kan doen. Ik luister het bericht puur voor de lol nog een keer, en ga dan zitten om te bedenken hoe ik cd's met muziek op mijn harde schijf moet toveren, wat Aaron me heeft laten zien. Het lukt me niet, maar ik weiger hem te bellen. Het zal moeten wachten.

Er wordt aangeklopt. Het is Aaron, met een ergonomisch toetsenbord in zijn handen, dat hij net heeft gevonden.

'Ik ben gekomen om je te vertellen hoezeer ik het waardeer dat je mijn vriendin bent,' zegt hij terwijl hij naar binnen loopt en me een kus geeft... nee, het zijn drie kussen achter elkaar.

'Ik wil er vier,' zeg ik, en ik krijg er nog een van zijn zachte mond.

Aaron loopt naar de gootsteen, waar hij een borsteltje pakt om het toetsenbord mee schoon te maken. Hij repareert vaak spullen die andere mensen hebben weggegooid, en maakt ze weer bruikbaar. Ik wil al meer dan een jaar zo'n toetsenbord! Aaron is zo goed in precies vinden wat hij wil dat het een serie wondertjes begint te worden. Hij zag laatst in een gele container een berg leisteen liggen die perfect was voor zijn badkamer in Darkan. 'God wijst me dingen voor mijn huis,' zegt hij opgewekt, waarmee hij aangeeft dat God misschien wel wil dat hij er in de niet al te verre toekomst aan gaat bouwen.

Na nog een paar kussen haalt hij het toetsenbord uit elkaar en verwijdert al het vuil en stof. Ik maak het avondeten klaar en we kletsen. Hij vindt de tijd om me nog een keer te laten zien hoe ik muziek op mijn computer kan krijgen en deze keer schrijf ik alle stappen op. Nog meer kussen, en dan trekt hij me naar het bed en gooit me erop. Maar alleen voor een knuffel en nog een paar kussen want hij moet morgen vroeg op.

Het lukt ons om braaf te blijven, hoewel zijn stoute zelf zich er niet van kan weerhouden me te vertellen hoe lekker hij het vindt om zijn pik in me te hebben en ik gek word in een vlaag van verlangen. We eten en hij zet behendig het toetsenbord weer in elkaar. Onze observaties over hoe gezellig het is om gewoon samen te zijn en wat te rommelen monden uit in een gesprek over hoe het zou zijn om samen te wonen.

'Het is een angstaanjagende gedachte,' zegt Aaron. 'Ik heb het nog nooit gedaan zonder dat het slecht afliep.'

'Maar het is je wel gelukt om het jarenlang harmonieus te houden.'

Daar gaat hij niet op in.

'Alle vrouwen met wie ik heb samengewoond wisten niet hoe ze een eigen leven moesten leiden,' zegt hij, 'op één na. Die zei op een dag tegen me dat ze weg wilde en behoefte had aan andere relaties. Dat heb ik geaccepteerd, en ik heb tegen haar gezegd dat ze dat moest doen, als ze niet wilde blijven. Wat heeft het voor zin om iets anders te doen. Ik ben in een donker kamertje gaan zitten en miste haar verdriet intens. Een paar dagen later was ik over haar heen.'

Dat is typisch Aaron. Zijn levenservaring heeft hem iets laten zien wat hij mij nu langzaam kan leren.

'Ik voel me veilig bij jou omdat jij hebt geleerd hoe je je eigen leven moet leiden,' zegt hij. 'Je houdt van mij, maar je hebt je eigen kern.'

'Jij waardeert boven alles je vrijheid,' voeg ik toe. 'Ik ook: daarin zijn we hetzelfde.'

Aaron antwoordt: 'Ik waardeer het om mezelf te zijn. Als ik daar compromissen in zou sluiten, zou ik het leven van een ander leven. Dat is wat de meeste mensen doen. En dan kunnen ze geen energie meer uitwisselen. Ze nemen van elkaar in plaats van uit te wisselen. En dan behandelen ze de natuur en de planeet op dezelfde manier: nemen zonder te bedanken, zonder erover na te denken.'

Het gesprek over samenwonen is voorbij.

Ik denk aan hoe ik, niet zo lang geleden, mijn kern kwijt was. Maar ik ben ermee aan de slag gegaan. Ik ben zonder weerstand in dat gevoel van onzekerheid getreden en heb elke nuance ervan geaccepteerd, en elke nuance van mezelf en van de situatie waaruit het gevoel was voortgekomen. En ik werd er sterker van. Als Aaron datgene wat hij in dit vlak van zijn leven heeft geleerd kan toepassen op alle andere vlakken zal hij zichzelf helen. Misschien is dat waarom ik er ben, om hem daarmee te helpen.

Intussen laat de fundamentele les om bij mezelf te blijven me nooit los. Het lijkt mijn levensles, en ik verwacht dat het leven alles zal doen wat nodig is tot ik het helemaal doorheb. Het is nog steeds een angstaanjagende gedachte: ik weet dat het heel goed mogelijk is dat de test, die nodig is, zal zijn dat ik alles wat me dierbaar is verlies om hem te kunnen leren. Als dat niet nu gebeurt, zal het misschien in de dood komen, als alles reduceert tot slijm en botten en er niets overblijft. Dan maar beter elk moment een beetje sterven dan in een ruimte van weerstand leven als het tijd is om los te laten.

'Elke keer dat je aan me denkt, ben je niet bij jezelf.' Aaron breekt in in mijn gedachten. 'En dat is prima, mits je daarna weer naar jezelf terugkeert.'

Hij kijkt glimlachend naar me op van zijn werk aan het toetsenbord, dat er nu gloednieuw uitziet. 'Het antwoord ligt er niet in om minder lief te hebben of jezelf in te houden, maar in de gewilligheid om alles, altijd, eigen te maken. Houd zoveel van me als je wilt, denk elke minuut van de dag aan me, maar weet wel dat je het allemaal zelf bent... het zijn jouw gevoelens.'

Als liefde een ander laat zien wie hij is, dan heeft Aaron lief. Hij heeft manipulatie doorleeft, als een gruwel van oneerbiedigheid en wantrouwen, en is niet in staat om zelf een ander te manipuleren. Maar er is ook niemand anders die hem kan manipuleren.

Ik zit met mijn pen in de aanslag in bed. Vroeg in de ochtend is een van de beste momenten om te schrijven.

Ik leer, leer, word er aan mijn nekharen bij getrokken. Hoe kun je de kern van de nectar betreden zonder er te verdwalen? Hoe kun je daar zijn als vrij wezen, je niet laten verleiden tot de verslaving absoluut te worden bemind, wanneer elke cel in genot baadt, elke zenuw wordt gekalmeerd door zoetheid? Hoe kun je daar zijn en weten dat je het allemaal zelf bent, dat het allemaal je geliefde zelf is? Hoe kun je dankbaar zijn in plaats van behoeftig, dankbaar voor de bevestiging van hoe liefde kan zijn? Hoe kun je weten dat deze liefde, hoe groots ook, enkel een schaduw is van de liefde die we zijn?

Snikken van dankbaarheid worden terwijl ik schrijf uit een tot nog toe onberoerde diepte gewrikt. Mijn ziel is neergeworpen in een grenzeloos gevoel van dankbaarheid. Ik moet door een of andere incongruentie denken aan de kuisheidsgelofte die ik ooit heb afgelegd in een poging om vrij te zijn van de onderworpenheid aan seksualiteit. Wat was dat ver bezijden de waarheid! Wat volslagen belachelijk om jezelf lichamelijke liefde te ontzeggen om vrij te kunnen zijn! Hoe kan ontkenning datgene wat wordt ontkend dienen? Hoe kan niet-liefde liefde dienen? Hoe kan fysieke losmaking leiden tot begrip van volledige menselijke en spirituele liefde?

Het kan, zegt iets me, als dat is wat God voor een ziel wil. Ik heb uit onwetendheid besloten de kuisheidsgelofte af te leggen, niet omdat het duidelijk was vanwege mijn fysieke, of een andere, toestand dat dit van me werd verlangd. En toch klopte het, klopte het zo precies dat ik het deed. Mijn toestand was er een van extreme onwetendheid, en het kloosterleven gaf me de bescherming die ik nodig had tot ik was gegroeid en tot mezelf was gekomen.

Tranen van dankbaarheid vullen nogmaals mijn ogen. De wijsheid van goddelijke intelligentie is zo diepgaand, zo liefhebbend en geheel weldoend dat mijn hart breekt van erkenning van de manier waarop ik ben liefgehad. Dit is hoeveel ik van je houd, zegt het leven, en ik geef me in diepe tranen over, nu ik dat inzie.

De omhelzing van het leven is overal om me heen, omhult mijn lichaam als de armen van een minnaar, omhult mijn ruimte, komt in elk moment en in alles in mijn leven, van het glas water op mijn tafel tot in de computer waarop ik schrijf, in elke ziel en alles op deze planeet. Alles is mijn geliefde, en alles is een podium waarmee ik kan relateren aan dat mysterieuze Zelf. Ik kan mijn Zelf nooit verliezen, mijn essentie, de energie die alle vormen en mensen bezielt, die Aaron in mijn leven brengt en die hem als het tij verandert weer van me afneemt. Niets blijft en niets raakt verloren. Liefde blijft leven terwijl onze harten worden gebroken, want mens zijn betekent verlies voelen, zelfs als we weten dat we niets verliezen. Dat is de paradox. Geen wonder dat er een dappere ziel nodig is om geheel menselijk te zijn. Het is het grootste genot en de grootste pijn.

De goden benijden ons omdat we sterfelijk zijn. Wij stervelingen hebben tijd, we hebben ruimte, we hebben verandering, we hebben een dag en de volgende niet, we hebben een moment en het volgende niet. Ons nu is rijk. Onze onwetendheid is onze verrukking wanneer we wijs worden. Alleen de onwetenden worden per slot van rekening wijs. Goddelijke wezens hoeven niet wijs te worden en kunnen geen wanhoop ervaren. We zijn bevoorrecht dat we lijden.

O God, kan ik hier nog meer van aan?

Spiegels in ons leven

Kom hier bij me
hier
waar we nooit uit elkaar zijn geweest.

– Nirmala, gedicht zonder titel

Gustav Mahlers muziek vult mijn kamer terwijl ik lees in bed. De dageraad breekt net aan: ik kan het niet zien, maar ik kan het licht dat de schaduwen begint te beroeren visualiseren. Het Weens Filharmonisch speelt het Adagietto, hetzelfde stuk dat op de begrafenis van Robert Kennedy klonk.

Ik lees *Constantine's Sword*, een boek van James Carroll over antisemitisme in de christelijke kerk. Het hoofdstuk dat me op dit moment verbijstert is dat over Abélard en Héloïse, die in de Middeleeuwen van elkaar hielden. Hij was semigeestelijke en haar leraar, en zij een briljante studente die twintig jaar jonger was dan hij. Hun verhaal is een van de grootste liefdesverhalen aller tijden, hoewel ze het grootste deel van hun leven niet in elkaars fysieke nabijheid hebben doorgebracht. Abélards gechoqueerde studenten castreerden hem omdat hij de liefde boven de filosofie verkoos!

Wat me het meest fascineert is Héloïses liefde voor Abélard. Toen ze na zijn brute castratie uit elkaar gingen, werd zij non en abdis. In een brief aan hem kort voor zijn dood, toen hij drieënzestig was, schreef ze: 'God weet dat als je me dat had opgedragen ik niet zou hebben geaarzeld je te volgen of voor te gaan naar de hel.' Dat is al vreemd genoeg, maar dan vervolgt ze: 'Mijn hart behoorde niet mij, maar jou toe. Zelfs nu, meer dan ooit, is het niet bij jou, het is nergens, want jij bent de existentie ervan.' Verderop in dezelfde brief schrijft ze: 'Waarlijk, ik heb niets voor mezelf gereserveerd behalve vóór alles de jouwe te zijn.' (Vertaald uit Heloise, 'Letters' 2, *Patrologia Latina*, PL 178, 186-7; geciteerd door Etienne Gilson in *Heloise and Abelard*, Académie Française, Librairie Vrin, 1938.)

Ik ken de verleiding mezelf in een ander te verliezen, maar Héloïse kan daar niet naar hebben verwezen. Als dat het geval zou zijn, hoe heeft ze dan gescheiden van Abélard kunnen overleven? Hoe kon hun relatie zijn castratie dan hebben overleefd? En toch heeft hun relatie nooit de vurigheid verloren en heeft ze zich volledig aan hem overgegeven.

De paradox die constant aan de oppervlakte komt zodra de kern van de waarheid wordt geraakt doet dat ook hier... zo heerlijk dat het gevoel ervan door mijn borstkas stroomt. Héloïse had geen seksuele relatie met Abélard meer toen ze die woorden schreef: 'Mijn hart is niet bij jou, het is nergens, want jij bent de existentie ervan.' Héloïse zag haar hele bestaan, dat van haar eigen hart, haar liefde, als van hem. Ze was waarlijk één met hem in die zin dat alles één is. Gezegend is diegene die die eenheid gereflecteerd in een zogenaamde ander kan vinden en geen moment aarzelt zich volledig aan die ander over te geven. Die overgave is er een aan je eigen hart. Haar zinsnede 'mijn hart behoort jou toe' heeft een tweeledige betekenis. In het westen betekent het dat iemand zijn of haar hart aan de ander geeft en daarmee vaak zijn autonomie opgeeft. Héloïse, daarentegen, weet dat háár hart dat van hém is: het is een erkenning van de eenheid van hun wezen.

Sommige verlichte zielen lijken in staat die eenheid met iedereen te voelen, zelfs als ze iemands karaktertrekken of gedrag niet prettig vinden. Dan kunnen ze nog steeds voelen dat ze een zijn met de kern van die persoon, met zijn hart. De meesten van ons vangen daar wel eens een glimp van op, maar wat ons diepgaand inzicht in die liefde kan geven is de aanwezigheid van één speciale persoon met wiens hart we ons kunnen identificeren. Die persoon is op de een of andere manier de perfecte spiegeling van onszelf; hij of zij spreekt dezelfde taal, gebruikt het juiste symbolisme. Zo was het tussen Héloïse en Abélard. Zal het tussen Aaron en mij ooit zo zijn? Is dat potentieel aanwezig?

Ik word wakker uit mijn dagdromen en reik naar mijn pen. Schrijven is voor mij een verhelderend proces. Ik schrijf op wat ik net besef over Héloïse en Abélard. Ik geef me over aan de waarheid die me meer en meer bezighoudt sinds ik een fysieke liefdesrelatie met Aaron heb. Ik heb decennia lang aan vrienden, vreemden en wijzen gevraagd wat overgave is. Wat ik er tot dusverre van begrijp is dat het gaat om bij mezelf te blijven, om trouw te blijven aan mijn diepste waarheid, wat die ook is.

Het leven lijkt al onze beslissingen en vergissingen te gebruiken als voer voor het eindplan. Terwijl alle drama's van mijn leven zich uitspelen word ik constant teruggestuurd op mijn pad, alsof ik word aangetrokken door iets waaraan ik niet kan ontsnappen. Mijn bewuste zelf heeft niets van doen met die goddelijke intelligentie. Ik kan me er alleen aan overgeven. En dat is wat ik doe.

De ik die ik Carla noem heeft elke keer dat ze zich overgaf met het leven samengewerkt, het leven nam het over en bracht me elke keer terug bij mezelf, tot ik steeds meer leerde me aan mezelf over te geven. Hmm, moet daar niet staan: 'me aan het leven over te geven?' Nee... nou, jawel, want het is hetzelfde! Dat is op dit moment voor mij niet verwarrend, wanneer de rijzende zon licht op het plafond van mijn kamer werpt. Ik besef dat ik in essentie maar één keuze heb: om vroeg of laat op mijn bestemming aan te komen. Ik geloof dat niemand daaraan kan ontsnappen.

Gods callgirl heeft een lange en interessante omweg genomen. Zo is het leven: kleurrijk en gevaarlijk... en uiteindelijk komen we uit de tunnel van gruwelen en lichtshows tevoorschijn en stappen in het zachte, heldere licht van de waarheid.

Mijn hart krimpt nog steeds samen bij de gedachte dat ik 'Aaron verlies'. Toch is dat precies de gedachte die ik moet aanvaarden. Hoe? vraag ik me af. En het antwoord komt: rust in de armen van je geliefde, je leven, en verwacht niets... zelfs terwijl je alles kunt verwachten. Je hebt het recht om alles te verwachten; alles wat je hart verlangt. Het leven is schitterend, schitterend en vol van mogelijkheden en manieren waarop de waarheid wordt aangeboden... maar laat de vorm ervan aan het leven over. Eis niet dat het leven je voor onbepaalde tijd Aaron blijft geven. Geef hem nú op! Laat niets je tot slaaf maken. Wees de mijne. De geschreven woorden kwamen als gesproken. Wees de mijne, en dan kan ik je alles geven wat je nodig hebt.

Gustav Mahlers muziek is afgelopen. Het is tijd om op te staan.

Ik kijk toe hoe Aaron door de kamer loopt. Het is heerlijk om te zien hoe zijn lichaam beweegt zonder een spoortje onzekerheid. Heel anders dan ik: ik heb moeite met hoe ik me aan hem wil presenteren. Ik weet dat hij naar me kijkt. Zijn ogen staan zacht, niet veroordelend, maar ik weet dat hij opmerkt hoe ongemakkelijk ik me voel als hij naar me kijkt.

Afgrijselijk, de manier waarop hij me zo helder ziet. Ik kan me niet voor hem verstoppen. Hij leest mijn energie en laat zich niet foppen door valse schijn of pogingen iets te verhullen... van mij of van iemand anders. Mijn geprogrammeerde reactie is aan zijn schijnbare naaktheid te ontsnappen. Het heeft geen zin! Hij roept me naar zich toe en slaat een vriendelijke arm om me heen. Ik haat het als hij zo alwetend naar me glimlacht! Ik zou hier de mysterieuze vrouw moeten zijn, niet een open boek dat hij zo moeiteloos kan lezen. Ik ben er niet aan gewend door een man te worden gelezen, door iemand die mijn minnaar is, iemand die zoveel jonger is dan ik!

Maar ik hoef me geen zorgen te maken. Aaron houdt van me, alleen niet op de romantische manier waarover een vrouw als ik graag droomt. Hij deinst niet terug van de realiteit. En met die realiteit bedoel ik dat ik vanuit zo'n beetje elke hoek gezien gebrekkig ben. Hij vindt het niet erg om een soort leraar voor me te zijn. Ik begin te beseffen dat hij zichzelf ziet als iemand die mij iets heeft te geven, en meer dan vriendschap, liefde, seks of plezier. Het is het volwassen worden van Carla op punten waar haar eigen oordeel over zichzelf haar tegengehouden heeft te groeien. 'Ik wil dat je Carla bent,' zegt hij ernstig, en hij pakt mijn schouders in zijn handen. Als ik hem aankijk, krijg ik een indruk van wat hij bedoelt. Aaron leert me hoe ik niet hém, maar mezelf trouw moet blijven. Dat geschenk maakt me wild van liefde! Aarons manier van liefhebben scheurt mijn hart wijdopen en hij geniet van wat hij terugkrijgt.

'Ik vind het heerlijk om te zien hoe je van me kunt genieten,' zegt hij eenvoudigweg. 'Je bent de eerste die zo van me geniet.'

Hij is Aaron, en hij is anders dan wie dan ook op aarde. Hij doet niet mee aan het spel zich zo te gedragen dat hij er anderen mee behaagt of imponeert. Mensen houden gewoon van hem of niet. Normaal gesproken doen ze dat wel, doordat hij zo humorvol onverzettelijk is. Hij is wat iedereen om hem heen wil zijn: tevreden met zichzelf. Zijn enorme energie raakt woordeloos iedereen om hem heen, maar hij is dol op woorden.

'Ik bezit de energie van wie ik ben, dat is alles wat ik heb. Ik leef niet van de energie van een ander en niemand zal van die van mij kunnen leven. Als iemand dat vervelend vindt, vertrek ik. Als ze zichzelf bij mij kunnen zijn, blijf ik.'

Zijn eigen positieve beoordeling van zichzelf verbijstert me. Het heeft niets met trots te maken. Het is gewoon gezond. En het lijkt me fijn om in die ruimte te zijn.

'Het is een stapje verder gegaan,' kondigt Aaron aan als hij terug komt lopen uit de badkamer, alsof hij een vlaag van inspiratie heeft gekregen terwijl hij op de pot zat. 'Ik mocht je graag,' zegt hij terwijl hij naast me bij de computer komt zitten, 'en dat zeg ik niet gemakkelijk. Als ik zeg dat ik je mag, meen ik dat echt. Maar nu wil ik zeggen dat ik verliefd op je ben.'

Ik steun met mijn hoofd op mijn hand, elleboog op de computertafel, dankbaar voor de steun, aangezien ik me zwakjes voel worden.

'Hoor ik je goed? Zei je nou dat je verliefd op me bent?'

'Ja, inderdaad.'

Ik kijk naar zijn gezicht, dat vanbinnen uit helemaal licht wordt. Maar ik ben op mijn hoede. 'Dat is toch taboe in jouw leven, Aaron?' Ik denk aan zijn vele opmerkingen over romantische, 'niet echte' liefde.

'Ik ben verliefd op je en het is niet romantisch,' zegt hij een beetje ongeduldig.

Jammer dat ik zijn verklaring niet kon nemen voor wat hij was. Ik had moeten weten dat ik niet achterdochtig hoef te zijn, maar ik had om de een of andere reden tijd nodig om de aankondiging te laten bezinken.

Hij legt het uit. 'Dat betekent dat je altijd bij me bent. Ik draag de gedachte aan jou met me mee. Ik voel je constant. Je bent het belangrijkste in mijn leven. Je bevindt je diep in mijn systeem.'

Dat verandert een heleboel. Het introduceert een niveau van vertrouwdheid dat er nog niet was, een nieuwe intimiteit. Het zet ons ook eindelijk op hetzelfde voetstuk, denk ik.

Hij zit glimlachend op mijn reactie te wachten. Hij ziet er zo ontspannen uit, zo tevreden met het leven, zichzelf en mij.

Dit moment is zo eenvoudig en diep dat het me zal bijblijven. God mag weten dat ik misschien nog wel dit soort momenten nodig zal hebben. Ik heb altijd een voorgevoel in mijn hart, een Romeo-en-Juliagevoel dat een of andere rampspoed een einde aan onze relatie zal maken. Het is altijd bij me, en hoewel ik geen flauw idee heb wat het betekent, denk ik niet dat het enkel een neurotisch gevoel is.

'Nu weet je wat ik steeds voor jou heb gevoeld.' In plaats van meer te zeggen leun ik voorover om hem te kussen.

De tederheid die uit zijn mond komt doet mijn lichaam smelten. Maar hij voelt zich gedeprimeerd door de gedachten die hem vandaag hebben achtervolgd, en ik heb het gevoel dat hij tijd in mijn veilige haven wil doorbrengen om te herstellen. Ik klets tegen hem terwijl ik aan het koken ben.

'Ik heb vanochtend naar die plaat van dat dweperige tienermeisje geluisterd terwijl ik mijn veranda aan het schoonmaken was,' zeg ik. 'Hij gaat helemaal over romantische liefde... onderwerp van gebroken harten!'

'Je moet jonge mensen hun romantische liefde niet ontzeggen, Carla,' werpt hij ernstig tegen. 'Dat is de manier waarop ze leren zoeken naar liefde. Je moet naar liefde verlangen om ernaar op zoek te gaan. Ze leren zichzelf te vinden door contact met anderen en door het ervaren van genot en pijn. Dat is hoe het moet zijn. De ellende begint als ze niet leren te herkennen wat de pijn veroorzaakt, dan worden ze niet volwassen.'

Ik voel me nederig door zijn niet veroordelende woorden over smoorverliefde pubers (en anderen) die hun teleurstelling en verlangen door een microfoon schreeuwen. Ik ervaar hun muziek plotseling anders, ik doe wat ze in het Neuro-Linguïstisch Programmeren 'herkaderen' noemen. Het is ineens veel acceptabeler geworden. Die muziek is eigenlijk heel sexy, valt me op als ik hem later opnieuw heb opgezet.

Overwegingen

Gods roekeloze gewiebel

– Galway Kinnell, 'Havermout'

Mijn vriendin Susan heeft meerdere malen succesvol plastische chirurgie ondergaan; ze is gelift en gerekt en heeft borstimplantaten. Ze ziet er geweldig uit en ik kan niet anders dan de procedures voor mezelf overwegen. Ik ga naar een vrouwelijke plastisch chirurg. Terwijl ze zit te praten raak ik ervan overtuigd dat ik een van die zeldzame vrouwen zal zijn wier lichaam een implantaat als lichaamsvreemd object zal afstoten. Ik kan me bovendien niet voorstellen hoe ik de pijn ga dragen die ik zal hebben wanneer er een borstspier wordt gespleten om ruimte voor het implantaat te maken. Dat is al zwaar met een B-cup. Hoe kunnen vrouwen in godsnaam met een D-cup leven?

De chirurg is zo vriendelijk om me erop te wijzen dat mijn borsten al heel mooi zijn: stevig, symmetrisch, ze hangen niet en zijn lang niet zo klein als andere die ze heeft gezien. Haar woorden krikken het ego van mijn borsten enorm op. De oplossingen die het Menopause Institute me heeft geboden hebben overduidelijk hun werk gedaan en de meeste knobbeltjes zijn verdwenen, alleen links zit er nog een, maar hij is niet eens meer te zien.

Ik besluit geen borstimplantaten te nemen, maar schrijf me wel in voor een ooglidcorrectie. Ik heb de hangende oogleden van mijn moeder, zozeer dat het steeds moeilijker voor me wordt om 's ochtends mijn ogen open te doen. De operatie is een enorm succes: ik geniet echt van de frisse blik die ik in de spiegel zie. Dat was een goede beslissing! Toch is de pijn onverwacht hevig en lang. Pijn kan op zich bij het verouderingsproces horen, wat ook reden is dat ik niets probeer wat ingewikkelder is.

Aaron vindt het altijd zo leuk als ik onverwacht op de stoep sta. 'Een meisje blijft thuiszitten wachten tot ze bezoek krijgt,' heeft hij een keer gezegd, 'maar een vrouw gaat voor wat ze wil!'

Ik ga laat in de ochtend naar hem toe, nadat ik mijn haar heb laten doen. Ik laat het elke zes weken kleuren en knippen. Ik weet niet hoe ik eruit zou zien als ik dat niet zou doen. Sommige vrouwen komen weg met af en toe een knipbeurt, maar ik ben een van die onderhoudsgevoelige types die heel veel moeten doen om eruit te zien alsof het ze komt aanwaaien.

Het lukt ons om ons los te maken van Rick en we gaan naar Aarons stulpje onder het huis.

'Zorg dat je warm blijft,' zegt Aaron terwijl hij zijn dikste, warmste jas over mijn schouders hangt. 'Nee, trek hem maar helemaal aan. Geloof me, dat scheelt.'

Het is niet alleen winter, in deze ruimte zonder deur en ruiten is het ijskoud.

'Ik wil iets over mijn knieën,' zeg ik. 'Als je koude knieën hebt, wordt je hele lichaam koud.'

'Ik ga wel even een kruik maken,' zegt hij.

'Hoe is het vandaag met je?' vraag ik als ik eenmaal een kruik op mijn knieën heb met een trui eroverheen om hem te bedekken en warm te houden. Hij gaat weer aan zijn computer zitten, de taken die hij erop lijkt te moeten uitvoeren zijn eindeloos.

'Ik stop met de opleiding,' zegt hij uiteindelijk, en hij rukt zijn blik los van het beeldscherm. 'Ik heb met mijn vader gepraat en hem verteld dat ik overweeg te stoppen. Ik was opgelucht toen hij zei dat hij het begreep. Hij zei dat hij zelf altijd een bepaalde mate van stress heeft gevoeld toen hij voor de klas stond, wat me enorm verbaasde. Hij zei dat hij zich niet wilde bemoeien met mijn wens leraar te worden, maar hij verwacht niet van me dat ik ermee doorga als het niet bij me past. Ik had nooit gedacht dat mijn vader zo begrijpend zou zijn.'

Aaron draait in zijn stoel, geëmotioneerd door de welwillendheid van zijn vader. 'Ik moet het mijn moeder vandaag nog vertellen. Ik ben benieuwd wat zij ervan vindt.'

'Ze houdt van je. Ze wil gewoon wat jou gelukkig maakt.'

Hij krijgt de kans daarachter te komen als zijn moeder na de lunch naar beneden komt. Hij vraagt haar te gaan zitten en kondigt aan dat hij iets gaat vertellen. Ze zit op de rand van zijn bed, lippen op elkaar geperst, gehoorapparaatje aangezet.

'Ik heb vanochtend met pa gepraat en heb hem verteld dat ik met de opleiding stop,' begint Aaron. Zijn moeder, die intussen wil dat ik haar Beryl noem, verroert zich niet. Ze wacht op meer. 'Wat vind jíj daarvan, ma?'

Aarons moeder is iemand die niet graag directe antwoorden geeft. Maar het is een serieuze aangelegenheid en ze zegt eenvoudigweg: 'Het is jouw leven, Aaron. Ik heb je op de wereld gezet en opgevoed, en wat jij met je leven doet is jouw zaak. Ik hoop alleen dat je uiteindelijk niet het gevoel gaat krijgen dat je je leven hebt weggegooid. Wat ga je nu doen?'

Dat is de vraag waarop hij zat te wachten.

'Ik ga een baan zoeken,' zegt hij, en hij negeert de insinuatie dat hij zijn leven vergooit. 'Heb je op het nieuws gehoord dat ze in de graangordel mensen tekortkomen om de oogst binnen te halen?' Hij heeft mij al verteld dat die baan in de rimboe is, misschien niet letterlijk in de woestijnwildernis, maar in elk geval honderden kilometers ver weg. Het verdient vreselijk goed. 'Als ik daar kan werken, verdien ik achthonderd dollar per week,' zegt hij. 'Ik wil genoeg geld sparen om mijn huis te kunnen bouwen. Ik denk dat het met twintigduizend dollar wel gaat lukken.'

'Wat vind jíj ervan, Carla?' Beryl draait zich onverwacht naar mij om.

Nou, mijn mening is dat ik het vreselijk vind om hem gestrest te zien, en dat zeg ik. Ik heb verbijsterd en vol ongenoegen toegekeken naar Aarons vastberadenheid zich vast te blijven houden aan een verloren zaak tot die volledig is doodgebloed, wat nu het geval is. Ik bedenk dat hij met zijn voorgaande relaties ook zo is omgegaan: tegen beter weten in hopen dat ze het zouden overleven, loyaal tot in het absurde. Wat Aaron uiteindelijk uit zijn droom heeft geholpen zijn niet de studie-eisen, maar de bureaucratie binnen het onderwijs en de kille wetenschap dat een baan als leraar van hem zou eisen dat hij elke schooldag naar zijn werk gaat. Dat hem verteld zou worden wat hij moet doen en dat hij tegen beter weten in formulieren zou moeten invullen, de constante vraag om aandacht; dat zou hem uiteindelijk gek maken.

Aaron is excentriek, en veel van zijn charme komt daaruit voort, maar ik betrap mezelf erop dat ik wens dat hij een goede, vaste baan met de bijbehorende financiële zekerheid zou hebben.

Beryl is zelfs opgelucht dat haar zoon met zijn studie stopt, wat duidelijk wordt zodra ze verhalen begint te vertellen over familieleden die dement zijn geworden van stress of zijn overleden aan een hartaanval. 'We hebben een gen in de familie dat niet met stress kan omgaan,' zegt ze nadrukkelijk, 'en dat heb jij vast ook, dus doe alsjeblieft wat goed voor je is.'

Aarons beide ouders staan achter hem. Hij heeft zich voor niets zorgen gemaakt.

Als we weer alleen zijn, wendt hij zich tot mij, hij weet wat ik denk. Als hij voor achthonderd dollar per week gaat werken tot hij twintigduizend heeft gespaard, betekent dat een halfjaar! Maar zo lang duurt de tarweoogst niet.

'Ik weet dat je het er niet mee eens bent,' zegt hij.

Hij kent me intussen goed. Dat is geruststellend, maar ik ken hem ook. Ik weet dat hij zal gaan doen wat goed voor hem is, zonder zijn verlangen naar mijn gezelschap daarbij in de weg te laten staan.

'Vertrouw erop dat je altijd bij me bent,' zegt hij met een glimlach.

Mijn enige troost is dat hij mij misschien bijna net zo gaat missen als ik hem. Mijn hart knijpt zich samen: 'samen en alleen' zou best eens heel binnenkort 'apart en samen' kunnen worden. Ik moet dit kunnen doorstaan. Maar ben ik er klaar voor? Zo voelt het niet.

'Ik weet al een tijdje dat jouw leven je van me zal wegnemen,' zegt hij, waarmee hij de rollen plotseling omdraait en me doet beseffen dat hij exact hetzelfde dilemma heeft als ik, maar dan zonder de tamtam eromheen.

'Terwijl deze wereld in elkaar stort,' gaat hij verder, en hij kijkt me sereen in de ogen en blijft rustig contact met me houden, 'hongeren mensen naar wat hun hoop geeft, naar een realiteit die ze vanuit hun hart kunnen beleven. Ik zie al heel lang in dat jij een nieuw perspectief kunt bieden aan mensen die daarnaar willen luisteren. Ik weet dat wat jij moet doen je van me zal wegnemen.'

Heb ik niet exact hetzelfde gedacht en ben ik dat niet vergeten door wat Aaron misschien zou gaan doen? Dat leven is op een bepaalde manier al begonnen. Ik word steeds vaker gevraagd om lezingen te geven. Ik moet misschien gaan reizen. Mijn recente aandacht voor plastische chirurgie ging helemaal over representatief zijn in een wereld waar de eerste indruk heel belangrijk is.

Ik help hem eraan herinneren dat hij altijd weer taxichauffeur kan worden, hoewel hij dan wel zijn minachting voor die bedrijfstak zou moeten overwinnen.

'Misschien waag ik nog een poging. En als ze dan aardig tegen me doen, ga ik ervoor. En als ze het me moeilijk maken vertrek ik,' zegt hij met een afwijzend armgebaar. Werken als taxichauffeur is blijkbaar nog steeds te moeilijk om serieus te overwegen.

'In wat voor opzicht vind jij dat je bent veranderd?' Aaron draait zich naar me toe van waar hij zit, bij zijn computer.

Dat is nogal een vraag. Ik ben inderdaad veranderd. Maar hoe? Nou, om te beginnen kraak ik mezelf niet meer zo af als vroeger. 'Ik laat mijn geest niet meer zomaar op de loop gaan met negatieve ideeën,' zeg ik. 'Ik houd mezelf tegen als ik het slechtste ga denken en breng mezelf terug in mijn centrum.'

Hij knikt en wacht.

'Ik denk eigenlijk dat ik heel erg ben veranderd, maar dat je dat in eerste instantie niet zomaar ziet.'

Hij wacht nog steeds.

'Ik leef meer tevreden in het moment, in plaats van te smachten naar iets wat er niet is.'

Dat lijkt allemaal belangrijk, maar wat voor hem het duidelijkst is, is: 'Ik ben meer geaard. Ik sta met beide benen op de grond en dat is een prettig gevoel.'

'Goed zo!' zegt hij als een docent die een cijfer uitdeelt.

Ik kijk hem aan en vraag me af of het hem is opgevallen hoezeer *híj* is veranderd. Ik heb het vanzelfsprekend gevonden dat dat het geval is, maar heb er tot nu toe niet echt over nagedacht. Later die avond praat hij met me, nadat we zijn doordrenkt van liefde en het al na middernacht is. We liggen te doezelen en worden elke paar minuten wakker om elkaar te beminnen, te kussen en nog meer te praten.

'Ik voel me de laatste tijd vreemd,' zegt hij met een slaapdronken stem terwijl hij op zijn zij ligt. 'Ik ben mijn eenzame zelf niet meer en ben eraan gewend geraakt me zo te voelen. Ik had voorheen meer controle over mezelf.' Hij is eraan gewend op zijn hoede te zijn bij vrouwen en zich te beschermen tegen uitbuiting of misbruik. 'Mannen zijn zo eenvoudig, maar vrouwen maken alles binnen de kortste keren enorm gecompliceerd door dingen te eisen die ze nooit kunnen krijgen.'

Ik ken de verhalen. Ik heb wel enig idee van wat Aarons exen hebben doorstaan voordat ze zijn (en hun eigen) haar begonnen uit te rukken.

'Ik denk dat het misschien je strategie is geweest om de afstandelijke observator te zijn in plaats van iemand die betrokken en erbij is,' zeg ik. 'En dat is de laatste tijd aan het veranderen.'

Het dringt tot me door dat dat waar is: hij is niet meer gereserveerd als we samen zijn. Hij geeft gewoon, op de manier waarop hij mij dat ziet doen. Ik vind het heerlijk om van hem te houden, ik vind het een ultiem privilege. Er kan onmogelijk een strategie achter zitten, en hij doet hetzelfde. Maar Aaron is verder gegaan dan dat. Hij is niet meer behoedzaam; hij is roekeloos geworden, onberekenbaar, geeft zich helemaal en wil nog meer geven. Hij is losgeraakt, in de psychologische zin.

'Wat zei je ook alweer over dat vrouwen me aantrekkelijk vinden omdat ik gereserveerd was, of iets dergelijks?'

Ik weet nog dat ik dat zei. 'Sommige vrouwen zullen je willen omdat ze worden aangetrokken door wat ze niet kunnen krijgen.'

'Nou,' zegt hij. 'Ze kunnen me niet krijgen, want ik ben van jou!'

Hij ligt nu op zijn rug, en ik zie zijn profiel in het halfduister. Uit de mond van iemand anders zouden die woorden heel gewoon klinken. Je kunt van een man verwachten dat hij 'ik ben van jou' zegt als hij van je houdt, maar dat Aaron dat zegt is absoluut niet gewoon! Hij heeft zelfs nadrukkelijk het tegenovergestelde gezegd: 'Ik ben van niemand behalve van mezelf.' Weet hij hoe hij zichzelf tegenspreekt? Blijkbaar niet.

Hij gaat gewoon verder: 'Ik ben nog nooit zo dicht in de buurt geweest van getrouwd zijn.'

Het klinkt alsof hij tegen zichzelf praat, weloverwogen, er niet helemaal bij, half in alfa en half in thèta, zijn hersengolven blijkbaar niet in de toestand die hem normaal gesproken zo op zijn hoede maakt. Ik vind het fantastisch! Wat is er met mij aan de hand dat zulke kleine woorden zo'n grote indruk op me maken? Dat komt doordat Aaron stappen zet die hij nog nooit heeft gezet. Ik begrijp zijn proces en ben trots op hem.

Aaron vertrouwt me en zijn ogen staan anders dan ik ben gewend. Ze staan zoals míjn ogen, drukken een verwondering en tederheid uit die bij míjn ziel horen, en die zie ik nu in die van hem. Hij reikt met zijn hand naar mijn gezicht om het te strelen.

'Ik vind het zo heerlijk om naar je gezicht te kijken. Je bent zo mooi.'

Allemaal van die gewone woorden, gesproken met zo'n passie! Het zijn nieuwe woorden. Nieuw omdat dit de eerste keer is dat hij ze tegen mij uitspreekt en nieuw omdat ze uit een nieuwe, andere plaats komen. Zijn kussen zijn nu zoals die van mij, ongeremd en vol verlangen om diepe liefde en diep verlangen uit te drukken.

'Ik voel me gefrustreerd,' zegt hij uiteindelijk 'Ik ben gefrustreerd dat ik hoe hard ik ook mijn best doe niet zoals jij kan zijn. Ik raak je aan waar we elkaar ontmoeten en samensmelten, en dan kom ik tot mezelf terug.'

'Maar jouw kern is hetzelfde als die van mij, Aaron. Als we vergeten wie we zijn, zijn we dezelfde.'

'We zijn als twee bladzijden in een boek,' zegt hij, want hij houdt ervan om in beelden te praten, en dan vraagt hij: 'Wat zijn we voor lettertype?'

'Ik ben een Times Roman,' zeg ik zonder aarzelen. 'En jij bent een Middle Earth.'

'Middle Earth? Wat is dat? O, een gotische letter, zeker.'

'Inderdaad.'

'Waarom ben jij een Times Roman?'

'Omdat dat de meest gebruikte letter in het drukkersvak is,' leg ik uit. 'Het is een eenvoudige, bescheiden, elegante en universeel leesbare letter.'

Ik weet eigenlijk niet of dat echt een beschrijving van mij is. Het klinkt zo nuchter, en zo heb ik mezelf nog nooit beschreven. Maar 'nuchter' zou best een bijvoeglijk naamwoord kunnen zijn dat ik mezelf zou kunnen toeschrijven.

'Waarom ben ik dan Gothic Middle Earth?'

'O, omdat ik laatst *The Lord of the Rings* heb gekeken.'

Maar hij heeft er een eigen idee over. 'Omdat hij van een andere wereld is. Hij wordt niet in wettelijke documenten gebruikt. Hij vertelt over onderstromen, geschiedenis en het mythische.'

'Het lettertype is anders, maar het papier is hetzelfde.' Ik ga verder met de analogie die hij heeft opgepakt. 'De afdruk staat op hetzelfde materiaal waarvan we allebei zijn gemaakt.'

'Dat is waar. We zijn op de een of andere manier allebei van hetzelfde materiaal.'

We weten van elkaar dat we uit hetzelfde hout zijn gesneden. Misschien is het die manier van hetzelfde zijn die refereert aan wie we al die eeuwen zijn geweest, zo voelt het wel.

'We hebben een heel lange geschiedenis, jij en ik.'

Aaron drukt exact mijn gedachten uit. We hebben geen geschiedenis van dertig jaar, maar van God mag weten hoeveel levens en avonturen die we samen hebben meegemaakt. Midden-aarde, dat is waar de mysteries wellicht zijn opgetekend, maar dat maakt niet uit, we hoeven het niet te weten. Genieten van de diepgang van onze vriendschap is waar het om gaat. We zijn vertrouwde, ongerepte vrienden, en hebben het geluk ook nog minnaars te zijn.

Mijn gezicht is nu, terwijl we praten, boven dat van hem. Ik word overweldigd door de verliefdheid die ik er zie, de gevoelige trekken van de onschuldige jeugd die ik op het gezicht van een volwassen man zie.

'Als ik jou zie, zie ik mijn eigen onschuld.' Mijn woorden tuimelen naar buiten, ontmoeten zijn ogen en zijn hart. Het enige antwoord is een omhelzing van volledige dankbaarheid. Huid op huid, mijn zachtheid tegen zijn kracht, mijn gezicht tegen dat van hem, onze adem een.

Misschien zijn het alleen degenen die schuld en schaamte in hun leven hebben ervaren die zo in extatische onschuld kunnen opgaan. Het is het voordeel van leeftijd, van volwassenheid, van dat je je demonen in de ogen hebt gekeken, van het voelen van medeleven in plaats van veroordeling jegens anderen, van het zien van de schoonheid van het moment omdat het leven nu korter, onweerstaanbaarder en onmiddellijk is.

We maken ons uit ons liefhebben los en kijken elkaar aan, op onze knieën tegenover elkaar. We kijken elkaar aan alsof we elkaar nog nooit hebben gezien. We moeten in een soort trance zijn geraakt, want de tijd gaat voorbij en we doen nog steeds niets behalve zitten. Tranen wellen stil in mijn ogen op. Ik ben me vaag gewaar van het stekende zout, maar beweeg nog steeds niet. Mijn ogen bewegen niet eens. Er zijn geen gedachten. Ik denk niet aan Aaron, wiens gezicht nu in schaduw is gehuld, waardoor zijn ogen nauwelijks zichtbaar zijn, en ik denk niet aan mezelf. Er zijn geen gedachten, geen concepten, er is niets dan verwondering. Verwondering, maar geen gedachten, geen vraag en geen antwoord. Dankbaarheid. Ware passie is onbetaalbaar, in die zin dat het helemaal geen prijs vereist.

Aaron verbreekt de betovering door zijn hand een beetje te bewegen. Ik knipper met mijn ogen. Hij beweegt zijn hand naar zijn gezicht om het af te vegen. We gaan stil samen liggen en hij trekt het dekbed over ons heen. Dan zie ik ineens dat zijn gezicht glinstert, bij zijn ogen. Huilt Aaron? Echt? We zeggen niets en blijven heel lang samen liggen.

Nadien wil hij weten wat er in mij omging. Hij steunt op zijn elleboog en met zijn hoofd op zijn hand zodat hij me kan zien. Ik kijk hem perplex aan: hoe beschrijf je dergelijke gevoelens zonder sentimenteel te klinken, of nog erger: clichématig?

'Beschrijf het als beeld,' zegt hij. 'Laat een beeld in je opkomen. Het maakt niet uit als er geen komt.'

Ik sluit mijn ogen en wacht, beschrijf dan wat ik voor me zie.

'Het is als de oceaan,' begin ik, en ik houd mijn ogen dicht zodat ik het beeld kan vasthouden. 'Het water aan de bovenkant van de oceaan beweegt in grote, luidruchtige golven, en op de bodem van de oceaan ligt het stil, en klinkt er geen geluid. Ertussen ligt een brede band langzaam bewegend water, dat omhoog wordt getrokken door de bovenste golven, als een dans. Zo voelde het.'

Aaron is onder de indruk. 'Dat is mooi,' zegt hij, 'je kunt gevoelens tot beelden maken. Je begint op mij te lijken.'

In de vallei

In de vallei, diep in de vallei
Leg je hoofd te luisteren, hoor de wind waaien

– Amerikaans volksliedje

Ik heb de hele dag een verkoudheid voelen broeien en nu, aan het eind van een dag bij de National Speakers Association, die bij Aaron in de buurt is gevestigd, komt hij eruit. Aaron verwacht dat ik langskom, maar ik bel hem met het nieuws dat ik me niet lekker voel.

'Ik moest toch nog huiswerk maken,' zegt hij.

Mijn mond valt open. Huiswerk voor een opleiding waarmee hij stopt?

'Kom even een kop thee drinken,' stelt hij voor, en ik stem in. Tien minuten later zit ik in zijn kamer. Hij staat van zijn stoel bij de computer op om me te begroeten.

'Ik ben kapot,' waarschuwt hij me. 'Ik heb geen energie om in bed te knuffelen. Wil jij op die stoel zitten?' Hij is opgelucht dat ik dat wil. 'Je ziet er afgrijselijk uit,' zegt hij. 'Alsof je ziek bent.'

'Nou,' zeg ik, en ik haal mijn schouders op, 'daar is dan niets aan te doen. Maar vanbinnen voel ik me prima. Moet je nog veel doen?' Hij zit al dagen te werken, het is dezelfde opdracht waarmee ik hem vorige week heb geholpen.

'Het is uit loyaliteit,' zegt hij. 'Ik wil de twee studenten met wie ik het project ben begonnen niet teleurstellen.'

Ik hoor hem verbijsterd aan. 'Waarom moet jij dat tweetal redden?'

Zijn hersenen zijn zo moe dat dergelijke directe vragen maar weinig indruk maken. Zijn moeder komt naar beneden en stelt voor dat ik boven een warm bad neem.

Ik overdenk, terwijl ik lig te weken in de warmte van het geruststellende water, onze situatie. De liefde die hij voor me voelt is niet van de soort die een prioriteit van onze relatie maakt. In plaats daarvan maakt hij het huiswerk van anderen, waarmee hij zijn hersenen uitput omdat het zo moeilijk voor hem is.

Er is een week voorbijgegaan. Het is zondagochtend en ik ben weer in Aarons kamer, mijn kritische gedachten van vorige week een vage herinnering.

'Vertel me wat je denkt,' zegt hij.

Ik zit op hem in zijn bed en denk helemaal niet. Ik zet mijn hersenen aan om woorden te laten komen en zeg: 'Ik respecteer je.'

Ik zie een vertraagde reactie. Respect? Hij snapt niet echt hoe ik de schoonheid die ik in hem zie respecteer.

'Ik respecteer hoe lief je bent, hoe eenvoudig, hoe direct.'

De liefde op zijn gezicht transformeert hem, of de liefde in mij haalt een trucje met me uit.

En dan maakt hij een opmerking waarvan hij spijt zal krijgen. Misschien omdat hij het zo moeilijk vindt om een compliment te ontvangen. Hij glimlacht zelfs terwijl hij het zegt: 'Carla heeft iets heel stoms gedaan: ze heeft Aaron als vriendje uitgekozen.'

Er valt een baksteen in mijn maag. Er gaat een golf van woede door me heen, maar dat gevoel verwordt al snel tot verdriet en er komt een snik uit mijn borstkas naar boven. Aaron ziet dat zijn grap helemaal verkeerd wordt opgevat, maar herhaalt hem in andere woorden nog een keer: 'Carla, je hebt een vreselijk stomme fout gemaakt. Je hebt Aaron als vriendje gekozen.'

De tranen stromen even vrijelijk en Aaron reikt naar de tissues. Ik snuit mijn neus en gooi de in een balletje verfrommelde tissue vaag in de richting van de prullenbak.

'Dat is hoe je met tissues hoort om te gaan,' zegt hij. Hij denkt nog steeds dat het een grap is.

Het dringt ineens tot hem door dat ik het misschien helemaal niet grappig vind. Hij kalmeert me met zijn warme, vriendelijke handen. Hij wil me geruststellen dat het niets betekende en begint me uit te kleden. 'Je wilt toch vrijen?'

Een deel van me gelooft het nog steeds niet. Ik kan echt niet geloven dat hij meende wat hij zei, maar waarom heeft hij het dan gezegd?

Ik ben voordat ik een antwoord kan bedenken helemaal uitgekleed. Hij treedt mijn naakte lichaam binnen zodra het op zijn bed ligt, en alle gedachten verlaten me terwijl de sensatie mijn lichaam overneemt. Aaron pauzeert keer op keer om grip te krijgen op de opwinding die door hem heen stroomt. Ik doe mijn best de geluiden die uit mijn keel willen ontsnappen te onderdrukken, aangezien zijn vader boven ons hoofd ligt te slapen. Aaron kan zich niet lang in bedwang houden. Ik zie het aan hem en fluister op dringende toon: 'Kom maar, schat!' waarmee ik het meeste uit het onvermijdelijke probeer te halen.

'Je hebt het gekregen,' zegt hij beteuterd.

Het is voorbij. Hij is nu zo moe. We blijven niet samen in bed liggen.

Ik kleed me aan om te gaan en hij loopt met me naar mijn auto. Aaron zit ergens mee, iets wat hij de hele avond niet heeft kunnen zeggen. Nu moet het eruit voordat ik naar huis ga. Het is een vraag, en ik zie aan zijn aarzeling dat hij er heel lang over heeft nagedacht.

'Denk je dat je jezelf belazert door een relatie met mij te hebben?'

Wat? Ik bedenk later dat de vraag aansluit bij zijn je-bent-dom-dat-je-Aaron-hebt-gekozen-verklaring. Hij moet zich heel minderwaardig voelen en oprecht betwijfelen of hij een goede partner voor me is.

Mijn antwoord komt jammer genoeg vurig en direct: een poging hem zich beter te laten voelen terwijl ik mijn eigen pijn negeer: 'Nee!'

De kracht ervan doet hem op zijn benen wankelen. Ik neem zijn stoppelige wangen in mijn handen.

'Dit is de man die ik wil!' zeg ik tegen hem. Ik kus hem. 'Ik wil jou, Aaron!' En ik kus hem nogmaals. Zijn lippen proberen te reageren. Ze zijn zacht, maar hij is niet bij me. Hij is duidelijk wel geraakt.

Hij haalt zijn schouders op als ik in de auto stap. 'Wat kan ik zeggen?'

'Zeg het woensdag maar tegen me, Aaron.'

Het is pas zondag, woensdag is nog drie dagen ver. Wat als drie dagen van scheiding, van geen contact, van nadenken, alles weer veranderen? De menselijke natuur kan verraderlijk zijn. De beste vrouw ter wereld – ik – kan ook verraderlijk zijn. Of anders heeft haar geest haar tot nu toe een rad voor ogen gedraaid, en zal het heel erg op verraad lijken als ze weer bij haar verstand komt.

Het is woensdagavond; ik verwacht hem niet zo vroeg. Aaron komt pas geschoren en licht binnen; hij is naar de universiteit geweest om afscheid te nemen van de docenten en studenten en die waren hartverwarmend teleurgesteld hem te zien vertrekken. Hij kon er niet op een betere manier zijn weggegaan, in de wetenschap dat hij volgend jaar als hij dat wil mag terugkomen.

Hij is ook tevreden omdat hij een computerkast voor me heeft gevonden: een oud maar degelijk exemplaar dat onder mijn tafel past. Hij heeft maar vijf dollar gekost bij zijn 'speciale winkel': stortplaats Balcatta.

Hij zegt dat hij komt slapen. Hij heeft ook wel slaap nodig want hij ziet er uitgeput uit. Ik ben ook behoorlijk moe, ik ben heen en weer naar Mandurah geweest om een lezing te geven voor vrouwen van een zeer gevarieerde pluimage en achtergrond. Ze waren over het algemeen heel gastvrij, er waren er maar een paar die in stilte vijandig waren. Ik heb niet goed geluncht en heb geen pauze gehad. Gaan slapen is aanlokkelijk. Zal het ons lukken om niets anders te doen?

Het is prettig, hoe behaaglijk we ons nu bij elkaar voelen. We kruipen in bed en liggen te kletsen. Aaron heeft het over toekomstmogelijkheden. Een ervan is teruggaan naar zijn geliefde huis in Darkan, zijn belangrijkste project.

'Zou je ooit naar Darkan komen...? Niet om te wonen, maar op bezoek?' vraagt hij.

'Natuurlijk.'

'Zou je verdrietig zijn en naar me verlangen als ik uit Perth wegga?'

Iets in me is sinds afgelopen zondag sterker geworden. Mijn antwoord is niet hetgeen ik een week geleden zou hebben gegeven.

'Absoluut niet. Als jij bij me weggaat, zoek ik gewoon een ander vriendje.'

Aaron is niet blij met mijn woorden, maar hij kan er moeilijk iets tegenin brengen. Klinken ze niet precies zoals die van hem, zoals hij ze tot drie keer toe in het verleden heeft gesproken? 'Als jij bij me weggaat, zoek ik gewoon een andere Carla om te beminnen en om door bemind te worden.' Maar hij hapt niet naar het aas. Hij voelt dat mijn woorden enkel bescherming zijn om niet gekwetst te worden.

'Je bent verliefd op me, je bent aan me gehecht en gaat je misschien ellendig voelen.'

Daarmee geeft hij me de perfecte opening om hem te vertellen wat er bij mij de afgelopen dagen is veranderd. Ik heb hem drie dagen niet gezien en ben heel tevreden met mijn eigen gezelschap geweest.

'Ik heb me teruggetrokken, Aaron, sinds je woorden van afgelopen zondag.'

'Welke woorden?' vraagt hij. Heeft hij geen idee waarover ik het heb?

'Je hebt gezegd: "Carla heeft iets heel stoms gedaan: ze heeft Aaron als vriendje uitgekozen." Dat heb je twéé keer tegen me gezegd.'

Aaron maakt een beweging alsof hij de woorden wil terugnemen. 'Dat was een stijlvorm!' flapt hij eruit. 'Die bij dat moment hoorde, ik bedoelde het niet als vaststaand feit!'

'Ze werden op een heel serieus moment gesproken. Ik moest ervan huilen.'

'Moest je huilen?'

Weet hij dat echt niet meer? Weet hij niet meer dat ik in zijn hals zat te snotteren, zo wanhopig om mijn liefde voor een man die zou weggaan omdat wat wij samen hebben niet op zijn prioriteitenlijstje staat? Het kan zijn dat hij het niet meer helemaal weet. Misschien dat zijn geest zo moe was dat wat er is gebeurd vaag voor hem is.

Ons gesprek komt op andere dingen en we strelen elkaar achteloos. Ondanks onze vermoeidheid raken we plotseling zo opgewonden dat zijn penis me er luttele momenten later aan herinnert wat hij kan doen om een vrouw het gevoel te geven dat ze in balans is en gloeit. Maar ik maak me van hem los. We praten nog wat, maar de passie neemt ons, of eigenlijk Aaron, nogmaals over.

'Op je rug, schat!' zegt hij. 'Ik wil je!'

We liggen boven op de dekens. Hij duwt mijn armen naar achteren. 'Je ligt op de grond,' fluistert hij, 'op het gras. De wind kust je. De wind kust je en ik ben de aarde, en de aarde heeft je lief.' De beeldspraak is zo eenvoudig, spreekt onze zintuigen zo basaal aan. Ze zijn ook erotisch, en de golf die over mij heen komt deint terug naar hem.

'Jouw en mijn lendenen zijn voor elkaar gemaakt!' zegt hij, en hij wordt roekeloos. 'Ik wil al mijn energie verspillen! Ik wil je de hele nacht nemen! De hele nacht! Opnieuw en opnieuw en opnieuw!' Hij kreunt hulpeloos als zijn sperma uit hem barst.

We gaan onder de dekens liggen en hij begint te lachen. 'We zijn verdoemd!' zegt hij. 'We kunnen niet van elkaar afblijven. We kunnen niet bij elkaar in de buurt zijn zonder seks te hebben.' Hij zucht, zogenaamd verdrietig, met een tevreden blik op zijn gezicht die hem die engelachtige uitstraling geeft waardoor ik alleen nog maar van hem kan houden.

We slapen. Als we wakker worden lig ik achter zijn rug. Hij brengt mijn hand naar zijn penis. Die is hard, zoals een man 's ochtends hard kan zijn. Het betekent niet dat hij opgewonden is, maar wel dat hij mijn bewondering en aanraking verwelkomt. 'Wil je hem vasthouden?' Hij gaat op zijn rug liggen zodat ik er beter bij kan.

'Je moet me niet kussen, hoor,' waarschuwt hij, 'ik stink vreselijk uit mijn bek.'

Dat geloof ik. Dat zou voor mij ook gelden, ware het niet dat ik mijn tong al heb geschraapt met een smal mesje dat ik speciaal voor dat doeleinde heb.

Ik raak hem lui aan en hij vindt het heerlijk, reikt uit om zijn hand op mijn vagina te leggen, brengt een, dan twee vingers naar binnen. 'Het is een wonder dat er een gaatje in je zit waar ik mijn pik zo in kan steken,' zegt hij, schijnbaar overrompeld door de gedachte. Hij pakt het glijmiddel en brengt het aan zodat hij me vloeiender kan liefkozen. Dan kijkt hij even ernstig naar de tube. 'Goed spul,' zegt hij. 'Verdomd goed spul. Het beste.'

Hij staat uiteindelijk op, poetst zijn tanden, besluit zich niet te scheren aangezien hij dat gisteravond al heeft gedaan en komt weer terug naar bed. We hebben vandaag allebei niet veel te doen. Het is voor het eerst in lange tijd dat Aaron niet aan zijn studie hoeft te denken.

'Weet je, ik wilde net een dildo gaan aanschaffen voordat ik jou leerde kennen,' zeg ik tegen hem. 'Vandaar dat ik dat glijmiddel heb. Maar die dildo is er nooit gekomen.'

'Dat komt omdat ik je dildo ben.'

Hij gaat op zijn knieën zitten, trekt het dekbed opzij en bestudeert mijn vulva. 'Onderzoeker van het Dildo-instituut hier,' zegt hij terwijl hij mijn vagina nadert met zijn stijve penis. 'We gaan even onderzoeken wat voor u precies de goede maat is, mevrouw. Klanttevredenheid is uitermate belangrijk voor ons. We hechten waarde aan zowel de kwaliteit als de grootte, evenals de mogelijkheid van de dildo om precies de goede plekjes in mevrouws erogene zones te bereiken.'

Hij is intussen aan het 'experimenteren', 'demonstreren' en 'gegevens voor zijn onderzoek aan het verzamelen', en zegt ineens dat hij me wil laten zien wat hij nog meer kan.

'Nee!' schreeuw ik tegen hem, en ik til mijn hoofd en schouders op. 'Niet doen!'

Hij is nu uit zijn rol. 'Waarom niet?'

Is hij echt gek geworden? 'Je hebt je energie nodig. Je bent nog aan het herstellen. Houd bij je!'

Hij is godzijdank zo verstandig om terug te trekken. 'Als mevrouw tevreden is, overweeg dan alstublieft een aankoop,' sluit hij af.

Tegen de tijd dat hij vertrekt is het lunchtijd. Hij wilde me laten zien hoe ik cd's kan branden en ik ben een trage leerling. Voordat hij vertrekt valt hem iets op. 'Je bent in zoveel opzichten zo zeker van jezelf, maar als je iets over computers moet leren word je helemaal zenuwachtig en denk je dat je het niet kunt. Volgens mij heeft het met je vader te maken.'

Ja, het heeft met mijn vader te maken. Mijn vader, die me eerst seksueel heeft misbruikt en me toen ik zes was bijna heeft omgebracht om me de mond te snoeren. Ik werd een emotioneel wrak van een kind dat in een mist leefde, er niet zeker van of ik in een droom of in de echte wereld bestond. Mijn vader bespotte mijn vreselijke verstrooidheid continu en ik huilde vaak om zijn spot, in elk geval innerlijk, in mijn gewonde hart.

'Ik heb zo vaak doodsangst gevoeld om iets fout te doen,' mompel ik, verrast dat ik dat al zo lang weet maar het nog nooit heb verbonden met mijn weerstand om nieuwe dingen te leren.

'Je bent nog steeds bang om het fout te doen,' zegt Aaron, die boven me uit torent terwijl ik ineengedoken in de kantoorstoel zit. 'En zo gretig om te behagen. Daar moet je wat mee doen.'

Ik weet dat hij gelijk heeft. Ik wil veel te graag behagen.

'Als je dat hebt aangepakt zul je een heel andere vrouw zijn,' gaat hij opgewekt verder. 'Dan zul je veel sterker zijn, veel meer je eigen persoon, en niet langer het kleine meisje met een vinger in haar mond.'

Ik kan me nu allebei voelen. Ik kan me mijn bedeesde kinderzelf voelen, en ook de vrouw die in de coulissen staat te wachten, degene die weet wat ze wil, die alles kan doen wat ze wil en niet eens bedenkt dat ze haar excuses zou moeten aanbieden als ze een foutje maakt.

Een ridder om nooit te vergeten

Blijf zoeken.
Blijf zoeken tot je het mysterie ziet,
tot het mysterie jou ziet.

– Robert Rabbin, 'Mysterie'

Aaron is vergeten dat ik vanavond uitga. Hij is ook vergeten dat ik de hele middag vrij was. Hij belt na vijf uur en vraagt of ik kom.

Ik help hem eraan herinneren dat ik naar het feest voor de vijftigste verjaardag van mijn vriendin Kate ga vanavond. 'Ze organiseert een tangoles.' Ik voel me verscheurd; hij wil zo te horen heel erg graag dat ik kom, maar ik besluit me toch aan mijn plannen te houden.

'Kom je dan erna nog even, als het lukt?' eindigt hij.

Ik denk: wat een goed idee, maar dat zeg ik niet. Ik ga doen wat hij zou doen en hem verrassen. Ik verveel me sowieso altijd op feestjes en wil altijd vroeg weer weg. Ik vind over niets bijzonders praten met vreemden die je waarschijnlijk nooit meer ziet altijd vreselijk zonde van mijn tijd.

Ik arriveer gelijktijdig met Tom op het feest, een vriend die mijn mentor was toen ik net begon met lezingen geven. Hij komt op me af lopen als ik de straat naar het feest oversteek.

'Hé, Carla. Wat leuk om jou hier te zien.'

Tom was altijd heel hoffelijk, wat jaren uitstekend voor hem heeft gewerkt in de PR-wereld. Zijn recente scheiding heeft echter zijn gepolijste laagje ernstig aangetast en het gebarsten exemplaar dat nu naast me loopt en met zijn Schotse accent tegen me praat is een genot om bij in de buurt te zijn. Ik kijk uit naar een goed gesprek met hem.

We lopen naar een stralende Kate om haar met haar vijftigste verjaardag te feliciteren. We zetten onze cadeaus op een speciaal daarvoor gereserveerde tafel zodat Kate op een ander moment uitgebreid kan genieten van het uitpakken.

Tom en ik doen een poging sociaal te zijn en schuiven bij andere mensen aan een tafel aan, maar ze negeren ons allemaal. Dat is me al vaker gebeurd, op feestjes waar bijna iedereen elkaar kent. Het is een vreemd fenomeen dat normale mensen ineens sociaal autistisch kunnen worden. Een man leunt over de tafel heen om met iemand te praten en duwt zijn achterwerk bijna in Toms gezicht. De man heeft niet in de gaten hoe lomp hij zich gedraagt en blijft heel lang zo staan. Tom glimlacht alleen maar en we praten over onze relaties, die van hem, die nu verleden tijd is, en in het bijzonder waarom dat zo is.

Dan is het tijd voor de tangoles. Hoe leuk ik Tom ook vind, ik wil niet met hem dansen, aangezien hij een stuk kleiner is dan ik. 'Ik ga even een langere partner zoeken,' zeg ik opgewekt, 'en dan regel ik meteen iemand voor jou.'

Ik loop vol zelfvertrouwen door de ruimte op de langste beau af, maar wordt de pas afgesneden door een andere dame.

Een man die in de buurt staat was me eerder al opgevallen: hij is zo intrigerend aantrekkelijk dat ik ervan overtuigd ben dat hij hier met zijn partner is. Maar nee, hij staat alleen, stil te observeren. Ik besluit in te breken in zijn overwegingen wie te kiezen.

'Heb jij al een danspartner?' vraag ik met mijn allercharmantste glimlach, en ik hoop dat hij ziet wat een leuke jurk ik aan heb. Hij is oudroze met zwart kant, een strak lijfje en een wijde, onregelmatige rok; je zou het een zigeunerjurk kunnen noemen. Hoe dan ook, hij heeft iets donkers en broeierigs wat wel een beetje aan Argentinië en de tango doet denken.

Hij kijkt me recht aan en antwoordt: 'Nee,' waarop ik natuurlijk meteen mijn wedervraag stel: 'Mag ik dan je partner zijn?'

Hij antwoordt tot mijn opluchting met een vriendelijk: 'Ja hoor, prima.'

Nu ik mijn eigen partner heb veiliggesteld ga ik op zoek naar iemand voor Tom en vind al snel iemand die goed bij zijn lengte past. Hij glimlacht breeduit zijn dankbaarheid naar me vanaf de andere kant van de ruimte.

Ik richt mijn aandacht op mijn danspartner.

'Ik ben John,' zegt hij beleefd.

'Carla,' stel ik mezelf op mijn beurt voor. Ik schud hem kort de hand en vraag of hij al eerder de tango heeft gedanst. Dat doe ik puur om iets te zeggen te hebben, ik weet op de een of andere manier dat deze man een dánser is, en dat hij hier is omdat hij de tango van voor naar achteren, ondersteboven en binnenstebuiten kent.

De muziek komt krakend uit de luidsprekers en we volgen de instructies op. Mijn rechterhand wordt zacht omhuld door Johns linkerhand, en de andere landt zacht op het bovendeel van zijn rechterschouder. Ik zie dat hij steels naar de ring kijkt die ik draag aan de hand die hij vasthoudt, het is een zilveren ring met een dolfijntje, die ik mezelf een paar weken nadat ik het klooster had verlaten cadeau heb gedaan. Ik voel dat hij glimlacht en dat zijn blik weer omhoog gaat; ik weet dat het niet de bedoeling is dat ik dit heb opgemerkt. Mijn lichaam spant ervan aan, maar ik ontspan me bewust. Je bent hier niet om indruk te maken, zeg ik tegen mezelf. Je bent een oudere vrouw die een heerlijke tangoles gaat hebben met een sensuele jongere man die weet wat hij doet.

John laat me zien hoe ik zo dicht naar hem toe kan leunen als ik prettig vind en we beginnen te lopen. Lopen is het hoofdbestanddeel van de les die we vanavond krijgen: de man leidt, de vrouw volgt hem constant. Ik besluit dat ik het beste mijn ogen kan sluiten zodat ik de subtiele bewegingen van zijn lichaam beter aanvoel. Ik voel dat hij mijn bewegingen in de gaten houdt, hoewel de wimpers van mijn ogen lui op mijn wangen rusten; ik zit er zo in dat ik er niets aan kan doen.

Onze bovenlichamen bewegen prima, maar onze knieën blijven botsen.

'Horen ze zo tegen elkaar aan te bonken?' vraag ik.

'Nee,' zegt hij, en het dringt tot me door dat mijn passen naar achteren niet groot en resoluut genoeg zijn.

Onze volgende poging is succesvoller, maar dan wijzigt de instructeur de plannen. We moeten lopen terwijl de vrouw beide handen tegen de borst van de man houdt. Ik kijk hoe de Argentijn en zijn partner de passen uitvoeren. John legt intussen de dans aan me uit.

'De tango,' zegt hij, 'is een van de sensueelste dansen op aarde. Het is dé dans. De man bedrijft de liefde met de vrouw terwijl hij haar in zijn armen heeft en dan laat hij haar los, hij buigt en beweegt zijn armen in een afscheid terwijl hij spreekt en hij dankt haar. De vrouw volgt zijn leiding, ze geeft zich voor de duur van de dans aan hem over. Het is een liefdesaffaire van drie minuten.'

Ik kijk in zijn ogen, die gedeeltelijk zijn verborgen in de vouwen van zijn gezicht, maar hij kijkt me rustig aan.

'Ik ben genezer,' zegt hij als uit het niets. 'Ik werk fulltime voor de regering als computermens, en ik ben ook masseur. Tijdens een massage benader ik mensen rustig. Ik leg mijn handen zo op hun lichaam dat ze aan mijn energie kunnen wennen zonder dat het hun systeem doet opschrikken.'

Nu weet ik wat hij probeert te zeggen. Zijn benadering van dansen is dezelfde die hij als masseur gebruikt: heel bewust. Hij pakt de hand van een vrouw om contact met haar te maken, niet alleen om haar in de goede positie te zetten.

'Ik doe ook aan tai chi,' zegt hij, en hij demonstreert een paar vloeiende bewegingen. Ze zijn lenig, aanlokkelijk en puur, zonder zich voor hun sensualiteit te verontschuldigen.

De dans begint. Ik leun naar Johns lichaam toe, duw het weg en doe afwisselend passen naar achteren om in te spelen op zijn toenadering. Ik sluit nogmaals mijn ogen en negeer mijn bonkende hart zodat ik me op de bewegingen kan concentreren. Ik voel onze lichamen in eerste instantie botsen, voel mijn benen iets onzekers doen, en dan wordt de beweging geleidelijk aan minder houterig en af en toe zelfs vloeiend.

De muziek stopt. John geeft me een compliment: 'Goed gedaan,' zegt hij. Als hij ziet dat ik een beetje begin te blozen, voegt hij toe: 'Dat meen ik. En ik kan het weten. Je bent een geboren danseres.'

Ik heb een geweldig gevoel voor ritme en weet hoe deze dans pas tot zijn recht komt als een sterke man de leiding neemt en de vrouw de gelegenheid heeft om zich te voegen, als in een seksuele omhelzing, midden op de dansvloer. Maar hoe kan John me in zo'n kort tijdsbestek zo goed kennen? Het genot zo te worden gezien stuurt de rillingen door mijn lijf. Ik ben verbijsterd. Hoe kan ik decennia doorbrengen zonder ooit een man tegen te komen die me ziet, en nu ik Aaron heb er zo gemakkelijk nóg een ontmoeten?

Heeft John ook het gevoel dat ik zijn uitzonderlijke seksualiteit herken? Ik durf het bijna niet eens te dénken, maar het idee met deze man te vrijen is zo natuurlijk als het is om het met Aaron te doen. Het is een schokkende gedachte. Ben ik nog steeds even promiscue als zoveel jaar geleden? Nee, dat zou ik Aaron niet aandoen, maar het verbijsterende is de mogelijkheid. Ik kan invoelen hoe een man of vrouw die echt van iemand houdt, hem of haar zelfs volledig is toegenegen, niettemin een affaire met een ander kan hebben. Ik heb gedacht dat Aaron en ik een diepte in onze relatie hebben die uniek en onvervangbaar is. Het dringt ineens tot me door dat dat niet waar is. Wat een wrede gedachte. We hebben wél iets speciaals, en toch is het niet uniek. Er zijn anderen die dezelfde seksuele passie als ik kunnen voelen. Er zijn anderen die me kunnen zien. Er zijn anderen die weten hoe ze moeten liefhebben en die met veel meer inschikkelijkheid liefhebben dan mijn Aaron.

John besluit de langdradige instructies van de leraar te laten voor wat ze zijn. Hij trekt me naar zich toe en leert me de swing: zachtjes op de plaats van de ene op de andere voet bewegen, eventueel in een cirkeltje, zodat hij de andere kant op kan gaan. We oefenen en wisselen de lopende pas af met heerlijk stille momenten van swingen.

'Ik laat me door de muziek leiden,' zegt hij. 'Heb je gehoord hoe die veranderde?'

Dat heb ik gemist. Ik luisterde helemaal niet naar de muziek.

'Ik concentreer me op jou!' zeg ik met mijn wang tegen die van hem, mijn stem vlak naast zijn oor, en ik voel een lichte schok in zijn lichaam. Nu weet hij wat hij in zijn armen heeft.

Daarna leert hij me de slide. Onze eerste poging mislukt schromelijk omdat zijn beenbeweging, die te laat op de muziek reageert, te abrupt is. De volgende poging is gracieuzer. Ik had naar beneden kunnen glijden en op de vloer kunnen landen en deze man op me kunnen hebben, en...

Ik vraag ineens of ik les van hem kan krijgen. Hij geeft me zijn visitekaartje en belooft me de gegevens te mailen van wanneer de volgende beginnersgroep van start gaat. Deze les is voorbij. Ik ga terug naar Tom, die overdreven enthousiast over zijn ervaring is. Als ik hem vertel dat ik informatie over danslessen krijg toegestuurd, vraagt hij of ik die wil doorsturen.

Het is negen uur als ik opsta en met een zwierig gebaar mijn jas aantrek, bedoeld om aandacht te trekken. Ik weet dat John het zal opmerken, zoals ik zijn steelse blikken naar mij heb opgemerkt terwijl ik met Tom zat te kletsen. Ik heb me een keer naar hem omgedraaid en betrapte hem licht uit zijn balans terwijl hij met de jarige Kate stond te dansen. Het was te laat om te doen alsof hij me niet zag kijken. Ik draai me nogmaals om terwijl ik de ruimte verlaat en hij glimlacht bij wijze van afscheid, handen samen in een beweging die half naar me toe komt en half van me weggaat, alsof hij zegt: als je blijft, dans ik nog een keer met je.

Maar ik wil bij Aaron zijn.

Ik zit in mijn auto, ongelovig over wat er net is gebeurd. Ik heb nog nooit, nooit in mijn leven iemand ontmoet die zich zo bewust was van lichaamstaal. Ik heb mezelf dat bewustzijn in mijn jeugd al aangeleerd, als zelfbeschermingsmechanisme: ik moest aanvoelen wat mijn vader misschien zou gaan kunnen doen: in razernij ontvlammen, me benaderen om me te bespotten of slaan, wat dan ook. Toen hij 's nachts naar me toe kwam, leerde ik hoe rauwe, nerveuze seksuele energie voelt. Als callgirl kon ik daardoor goed inschatten of ik een man kon vertrouwen of niet.

Nu heb ik een man leren kennen die net zo is als ik, maar anders. John straalde op geen enkele manier uit dat hij is misbruikt. Ik heb hem naar zijn geboortedatum gevraagd omdat ik met numerologie speel. Het getal zes schijnt groot en schitterend, symbool van sensueel genot, liefde voor harmonie en schoonheid, muziek, eten, dansen, genezen...

Nog nooit eerder in mijn leven heb ik zo sterk het gevoel gehad dat wat ik in een man lees ook wordt teruggelezen, alsof hij mijn gedachten leest. Het besef doet mijn knieën knikken. En nog nooit eerder heb ik een man ontmoet die zo niet-cynisch is en die zo zuiver en open is over zijn sensualiteit.

John is flink wat jaartjes jonger dan ik. Ik denk eind veertig.

'Danst jouw echtgenoot of partner ook?' vroeg hij me. 'Nee!' was mijn duidelijke antwoord, in de wetenschap dat dit zijn manier was om erachter te komen of ik een relatie heb. Ik vroeg hem hetzelfde en hij zei dat hij op dit moment geen partner had. Maar dat wist ik al.

Ik rijd de duisternis in, richting de snelweg.

Het kost me een halfuur om bij Aaron te komen. Hij zit natuurlijk achter de computer. Zijn vinger hangt boven de printknop als ik zijn kamer binnen kom lopen. Hij richt zijn aandacht op mij en staat op.

'Wat lief dat je bent gekomen!' zegt hij, oprecht blij dat ik er ben. Hij pakt zacht mijn gezicht en kust me. 'Zal ik even die stoel voor je vrijmaken? Wat wil je doen?'

Ik ben absoluut niet in de stemming om in zijn koude kamer toe te kijken hoe hij achter zijn computer zit, dus ik trek het beddengoed opzij en zeg: 'Ik wil lekker met je knuffelen, in bed.' Ik trek mijn jas en schoenen uit en klim erin, jurk en panty nog aan, met helemaal geen plannen behalve een knuffel.

'Ik heb je gemist, Aaron!' Zijn gezicht ligt naast het mijne op het kussen. Ik leun naar hem toe om hem te zoenen. 'Je hebt je niet eens geschoren!' De woorden floepten zomaar mijn mond uit, en ik voeg gehaast toe: 'Maar je wist natuurlijk niet dat ik kwam.'

Het is te laat, ik heb hem gekwetst met mijn opmerking en hij weegt de pijn tegen de redelijkheid af. Het zijn stoppels van twee dagen, denk ik. Hij lijkt te besluiten dat ik grond heb tot klagen, maar hij gaat nu niet naar boven om zich te scheren. Hij blijft bij mij en zal me heel voorzichtig kussen, zodat zijn gezicht niet tegen het mijne schuurt. Ze heeft me gemist, zal hij denken, ik moet hier wat mee doen.

'Ik vind het heerlijk om jou te missen,' zegt hij, en hij probeert naar mijn serieuze gezicht te glimlachen. 'Ik mis je als je van me weg beweegt, al is het maar naar een andere kamer, en het is fijn om je te missen. Ik mis je een halfuur, of een dag, of vier dagen, dat maakt niet uit.'

De gemenerd!

'Mij maakt het wel uit,' zeg ik. 'Vijf dagen is voor mij heel anders dan vijf minuten.'

We hebben dit gesprek al vaker gevoerd. Aaron neemt deze keer de leiding.

'Het is zo mooi en zo tragisch,' zegt hij, 'de manier waarop je van me houdt.' Hij veegt wat haar van mijn voorhoofd terwijl hij spreekt. 'Carla moet een les leren, en die gaat pijnlijk en hard worden.'

Mijn hart krimpt ineen als hij die woorden zegt en barst dan plotseling open. Ik snik zacht tegen zijn schouder. Hij duwt me naar achteren zodat hij naar me kan kijken en ik hem kan zien. Mijn tranen blijven vloeien. Hij trekt me tegen zich aan.

'Het is goed, Carla. Huil maar. Je bent veilig. Je wordt bemind, huil maar. Ik vind het heerlijk om je te missen,' zegt hij nogmaals. 'De gedachte aan jou is zo rijk, zo vervullend. Daar ben ik zo dankbaar voor. Je hebt mijn leven verrijkt, mijn alleen-zijn geheeld. Jij bent wat ik nodig heb en wat ik wil.' Hij weet precies wat hij moet zeggen.

'Zeg me wat er in je omgaat,' zegt hij nu.

'Ik wil een relatie die op een echte manier ondersteunend is,' begin ik. 'Ik ben gisteren de hele dag bezig geweest om me voor te bereiden op een grote spreekbeurt en er was niemand om dat mee te delen. Ik voelde me zo alleen. Laurian kwam toevallig even langs, maar verder heb ik niemand gesproken.'

'Je hebt alles gezegd met die woorden,' zegt Aaron. 'Ik denk dat ik het begrijp, Carla. Jij hebt lief en je lijdt. Die dingen horen bij elkaar. Je hebt lief en je hebt verdriet.

V e r d r i e t. Waarom ben je daar zo onzeker over?'

'Ik twijfel niet aan je liefde, maar ik heb meer behoefte aan je fysieke aanwezigheid... ik wil meer met je praten, meer van mijn leven met je delen dan dit.'

'Als ik jou zou verliezen, zou ik daar anderhalve dag om rouwen,' zegt hij, 'maar ik weiger mezelf te kwellen met verlangen naar wat ik niet kan hebben.'

'Waarom denk je dat je me zult verliezen, Aaron?'

'Omdat ik een arme vent ben, zonder luxe, en jij gaat rijk worden, en je gaat een man ontmoeten die je wel kan geven wat je wilt.'

Heb ik zelf niet al heel vaak precies die gedachte gehad? Het is geen geruststellende, aangezien Aaron de enige is die ik wil, maar een Aaron die tenminste een deel van zijn potentieel waarmaakt, dat weet ik zeker. Het dringt tot me door dat hij ook rouwt, omdat hij weet dat die mogelijkheid erin zit.

'Je houdt van me,' zegt hij. 'Je houdt zo eerlijk van me, zo totaal.

Als ik bij je op bezoek kom, heb je het gezicht van een kind. Als ik vertrek, heb je het gezicht van een kind.'

'En jij bent helemaal volwassen,' voeg ik toe.

'Ik ben om een reden in je leven,' zegt hij, 'maar de mogelijkheid dat ik een relatie met je zou krijgen kwam niet in me op toen ik contact met je opnam.'

Wat probeert hij te zeggen? Wat het ook is, hij houdt op met praten en begint me door mijn jurk heen te strelen. Hij laat zijn hand onder de rok glijden, in de panty en mijn slipje, en voelt me. Ik ben kletsnat. Hij trekt zijn kleren uit en ik wurm me uit de mijne. Hij trekt de rits op mijn rug open en ik vraag hem mijn beha los te maken.

'Wacht even,' zegt hij, 'daar ben ik niet zo goed in.' Hij friemelt even, maar uiteindelijk krijgt hij hem los.

'Je ruikt naar talkpoeder,' zegt hij.

'Ik gebruik geen talkpoeder.'

'Maar je ruikt er toch echt naar.'

'Dat zal dan wel van mijn danspartner zijn.' Of van Tom. Ja, Tom is wel een talkpoedertype.

Aarons penis wordt maar langzaam aan harder terwijl we zoenen. Hij zal wel moe zijn. Ik ga op hem zitten en beweeg over zijn penis. Dat stimuleert hem tot actie. De tranen stromen weer als ik hem in me voel. Het is een brandend intens gevoel; de kleinste beweging doet me naar adem snakken door het intense vloeien van energie. Na een tijdje trekt zijn penis zich terug. We fluisteren. Als zijn gezicht op het kussen ligt en hij de liefde bedrijft kan hij er weer uitzien als negentien, zo hartverscheurend onschuldig, zo in beslag genomen door de liefde die terug is op zijn gezicht. Ik buig voorover en kus hem. Zijn adem is opmerkelijk zoet. Zijn stoppels zijn vreselijk, maar het lukt hem om niet over me heen te schrapen.

'Je hebt zulke mooie lippen,' zegt hij. Omdat het nieuwe woorden zijn winden ze me op.

Als je me mist, sluit je ogen dan en denk aan mij.
Als dat niet werkt, ga dan wat doen.
Als dat niet werkt, pak dan de zwarte tube Bodyglide.
Als dat niet werkt, zit je vol, Carla.
Nou Aaron, hartelijk bedankt.

De volgende dag belt John. Hij wil me ontmoeten voor een kop koffie op een 'neutrale plaats', ergens waar hij gewoonlijk niet komt en ik ook niet. Hij stelt de Boat Shed in het zuiden van Perth voor. Dat is een tent die ik niet ken. Het regent, en ik verdwaal. Uiteindelijk kom ik er aan, nat van de wandeling vanaf de parkeergarage. John staat in het portiek op me te wachten en leidt me naar een tafel.

Hij begint het gesprek. 'Ik heb ontdekt dat jij een EFT-er bent, net als ik,' zegt hij.

De Emotional Freedom Technique. Hij heeft een cursus gevolgd bij een gezamenlijke vriend, Peter Graham.

'Ik belde Peter om hem te vertellen dat ik een gigantische verbinding met een Carla op het feest van Kate had,' gaat hij verder. Peter zei: 'Bedoel je lange, blonde, aantrekkelijke Carla? Dat is een goede vriendin van me. Die heeft een EFT-training bij me gevolgd en we doen de vervolgcursussen bij haar thuis.'

Gigantische verbinding?

Ik vraag of Peter hem ook heeft verteld dat ik een boek over mijn leven heb geschreven dat is gepubliceerd. Natuurlijk heeft Peter dat gedaan, en ik ben blij dat John mijn achtergrond kent zonder dat ik hem die hoef te vertellen. Hij wordt er niet door afgeschrikt. Integendeel, hij is hier om de aantrekking die hij heeft gevoeld te honoreren.

'Er is een reden voor onze ontmoeting, Carla. Wat die ook is, ik wil er gevolg aan geven. Dit soort dingen gebeurt niet dagelijks.'

Mijn lichaam zingt. Dat intrigerende gevoel is blijkbaar wederzijds. De verbinding die we voelen is voor ons beiden zo ongebruikelijk dat hij moet worden onderzocht. Het zou een probleem zijn als hij precies hetzelfde voelt als ik. Dan zou hij namelijk maar weinig willen zeggen en in plaats daarvan met zijn lichaam willen praten. Ik voel gevaar, maar niet het soort waarvan je bang wordt. Ik vind het geweldig als hij mijn hand vastpakt. We zitten zo terwijl de koffie wordt geserveerd. Hij beweegt naar me toe, zodat onze armen elkaar ook raken. Ik voel me dapper en gebruik mijn vrije hand om met een vinger over zijn lippen te strelen. John sluit zijn ogen. Uiteindelijk buigt hij zich voorover om me te kussen. We zijn ons niet bewust van alle andere klanten.

Ik heb eerder dergelijke intense gevoelens gehad, houd ik mezelf voor als ik eenmaal veilig thuis ben, ik ben alleen geïntroduceerd in de mogelijkheden.

Dit is wat er in mijn verdorven geest omgaat, in mijn onhandelbare lichaam.

Ik voel de ruimte in mijn borstkas wijdopen gaan. Alle andere gevoelens en sensaties stralen van daaruit. Er is geen twijfel over mogelijk: hoewel dit verbonden gevoel uit hoge en pure sferen lijkt te komen, pleeg ik overspel zoals dat in de Bijbel wordt beschreven. Ik bedrijf de liefde al met deze man, zonder hem ergens, behalve in zijn energieveld, aan te raken. Ik voel zijn energieveld nu om me heen. Mijn handen zitten nu aan je vast. Mijn vingertoppen zijn vastgegroeid aan je huid. O jee, ik krijg ze niet meer los!

Voelt hij hetzelfde? Ik kan het intense gevoel van zijn aanwezigheid niet anders verklaren.

Ik wil huilen. Waarom gebeurt dit? En hoe zit het dan met Aaron?

Ik ben je vrouw

Laat ons zijn
als twee vallende sterren op klaarlichte dag.

– Hafiz, 'De hemel overdag'

'Wat zie je er vanavond mooi uit. En zo jong. Ik zie nauwelijks een lijntje in je gezicht. Kijk maar eens in de spiegel.'

We zijn in de badkamer. Aaron staat te douchen en ik poets mijn tanden. Ik ben nog helemaal opgewonden van een lezing die ik vanmiddag voor een grote groep mensen heb gegeven. Als ik iets presenteer, geef ik me over aan een innerlijke leiding waardoor de juiste woorden uit mijn mond komen en op het juiste moment de goede hoek in de ruimte bereiken. Dit werk is mijn bron van vreugde. Ik geniet na, en dat is wat hij ziet.

We liggen naast elkaar, kijken elkaar aan met ons hoofd op ons kussen, staren elkaar in de ogen. Hij weet het niet, maar ik heb besloten niet te bewegen totdat hij dat doet. Hij is eraan gewend dat ik het initiatief neem, dat ik altijd degene ben die aangeeft dat we gaan vrijen. Het is moeilijk voor me om gewoon te blijven liggen en niet naar zijn lippen te bewegen om ze te doen ontwaken, maar het lukt me. Als hij uiteindelijk minimaal naar me toe beweegt kan ik niet anders dan hem ontmoeten met alles wat ik heb, en dan begint de rit op de achtbaan.

Hij probeert me zijdelings te penetreren terwijl we samen liggen, en ik duw me in een half zittende positie om zijn pogingen te vergemakkelijken. Dan laat ik me weer op mijn zij zakken in plaats van op hem te gaan zitten. De achteloosheid van zijn omhelzing is bijzonder stimulerend.

'We zijn buurkinderen die van elkaar genieten,' fluister ik, en hij vangt de erotische lading in mijn stem op. 'We hebben net ontdekt dat we dit samen kunnen doen en we vinden het heerlijk.'

'Vertel me wat ik voor je kan doen,' zegt hij, wat ik helemaal niet van hem ken.

Ik maak gebruik van zijn aanbod en vraag hem mijn tepels aan te raken en in mijn borsten te knijpen. Hij wordt beloond met een onmiddellijk, vochtig antwoord. Maar hij voelt niet wat ik voel, dus hij is zich er niet van bewust dat het pijn doet als hij met zijn droge handpalmen over mijn tepels wrijft in plaats van erin te knijpen. Ze hebben zijn mond of een vochtige aanraking nodig, maar het is alweer voorbij voordat ik hem een lesje liefde bedrijven kan geven, dat hij de volgende keer alweer zal zijn vergeten.

'Ik zou het leuk vinden om je "mijn man" te noemen,' zeg ik. Ik kijk hem aan terwijl we ontspannen na het vrijen, zijn penis nog in me, mijn linkerknie comfortabel onder zijn oksel. 'Dat zeg ik liever dan "mijn vriend". Ik ben liever jouw "vrouw" dan je "vriendin". Voel jij het verschil als ik dat zeg?'

Nee, dat voelt hij niet.

'Het gaat om de energie,' zegt hij nadrukkelijk. 'Niet om de woorden!'

'Maar de woorden drágen energie!' houd ik vol. 'Ze roepen energie op!'

Aaron vindt zo te zien dat dat nergens op slaat.

Ik wil hem over John vertellen.

'Ik heb op het feest van Kate iemand leren kennen die met me uit wil.'

Ik verwacht dat hij vragen zal hebben, maar die heeft hij niet. Hij ligt op zijn rug en praat tegen de lucht. Het enige wat hij zegt is: 'Nu moet ik je met een ander delen.'

'Ik moet jou al zo lang delen met je andere prioriteiten,' werp ik tegen.

'Dat is een beetje anders. Het wordt tijd dat je begrijpt wat "nee" betekent, Carla. Dat je nee zegt en het meent.'

Maar hij zal me geen strobreed in de weg leggen. En er verder geen woord aan vuilmaken.

Hij vraagt of ik hem nog eens wil pijpen.

'Ja hoor,' zeg ik, 'dat gaat nog wel een keer gebeuren.' Ik wil hem verrassen als ik het doe.

Als ik het moment kies, is hij sprakeloos van verrassing en genot. Zelf ben ik totaal verbijsterd dat ik zo geniet van de actie. Hij weet dat het ooit, nog niet zo lang geleden, een taboe voor me was.

'Vertel eens hoe mijn pik voor je voelt,' wil hij weten.

'Hij voelt zacht, sterk en zoet,' zeg ik.

'O ja?' Hij is verrast. En dan: 'Wat je tegen me hebt gezegd is belangrijk voor me.'

Zijn handen zijn gebalde vuisten als van een baby, bij zijn borstkas. Het moet een hele openbaring zijn geweest. Wat dacht hij dan over zijn penis? Dat hij afstotelijk was?

Het voelt eindelijk als het goede moment om John te bellen. Hij is blij van me te horen, maar zijn woorden maken me ongelovig. John, die drieënvijftig is, die toch wijs en ervaren zou moeten zijn, verklaart aan de telefoon dat hij mijn vriend, mijn minnaar en mijn partner wil zijn, en dat nadat hij me twee keer heeft gezien. Ik voel verwondering, en dan angst.

Hij beschrijft hoe hij zich voelde terwijl hij naar huis reed na onze ontmoeting in die koffietent, dat zijn lippen de aanraking van mijn vingers nog voelden. Hij herleeft de aanraking steeds weer opnieuw en laat zijn verbeelding verder gaan.

'Ik raakte de versnellingspook aan en het was net of ik jou aanraakte. Ik stond bij een verkeerslicht te wachten en mijn geest wilde je vasthouden en je borsten kussen.'

Dergelijke woorden zijn niet gemakkelijk om naar te luisteren, maar ze moeten nog moeilijker zijn om uit te spreken. Johns ademhaling is onregelmatig, de passie in zijn stem zo sterk dat hij door de telefoonlijn mijn hersenen en lichaam in stroomt.

'Hoe voelde jij je nadat we afscheid hadden genomen?' vraagt hij.

'Ik was in de war,' zeg ik, 'want ik ben met Aaron. Hij is de enige seksuele partner die ik wil.' Ik spreek de woorden met nadruk uit.

John haast zich om zich nader te verklaren.

'Ja, ik weet dat hij je minnaar is en ik wil zijn plaats niet innemen. Het seksuele deel is eerlijk gezegd niet zo belangrijk voor me, begrijp je dat?'

Ik probeer het te begrijpen. Dit uitzonderlijk sterke maar objectieve gevoel heeft alle signalen van een ongebruikelijke spirituele band die overloopt in lichamelijke aantrekkingskracht. Hebben we te maken met twee zielen die ernaar verlangen op wat voor manier dan ook uit te drukken wat ze voor elkaar betekenen? Als dat zo is, Carla, zegt een innerlijke stem tegen me, moet je het niet onderschatten.

Ik wil Johns buitensporige uitlatingen nog een beetje verder op de proef stellen.

'John, je kent me nauwelijks.'

'Dat weet ik, dat is het angstaanjagende. Mijn gezond verstand zegt van alles tegen me, maar er is deze energie, en jij bent er, en dat is allemaal echt.'

'Je weet dat het mogelijk is dat we ons zo voelen vanwege projectie, hoop, herinneringen aan het verleden of wat dan ook. Dit moet je eerder zijn overkomen, John.'

'Iemand als jij is me nog nooit overkomen,' gaat hij verder. 'Ik heb nog nooit zo openlijk de hand van een vrouw die ik net heb ontmoet willen vasthouden, of haar in mijn armen willen nemen terwijl ik daar zat, en haar kussen. En zij is open en voelt zich helemaal niet gegeneerd over wat er gebeurt.'

John is even stil. Dan vervolgt hij: 'Het enige wat ik weet is dat onze energieën er zijn, en die wil ik niet ontkennen. Ik wil je vasthouden, je kussen en in je nabijheid zijn.'

Ik ben onder de indruk.

Ik hoor mezelf zeggen: 'Daar sta ik voor open. Ik heb het gevoel dat zolang ik eerlijk tegen jou en Aaron ben het allemaal oprecht is en ik er een goed gevoel over kan hebben. Aaron blijft maar tegen me herhalen dat ik alles moet nemen, en dat meent hij.'

Ik blijf in stilte tegen mezelf praten. Aaron is wel een man, en hij zou er onzeker van kunnen worden. Maar hij is enorm sterk als het op relaties aankomt. Hij zal zichzelf er niet voor in de ellende werken.

Ik besef, terwijl de woorden zich in mijn brein vormen, plotseling dat Aaron zich best eens heel ellendig zou kunnen gaan voelen als ik bij hem wegga. Feit is dat ik niet bij hem weg wil. Helemaal niet. En ik kan me niet voorstellen dat John zijn plaats zou innemen. Wat er zou kunnen gebeuren is dat Aaron kiest om te vertrekken. Dat zou voor ons beiden pijn veroorzaken. Ik zucht; het is een risico dat ik, op dit moment, besluit te nemen. 'Ik heb Aaron over je verteld,' zeg ik tegen John. 'Niet precies alles wat er is gebeurd, maar hij heeft het recht het te weten.'

John weet niet wat hij daarop moet zeggen, dus ik ga verder: 'Ik heb Aaron verteld dat we regelmatig op vrijdag gaan afspreken om koffie te drinken en dat je kaartjes voor het concertgebouw hebt.'

Ik hoor dat John zijn adem naar binnen zuigt. 'Ik weet dat dat het plan is, Carla, maar ik moet eerlijk zeggen dat het te moeilijk voor me is om te denken dat ik je vrijdag pas weer zie. Ik wil bij je in de buurt zijn, je aanraken.' Zijn stem aarzelt.

God, hij is zo ontwapenend! Deze man heeft niets in zich wat hem ertoe aanzet zich koel tegen me op te stellen, hij riskeert onvriendelijk behandeld te worden, afgewezen te worden, of niet te worden begrepen. Hij legt het allemaal liever open en bloot op tafel dan het te ontkennen of voor zichzelf te houden.

'Je bent een uitzonderlijke man, John.'

We zitten in stilte aan de telefoon.

'Is er verder nog iets te zeggen?' vraag ik.

'Ik voel je alleen,' zegt hij.

'Het is een zoete kwelling, hè?'

Ik voel op de een of andere manier aan wat hij voelt; energie stroomt door mijn lichaam, verlicht het als een snoer met lampjes, maakt mijn tepels hard. Maar ik ben op dit moment niet vervuld van hetzelfde extreme verlangen als hij om samen te zijn, ik ben hier de nuchterste van de twee. Mijn lichaam reageerde alleen op de vurigheid die ik door de luchtstroom heen voel trillen.

Ik hoor mezelf ermee instemmen dinsdag met hem te gaan lunchen in plaats van tot vrijdag te wachten, en bij mij thuis in plaats van in een koffietent. Ben ik gek geworden? Te vrijmoedig? Dom? Vast. Ik heb nog tijd om van gedachten te veranderen nadat ik het met Aaron heb besproken.

Aaron en ik zitten tegenover elkaar aan mijn eettafel. Het is een teleurstellende avond voor hem. Hij heeft ontdekt dat mijn nieuwe videokaart niet wordt ondersteund door het nieuwe moederbord dat ik heb aangeschaft. Hij haat dergelijke kwesties en zegt dat het de fout van een vriend van me is, die mee is geweest toen we gingen winkelen. Ik heb zijn advies aangenomen over welk moederbord ik moest kopen. 'Een derde persoon maakt het allemaal veel gecompliceerder.'

We omzeilen allebei het onderwerp John, wachten op het goede moment.

'Vertel eens hoe je bent veranderd,' zegt hij. Hij wil dat ik hem in een goed licht zet.

'Ik ben meer vrouw geworden door jou, Aaron.'

Hij knikt instemmend, ogen schitterend, begerig te weten hoe mijn contact met hem een goede invloed op me heeft.

'Mijn sensualiteit is tot leven gekomen op manieren die ik niet voor mogelijk hield. Ik ben opgebloeid en voel me geweldig over mijn vrouwelijkheid.'

Hij wacht op meer.

'Ik heb van jou geleerd hoe je "samen en alleen" kunt zijn. Ik heb het verschil tussen pijn en verdriet geleerd.'

'O, hoe dan?' Aaron heeft zijn benen over elkaar. Er rust een hand op tafel en hij zit me te ondervragen, maar ik kan het aan.

'Pijn voel je als je behoeftig bent, en als je verwachtingen hebt waaraan niet wordt voldaan.'

Hij knikt. 'Verdriet is onontkoombaar. Het valt samen met liefde, als dingen veranderen en er sprake is van verlies. Verdriet gaat over missen wat je had, maar is niet noodzakelijkerwijs destructief. Verdriet kan schoon en vlijmscherp zijn en dan weer weg. Of het kan blijven hangen en je vernietigen. Ik heb beide meegemaakt. Ik heb mijn lesje geleerd! Ik heb heel veel pijn, verdriet en onrechtvaardigheid gevoeld. Wreedheid jegens mezelf, ondermijnende ziekte, verspilde energie.' Hij is even stil en zijn gezicht licht op. 'Schitterende verspilde energie! Energie die prachtig is verspild omdat ik erdoor ben gegroeid.'

'Al onze ervaringen zijn onze minnaars en onze leraren,' peins ik hardop.

'Je bent een goede leerling,' zegt hij.

We beseffen beiden op hetzelfde moment dat woorden niet altijd een reflectie zijn van wat je hebt geleerd. De lakmoestest is het leven zelf.

Ik heb van mijn recente ervaringen met Aaron geleerd romantische behoeftigheid de rug toe te keren. Het valt me op dat de prijs die ik heb betaald een realiteit is die harder en ruwer lijkt. Ik zie nu ineens een man voor me die niet voor zichzelf zorgt zoals hij dat zou kunnen doen. Hij ziet er niet alleen afgrijselijk uit in zijn eeuwige trainingsbroek, die hij net zo lang draagt tot hij, nou ja, niet meer al te fris ruikt, en zijn haar is heel snel grijzer aan het worden. De lijnen in zijn gezicht zijn dieper dan toen ik hem vijf maanden geleden ontmoette. Hij ziet er continu uitgeput uit. Zijn ademhaling is altijd zwaar omdat zijn sinussen chronisch zijn verstopt ('samengesmolten tranen, Carla') maar ze zitten nu nog meer verstopt dan anders, het heeft zo'n effect op zijn ademhaling dat hij bijna snurkt als hij wakker is. Ik hoor het aan de telefoon, elke ademhaling is een snurk.

Ik weet dat mijn beeld van hem zal veranderen als we naar bed gaan. Dan word ik overrompeld door zijn energie, door die heerlijke kern in hem die bestaat ondanks zijn achteloosheid. Dan worden zijn lippen vol en zinnelijk. Het gevoel in zijn grote, sterke handen zal mijn lichaam in vuur en vlam zetten en zijn penis brengt alle extase die een vagina aankan. Dan straalt zijn gezicht de jeugdigheid uit die ik ooit in hem heb gekend. Dan wordt zijn schoonheid hartverscheurend, omdat hij me vertelt wie hij kan zijn als hij zichzelf meer zou waarderen.

Toch is het niet eerlijk om te zeggen dat hij zichzelf niet waardeert; dat doet hij wel, maar op zijn eigen manier. Zijn zelfwaardering is het tegenovergestelde van wat anderen misschien waarderen: zoals imago en prestige die door geld en succes worden gecreëerd. Hij wil worden gewaardeerd om wie hij is. 'Wie ik ben zou genoeg moeten zijn.'

Hij heeft zeldzame kwaliteiten: eindeloos geduld, bescheidenheid, vriendelijkheid, medeleven. Hij is extreem intelligent en heeft vele praktische talenten. Een fenomenale eigenschap is zijn verbijsterende encyclopedische geest vol gedetailleerde en accurate informatie over de geologie van de aarde en de sterrenstelsels en het universum. Die reflecteert zijn liefde voor de natuur en de aarde.

Zijn doel is zijn huis afbouwen, de ultieme uitdrukking van zijn creatieve en inventieve geest. Zijn afwijzing van de waarden van de maatschappij heeft hem echter al die jaren te arm gemaakt om dat te kunnen bereiken. Geld wil zich om de een of andere reden niet aan hem hechten.

Wil ik zo'n groot deel van mijn leven doorbrengen met iemand die door velen een mislukkeling zou worden genoemd? Het universum heeft me intussen John gestuurd.

Een mooi stuk klassieke muziek

Het onderwerp is vanavond liefde,
en morgen ook.

– Hafiz, 'De hemel overdag'

'John is verliefd op me, Aaron.' Ik vertel het hem als we samen in bed liggen nadat we hebben gevreeën. Het is behoorlijk laat geworden. 'Hij is gek. Hij zegt dat hij mijn vriend, minnaar en partner wil zijn en dat is niet logisch.'

Aaron wordt ongebruikelijk aandachtig. 'Hoe lang kent hij je nu?'

'Twee uur, misschien in totaal drie.' Het klinkt belachelijk.

'Dat is een kwestie van verantwoordelijkheid.'

Hij ziet dat ik het niet begrijp.

'Je moet in staat zijn om verantwoordelijk te zijn voor je daden en de consequenties te dragen. Te zorgen dat je weet waar je grenzen liggen en dat je ze niet overschrijdt. Maak je "nee" sterk, en een waaraan je je houdt.'

Ik heb geen idee waarop hij dan wil dat ik nee zeg, en dat vraag ik hem niet, maar er is hier in elk geval sprake van een sterk gevoel.

'Ik ben eens verliefd geweest,' zegt hij. 'En ik voelde me ellendig omdat ze niet meer van me hield. Ik besloot een eind aan de relatie te maken. Ik besloot nee tegen deze pijn en die behoefte van mijn geest te zeggen. Toen ze wilde dat ik weer ja tegen haar zou zeggen, merkte ik dat het onmogelijk voor me was om dat te doen. Mijn nee was totaal. De grenzen die ik voor mezelf had gesteld waren zo sterk dat ik sterk werd. Nee betekende vanaf dat moment nee. Een nee zal nooit in mijn leven nog een ja worden.'

Ik voel een koude rilling door mijn buik gaan. Ik hoop in godsnaam dat ik Aaron nooit tegen me zal krijgen.

'Ik heb tegen John gezegd dat ik met jou ben en dat jij als seksuele partner de enige bent die ik wil.' Maar Aaron laat zich niet tevredenstellen, vooral niet als ik toevoeg: 'John wil met me rommelen.'

'Weet je waar je in betrokken raakt, Carla?' vraagt hij. 'Heb je wel eens van "spelen met vuur" gehoord? Je probeert het onmogelijke.' Ik heb hem zelden zo ernstig gehoord.

Na een korte stilte zegt hij: 'Je zult in een Aaron moeten veranderen.' Hij ziet het grote vraagteken op mijn gezicht en vervolgt: 'Je zult tegen John heel helder over "samen en alleen" moeten zijn.'

Het dringt tot me door dat John deze keer degene is die verliefd is, niet ik, en dat ik deze keer degene ben die de grenzen moet stellen. Het is een spiegelbeeld van hoe het een paar maanden geleden tussen Aaron en mij was. Het is essentieel dat ik heel, heel eerlijk tegen John ben.

Ik denk terug aan wat hij in die koffietent tegen me heeft gezegd, een citaat van Kahlil Gibran: 'Laat de winden van de hemel tussen jullie waaien', waarbij hij de analogie trok van twee bomen die naast elkaar staan, met de toppen in elkaar gestrengeld maar de stammen apart. Ik herinner me dat ik dacht dat de wortels dan ook verstrengeld moeten zijn, en dat ik me afvroeg of dat goed was of niet.

'John heeft het al helemaal bedacht,' waag ik.

'Zeker weten,' zeg Aaron. 'Ik hoop maar dat die vent niet zo getikt is als ik denk dat hij is. Een van mijn vriendinnen dacht dat ze haar huisbaas kon vertrouwen en werd uiteindelijk door hem verkracht.'

Dat is een oud verhaal dat ik al ken en ik probeer Aaron gerust te stellen over John. 'John is als een mooi stuk klassieke muziek,' zeg ik tegen hem, aangezien hij zoveel met beeldtaal heeft en ook wel met klassieke muziek. 'Hij heeft werkelijk geen onbehouwen cel in zijn lichaam. Hij neemt een enorm risico. Hij riskeert belachelijk gemaakt te worden. Hij lijdt liever dan dat hij niet zegt wat hij voelt.'

Aaron lijkt niet onder de indruk en kijkt me aan.

'Dit gaat het een en ander veranderen,' zegt hij.

Mijn relatie met Aaron daagt hem nu uit alles te zijn wat hij kan zijn: precies wat hij mij gunde. Alles worden wat hij kan zijn is een taak die hij serieus opvat. 'Laat het leven het me leren,' zegt hij, 'terwijl ik het langzaam aanpak en niet boos op mezelf word omdat ik niet sneller ga.'

Ik heb de indruk dat Aaron nog heel wat opgroeien voor de boeg heeft en dat dat misschien niet in één leven gaat lukken. Hij is nog steeds zo aan zijn moeder verbonden en heeft problemen met zijn vader. Al zijn relationele ervaringen zijn erdoor gekleurd.

Aaron is zich er zeer van bewust dat hij uit een disfunctioneel gezin komt. Hij heeft geprobeerd de verantwoordelijkheid voor alle gezinsleden op zich te nemen, vooral voor zijn moeder en zus. Hij zegt dat hij dat niet meer doet, maar het kost hem nog steeds veel moeite.

Hij trof laatst zijn moeder aan in bed. Ze keek televisie terwijl haar echtgenoot hetzelfde programma zat te kijken in de woonkamer. De blik in haar ogen was hartverscheurend, vertelde Aaron me. 'Help me! Ik ben zo eenzaam!' schreeuwde die blik. Hij kon niet hardop zeggen: 'Dat is je eigen schuld, dan moet je pa maar niet zo behandelen.' In plaats daarvan voelde Aaron zich schuldig.

Hij werd een periode zeer gedomineerd door zijn moeder, die hem als pseudo-echtgenoot behandelde. Dat spel speelt hij niet meer mee, maar hij doet er nog steeds alles aan om te zorgen dat zijn moeder een goede computer heeft zodat ze zoveel dvd's kan kijken als ze wil om de tijd mee door te komen die ze niet gebruikt om de band met haar man te verstevigen.

Aaron houdt er helemaal niet van om geconfronteerd te worden met mijn mening over zijn problemen. Zijn standaardreactie is het gesprek zo te draaien dat we ons op mijn tekortkomingen gaan concentreren. Dat is begrijpelijk.

Ik wil zo graag dat hij al zijn problemen oplost, dat hij een baan vindt en zich er goed over voelt dat hij geld verdient. Maar ik moet oppassen dat ik geen grenzen overschrijd en hem ga dwingen, of nog erger: dat ik de verantwoordelijkheid voor zijn keuzes en gevoelens op me ga nemen. Ik moet mezelf eraan helpen herinneren dat ik niet verantwoordelijk ben voor Aarons groei, ook al wens ik die met heel mijn hart. Ik kan daar zo door in beslag genomen worden dat ik bijna vergeet te ademen...

Ik adem diep in en voel me als een zwemster die naar de oppervlakte komt nadat ze door de branding is weggeslingerd. Goede, schone lucht in mijn longen en helderheid in mijn hoofd, hoewel ik niet weet wat dit uiteindelijk allemaal zal betekenen. Ik weet wel dat we op dit moment goed voor elkaar zijn en dat ik op dit moment van hem houd en naar hem verlang.

Hij zit boven op me en pleziert me met heel kleine heupbewegingen. Ik heb mijn armen achter mijn hoofd en begin een speels gesprekje.

'Je hebt een keer tegen me gezegd dat je niet meer op me bent gesteld.'

Dat brengt hem abrupt tot stilstand. Zijn vuisten staan plotseling in zijn zij en hij springt bijna van me af. 'Wat?!'

Ik schiet in de lach en spreek langzaam. 'Je hebt een keer tegen me gezegd dat je niet meer op me bent gesteld omdat je verliefd op me bent!'

'Carla,' zegt hij ontstemd, 'woorden! Wanneer ga je nou eens begrijpen dat woorden maar een beperkte macht hebben en tot het moment behoren?'

Ik vermaak me kostelijk. Hij is zo'n vindingrijk, uitzonderlijk niet-politiek wezen. Hij heeft geen atoom in zijn lijf dat hem wil redden en dat zijn vroegere zelf, dat die woorden heeft gesproken, nogmaals realiteit voor me wil maken.

'Wat je ziet is wat je krijgt,' dat is wat hij is. Hij is altijd gewoon zichzelf.

En vandaag is hij op me gesteld. Daar moet ik tevreden mee zijn en dat ben ik ook. Op hetzelfde moment voel ik een innerlijke stroom wegebben. Ik heb ooit in zijn stroom gebaad, toen die breed, weldadig en sprankelend was, de magische wateren van verliefdheid. De stroom begint nu af te takken, weg te ebben, en ik tref mezelf aan op de oever, naast een koude rivier, ook heel helder, kristalhelder, maar alledaagser.

'Vertel eens hoe ik je het gevoel geef dat ik van je houd,' zegt hij.

Hij wil horen dat ik begrijp dat hij van me houdt. Ik ben gek op dit soort gesprekken; ze staan me toe erotisch te zijn terwijl ik hem complimentjes geef en intussen opgewonden raak.

'De vrouw in Carla voelt zich geliefd door de man in Aaron,' begin ik. Hij glimlacht. Ik sluit mijn ogen terwijl mijn litanie van lof intenser wordt... sappig. 'Carla vindt het heerlijk om Aaron diep in zich te voelen; het voelt altijd zo nieuw, zo verfrissend, zo wonderlijk.' Ik voel dat ik weer in een warmere stroom kom, dat ik er weer door wordt meegevoerd. 'En ik vind het heerlijk om je handen op mijn lichaam te voelen...'

Ik zie een hand mijn gezicht naderen, een uitgestrekte vinger op weg naar een neusgat, om erin te gaan. Het is een gebaar waarvan ik ga blozen.

'Ik heb het gevoel dat je me voor schut zet, Aaron,' zeg ik met gesloten ogen terwijl ik de schaamte onderga.

'Nee! Nee!' Hij haast zich om het recht te zetten. 'Ik zet je niet voor schut. Het is moeilijk voor me om je passie te begrijpen!' Hij klinkt ineens enorm verontschuldigend. 'Ik weet niet hoe ik je complimentjes in ontvangst moet nemen. Ik zou dergelijke dingen niet moeten horen.' Hij neemt mijn gezicht in beide handen.

Het is zo verdrietig. Hij beseft niet hoezeer hij zichzelf de grond in trapt. Hij weet niet hoe hij net heeft verklaard dat hij mijn gelijke niet is.

Het is bijna middernacht en mijn ogen willen sluiten om te gaan slapen. Hij kleedt zich aan en zit op het randje van het bed om zijn sokken en gympen aan te trekken. Ik sla mijn armen om zijn brede rug. Hij is heel stil en bedachtzaam.

'Het zal niet langer eenvoudig zijn,' zegt hij. 'Eerst waren we met zijn tweetjes. Nu is er een derde factor.' Hij maakt zijn veters vast. 'Het is niet gemakkelijk om Aaron te zijn,' zegt hij, en hij vertrekt.

Vroeg in de ochtend, mijn favoriete moment om te reflecteren, zet ik mijn gedachten op papier.

Zal ik voor een van de twee moeten gaan kiezen? Houd ik mezelf voor de gek door te denken dat John en ik geen seks zullen hebben en dat ik Aaron kan houden? Als ik zou moeten kiezen, wat zou ik dan doen? Aaron is als een ruwe diamant, een die wellicht nooit geslepen zal worden. John is als een goed gepolijste maansteen.

Ik trek een tarotkaart: de Dood staart me aan. ‘Verzet je niet tegen plotselinge verandering,’ staat eronder. ‘De vibrerende potentie om je heen zal je de kracht geven om de nieuwe situatie te accepteren.’

Een andere wereld

Als muziek het voedsel der liefde is, speel dan verder.

– William Shakespeare, *Driekoningenavond*

John wacht op een gelegenheid om me mee uit te nemen. Hij gaat vanavond met me naar het concertgebouw. Ik weersta de aandrang mijn zwarte minirok met die hippe panty aan te trekken die ik net heb aangeschaft en kies voor een lange fluwelen rok. 'Jammer,' zegt John.

We zeggen nauwelijks iets. John pakt mijn hand terwijl we luisteren en we laten de muziek voor ons spreken. Ik geniet van de sfeer van cultuur, een heel andere wereld dan die van Aaron.

John vertelt dat hij overweegt een abonnement te nemen. Het is een uitnodiging me vast te leggen vaker met hem uit te gaan, maar ik aarzel. Nee, er is niet genoeg in me dat hier enthousiast op wil reageren. Dus blijf ik stil en zeg niets.

Hij brengt me naar huis. Ik nodig hem uit voor een drankje. Er kan nu van alles gebeuren. Het is aan mij hoe ver dit gaat.

John neemt me in zijn armen om me te kussen. Het valt me voor het eerst op hoe droog en schilferig zijn lippen zijn. Misschien is hij nerveus, maar het kussen lukt niet.

'Blijf eens stilstaan,' draag ik hem op. Ik wil John demonstreren hoe hij moet kussen en benader hem met volle lippen. Maar John staat zo stil dat hij moeite heeft met reageren. Het is hopeloos. Hij snapt niet dat dit een gelegenheid is om iets nieuws te leren, hij denkt dat hij al geweldig kan zoenen.

Ik zet de cd-speler aan. Emma Shapplin staat al klaar. De snijdende muziek maakt dat ik automatisch een danspose aanneem. Ik ga voor John dansen! Er zijn geen voorgeschreven passen voor deze dans, alleen een heleboel endorfine in mijn lichaam, die me misschien groteske, maar grotendeels gracieuze bewegingen doet maken. Ik dans voor mijn eigen genot. De euforie wordt groter... ik merk John nauwelijks op. Tot hij voor me staat, een van mijn handen pakt en een arm om mijn taille slaat. Hij wil deze dans temmen!

Wat is dat toch met mannen dat ze een vrouw niet losbandig op muziek kunnen laten reageren? Zoals Aaron dat een tijdje geleden ook deed, beëindigt John onopzettelijk de dans. De euforie is weg en mijn lichaam komt tot stilstand. We bewegen onze heupen houterig tegen elkaar en gaan weer zitten, enigszins gegeneerd. We praten even en dan is het tijd om afscheid te nemen.

De volgende keer dat Aaron en ik vrijen is nadat we een video van David Deida over seksuele energie hebben gezien. De ellende met dergelijke video's is dat je onmiddellijk je eigen optreden gaat vergelijken met wat hij als ideaal presenteert en dat dan gaat proberen na te doen.

Het was voor Aaron niet echt nodig om van David te horen dat het aan de man is om de vrouw 'te openen voor God'. Dat deed hij al, en hij is altijd helemaal aanwezig. Het is een van de eigenschappen die hem zo geweldig maken. Maar hij is nu opzettelijk zijn mannelijkheid aan het manifesteren en kijkt wat voor effect dat op mij heeft. En ik word er onzeker van dat ik een 'enorme uitnodiging om te worden genomen' ben. Ik besluit er maar niet te moeilijk over te doen: we zijn die video toch zo vergeten en komen dan wel weer terug bij onze onschuld. Energie stimuleren, hoe nobel de bedoeling ook, resulteert in een soort misleiding die we niet nodig hebben.

David Deida vraagt in die video aan een man in het publiek of hij genoeg van zijn vrouw houdt om haar los te laten en erachter te komen wat ze echt nodig heeft. 'Ik wil je laten ontdekken wat je echt wilt,' zegt de man tegen haar.

Aaron had bijgedragen: 'Ik wil dat je doet wat je moet doen, Carla. Ik wil dat je alles bent wat je kunt zijn. Dat is hoeveel ik van je houd. Soms,' voegde hij toe, 'weet je pas wat je hebt als je het kwijt bent geraakt. Misschien gaat dit er wel allemaal om dat we elkaar meer leren waarderen.'

Mijn lichaam voelt vanavond anders. Het reageert op Aarons aanraking, maar is niet heel erotisch geladen. Is dit het effect van dat kolossale orgasme van een paar dagen geleden? Betekent het dat ik daar nog steeds niet van ben hersteld? Mijn vagina bleef de hele dag erna onophoudelijk bonken. Vanochtend is hij weer rustig. Het heeft me twee dagen gekost om weer in te dalen.

Dus is mijn lichaam heel rustig als ik Aaron ontvang... maar ik voel hem om de een of andere reden alleen maar dieper. Hij zit op me, haalt even adem met zijn handen op zijn heupen, en ik kijk hem aan en smelt. Ik zeg zijn naam, maar er komt geen geluid uit mijn mond. Aaron. Mijn ogen zijn spleetjes, de oogleden opgezwollen van de tranen die over mijn wangen rollen. Hij ziet alles gebeuren en begrijpt het: dit is liefde zoals hij die nog nooit heeft ontvangen. Hij wordt bemind. Hij erkent het met een hoofdbeweging, een stille glimlach. Dan buigt hij zich voorover en houdt me in zijn sterke armen zodat ik me beschermd voel als een vogel in een nest. Als ik dat zeg, pakt hij me alleen nog maar steviger vast.

We bedrijven de liefde tot mijn lichaam niet meer kan. Het doet geen pijn, maar ik ben volledig vervuld en oververzadigd van liefde. De tranen blijven stromen.

'Ik ben niet verdrietig, Aaron.'

'Dat weet ik.'

We liggen samen tot ik het koud krijg. Ik ben altijd de eerste die de kou voelt.

En dan, die noodlottige ochtend...

'Aaron, sinds ik vanochtend wakker werd weet ik wat ik moet doen.'

'Dat klinkt serieus.' Zijn gezicht licht helemaal op van liefde. 'Je hebt het gezicht van een engel.'

Ik duw mijn gezicht tegen zijn borstkas. 'Ik voel me geen engel, Aaron. Anderen hebben je in het verleden pijn gedaan. Vandaag is het míjn voorrecht je pijn te doen.'

'Hoe bedoel je?'

'Het heeft met John te maken,' zeg ik, en het verrast me dat hij van zijn stuk is gebracht.

'O, dat gedoe met John... Ik heb die man duidelijk onderschat, als hij zo belangrijk voor je is. Wat vertegenwoordigt hij voor je?'

'Dat weet ik niet. Daar moet ik achter komen. Hij vertegenwoordigt een mysterie.'

Aaron kijkt ineens intens verdrietig. 'Alles wat naar Aaron toekomt om hem lief te hebben vertrekt weer,' zegt hij, en hij kijkt me niet meer aan. 'Dat is waarom ik mezelf heb geschoold in het "samen en alleen". Het is nog nooit zo op zijn plaats gevallen als vandaag. Ik heb alleen mezelf en dit moment.'

De woorden gaan diep mijn buik in. Ik heb ook alleen mezelf. Helemaal niets is blijvend, en helemaal niets blijft bij iemand. Alles wat we hebben is onszelf: wat we zijn geworden door lief te hebben en te worden bemind.

'Onthoud dit,' zegt Aaron. 'Wat jij mij vandaag aandoet, zal een ander jou aandoen. Dan weet je hoe het voelt.' En dan: 'Je bent zoals ik geworden, daarom kun je dit. Je hebt een zekerheid in jezelf veiliggesteld. Je bent sterk en onafhankelijk geworden, je gaat voor wat je wilt.'

Hij vindt me in tranen, omdat dit pijn doet, en ik kan zijn pijn ook voelen.

'Carla, we zijn ons zo op ons gemak gaan voelen bij elkaar. We houden zo intens van elkaar, zonder aan de ander te twijfelen. Je kunt je onvoorwaardelijk aan me geven en ik kan hetzelfde. Dat is liefde, Carla. Je bent nog nooit beter bemind. Ik heb nog nooit zoveel van iemand gehouden als van jou. Laat me je een laatste keer hebben.'

Hij blijft nog een nacht.

'Aaron, je ademhaling in je slaap klinkt als van een vrouw die wanhopig haar tranen probeert in te houden.'

Ik lig knus tegen zijn borst en ervaar spiertrekking na spiertrekking: zijn borstkas is uitgezet terwijl hij zijn adem zo lang hij kan inhoudt. Daarna laat hij een stroom lucht los alsof hij dat eigenlijk niet wil, en dan ademt hij scherp weer in. Het is net of hij onophoudelijk snikt: diepe, lange, traanloze snikken.

'Wat wil je dat ik eraan doe?'

'Verwerk de bevroren tranen die je zegt dat ze vertegenwoordigen.'

'Ik ga naar Darkan en dan ga ik huilen,' zegt hij.

We hebben voordat hij vertrekt een kort gesprek.

'Ik heb al pijn sinds ik het gevoel heb dat mijn moeder me afwees,' zegt hij.

Dat heb ik hem nog nooit horen zeggen. 'Hoe heeft ze je afgewezen?'

'Ze gaf me al haar aandacht en toen liet ze me alleen. Het was net alsof ze me erin had getraind afhankelijk te worden van haar aandacht. Toen ik die niet meer kreeg deed het pijn, zo erg hunkerde ik ernaar.'

'En de vrouwen in je leven hebben je hetzelfde aangedaan,' zeg ik. 'Je hebt steeds vrouwen als je moeder aangetrokken.'

'Ik heb aangetrokken wat ik in mijn leven nodig had om mezelf te worden,' zegt hij verdedigend. 'Ik ben drie jaar geleden in therapie geweest en heb heel wat tranen geplengd.'

'Maar niet genoeg,' zeg ik. 'Je hebt het proces niet afgemaakt.'

Dus ben ik een van die vrouwen geworden die, zoals zijn moeder, was gedoemd hem te kwetsen.

Nadat hij is vertrokken zeg ik tegen mezelf dat Aaron me niet kan hebben totdat hij meer is geworden wat hij kan zijn. Hij heeft me geopend voor de vrouw-God-energie die in me sluimerde, de kracht die nu aan me trekt om alles te worden wat ik kan zijn. Aaron moet zijn eigen weg naar huis vinden. Voor mij geldt dat ik iets positiefs volg. In zijn geval is het de beslissing iets negatiefs los te laten, en dat is moeilijker. We zijn vrienden, goede vrienden, onverwoestbare vrienden, en ons verhaal is nog niet afgelopen.

De wind horen waaien

Hoor de wind waaien; liefste
Hoor de wind waaien.

– 'Down in the Valley,' Amerikaans volksliedje

John stuurt me een sms'je: DEEL JE ZIEL MET ME, HOUD VAN ME. LIEFS, JOHN.

Ik probeer een bericht terug te schrijven, maar zit te klungelen. Ik weet niet meer hoe het moet en kan op dit moment mijn zelfvertrouwen om met mijn mobiele telefoon om te gaan niet terugvinden. Aangezien hij me een berichtje heeft gestuurd, geeft dat me de gelegenheid om hem te vertellen wat er is gebeurd. Ik bel hem op.

'Ik heb Aaron vanochtend verteld dat ik bij hem wegga,' zeg ik, en ik hoor John naar adem snakken.

'Wat? Ik had niet verwacht dat je zo snel zou handelen. Ik was bereid om geduldig te wachten.'

'Ik kon niet langer leven met de tweedeling.'

John maakt de vergissing te denken dat het komt vanwege zijn greep op mij.

'Nee, dit gaat niet alleen over jou,' onderbreek ik hem. 'Het is iets wat ik voor mezelf moet doen.'

'O.'

Ik wil John niet vleien. Ik wil hem niet het idee geven dat hij zo'n indruk op me maakt dat ik hem onweerstaanbaar vind en er nu een eind aan moet maken met Aaron. Dat is het niet.

'Vertel eens,' zegt John, want hij wil begrijpen wat er gebeurt, 'houdt Aaron van je?'

'Ja, absoluut!'

Mijn stem moet mijn hele overtuigingskracht dragen. Er valt een korte stilte aan de andere kant.

'Ik heb met hem te doen,' zegt hij dan.

Ik bedenk dat John ook met zichzelf heeft te doen... met zijn mogelijke toekomstige zelf, want: als deze vrouw dit haar minnaar kan aandoen, wat kan ze mij dan aandoen?

Hij heeft natuurlijk gelijk, Carla die haar hart volgt kan harteloos overkomen.

'Je doet dit naar eer en geweten,' zegt Aaron grootmoedig. 'Je hebt geen uitvluchten verzonnen of excuses gebruikt, er zijn geen leugens geweest, geen bedrog, geen negatieve gevoelens. Je hoefde me niet te haten om me te verlaten. Je houdt van me zoals nog geen vrouw van me heeft gehouden. Je hebt een diepe eenzaamheid in me geheeld en je liefde is een bevestiging geweest van wie ik ben. Ik heb avances van andere vrouwen afgeslagen,' vertelt hij me, 'omdat het duidelijk is dat die niet van me kunnen houden zoals jij.' Hij sluit zijn ogen. 'Jouw liefde heeft zoveel indruk op me gemaakt dat ze onuitwisbaar is.'

Dus... hij vertelt me dat hij loyaler is dan ik ben.

Hij haalt herinneringen op, kijkt al naar het verleden. 'Ik heb zo'n beetje alles wat op mijn wensenlijstje staat gedaan!' zegt hij plotseling bijna opgewekt. 'We zijn gisteren samen naar Fremantle geweest; we zijn naar Darkan gereden, je hebt daar bij me gelogeerd en hebt met me gevreeën, we hebben samen een film gezien, hebben in de auto zitten praten, we hebben aan het strand gezeten en naar de golven gekeken.'

Zijn lijstje is eenvoudig. Ik ben blij dat er zoveel kan worden weggestreept.

'Doe je dit omdat ik bij jou weg zou gaan om naar Darkan te vertrekken en jij de eerste wilt zijn die vertrekt?' vraagt Aaron. Hij rijdt in mijn auto terwijl we praten.

Dat is nooit in me opgekomen. Ik moet blijkbaar duidelijker uitleggen waarom ik dit doe.

'Ik wil onderzoeken wat me wordt aangeboden, Aaron. John is een geheel nieuwe ervaring. Ik heb al eens tegen je gezegd dat hij als een stuk klassieke muziek is. Jij bent als een geweldig rocknummer... Van Enigma, bijvoorbeeld.'

Aaron bloost een beetje. Subtiliteit is dus niet wat hij is. Ik wil niet dat hij zich slecht over zichzelf voelt.

'En of John Enigma of Emma Shapplin kan waarderen... dat weet ik niet.'

Aaron leeft in het deel van het spectrum dat opwindend en levenskrachtig is: het rood, infrarood en oranje. John, aan de andere kant, woont in de hogere en verfijndere regionen: het blauw, paars en indigo, met een grote veeg groen. Wat ze delen is geel, het wilscentrum waar hun energie ligt opgeslagen... maar het zijn zulke verschillende kwaliteiten bij beiden. Het is nog afwachten hoe de lagere kleuren hun weg in Johns uitdrukkingsvaardigheid zullen vinden. Hij is een belofte waarvan ik nog niet weet wat hij ervan waarmaakt.

'Hoe zie jij jezelf in de toekomst?' vraagt Aaron. Hij is oprecht nieuwsgierig naar hoe ik denk dat ik me zonder hem ga voelen. 'Je hebt je vrouwelijkheid ontdekt door mij, Carla. Andere mannen voelen zich tot je aangetrokken, maar als ik er niet meer ben, wat zien ze dan? Misschien krijgt John wel te zien hoe je zonder mij bent en staat hem dat niet aan.'

Ik stem met hem in dat dat een mogelijkheid is. Als ik van Aaron afhankelijk ben geweest om me vervuld en sexy te voelen ga ik me misschien eenzaam en leeg voelen. Maar ik heb echt niet het gevoel dat dat gaat gebeuren.

'Ik zie de toekomst als spannend, heerlijk en vol groei.'

Aaron slikt.

Na een korte stilte voeg ik toe: 'Het voelt alsof een sterke engelenergie me trekt.'

Hij kijkt me verbijsterd aan. 'Een engel? Pardon?'

We rijden de oprit op.

'Je moet engelen niet onderschatten,' zeg ik. 'Het zijn heel sterke wezens. Ik heb het gevoel dat ik er door een aan de hand word genomen.'

'Hoe voel je je nu?' vraagt hij later als we thuis zijn, want mijn gezicht is nat van tranen.

'Ik heb het gevoel dat ik de juiste beslissing heb genomen, Aaron, en dat voelt goed.'

Hij wil dat ik het herhaal.

'Als je de goede beslissing hebt genomen, zegt iets in je dat tegen je en dat stelt gerust,' zeg ik.

Hij kijkt me geduldig aan.

'Hak de knoop door en word weer een alleenstaande vrouw, Carla! Je ziet er zo verdrietig uit. Laat me je schouders masseren. Je houdt verantwoordelijkheid vast.'

En het is prettig zijn sterke handen te voelen, die proberen de spanning die zich daar heeft opgebouwd weg te masseren.

Ik wacht op John, die heeft opgebeld dat hij wil komen om even 'hallo te zeggen'. Ik zie hem op me af komen. Hij heeft maar een paar minuten tussen zijn werk en een afspraak bij de dokter, maar we hebben elkaar zaterdag voor het laatst gezien en hij wil per se vandaag afspreken. Hij rent en ik loop en we ontmoeten elkaar in elkaars armen, op het voetpad bij postkantoor Subiaco. We wisselen een kus uit, dan draait hij zich om om mijn hand te pakken en met me naar mijn auto te lopen, die vlakbij staat geparkeerd.

'Ik lijk wel gek,' zegt hij met een brede glimlach, 'en het kan me niets schelen.'

Hij zwengelt met mijn arm terwijl we lopen, maar hij loopt niet helemaal recht. Onze schouders blijven elkaar raken. Zijn humeur is aanstekelijk. 'Kus me!' zeg ik schalks, maar hij dacht al hetzelfde en mijn woorden zijn niet compleet voordat hij me bij mijn middel pakt en me voor het langzaam rijdende verkeer op de parkeerplaats wegtrekt.

'Dat dacht ik ook net!' Hij kust me, zegt: 'Verdomme!' en begint me nogmaals te kussen, deze keer gedurfder.

Hij heeft me stevig in zijn armen. Ik sluit mijn ogen. Dit is zo heerlijk vreemd en geweldig. De conservatieve John, die scheldt omdat hij dit deel van zichzelf niet kent, en omdat hij zichzelf niet kan inhouden, en omdat het zo dom van hem is om zo seksueel openlijk van iemand te houden die niet eens beschikbaar is... deze man heeft me geleerd in het moment te leven. En op dit moment wil hij bij me zijn, me vasthouden en me zoenen.

We laten elkaar weer los en lopen langzaam verder. Ik zeg dat ik even groene thee wil gaan kopen bij de theewinkel aan de overkant van de straat.

'Oké,' zegt hij, 'dan loop ik met je mee.'

Op het voetpad wordt hij overrompeld door nog een impuls. Hij duwt me tegen een lantaarnpaal en houdt me ertegenaan terwijl hij me kust. Hij vloekt nogmaals, neemt afstand, komt terug omdat hij zichzelf er niet van kan weerhouden en fluistert ernstig in mijn oor: 'Ik wil met je neuken.'

Hij belt me later op om zich te verontschuldigen dat hij zo lomp was tegen een dame en dat hij dat woord heeft gebruikt. Hij struikelt over zijn woorden tot ik hem onderbreek en hem vertel dat ik een vrouw met een lichaam ben, geen dame op een voetstuk.

'Tegen wie heb je het, John? Ben ik de maagd Maria?'

Hij is opgelucht en begint te lachen.

Johns vrienden vragen zich af wat voor middel hij tegenwoordig gebruikt. 'Ik geniet van het leven,' zegt hij tegen hen, en ze hebben moeite hem te geloven, maar toch is het waar. John lijkt zijn verlangens te hebben opgegeven en leeft eenvoudigweg in het geluk lief te hebben. Dit onafhankelijke, onbaatzuchtige liefhebben maakt, paradoxaal genoeg, een man van hem. Een vrije, sensuele man, en het is een genot bij hem in de buurt te zijn. Ik kan lachen, me gewild voelen en zelf vrij blijven.

Ik bel John op zijn mobieltje en ontdek dat hij koffie zit te drinken met mijn vriendin Virginia. 'Ze is een aardige vrouw. Ik leer haar kennen,' zegt hij. Daar is niets mis mee, maar het doet me ontdekken wat ik liever zie in een man en in een relatie: exclusieve loyaliteit... de een-op-een intimiteit die ik met Aaron heb.

Dit voorval leert me hoe het voelt als de aandacht van je partner afdwaalt zoals die van John dat doet. Aaron laat me vrij, maar als ik ervoor zou kiezen te ver te dwalen, dan zou dat wat we hebben veranderen, zo eenvoudig is het. Hij is iemand die er helemaal voor je is, tot je dat niet meer waardeert. Dan laat hij je los.

'Kom maar naar me toe als je weer alleenstaand bent,' zei hij. 'Ik doe niet aan triootjes.'

Hij doet niet bezitterig. Hij veroordeelt me niet. Hij voelt zich niet gekwetst dat ik overweeg of ik seks wil hebben met John. Hij zegt alleen wat echt voor hem is, wat zijn waarden zijn.

Jouw waarheid, mijn waarheid

Meditatie (Waarheid) is een onverwachte aardbeving
die ons geordende bestaan losschudt
in duizend richtingen
... en onze keurige woning verwoest achterlaat.

– Robert Rabbin, 'Waarheid'

Ik kan deze man geen recht doen. Ik wil John loslaten, hoewel hij me aanbiedt waar heel veel vrouwen van dromen. Mijn behoefte aan passie is groter dan zijn vriendelijke, conventionele stabiliteit. Ik wil mijn leven delen met een partner die in alle opzichten mijn gelijke is; iemand die zo sterk is als ik en de diepste loyaliteit van me eist.

John wil zich voor de rest van zijn leven 'settelen'. Dat zou een grote verandering betekenen voor de manier waarop hij leeft: genieten van flirten met alle vrouwen die openstaan voor zijn waarderende woorden. John wordt volwassen en verlangt naar stabiliteit. Wat ik daar in lees is misschien niet waar, maar het gevoel is er niettemin: dat alles nadat hij eenmaal is gesetteld voor eeuwig en altijd gezellig moet zijn, omdat we per slot van rekening toch zijn getrouwd. Ik zou mijn leven niet in zo'n mal kunnen krijgen. Ik moet John loslaten.

Misschien moet ik Aaron ook loslaten. Waarom? Vanwege de ongelijkwaardigheid tussen ons en vanwege de lange afwezigheid. Die zal ik een groot deel van de tijd onder ogen moeten komen als ik Aaron als minnaar wil.

Uit mijn dagboek:

Geliefde, wat moet ik doen?

Ik houd met hart, ziel en lichaam van Aaron. Hij is de enige die de passie die ik voel naar boven kan halen.

Als ik bij John ben, bij de lieve, vriendelijke John, is dat gezond, stil genieten. John, die mijn hand vasthoudt terwijl hij de tranen over mijn wangen ziet rollen als ik hem over Aaron vertel. Er is geen vuurwerk in ons samenzijn; enkel goedheid, vriendschap, de stille opwinding van een diep vloeiende, zielsverwante energie. Waarom verlang ik naar meer?

Jij, Aaron, hebt mijn hart gestolen en op meerdere manieren een standaard gesteld. Je weet hoe je me kunt verrassen, hoe je me aan het lachen maakt met je opmerkingen die buiten alle kaders gaan. Je doet me letterlijk zweven als je me optilt en mee naar bed neemt; je bazige natuur is er een waaraan mijn koppigheid zich graag overgeeft. Je neemt op kleine, heerlijke manieren de leiding, zowel met je eigenaardigheden als de manier waarop je de liefde bedrijft. Je leidt me, geniet ervan de leiding te nemen, zelfs als het over mij uitkleden gaat. 'Help me niet, Carla!' Je was zo teleurgesteld toen ik dat toch deed.

Je bent zo sexy, niet in de manier waarop je je kleedt (erg onaantrekkelijk, Aaron, net als de manier waarop je rondhobbelt, nasaal spreekt en aan je benen krabt!) maar in de manier waarop je je seksuele energie draagt en je me zo intens raakt als je je aandacht erop vestigt. Je weet hoe je een vrouw moet nemen en uren bij haar kunt zijn. Je weet hoe je moet kussen. Je weet hoe je energie moet overdragen en kunt ontvangen en hoe je een vrouw rond kunt sturen in een cirkel die steeds sterker wordt. Als je bemint, ben je onvolprezen. De extreme tederheid in je gezicht en ogen doet me volledig smelten. Ik verlang er op dergelijke momenten zo naar om een met je te zijn.

En dan ben je weg. Dan ben je dagen, lange dagen weg, een leven van me weg, naar je huis in Darkan, en dan blijf ik achter met mijn liefde en verlangens. Onze energie sijpelt langzaam uit onze buik weg, maakt ons geleidelijk van elkaar los. De telefoon brengt ons samen in een schimmige omhelzing, het enige wat we echt kunnen zeggen is: 'Ik houd van je, ik verlang naar je, ik kan je niet bezitten, het doet pijn.' Dan laat ik je schimmige beeld los, of neem je schimmige beeld mee naar mijn bed en mijn dromen.

Er is meer dat ons uit elkaar trekt. Misschien is het snobisme, maar ik wil een man die de verantwoordelijkheid voor zijn financiële toestand neemt. Je hebt zoveel met je leven gedaan, bent jezelf zo goed als je kon trouw gebleven, accepteerde wat je moest ondergaan om het te zijn. Op hetzelfde moment heb je belangrijke delen van je leven waarnaar je moest kijken onbeschouwd gelaten. Je hebt je het recht voorbehouden anderen de schuld te geven. Dat heeft je ervan weerhouden succes te hebben, vrede te voelen, zelfs gezond te blijven. Het heeft je vatbaar gemaakt voor depressie. Het heeft je ervan weerhouden te voelen dat je het waard bent om bemind te worden. Je hebt je leven geleid alsof er nooit iemand van je zou houden. Nu iemand dat doet, ben je er niet op voorbereid en kun je geen leven aanbieden om te delen.

Je vertelde me over een droom die je recent hebt gehad. Je droomde dat ik was gestorven en dat niemand het je had verteld. Wat als je nou eens symbolisch naar die droom zou kijken? Wat als hij betekent dat Carla op een bepaald moment dood voor je is geworden en dat het je niet eens is opgevallen? Carla is niet de soort mens die van samenzijn op afstand houdt. Afstand vermenigvuldigd met afwezigheid staat gelijk aan pijn en alle organismen ondernemen actie om niet voortdurend pijn te voelen. Zal die liefde sterven? Dat is niet waarschijnlijk, maar de relatie zal mogelijk wel ophouden te bestaan. Misschien dat Carla moet zeggen: 'Wees bij me als we samenzijn en laat me je vergeten als we dat niet zijn. Laat me mijn eigen leven leiden alsof je er niet bent, want je bent er niet, alleen in geest.'

Als een persoon sterft is zijn geest er nog, maar samenzijn met een geest is niet bevredigend voor iemand die nog in zijn lichaam woont. Op deze aarde wordt de relatie tussen een man en een vrouw in het lichaam geleefd, zo ziet Carla het tenminste, die een Schorpioen is.

Je zegt dat iedereen die van Aaron houdt Aaron verlaat. Hoe kan iemand helpen als hij volledig op Aarons voorwaarden moet leven? Wat voor persoon zou willen blijven als hij steeds emotionele pijn krijgt aangedaan? Je wilt niemand kwetsen. Je zegt, terecht, dat mensen alleen zichzelf kwetsen door te verlangen naar wat ze niet kunnen krijgen. Nou, een manier om dat op te lossen is op te houden te verlangen naar wat ze niet kunnen krijgen en het gaan halen waar ze het wel kunnen krijgen, in plaats van tegen zichzelf te zeggen dat ze eraan moeten wennen dat ze het niet kunnen krijgen.

Hoge spiritualiteit of klinkklare onzin? Het maakt niet uit; wat uitmaakt is de waarheid die ik voel, en ik lijd. Ik lijd en ik ben het zat om te lijden. Ik ben als een weduwe, of een vrouw van een soldaat of zeeman. Ik ben niet, zoals sommige vrouwen, gemaakt voor zo'n relatie. Dat is mijn waarheid.

Geliefde, wat moet ik doen als ik mijn eigen waarheid trouw wil blijven?

Het leven heeft de neiging gebeden te verhoren. Johns vurigheid en mijn goede gevoel als ik in zijn gezelschap ben hebben een punt bereikt waarop onze seksualiteit erbij betrokken raakt. Ik moet alleen ontdekken hoe het is om intiem te worden aangeraakt door John. Hij lijkt zichzelf in hoge mate te zien als iemand die weet hoe hij bij een vrouw moet zijn. Hoe zal hij als minnaar zijn?

Dat ontdek ik als we na een avond in de bioscoop bij me thuiskomen. Johns knuffel is opmerkelijk aanhoudend, zijn lichaam is hongerig tegen het mijne gedrukt en alleen een bijzonder afgestompte persoon zou de boodschap niet opvangen: ga met me naar bed of ik word gek!

Ik heb de neiging om dat soort zaken gewoon, praktisch, prozaisch aan te pakken.

'Zullen we naar de slaapkamer gaan, John?'

Niettemin klinkt het als een uitnodiging voor het bal, naar de onthulling van een mysterie, Pandora's doos, wie weet...

Ons uitkleden gaat heel zakelijk. Ik laat mijn nachtlampje aan, zodat er een zacht maar helder licht op het bed schijnt.

En ik ben niet teleurgesteld: Johns aanraking windt me op. Zijn handen hebben de verfijnde gevoeligheid die me ook opviel toen hij mijn hand pakte voor die tangoles. Elke nuance in zijn bewegingen heeft de kwaliteit van muziek en dans, elke aanraking vertelt me over het verlangen dat zijn vingers vurig maakt. Ik lig op mijn rug en John masseert licht mijn benen en voeten met de vochtinbrengende lotion van mijn kaptafel en beweegt over het bed terwijl hij dat doet. Ik ben in de hemel, ontvang zijn aandacht, ontspan me als een van zijn massageklanten. John eist niet dat ik reageer met een gelijksoortig antwoord, hij wil alleen dat ik ontvang. Mijn hand reikt uit om zijn rug te strelen als hij dichtbij genoeg is, enkel om hem te laten weten dat ik het fijn vind.

Zijn handen bewegen naar mijn hals, mijn borstkas, mijn borsten, tot ze mijn tepels bereiken en me daar in vuur en vlam zetten. Hij merkt het effect op en sluit zijn mond over een tepel. Een mond is zoveel gevoeliger dan vingers! En John heeft een ervaren tong, hij tikt en draait en likt. Hij lijkt mijn lichaam te kennen alsof het zijn eigen is. Mijn andere tepel krijgt dezelfde behandeling, terwijl de eerste zachtjes wordt vastgehouden zodat die zich niet buitengesloten of vergeten voelt. Bovendien voelt de som van de losse onderdelen als veel meer dan twee, wetenschappelijk gesproken. Mijn vulva beweegt willekeurig omhoog. John brengt er een hand naartoe en voelt hoe heet en nat die is. Hij beweegt om tussen mijn benen te gaan zitten. Hij zit gehurkt, en ik zie ineens een behaarde borstkas vol krulletjes, zijn sproeten en zijn sterke, stijve penis. John is duidelijk erg trots op zijn orgaan: hij zit met zijn handen op zijn heupen en grijnst breeduit naar me.

Hij komt dichterbij. Het topje van zijn penis staat op het punt me aan te raken als mijn energie verandert, alsof ik bij zinnen kom, of onzichtbaar op mijn hoofd wordt getimmerd. Waarschijnlijk dat laatste. Het dringt ineens tot me door dat ik op het punt sta Aaron te verraden, uit nieuwsgierigheid! Ik ben niet verliefd op John. Ik voel me gevleid, ik ben onder de indruk van zijn persoonlijkheid en goedheid, maar ik ben niet verliefd.

'John,' hijg ik, 'ik kan dit niet! Ik kan hier niet mee doorgaan. Het spijt me vreselijk.'

Ik zie totaal ongeloof op zijn gezicht, maar hij blijft een heer. Nu hij zo duidelijk is teleurgesteld, maakt hij zich nóg drukker om hoe ík me voel. Hij stelt me gerust met: 'Dat geeft niet, Carla. Wat je maar wilt, het maakt niet uit.'

Ik ben zo blij met deze grootmoedige reactie. Hij komt naast me liggen en trekt het laken over ons heen. Zijn gezicht staat licht geamuseerd. Hij wil duidelijk graag weten wat er met me gebeurt.

'Ik wil van Aaron zijn,' zeg ik.

Dat zegt alles. Tot op dat moment vroeg ik me af of ik een driehoeksverhouding wilde creëren. Maar Aaron heeft gezegd dat hij daar niet aan doet en het dringt nu tot me door dat ik me ook zo voel. Ik doe geen triootjes. Triootjes veranderen te veel.

'Als John komt, krijgt hij de energie die ik bij je heb achtergelaten,' merkte Aaron op, en hij zei het op een toon alsof het om diefstal ging.

Niet dat John zich daarvan bewust is. Alles wat John ziet is een aantrekkelijke vrouw, zonder te weten wat haar zo aantrekkelijk heeft gemaakt. Aaron heeft gelijk: ik heb een deel ervan aan hem te danken. En hij heeft ook gelijk over triootjes, over hoe emotioneel rommelig die zijn. Dat drong pas tot me door toen Johns penis minder dan een millimeter van mijn vagina vandaan was.

Ik leg hier zoveel ik kan van uit aan John, die één ding begrijpt: ik heb Aaron boven hem verkozen.

Hij is maar een beetje gegeneerd terwijl hij zich weer aankleedt. Hij wil dat ik blijf liggen waar ik lig... hij laat zichzelf wel uit.

Veel gedoe

We doen wat jij doet tot we dat niet meer doen.

– Byron Katie, genezingsbijeenkomst

Ik heb Aaron nu vier dagen niet gezien of gesproken en ik kan er niet meer tegen.

'Aaron, ben je thuis?' roep ik.

Ik sta bij zijn ondergrondse kamer in het felle zonlicht, aarzel om naar binnen te gaan. Ik zie hem bewegen in zijn stoel bij de computer.

'Allemachtig! Wat doe jij hier? Je hoort hier helemaal niet te zijn!'

Maar hij is duidelijk blij, en gebaart me op de rand van zijn bed te gaan zitten. De rest van zijn kamer is een puinhoop: overal dozen en spullen.

'Hoe is het met jou?' vraagt hij.

'Niet zo goed,' snotter ik, en ik duw mijn gezicht tegen zijn hals. Hij heeft zijn arm om me heen geslagen.

'Met mij is het ook niet al te best gegaan,' zegt hij, 'maar ik leef nog. Ik heb de volgende stap genomen: ik maak me klaar om naar Darkan te vertrekken. Ik wil een tijdje in mijn eigen ruimte zijn en mezelf terugvinden.'

Maar hij is zo blij dat ik er ben dat hij me met een hand in mijn kruis optilt en door de kamer draait; het kan hem niets schelen of mijn benen een paar dozen omver trappen. Hij legt me op zijn bed, klimt erbij en trekt de dekens over ons heen.

We liggen naar elkaar te kijken. Elkaar missen heeft een intensiteit doen ontstaan die uit onze ogen straalt, en onze lippen weer tot elkaar brengt in een ultieme kus.

'We houden van elkaar, meid. Jij zit in mij en ik in jou. Niets kan je van me afnemen, jijzelf niet eens.' Hij legt mijn linkerarm, die bewegingloos tegen zijn lichaam ligt, onder zijn nek. 'Zo, dat is beter, toch?' Ik kan zo wel beter zijn hoofd vasthouden terwijl ik hem kus. Hij is onstuimig; zijn penis zwelt op tegen mijn lichaam.

'Aaron! Ik ben op weg naar een bijeenkomst en ik wil op tijd zijn!'

'Een vluggertje, dan?'

Mijn buik trilt bij de gedachte, maar ik heb nu een ijzeren wil. 'Ik wil op tijd zijn!' en ik wrik me van hem los.

Hij loopt met me mee naar mijn auto. Het is ineens allemaal weer goed.

'Je ziet er beter uit dan toen je net kwam,' zegt hij, en hij geniet van zijn eigen kwaadaardigheid, dat hij me inpepert dat het de liefde is die maakt dat ik er zo goed uitzie, en dat het mijn liefde voor hem is die dat bewerkstelligt. Het ongeloof staat nog op zijn gezicht als ik wegrijd. Ik kan het zelf ook niet geloven, maar ik voel een diepe opluchting bij Aarons oprechte genot me weer terug te hebben.

Hij komt vanmiddag binnen lopen met tassen en koffers, alsof hij bij me intrekt, zet ze neer, komt op me af lopen en tilt me zonder iets te zeggen op en neemt me mee naar de slaapkamer. We liggen binnen de kortste keren naakt naast elkaar, zeggen niets, voelen alleen de vreugde weer in elkaars nabijheid te zijn.

Vier dagen hebben me tot inkeer gebracht.

Vier dagen van overdenking hoe het zonder mij zou zijn hebben van Aaron een man gemaakt die beter dan ooit weet wat hij wil. Geen spoortje van de galante heer. Ik hoef deze keer geen enkel initiatief te nemen.

Het vrijen heeft iets urgents. Hij lijkt helemaal niets als vanzelfsprekend te nemen, en ik ook niet. Hij rolt ons moeiteloos uit de missionarishouding. Zijn gezicht is vanuit mijn positie boven hem zoals ik het nog nooit heb gezien: ronder, jeugdiger en ondraaglijk aantrekkelijk. Hem zo zien, met het intense genot dat zijn aandacht geheel concentreert, brengt me in een uitbarsting van verlangen.

'O God! Een vrouw zou niet zo naar een man moeten mogen verlangen!'

Hij kiest dit moment om zichzelf te ontladen in de vagina van een vrouw die excessief van hem houdt.

'We hebben allebei de eindstreep gehaald,' zegt hij. 'We zijn in de hemel en de hel geweest en houden nog steeds van elkaar. Het is ons gelukt samen en alleen te zijn; het is ons gelukt elkaar geen pijn te doen en we hebben niets gezegd wat het gevoel van zelfwaarde van de ander heeft aangetast. We hebben het beste en het slechtste van elkaar gezien en houden nog net zo innig van elkaar. We weten zelfs dat onze toekomst niet is veiliggesteld en dat weerhoudt ons er niet van elkaar in het heden lief te hebben. We hebben het voor elkaar, meid.'

Zijn ogen lachen van genot en innerlijk weten. Hij is nu een meer volwassen man, zonder illusies over zichzelf, mij of het leven. Hij geeft niemand ook maar ergens de schuld van. Het tegenovergestelde.

'Ik zal je vertellen wat je voor mij hebt gedaan,' zegt hij. 'Je hebt mijn vertrouwen in vrouwen hersteld. Ik weet nu dat het voor een man als ik mogelijk is om een goede relatie met een vrouw te hebben.'

Ik hoor bellen klingelen in mijn hoofd; ze klinken om een prestatie te vieren. Dit is wat ik zo graag voor Aaron wilde: dat de wonden die hij met zich meedroeg uit eerdere relaties zouden helen. Hij heeft geleerd dat vrouwen betrouwbaar kunnen zijn en hem kunnen respecteren.

'En dit heb ik voor jou gedaan,' zegt hij.

Ik kijk naar zijn gezicht; door de blik op zijn gezicht voel ik de bui al hangen.

'Jij bent al je remmingen over je lichaam en seksualiteit kwijt,' zegt hij. 'Die zijn uit je geneukt!'

Hij grijnst om het lachen dat volgt. Het zet hem ertoe aan een paar grappen te maken die aan het banale grenzen. Dat weet hij, maar hij wil me gewoon zien lachen.

'Ik ben blij te zien dat je een beetje ronder bent geworden,' zegt hij. 'Toen ik je voor het eerst op je oprit zag, was je een beetje uitgemergeld.'

'Echt?'

Ik denk terug aan die tijd. Ik was mager.

'Je hongerde naar liefde, en nu heb je die en wilt haar voor altijd houden,' zegt hij. 'Je weet nu wat je wilt en niets zal je tegenhouden het te krijgen.'

Ik was me er niet van bewust hoe uitgehongerd ik was.

'Je bent je hele leven eenzaam geweest,' zegt hij alsof hij helderziend is.

Ik heb wel mijn momenten gehad, maanden en jaren waarin ik me wel op een bevredigende manier met anderen heb verbonden, hoewel ik enorm tekortschoot op het gebied van wat er kan zijn tussen een man en een vrouw.

'Je bent nu een vervulde vrouw,' zegt hij. 'En ik houd van je. Jij bent verliefd, maar ik heb gewoon lief.'

Het is goed zo, het zou niet werken als we allebei zouden zuchten en zwoegen van verlangen. Ik heb kalme wateren nodig waarin mijn passie een toevluchtsoord kan vinden, waarin die kan worden geabsorbeerd, gewaardeerd en beantwoord met toewijding. Mijn vrouwenhart ligt stil in de sterke armen van een man die weet hoe hij me moet vasthouden.

Het leven is schitterend! Dit is hoeveel ik van je houd, zegt het leven. Het leven is die ultieme minnaar die je nooit verlaat. In plaats daarvan levert het gestaag alle uitdagingen die mijn ziel nodig heeft. Ik heb die minnaar gekend tijdens mijn celibataire jaren in Denmark. Mijn vrienden durfden af en toe te zweren dat er een man in mijn leven was vanwege de gloed van geluk op mijn gezicht, en dan zei ik dat ik verliefd was op het leven. Ik was dagelijks vervuld met dankbaarheid voor de schoonheid waardoor ik werd omringd: de bloemen die in mijn tuin groeiden, de wilde pracht van de kustlijn van Denmark; de rotsen, de hemel, de kleuren daar. Toen penetreerde die minnaar mijn vagina met een mannenpenis; penetreerde me recht in mijn hart, mijn ogen en de hoogste energiecentra in mijn lichaam. Ik was verbijsterd en oversteeg elk concept van wat een man en een vrouw wel of niet zouden moeten doen als ze van elkaar houden. Oversteeg concepten over hoe ons leven eruit zou moeten zien.

Ik kijk naar Aaron en besef hoe gezegend ik ben dat ik hem ken. Aaron zal misschien sterven voordat hij erkent dat zijn demonen alleen het geheim van zijn emotionele vrijheid bewaken. Aaron denkt organisch. Verandering, zegt hij, komt op haar eigen moment, niet omdat ze wordt gedwongen. Het is genoeg dat hij doet wat hij kan; dat is hoe mijn gedachten vanavond gaan.

Hij gaat echter nog steeds naar Darkan, geeft zijn recente plannen niet op. Die koffers die hij bij zich had, die gaan naar het zuiden, naar zijn huis. Hij zegt dat hij deze keer twee weken wegblijft. We weten allebei niet wat zo'n afwezigheid zal losmaken.

Aaron verrast me door negen dagen later al terug te komen. Hij dendert mijn ruimte binnen met zijn gladgeschoren, knappe gezicht. Hij was de dag ervoor ziek, maar heeft voor het eerst sinds tijden een goede maaltijd voor zichzelf klaargemaakt en is ervan opgeknapt. Wat ik voor me zie terwijl hij daar staat is iemand die hoewel hij niet uitgemergeld is wel elke kleur mist en tekenen vertoont van recente, zware stress. Een slecht dieet en van mij vandaan zijn heeft iets met Aaron gedaan.

Ik kus hem en voel helemaal niets. Ik omhels hem, voel zijn energie en geef hem de mijne, maar er is geen enkele passie. Ik kus grijze lippen in een grijs gezicht en mijn hele wereld is grijs.

Ik zeg tegen mezelf dat ik geduldig moet zijn; de wereld zal op de een of andere manier wel weer goed komen. Hij gaat aan mijn tafel zitten om thee te drinken en ik bestudeer hoe onaantrekkelijk hij eruitziet. Ik heb hem nog nooit zo gezien. Ik verlang naar de roze bril waardoor ik hem altijd zag, maar die ben ik even kwijt. Mijn starende blik is meedogenloos. Terwijl ik vrolijk over ditjes en datjes klets kijk ik naar zijn korte, grijze haar. Het steekt nogal oneerbiedig in alle richtingen uit zijn hoofd omdat hij er regelmatig zijn handen doorheen haalt. Ik merk zijn opgezwollen kaaklijn op, en zijn ogen, die zo klein zijn, te klein voor zijn grote gezicht.

Zijn adem ruikt ook niet fris, maar hij zegt: 'Jij stinkt ook uit je bek,' waarop ik lachend naar de badkamer loop. Hij volgt mijn voorbeeld, zoekt zijn tandenborstel en we staan naast elkaar onze tanden te poetsen.

'Ik heb de laatste tijd erg veel vlees gegeten en ik heb niet geflost,' zeg ik tegen zijn afbeelding in de spiegel terwijl ik schaamteloos grijns en met open mond geestdriftig de situatie rechtzet. Ik ben me er zeer van bewust dat het me geen moer kan schelen wat Aaron van me denkt.

Aaron is geschokt. Hij kent me als vegetariër, of in elk geval iemand die wel vis en kip eet, maar geen rood vlees.

'Het heeft me heel veel goed gedaan,' zeg ik, en ik bespot daarmee zijn lichte bezorgdheid.

Hij probeert me een standje te geven. 'Je hebt minachting voor het leven van die dieren.'

'Natuurlijk niet,' sla ik terug. 'Ik heb ze bedankt dat ze hun leven voor me hebben gegeven. Ze waren heel blij een deel van mij te worden.'

Aaron heeft voor de verandering eens een keer niet direct een antwoord klaar. Maar hij zit nooit lang om woorden verlegen, dus de reactie komt een paar seconden later. 'Ik kan je verzekeren dat er geen levend wezen is dat wil sterven.'

'Hoe weet je dat?' Ik steek oneerbiedig mijn kin omhoog en hij ziet dat ik zijn bewering in het geheel niet serieus neem.

'Wat is er met jou aan de hand?' Aaron weet dat er iets is veranderd en hij weet niet zeker of het hem aanstaat. 'Ben je onafhankelijk geworden en heb je niemand meer nodig?'

'Daar komt het wel zo'n beetje op neer!' Ik trek een gezicht, met mijn mond vol tandpasta. 'Is mijn adem zo beter?' Ik adem demonstratief in zijn gezicht uit.

Aaron knippert met zijn ogen. 'Je bent niet meer kwetsbaar!' zegt hij met een trieste ondertoon, maar de verwondering staat op zijn gezicht. Wat is er met Carla gebeurd? Hij is van zijn stuk gebracht door mijn nieuwe gedrag.

'Ergens in je zit nog een klein meisje,' zegt hij, en ik weet niet of hij dat zegt om mij gerust te stellen of omdat hij iets weet wat ik niet weet.

Ik ben de afgelopen negen dagen veranderd op een manier waarvan ik me nu pas bewust word, doordat ik mezelf even door Aarons ogen zag. Ik heb het negen dagen zonder Aarons fysieke aanwezigheid gesteld. Ik heb negen dagen last gehad van afkickverschijnselen, zoals een verslaafde dat doet als ze haar verslavende stof niet krijgt. Het verlangen naar een shot is een tijdje heel extreem: ruwe golven energie doen het lichaam sidderen terwijl de tentakels in de hersenen uitreiken naar datgene wat de serotonine en een golf pijnstillende hormonen loslaat. Dan verschrompelen die hongerige tentakels en nu is de serotonine op een veel lager niveau dan gemiddeld en voelt de pijn rauw en puur. Uiteindelijk komt een punt van balans, een aangenaam gevoel van equilibrium. Dan is er vrijheid en heb je weer een punt bereikt waarop je kunt kiezen. Ik heb er negen dagen voor nodig gehad om naar beneden te komen uit de duizelingwekkende hoogte van mijn verliefd-zijn.

De avond voordat hij uit Darkan vertrok om terug te komen naar Perth sprak Aaron over de telefoon woorden van wijsheid, waarvan hij misschien wenst dat ze minder waar zijn dan ze zijn: 'De relatie bezit jou niet, Carla; jij bezit de relatie.'

Hij probeerde me waarschijnlijk iets te leren, maar bracht alleen onder woorden wat al realiteit voor me aan het worden was. Mijn stilte terwijl ik nadacht over die woorden maakte dat Aaron een vraag stelde die helemaal niet karakteristiek was: 'Houd je nog van me?'

Wat een buitengewoon vreemde vraag! Hoe kan hij daaraan twijfelen?

'Je hebt eens tegen me gezegd dat ik de liefde van je leven was,' vervolgde hij. 'Denk je dat nog steeds?'

'Ik heb nog nooit van iemand gehouden op de manier waarop ik van jou heb gehouden,' antwoordde ik.

Het drong terwijl ik sprak tot me door dat ik in het verleden naar het antwoord zocht; het vertelde hem niet hoe ik me op dit moment voel. Op dit moment symboliseert hij een keerpunt. Maar wel een dat in het verleden is bepaald. Ik moet eerlijk toegeven dat ik terwijl hij weg was niet wist hoe ik me zou voelen als ik hem weer zou zien. Ik heb tegen John gezegd: 'Op een bepaalde manier wens ik dat Aaron nog niet zou terugkomen. Als hij weg zou blijven, zou ik hem helemaal uit mijn systeem kunnen krijgen.' Hoe kon ik zoiets zeggen? Ik weet het niet. Daar moet ik achter komen.

De vraag is: als alles wat in deze relatie niet waar is weg zou zijn, wat zou er dan overblijven? Ik weet het antwoord niet. Ik weet wel twee dingen: ten eerste dat pijn een aanwijzing is voor iets wat niet helemaal waar is, en ten tweede dat ik meer dan wat dan ook, meer dan zelfs de meest fantastische illusie, de waarheid wil.

Ik ben op een fundamentele manier veranderd. En Aaron ziet het.

Hij besluit mij en zijn problemen even op te geven, neemt me in zijn armen en duwt me achteruit de badkamer uit terwijl hij probeert me te kussen. Hij gooit me op het bed terwijl ik giechel en gil van plezier. Aarons plan is mijn broek naar beneden te trekken, maar het is er een met twee knopen en een rits, dus hij concentreert zich op mijn beha, die hij omhoogtrekt. Hij valt mijn tepels met zijn mond aan.

De stoutmoedige actie doet me naar adem snakken. Elektrische lading schiet naar mijn clitoris en dwingt me mijn bekken omhoog te duwen tegen zijn gebogen lichaam. Dan trekt hij mijn beha net zo plotseling weer naar beneden. We hebben geen tijd om te spelen. We gaan naar een lezing in de stad vanavond.

We zijn om negen uur weer thuis en Aaron duikt meteen in bed. Ik zie hem ongemakkelijk op twee kussens liggen en trek er lomp een onder zijn hoofd vandaan, waarbij ik genadeloos lach en hem zonder tederheid kus.

'Heb je vanavond een ruwe bui?' vraagt hij. Ik bespeur enige oprechte bezorgdheid.

'Ik wil je straffen omdat je zo lang weg bent geweest.'

'O,' zegt hij, en hij kijkt toe hoe ik me uitkleed en onder het katoenen laken naast hem in bed glijd. Ik kijk naar hem om te zien of hij er nu anders uitziet, in het slaapkamerlicht. Ik steek een kaars aan; het licht verzacht de lijnen in zijn gezicht en zijn ogen worden er groter en expressiever van. Het is fijn hem zo te zien, bijna weer zichzelf, zeg ik tegen mezelf, me er constant van bewust dat hij niet is veranderd, maar dat mijn perceptie anders is.

Het duurt enkele lange minuten voordat hij kan zeggen dat zijn Carla terug is. Hij merkt het aan de kussen. Ik voel zelf het verschil tussen de ene en de andere kus niet, maar ik heb me al veel vaker verbijsterd over Aarons hooggevoeligheid. Ik ben me wel bewust van iets anders: ik blijf erbij, sluit mijn ogen niet om te fantaseren over een fijn moment in het verleden met hem om mezelf opgewonden te krijgen.

Hij trekt me naar zich toe en de aanraking van huid op huid, mijn borst tegen die van hem, doet mijn genot opvlammen. Aaron verrast me door zich op mijn tepels te storten. Hij is erachter gekomen dat het de snelste manier is om me nat te krijgen. Als hij uiteindelijk boven me hangt, wacht hij tot ik het topje van zijn penis pak en het tegen mijn natte clitoris wrijf. Dan begint hij langzaam te stoten, waardoor zijn penis stukje voor stukje wordt omhuld en mijn vagina sappen blijft afscheiden. Als zijn penis uiteindelijk helemaal binnen is, komt hij dichter naar me toe, slaat zijn armen om me heen en bestudeert mijn gezicht.

Ik ben weer thuis, zegt zijn gezichtsuitdrukking, en ik beleef dat bekende, o zo heerlijke gevoel van volledigheid, mijn vagina eindelijk weer helemaal gevuld met wat ze zoveel dagen heeft gemist. Volheid. Thuis. Mondsappen. We genieten ervan onze sappen te vermengen en genieten van de geur uit elkaars mond. Tevredenheid. Geen enorme opwinding in mijn lendenen, geen vuurwerk, maar eenvoudig, vol genot.

Mijn vagina komt weer tot leven en tranen worden opnieuw uit mijn ogen geduwd in een poging om te gaan met hoe diep het gevoel is. Mijn werkgevers zijn er niet, dus ik kan kreunen en gillen.

Hij vindt het heerlijk om zo naar me te kijken, met mijn hoofd onder zich. 'De zwaartekracht heeft een positief effect op je als je zo ligt; je lijkt wel twintig,' zegt hij. En dan: 'Houd je vast, schat.'

Ik pak hem vast achter zijn nek en hij draait me in een ferme beweging zo dat ik op hem zit.

'Zie ik er nu twintig jaar ouder uit?' wil ik weten.

'Helemaal niet, schat, je ziet er prima uit,' is zijn antwoord, en nu is het mijn beurt om te zien hoe de zwaartekracht hem er op zijn best doet uitzien: hij heeft weer wat kleur op zijn wangen en die opgeblazenheid is weg.

Hoewel ik bovenop zit is hij degene die het meest stoot. Hij duwt zich in me en ik snak naar adem en gil tot hij uiteindelijk kreunt: 'Ik wil je!' en mijn bovenlichaam naar zich toetrekt, zijn hoofd opzij gebogen, geheel in beslag genomen door zijn gevoelens. Zijn diepe intensiteit maakt dat ik me in een aanval van verlangen over hem heen buig terwijl hij in me komt. Mijn mond slobbert over zijn hals, gezicht en borstkas. Er is evenveel speeksel in mijn mond als er sappen in mijn vagina zijn, en ze willen allebei op zijn huid zijn.

Mijn zwoegende ademhaling wordt uiteindelijk kalm en ik lig in ultieme tevredenheid op zijn borst. We rusten uit en Aaron begint te filosoferen, zoals hij dat zo graag doet.

'De Kerk is er zo op gebrand dat mensen geen seks hebben omdat ze dan haar controle over de mensen verliest. Als mensen seks hebben, leren ze zichzelf kennen en hoeft iemand anders hun niet meer te vertellen wie ze zijn en wat ze moeten zijn.' Hij is even stil, ademt door een glimlach en vervolgt: 'Als je seks hebt, geeft dat eerst het gevoel dat je de controle hebt. Dan worden je hersenen overspoeld met serotonine en hormonen en kun je al snel niet meer helder nadenken. En dan ga je helemaal uit je bol en kun je in het geheel niet meer denken. Dan verlies je alle controle. En voel je je bevredigd, omdat je nu weet wie je bent zonder dat je daar je geest voor hoeft te gebruiken. Kijk naar jou! Jij kent jezelf als iemand die geesteloos is, een creatie van God. Dat is seks.'

Aaron, de zegsman voor seks. Wat doet hij dat toch goed.

'Ik heb je nog nooit zó als vrouw ervaren,' zegt hij later, weer aangekleed en nippend aan zijn drankje voordat hij vertrekt.

Ik kijk hem verbijsterd aan en denk terug aan momenten van extase uit het verleden. Hoe kan hij dat zeggen? Maar hij heeft het niet over mijn reacties en seksuele gevoelens, hij heeft het over iets wat specifieker voor hem is: Carla als vrouw. Hij, de man, heeft mij als vrouw ervaren. Hij ziet nu meer in me dan een vriendin, ik ben zijn vrouw, dat is wat hij tegen me zegt. Het is een diep compliment, dat me net zoveel over zijn liefde zegt als over de veranderingen die hij in me heeft zien plaatsvinden.

'Je was vanavond onverschrokken,' zegt hij, en hij heeft gelijk. Alle angst om niet de goede indruk te wekken was weg, alle angst het niet goed te doen, hem en onze relatie kwijt te raken. Ik was vrij van angst, en dat betekent dat het kleine meisje in me weg was, en de blozende, aarzelende puber ook. Ik werd behoorlijk schaamteloos.

Aaron staat paf over wat er is gebeurd waardoor ik zo ben veranderd. Hij snapt niet dat het komt doordat ik me eraan heb aangepast dat hij weg is en onafhankelijk van hem ben geworden. Ik kan deze relatie nu laten of verlaten. Hij denkt dat het komt doordat ik onlangs een heleboel geld voor mijn boek *Gods callgirl* heb gekregen, mijn allereerste royaltybetaling; meer geld dan ik ooit in mijn leven heb gehad.

Het is een bijkomstigheid dat ik me daardoor onafhankelijker voel, maar Aaron zegt dat het allemaal met elkaar te maken heeft.

Zijn lichaamstaal vertelt me dat hij niet helemaal zeker weet of hij zich op zijn gemak voelt bij die nieuwe Carla. Hij voelt aan dat ik een tikje vrijpostig begin te worden. Met andere woorden: een tikje labiel. Hij weet ook niet helemaal zeker of hij blij is met mijn nieuwe ik-kan-deze-relatie-laten-of-verlaten-houding nu hij zelf zijn hele hart aan me heeft gegeven.

'Ik houd van je en ik wil deze relatie,' heeft hij vanavond gezegd, en Aaron zou nog liever door vuur lopen dan dat hij dat zou zeggen zonder het te menen. Bovendien voegde hij eraan toe: 'Ik heb deze relatie nodig, ze zet me ertoe aan mezelf te veranderen.'

Ik tuitte mijn oren: Aaron, die een relatie nodig heeft? Hoewel 'nodig hebben' in zijn boekje niet noodzakelijkerwijs dezelfde betekenis heeft als in dat van mij. Dat 'nodig hebben' zou veranderen als de relatie hem zou worden afgenomen. Er is maar heel weinig wat Aaron echt nodig heeft. Zijn onafhankelijkheid zal er zijn zodra hij die weer nodig zal hebben.

Als je familie wilt

Gefeliciteerd met je verjaardag...

'Waar denk je aan?' We zitten in Aarons kamer onder het huis. We hebben net samen boven de maaltijd gegeten die ik voor iedereen had meegenomen. Beryl zat met haar mooiste serviesgoed aan tafel.

Aaron is zich bewuster van mijn emotionele toestand dan ik dat zelf ben. Sinds de publicatie van *Gods callgirl* heb ik nog maar één zus die met me praat. Mijn andere twee broers en twee zussen wensen geen contact meer met me te hebben. Het enige wat voor hen telt is dat onze familienaam door het slijk is gehaald. Ze kunnen niet zien dat ik met mijn eerste boek heb geprobeerd lezers een ooggetuigenverslag te geven van wat de effecten van seksueel misbruik op kinderen kunnen zijn. Mensen die zijn misbruikt worden dikwijls onder druk gezet hun mond te houden. Ze voelen zich vaak helemaal alleen, afgesneden van de rest van de maatschappij. Mijn boek vertelde mensen dat ze niet alleen zijn, maar voor sommigen is het ook een uitnodiging geweest te proberen te genezen van de ervaringen uit het verleden. Ik ben diep geraakt door de duizenden e-mails die ik heb ontvangen van lezers die zich identificeerden met mijn verhaal. Er waren er maar heel weinig die zich druk hebben gemaakt over onze 'familienaam'.

Ik heb mijn broers en zussen twee jaar voor publicatie een werkversie van het boek gegeven, maar heb daarna het eind gewijzigd. Ik betwijfel of ze de latere versie hebben gelezen. Mijn jongste zus heeft geprobeerd de hele familie te mobiliseren om te voorkomen dat het boek zou uitkomen. Liesbet, de zus die qua leeftijd het dichtst bij mij zit, kon de vervreemding die daar het resultaat van was na een maand of zes niet meer aan en heeft weer contact met me opgenomen.

Ik ben zo verdrietig voor mijn broers en zussen, en voor mezelf, dat ze me niet willen laten vertellen waarom ik het boek heb geschreven.

Het was niet echt tot me doorgedrongen hoezeer het me raakt dat ik van mijn familie ben afgesneden. Maar ik ben vandaag jarig en heb niets van hen gehoord (alleen van Liesbet), en heb van geen enkel familielid een kaart gekregen.

'Ik zal je een geheim verklappen, Aaron. Ik ben vandaag jarig.'

Hij kijkt me stomverbaasd aan. 'Dus daarom had je voor vanavond een dineetje georganiseerd,' zegt hij. 'Je wilde je verjaardag met familie vieren. Dat had je moeten zeggen.'

'Nee! Ik wil geen gedoe, en waag het niet om het aan je ouders te vertellen.'

'Gefeliciteerd met je verjaardag, Carla,' zegt hij zacht... de liefste verjaardagswens die een mens kan krijgen. Zijn gezicht straalt zo veel tederheid uit, zijn hele wezen wil dat ik weet hoezeer hij me dat toewenst.

'Je krijgt vanavond maar één kaars van me,' zegt hij met een schalkse grijns op zijn gezicht. Ik schiet in de lach; die 'kaars' waarover hij het heeft is de enige die ik wil. Ik kan niet wachten hem aan te steken.

'Ik ben nog nooit zo bemind geweest,' zegt hij. 'En ik bemin zoals ik nog nooit heb bemind. Je haalt nieuwe gevoelens in me naar boven.'

De woorden klinken ongelooflijk geweldig. Aaron heeft per slot van rekening heel wat liefdes gekend in de vijftig jaar dat hij nu leeft.

Hij neemt me mee naar zijn bed. Ik zit op hem en breng zijn gretige kaars naar binnen, gebruik hem om mezelf mee aan te steken. Ik voel, terwijl we samen onze bewegingen reguleren, zijn sterke handen om mijn heupen, mijn taille. Heeft hij enig idee hoeveel energie er in zijn handen zit?

'Lang... zal... ze... le... ven, lang... zal... ze... le... ven.' En hij zingt verder: 'Waarom ben je toch zo mooi geboren, waarom ben je toch geboren?'

'Ik heb een cadeautje voor je,' kondigt hij aan.

'O,' zeg ik, 'wil je je kaarsje uitblazen?'

Het symbolisme gaat tot duizelingwekkende hoogte. We lachen tot de kracht van het stoten ons overmant.

'Gefeliciteerd met je verjaardag, Carla!'

En terwijl hij klaarkomt krijg ik hem echt: zijn wens dat ik gelukkig ben, zijn liefde, zijn vriendschap, zijn medeleven en zijn bewondering. En op het moment dat hij zijn potentie in me loslaat en zijn gezicht in extase vervormt, krijg ik zijn mannelijkheid.

Hij weet wel hoe hij een cadeau moet geven, die Aaron.

We proberen samen bij mij thuis te slapen, maar het is hopeloos. Hij snurkt en het is tijd hem naar huis te laten gaan. Ik vraag hem als hij op het punt staat te vertrekken om een glas water. Ik steun op mijn elleboog, slaap half, en verslik me, waardoor ik moet hoesten.

'Waar dacht je aan?' vraagt Aaron pijlsnel.

Ik ben slaperig en heb geen zin in vragen. Ik denk helemaal niets. Het is midden in de nacht, doe me een lol, zeg.

Mijn gezicht zal mijn rebelse gedachten wel tonen. Aaron heft zijn hand, en die slaat me. Het gebeurt onwillekeurig en hij is ontzet. 'O nee!' Hij heft zijn hand weer; deze keer wordt hij een klauw, die me nogmaals slaat. Ik voel mijn huid onder zijn nagels schrapen.

Hij neemt mijn gezicht in beide handen. 'Het spijt me zo!'

Mijn ogen zijn dicht; een deel van me droomt. Er is niets wat ik tegen hem kan zeggen. Aaron friemelt voor hij vertrekt aan de dekens, trekt alles keurig netjes recht voor de rest van de nacht.

De dageraad breekt aan en ik lig in bed na te denken over wat er is gebeurd. Ik denk dat Aaron toen hij me die vraag stelde wilde dat ik zijn spel meespeelde. Hij haalde naar me uit omdat ik geen respect toonde voor wat hij zijn 'inzichtelijke wijsheid' noemt en omdat zijn ego minder alert was doordat hij zelf ook half sliep.

Waarmee zou hij zelf komen, als hij zijn wat-betekent-dit-spel zou doen? Wat zou hij zien als hij diep genoeg zou kijken? Zou hij dan inzien dat zijn ego diep was gekwetst? Niet alleen door die ene uiting van rebellie vannacht, maar ook door enkele vergelijkbare situaties waarin ik niet zo... meewerkte?

Eerder die avond gedroeg hij zich aanmatigend, nadat hij de videorecorder op de televisie had aangesloten. Ze stonden al twee weken niet aangesloten naast elkaar. Al mijn pogingen om iets effectiefs met al die draden te doen waren op niets uitgelopen. Toen ontdekte ik toevallig hoe ik via het videokanaal televisie kon kijken, zo lang het een zender met één cijfer betrof. De zenders van twee cijfers bleven echter een groot raadsel.

Aaron liet me een knopje met puntjes en een streepje zien. Zijn uitleg was zo langdradig en vermoeiend dat ik ervan in de lach schoot. Daar was hij niet blij mee en hij zei dat het wel zenuwen zouden zijn waardoor ik begon te lachen. Ik was helemaal niet nerveus; ik lachte hem openlijk uit om zijn pompeuze houding. Ik denk niet dat hij dat prettig vond, hoewel hij het op dat moment niet liet merken. Ik gaf hem een zoen en keek hoe zijn lippen vol werden terwijl hij overwoog of hij nog meer belerends moest zeggen. Toen kondigde hij aan: 'Kom, we gaan naar bed,' en dat deden we.

Aarons Wijze Persoon wordt regelmatig door me erkend, maar niet altijd, vooral als hij uit zijn hoofd komt. In dit geval voelde de Wijze Persoon zich onteerd en Aaron werd daar gewelddadig van. Hij wilde me toetakelen en deed dat ook... een beetje in elk geval. Er huist dus ergens in Aaron een gewelddadig ego: wat hij zo verafschuwt in anderen. Is het niet altijd zo dat wat we minachten in een ander datgene is wat we in onszelf niet erkennen? Ik moet aan de vader in de film *American Beauty* denken. Hij walgde zo van homoseksualiteit omdat hij die neiging heimelijk zelf ook voelde, maar dat kon hij niet toelaten vanwege zijn religieuze overtuiging. In plaats daarvan verdacht hij zijn zoon ten onrechte van homoseksualiteit, liet hem niet met rust en strafte hem.

Wat mij betreft: waarom heb ik toegestaan dat dit gebeurde? Het is altijd zoveel eenvoudiger om het ego van een ander te zien, hoe zit het met dat van mij? Ik ben naar bed gegaan met kritiek op Aarons betweterige gedrag en wilde hem dat waarschijnlijk op de een of andere manier laten merken, en dit is hoe het eruit kwam. Hij heeft me geslagen. Dat zou hij als hij bij zijn volle bewustzijn was nooit doen, maar het is wel gebeurd. Een deel van hem wilde dat.

Wat ook meespeelt is dat we gisteravond met Isaac Shapiro hebben doorgebracht. Isaac reist jaarlijks van Byron Bay naar Perth om een *satsang* te geven: een bijeenkomst ter promotie van de waarheid. Hij stelt gewoonlijk heel directe vragen waarbij je eigen ervaringen worden gebruikt om tot de verbijsterende paradox van de waarheid van wie we zijn te komen: niets, lijkt het, en toch alles. Je kunt niet met Isaac omgaan en er onveranderd uitkomen.

Aaron wilde Isaac na de satsang koste wat kost spreken. Hij was ervan overtuigd dat Isaac iets essentieels over het hoofd zag en dat hij vragen voor Aaron zou hebben. Was Aaron vastbesloten te laten zien dat hij ook een Wijze Persoon is... Isaacs gelijke? Hij liet Isaac niet gaan, zelfs niet toen de organisatoren het licht uitdeden om aan te geven dat het nu toch echt tijd was te vertrekken. Ik stond een stukje van de monoloog vandaan en zag hoe Aaron beide handen in een werpend gebaar richting Isaac bracht, waarmee hij zijn ideeën letterlijk in diens gezicht gooide.

Het is Aaron gelukt opvallende egocentrische eigenschappen – zoals hebzucht, bezitterigheid en status – onbelangrijk te maken, dus denkt hij dat hij geen ego heeft. Maar wordt hij gezien als beter en wijzer dan de meesten, iemand van wie anderen kunnen leren? Zo ziet het er vanwaar ik sta wel uit. Ik heb waarschijnlijk dezelfde eigenschap, waardoor ik die in hem herken. Soort zoekt soort, zeggen ze.

Mijn gezicht doet pijn, vooral mijn voorhoofd. Ik heb drie opvallende plekjes waar huid weg is: tussen mijn wenkbrauwen over mijn neus en op elke wang onder de ogen.

Aha! Het dringt ineens tot me door waarnaar ik kijk. Ik kijk naar datgene wat Aarons ego naar boven doet komen: mijn stijfhoofdige verzet tegen zijn pogingen me te veranderen. Hij wil dat ik geïnteresseerd ben in computers, elektronica, moersleutels en schroevendraaiers, dat ik begrijp hoe die allemaal werken.

'Dat deed mijn vader me aan,' heb ik hem verteld. 'Hij had twee rechterhanden en kon het niet uitstaan dat ik anders was. Hij heeft me kunnen leren tuinieren, en hij heeft me over dieren en insecten kunnen vertellen, maar verder niet veel... en hij gaf me een enorm schuldgevoel dat ik niet begreep wat hij me wilde bijbrengen.'

Daarvan schrok Aaron op. 'Je ziet me als je vader!' schreeuwde hij. 'Dat moet je achter je laten! Ik ben je vader niet!'

Nee, dat klopt... maar hij probeert me wel, net als mijn vader, te veranderen in wat hij gelooft dat een beter mens is, en mijn nek wordt star en stijf als ik iets weiger aan te nemen. Het is een ding om te weten dat je niet gemaakt bent voor computers, maar iets anders om een stijve nek te krijgen als iemand je vraagt het te proberen te begrijpen. Ik heb al bijna mijn hele leven last van een stijve nek, al mijn spanning bouwt zich daar op. Het gaat allemaal over weerstand.

Ik lig op bed te rusten na de schoonmaakbeurt van vanochtend en merk op dat ik vochtige ogen heb. Tranen verstoppen zich in de hoekjes en vertellen me waarvoor ik bang ben. Aaron gaat gekwetst worden. Door mij. Niet dat ik hem *wíl* kwetsen, natuurlijk. Hij is zo kwetsbaar geworden, zo naakt.

Ik ben begonnen me terug te trekken. Ik geniet van zijn lichaam, zijn seks, zijn energie, zijn gezelschap, maar de intensiteit ervan ebt langzaam weg. Verliefd-zijn: wat een genot, en wat een poëtische onzin! Ik heb altijd geweten dat de wittebroodsweken zouden voorbijgaan; dat de al te menselijke natuur over geprojecteerde beelden zou worden gelegd. De prijs van passie is koude realiteit, die er ineens is als je dat niet wilt.

'Wauw!' Het is zijn favoriete uitdrukking van verwondering, de uitroep van een tiener, niet die van een volwassen man. Dergelijke kwesties worden in mijn hoofd overdacht. Ik zeg tegen mezelf dat alle mannen in de kern jongens zijn. Zo moet je ze nemen en je moet niets anders verwachten. Die jongensachtige kwaliteit is wat hen zo kwetsbaar maakt. Het is het deel van hen dat niet volwassen is geworden en wil dat vrouwen verzorgend, bemoedigend en opbouwend zijn, en dat op een andere manier dan hun eigen ouders het waren. Om kort te gaan: een vrouw is er om hun eigenwaarde op te krikken en hun genot te dienen.

Aaron gaf me laatst een opening toen hij aanvoelde dat er iets was. 'Is er iets?' vroeg hij. Zijn radar werkt uitstekend, ook als hij niet precies weet wat hij erop ziet. Ik besloot van de gelegenheid gebruik te maken door open te zijn.

'Ik wil dat je emotioneel volwassen wordt, Aaron.'

Geschokte stilte. Dit had hij niet verwacht.

'In sommige opzichten ben je volwassen, maar in andere niet. Je hebt een wereldbeeld ontwikkeld waarvan je denkt dat het voor je werkt, maar dat is onzin. Niet alleen dat: je bent totaal verknocht aan je eigen ideeën. Je identificeert je er zelfs mee!'

Ik verwijs naar zijn idee over zichzelf als energievorm in een zee van energie in een wereld die uit elkaar valt door kwaadaardigheid; een universum waar UFO's klaarstaan, waar de goeden gaan zegevieren en de slechten ten onder zullen gaan.

Aaron nam wat ik zei in zich op zonder er overdreven bezorgd uit te zien. Maar toen wilde hij zijn wereldbeeld beter aan me uitleggen en dat had ik blijkbaar niet helemaal goed begrepen. Het lukte hem heel overtuigend te klinken, zijn concepten lijken angstaanjagend veel op die van mij, dringt het tot me door. Met één groot verschil... dat ene waarin ik geloof maakt ál het verschil. Aaron praat in termen van informatie in zijn hoofd, dat is tenminste hoe ik het zie. Hij woont in een onpersoonlijk universum, hoewel degene die het heeft gecreëerd een Hij is, en die Hij zal het niet beschermen of zal niet ingrijpen als het te veel uit de hand gaat lopen. Maar Aaron heeft Hem nog nooit op een geloofwaardige manier ontmoet. Het dichtst bij een belichaming van deze vader God in zijn leven kwam tot nu toe Fred Robinson, een van de stichters van de Eurantia-beweging, die nu vrijwel ter ziele is. Ik vermoed eerlijk gezegd dat Fred een geweldige vaderfiguur voor Aaron was, een man die hem met respect heeft bejegend... iets wat zijn eigen vader hem nooit heeft gegeven. Aarons moeder is bovendien het reddende type: is dat hoe hij aan het idee komt dat God de onschuldigen zal redden van de boosdoeners op de wereld?

Ik leef niet in een wereld waarin God iemand gaat redden. Ik heb geen God die iemand veroordeelt, ook al doe ik dat zelf wel. Laten we nou maar eerlijk zijn: ik voel minachting voor Aarons wereldbeeld, dat tot uiting komt in zijn voorliefde voor sciencefiction, vooral verhalen die een drastisch eind van de wereld zoals we die kennen voorspellen. Robots, buitenaardsen, UFO's, catastrofes. Catastrofes luiden verandering in, houdt hij vol.

En hij heeft natuurlijk gelijk. Catastrofes leiden per definitie tot enorme en soms radicale verandering. Wat hij over het hoofd ziet is dat verandering vaak ook kan worden bereikt zonder dat er catastrofes voor nodig zijn. Drastische instorting kan worden voorkomen. Zelfs in zijn persoonlijke leven ziet Aaron dat over het hoofd, en dat is waar het wat mij betreft echt over gaat. In plaats van aandacht te besteden aan de dingen die er in zijn lichaam misgaan, bijvoorbeeld, wacht hij tot er zich een ramp voltrekt.

Zijn rechterhiel doet nu al maanden pijn. Hij heeft een chronisch probleem met zijn sinussen en zijn onderbenen zitten vol littekens van het dagelijks gefrustreerd krabben tot ze bloeden. Zijn auto staat op het punt te bezwijken aan het gebrek aan aandacht. Aaron daagt hem uit tot het uiterste te gaan. Hij daagt zijn benen en lichaam uit hetzelfde te doen. Waar denkt hij dat dit gaat ophouden?

Ik heb hem laatst gevraagd: 'Waar denk je dat je hiel voor staat, Aaron?'

'Gevoelens van gekwetstheid.'

'Wat voor gevoelens?'

'Gevoelens die met mijn vader te maken hebben. Hij heeft me altijd genegeerd. Ik besta niet voor hem. Ik ben zijn grote teleurstelling.' Hij staarde naar de rode littekens rond zijn enkels. 'Dat been gaat erger worden, en dan word ik zo kwaad dat ik zorg dat er verandering komt,' verklaarde hij. 'De dingen moeten tot een bepaalde intensiteit komen, en dan breken ze en vallen ze in duigen, waarna er een oplossing komt.'

'Aha! Nu snap ik het!' zei ik. 'Je wacht tot het leven het je leert. Als je een boodschap lang genoeg negeert wordt die zo sterk dat je niet meer in staat bent haar te negeren.'

Aaron had het niet precies in die woorden bedacht. Ik voelde de woede om zijn monumentale stomheid in me opborrelen.

'Wachten tot het leven het je gaat leren is de langzaamste manier waarop je iets kunt leren,' zei ik. 'Natuurlijk zal het leven het je leren! Maar het wordt alleen gedwongen dat ruw te doen als we het anders niet leren. Kijk maar naar de miljoenen mensen op aarde die bij oorlogen zijn betrokken en die alles zijn kwijtgeraakt. Hun huizen zijn platgebrand. Hun kinderen zijn vermoord. Ze zijn gewond en er zijn geen artsen. Ze hebben honger en dorst en hun voedsel is gestolen en vernietigd. Als er genoeg mensen zo lijden, kan het bewustzijn veranderen vanwege de totale wanhoop. Dat is nogal een manier om het te leren!'

Aaron begon iets te mompelen.

'Ga het nou eens aan!' schreeuwde ik. 'Zullen we dit open en duidelijk houden?'

Aaron begon te glimlachen. 'Dus je kunt wél boos worden.'

De aandacht was weer naar mij gedraaid. Ik haatte het dat hij dat weer deed. Ik voelde mezelf blozen en haperen.

'Ja hoor! Natuurlijk word ik kwaad, als ik daartoe word uitgelokt!'

Ik wilde mezelf redden, maar ik weet niet hoe ik overeind moet blijven tegenover de stille kracht die Aaron uitstraalt als hij overtuigd is van wat hij denkt dat hij weet.

'Alles in jouw wereld is wit,' zei hij.

Alles in mijn wereld is wit? Waar haalt hij dat nou weer vandaan?

'Het is helemaal niet altijd wit in mijn wereld!' fulmineerde ik. 'Alles komt er voor, licht en donker. Ik vecht alleen niet tegen de duisternis, ik aanvaard haar volledig en dan transformeert ze.'

Ik maakte een armgebaar, omhelsde de lucht, trok de duisternis in mezelf, maar mijn gezicht was vervuld van verontwaardiging. Ik besefte op dat moment absoluut niet dat ik de 'duisternis' die ik in hem gewaarwerd helemaal niet omhelsde, vooral zijn koppigheid niet. En ik herkende ook niet dat ik die ook in mezelf zou kunnen aantreffen... op dat moment een blinde vlek in mij. Het is waar dat ik heel veel in mezelf dat duister en kwaad is heb omhelsd. De kracht van onvoorwaardelijke zelfacceptatie doet negatieve ideeën verdwijnen die tot dan toe onomstotelijk waar leken. Op dat moment was het echter belangrijker voor me om Aaron te ontmaskeren dan zijn duisternis te omhelzen en te laten zijn.

Het is overduidelijk: ik begin vast te zitten in het zien van Aarons tekortkomingen. Ik heb niet alleen moeite met zijn emotionele onvolwassenheid. Ik heb ook moeite met zijn manieren.

'Je slokt je eten erg naar binnen, hè?' heb ik eens tegen hem gezegd.

Hij is zich ervan bewust dat andere mensen veel langzamer eten, maar liet zich niet van zijn stuk brengen door mijn onbeleefde observatie. Hij begon ook toen, op zijn stoïcijnse wijze, te glimlachen.

'Eten is als tanken. Het gaat niet over proeven. Mijn neus zit verstopt en daardoor ruik en proef ik slecht. Bovendien is wat mijn moeder kookt altijd vreselijk saai.'

Mijn brein grijpt terug naar de herinnering aan dat gesprek: wat voor soort man geniet niet van ruiken en proeven? Raakt zo iemand gefixeerd op genot van de penis? Is dat wat er met Aaron is gebeurd? Mijn beeld van hem wordt met de minuut grimmiger.

Ik betrap mezelf erop dat ik verlang naar een man die zijn zelfwaarde niet hoeft te verdedigen door anderen subtiel naar beneden te halen. Dat is een eigenschap die hij zelf uitgesproken haat... hij heeft het er zo vaak over: de vrouwen die hem met hun subtiliteiten naar beneden halen. Op een dag dringt het misschien tot ons allebei door dat we de ander betichten van wat we zelf doen.

Ik kus Aaron in mijn verbeelding. Al mijn oordelen verdwijnen als ik dat doe. Als ik zijn essentie ontmoet, ben ik hulpeloos. Dat is zo open, zo helder en zo waardevol. Ik lig op mijn bed en stel me voor dat ik zijn ogen, zijn gezicht, zijn mond kus. Ik ben als een vogel die weet waar zijn thuis is en daar met een feilloos instinct naartoe vliegt, storm en regen trotserend.

Als ik langs de badkamerspiegel loop, zie ik ineens wie er de afgelopen dagen de baas over mijn psyche is geweest: Moeder Overste! Het onbuigzame, rigide, veroordelende, rechtschapen deel van me dat niet kan lachen. Ik heb haar uit de kast laten komen en tussen Aaron en mij laten staan. Ik heb haar al eens eerder gezien, in een droom: ze is mijn schaduwkant. Ze is ook de laatste bij wie een man zich veilig zou voelen.

Ik staar naar mijn weerspiegeling, naar haar, en zie dat ik een heel recht gesneden jasje aanheb dat mijn boezem platter maakt. Laat ik dat maar snel uittrekken; ik lijk er ouder in. Ik huiver als ik denk aan wat ik ben geworden: een veroordelende non die niet kan lachen. Ze is er natuurlijk altijd geweest. Ze is ontstaan tijdens vele jaren training, eerst als bang katholiek meisje en daarna als jonge vrouw in een streng klooster. Dat is de 'serieuze' naar wie Aaron wel eens verwijst. 'Ze maakt me bang,' zei hij.

Lynda belt uit Bunbury; ze komt binnenkort. 'Hoe is het met jou en Aaron?' vraagt ze met haar lieve stem. Ze merkt op: 'Aaron is de monnik onder ons. Hij is de beste monnik die er is; hij heeft alles opgegeven om volledig lief te kunnen hebben. Hij wil door de hel gaan om de keuze van een ander te accepteren, namelijk die van jou. Om te accepteren hoe het is: de enige ware manier om vrij te zijn van pijn.'

Ze luistert terwijl ik wat over mijn gesprekken met Aaron met haar deel en zegt: 'Denk erom dat je het aardig houdt.' En daarmee zegt ze alles. Het dringt plotseling tot me door hoe stom ik ben geweest en hoe ik, als ik Aaron was, niet meer in mijn buurt zou willen komen.

Ik lees na Lynda's telefoontje in *Het wonderbaarlijke voorval met de hond in de nacht*, een boek dat ik van de voorzitter van het Whole Health Institute heb gekregen nadat ik er een lezing had gegeven. Het verhaal gaat over een autistische tiener die op een heel speciale manier naar de wereld kijkt en niet in staat is zijn gevoelens te verbergen. Hij raakt aan de lopende band in de problemen, maar is door en door innemend vanwege zijn vastberadenheid. De lezer is getuige van al zijn angsten en van hoe hij daar zo goed hij kan mee omgaat. Wat kan iemand die zo'n kind heeft doen? Hij is niet ontvankelijk voor onderwijs. Hij is als zo'n onhandelbaar deel van onszelf dat negatief reageert als iemand, inclusief wijzelf, ermee in discussie wil gaan.

Ik leg het boek neer. Het is tijd dat ik 'de schaduw' die ik in de badkamerspiegel heb gezien onder ogen kom. Ik besluit dat het enige wat ik kan doen haar omhelzen is. Haar erkennen is de eerste stap. De volgende is vervelend: integratie. Ik heb in het verleden zo veel moeilijke delen van mezelf leren accepteren: schuldgevoel, schaamte, angst, wanhoop, eindeloze mislukking. Het is nu tijd om die kant van mezelf te accepteren die de belichaming is van de vreselijkste nonnen die ik heb gekend. Ik zie haar nu. Wat heeft ze door de jaren heen veel schade aangericht! Mijn dochters waren allebei, toen ze opgroeiden, onderworpen aan haar willekeur... vast heel vaak.

Ik sluit mijn ogen en visualiseer haar duidelijk terwijl ik de woorden van acceptatie hardop uitspreek, als een ritueel. 'Ondanks dat deze grimmige, veroordelende, verbitterde Moeder Overste een deel van me is, bemin, accepteer en omhels ik haar diep en volledig.'

Ik zal haar nooit kwijtraken; ik kan alleen de grote rol die ze in mijn leven heeft gespeeld wegnemen. Ik weet uit ervaring dat acceptatie de kracht tot transformatie in zich heeft, maar ik zal haar wellicht steeds opnieuw moeten leren accepteren in mijn leven. Een ding is zeker: als ik probeer haar uit te drijven – als ik tegen haar zeg dat ze niet welkom is en dat ik haar vreselijk vind – zal ze een nog groter monster worden.

Ik herhaal de onvoorwaardelijke acceptatie keer op keer, sla in een omhelzing mijn armen om mezelf heen tot ik me volledig nederig, schoon en geïntegreerd voel. Mijn hart breekt bij de gedachte dat ik er zo lang over heb gedaan. Dat is absoluut een van Aarons geschenken aan mij: hij heeft me geholpen mezelf te zien. Ik weet dat ik hem niet meer zo snel zal onderschatten. Ik zal van Aaron houden, wat er ook gebeurt. Waarom zou ik iets anders doen dan genieten van zijn aanwezigheid als hij hier is, wie weet hoe lang nog?

Maar hij is er niet, vanavond niet, en heeft geen bericht achtergelaten.

Nieuwe stappen

Zoek je me? Laat me dan dichterbij komen.

– Aaron tegen Carla

Het lot heeft de neiging in te grijpen en ons leven te veranderen. Op een zaterdag eind november struikel ik en val op de rand van het zwembad van de eigenaars van het huis waar ik woon. Mijn hele rechterkant is blauw en ik breek een paar ribben. De dokter zegt dat ik zes weken niet mag werken. Het ene moment word ik gewaardeerd en geprezen door mijn werkgevers, het volgende vragen ze me te vertrekken aangezien ik niet meer nuttig ben. Ik ken mijn rechten, maar zie het als een teken: het moet tijd zijn om te gaan.

En week later neem ik mijn intrek in een huis dat wordt gehuurd door mijn uitvinder-vriend Kim. Ik ken Kim al twintig jaar en heb meerdere van zijn uitvindingen gesteund. Puur toeval wilde dat hij me opbelde en me een kamer in zijn huis aanbood. Toen hij hoorde dat ik was gevallen, was hij heel bezorgd en zei op zijn vaderlijke manier dat ik geen huishoudelijke taken mocht doen tot ik me beter voelde en zo lang ook geen huur mocht betalen.

Kim is gescheiden van de vrouw van wie hij heel veel houdt en hij woont alleen in het huis, dat ook zijn kantoor is. Er komen elke dag twee mensen om te werken in de zitkamer, die is omgebouwd tot werkruimte: Clinton de manager en Margot de secretaresse. Chris komt af en toe langs om de boekhouding te doen.

Het wordt al snel duidelijk dat Kim iemand nodig heeft om bij hem te wonen: zijn slechte ogen zijn nu bijna blind. Hij heeft een tijdje geleden ook een niertransplantatie gehad en lijdt nu aan de langetermijneffecten van overleven met een gedoneerde nier. Het plan is dat ik de schoonmaakster van mijn nieuwe huis word, evenals de kokkin en af en toe de chauffeuse, en de verpleegster die het voor elkaar krijgt hem zijn insuline te injecteren.

Mijn kamer bevindt zich aan de hoge kant van het aflopende blok en kijkt uit over de achtertuin. Ramen strekken zich van de ene kant van de ruimte naar de andere uit, waardoor ik een enorm stuk hemel kan zien. Aan de linkerkant zie ik de bovenste helft van een amandelboom. Als ik hem goed bestudeer valt me op dat de boom er nogal gehavend uitziet. Kaketoes hebben hem van al zijn noten ontdaan en hebben terwijl ze hem plunderden heel wat kleine twijgjes geknakt. Ik voel me direct verbonden met de boom. Ik heb ook gebroken onderdelen en voel me momenteel behoorlijk gehavend.

Als de afgesproken verhuizers niet komen opdagen doen Aaron en mijn vriendin Kate al het verhuiswerk. Ze zijn een geweldig team. Aaron weet precies hoe hij de meubels moet inpakken om zoveel mogelijk gebruik van de beschikbare ruimte te maken. En Aaron is degene die een hele dag bezig is mijn auto te repareren nadat ik die een paar dagen later achteruit de garage uitrijd zonder het portier te sluiten. Kim en Clinton kijken gefascineerd toe terwijl Aaron behendig en geduldig het verfrommelde portier gladstrijkt met materialen die hij bij de hand heeft: stukken hout en metaal die rondslingeren, het gereedschap uit mijn achterbak en zijn eigen kracht. Hij is er een hele dag mee bezig. Een ander zou het opgeven, maar opgeven is niet iets wat Aaron in zich heeft. Bovendien vindt hij het heerlijk om op een creatieve manier problemen op te lossen.

Kim nodigt hem uit binnen te komen en stelt hem een paar vragen. Hij zoekt een ontwerper, en aangezien Aaron is opgeleid als architect en daardoor flexibele tekenvaardigheden heeft, in combinatie met andere zeer gewilde eigenschappen: geduld, vindingrijkheid en bescheidenheid, wordt hij ter plekke aangenomen. De Vere Mining Technologies heeft eindelijk een ontwerper. Dat is hoe de wereld werkt voor Kim, die een volgeling van Sai Baba is.

'Ik zou hier kunnen komen wonen,' zegt Aaron tijdens zijn tweede werkdag. Iedereen kijkt op om te zien wat Carla daarop heeft te zeggen.

Maar het idee zit nu in ons hoofd en als iedereen naar huis is praat Kim met me op zijn lieve, overtuigende manier. 'Het zou voor ons allebei goed zijn een man in huis te hebben, Carla.' Dat is natuurlijk waar, al was het maar om al die klusjes te doen die zich in de loop van de tijd opstapelen. En Kim vindt het prettig om met Aaron te praten, hij waardeert hun pas gevonden vriendschap. Bovendien is Kim een romanticus en hij wil graag zien dat de relatie van Aaron en mij opbloeit.

Hoe dan ook, ik zou me niet zo gemakkelijk moeten laten overhalen. Achteraf gezien (zo handig, als het te laat is!) had ik het zakelijker moeten aanpakken en Aaron om geld voor kost en inwoning moeten vragen. Ik ben per slot van rekening degene die kookt en schoonmaakt! Maar ik onderhandel alleen over geld voor het eten. En dat is een flinke onderhandeling, aangezien ik op een heel ander dieet leef dan hij. 'Ik leef eenvoudig,' zegt hij. Ja: hoofdzakelijk blikvoer, junkfood en pizza. Fruit als er een grote hoeveelheid in de aanbieding is. Dus hebben we een discussie over mijn standaard. Hij heeft maar één keuze: zich aanpassen aan die van mij, leg ik uit, aangezien ik niet van plan ben me te gaan verlagen tot die van hem. Daar is hij het mee eens. Er wordt zonder dat ik het weet al een wig tussen ons gedreven, aangezien Aaron er een hekel aan heeft ergens toe gedwongen te worden, én omdat hij het haat afstand van zijn geld te doen voor eten, nota bene. Maar hij wil bij mij zijn en offert wat dat betreft zijn autonomie op. Later zal hij me eraan helpen herinneren hoe groot dat offer voor hem was. Ondanks dat het betekent dat hij niet meer naar zijn werk hoeft te rijden.

Dus dat is hoe Aaron en ik gaan samenwonen. Het is om maar één reden voor mij een grote stap: Aaron zal elke nacht in mijn bed moeten slapen, niet alleen sporadisch, omdat er geen kamer meer vrij is. Dat is een enorme sprong in onze relatie, die door de omstandigheden wordt gecreëerd. Of door Sai Baba, als ik Kim, en de manier waarop zijn lichaam schudt als hij moet lachen, moet geloven.

Natuurlijk maak ik me zorgen of het ten koste van mijn goede nachtrust zal gaan. Ik vind het heerlijk Aarons lichaam naast me te hebben, maar hoe zit dat met zijn gesnurk? Hij zegt tegen me dat ik hem wakker moet maken als het me stoort, maar het gebeurt heel vaak... en hij snurkt toch meteen weer door. Ik besluit oordopjes te kopen. Dat werkt, en ik slaap beter. Ik begin er 's ochtends beter uit te zien.

Het lijkt Aaron niets uit te maken hoe ik er 's ochtends uitzie. Hij begint me zodra hij zijn ogen opendoet complimentjes te maken. Hij is o, zo charmant nu hij in mijn bed slaapt.

Het is lang geleden sinds we allebei hebben gezegd dat we onszelf willen kunnen zijn in onze eigen ruimte en op dat vlak geen compromissen sluiten; woorden die tijdelijk vergeten lijken in dat verlangen mee te stromen in wat het leven op ons pad lijkt te leggen. Aaron zal op zijn eigen manier voor het huis en voor Kim zorgen, en er zonder huur te betalen wonen. Zou hij er zijn komen wonen als hij huur had moeten betalen? Dat is discutabel.

Gelukkig heeft Aaron niet veel kleren bij zich, aangezien daar in mijn kamer geen ruimte voor is. Ze moeten in de nis in de gang, waar Aaron van restmateriaal een kledingrek bouwt. Hij is zo trots als hij op een dag een mooi kledingkastje opsnort om in ons kamertje te zetten, dat ook dienstdoet als televisieruimte. 'Een geschenk van God,' zegt hij, aangezien hij het langs de weg heeft gevonden. Ik kom erachter dat het een wit kastje is als ik het schoonmaak en alle stickers eraf peuter die voormalige eigenaars erop hebben geplakt.

Mijn bank staat ook in die kamer, op maar een meter van de televisie die op mijn brede, lage ladekast staat. Het is een knusse kamer.

De vele vermommingen van controle

Een molshoop is een berg voor diegenen
die hun blik op bergen richten.

– Woorden van een vriend

Ik ben geschokt, nou ja, in elk geval flink aangedaan. Aaron is vanochtend gaan winkelen, en ik ben alleen om te overdenken wat er gisteravond is gebeurd.

Ik heb iets geleerd, en wel dit: degenen die klagen over wat anderen hen aandoen hebben de neiging anderen precies hetzelfde aan te doen. Aarons grote klacht is dat anderen altijd de controle over hem willen hebben. En het lijkt erop dat hij het nodig vindt dat ik doe wat hij doet... en natuurlijk allemaal voor mijn eigen bestwil.

Aaron ziet het bureaublad van zijn computer graag goed georganiseerd, met een minimale hoeveelheid aan iconen en bestanden. Toen ik hem gisteravond een vraag stelde over de organisatie van enkele van mijn bestanden wilde hij ze op zijn manier indelen; zo dicht in elkaar gepakt dat ze in elkaar lijken te zijn geïmplodeerd. Dat wilde ik niet, ik vind het fijn om de titels van mijn bestanden in een oogwenk te zien en voel me prettig als er tien of meer mappen op het scherm staan. In plaats van me te helpen met mijn concrete probleem begint Aaron me les te geven over bestanden, opslaan en openen. En nog erger: het irriteert hem dat ik schijnbaar niet luister naar wat hij me wil leren, aangezien ik maar blijf herhalen wat mijn acute probleem is. Ik wil helemaal geen les over allerlei bijzaken. Hij kon niet geloven dat ik zo ondankbaar was. Hij kon niet geloven dat ik zo rigide was, in zijn ogen dan. Ik vroeg hem mijn bestanden ongemoeid te laten en dat kwetste hem. Ik heb hem verteld wat ik wilde, maar hij stond erop dat ik hem vertrouwde terwijl hij van alles hernoemde zonder mij te vertellen waarom. Een map die 'Overige' heette sloeg in mijn ogen nergens op, maar toen ik hem verwijderde werd Aaron kwaad. Hij liet zijn hoofd zakken – zijn variant op vuisten maken – en perste zijn lippen in een grimas op elkaar. Zijn gezicht was bleek en stond heel ernstig.

'Ik kan je niet meer helpen,' zei hij, en hij stond op uit zijn stoel en liep de kamer uit. En niet alleen de kamer, maar ook het huis. Hij verdween de veranda op, tot de muggen hem begonnen te belagen en hij werd gedwongen zich terug te trekken in zijn auto. Daar trof ik hem aan, met zijn sleutels in zijn hand. Ik vroeg me af of hij bij me weg wilde, of hij ver van mij alles op een rijtje wilde krijgen.

Ik ben wel vaker kwaad geweest tijdens Aarons pogingen me iets te leren. Dat komt doordat hij me aan mijn vader doet denken, die ook zo goed wist hoe alles werkte en die, net als Aaron, altijd precies wist hoe hij mijn problemen moest 'oplossen'. Ik zit veel minder praktisch in elkaar, maar mijn vader geloofde dat er enkel iets mis was met mijn houding. Hij heeft me toen ik vijf was in het kanaal gegooid omdat hij ervan was overtuigd dat ik kon zwemmen. Hij moest achter me aan duiken om me te redden toen ik dreigde te verdrinken. Behalve dat ik mijn vader constant teleurstelde, maakte ik hem ook ontzettend kwaad als ik wist wat ik wilde en erop stond hem dat te vertellen.

En nu zie ik hem in Aaron... o, wat een ironie! Mijn vader heeft nooit ingezien dat de manier waarop hij me bejegende niet voortkwam uit goedertierenheid, maar dat het een poging was me onder de duim te houden, en Aaron ziet dat ook niet. Het is zijn blinde vlek. En toch vertelt hij zo vaak over de vrouwen in zijn leven die hem willen beheersen.

Hij kon natuurlijk gekwetst zijn door de manier waarop ik hem aansprak. Ik ben niet 's werelds diplomatiekste vrouw, als ik weet wat ik wil doe ik daar niet moeilijk over. Het heeft me heel veel tijd gekost om bij mezelf terug te komen nadat mijn vader mijn geest had gebroken. Ik probeer zacht te zijn voor Aaron, zijn kwetsbare ego te begrijpen. Maar hoe kunnen Aaron en ik gelukkig samenleven als ik op eieren moet lopen, zoals ik dat bij mijn vader moest toen ik klein was?

Ik loop naar de auto om met Aaron te praten. Dat wil hij niet, maar aangezien ik blijf staan, vraagt hij of ik wil dat hij gaat of blijft. Ik zeg dat ik wil dat hij blijft, aangezien het al laat is. Hij blijft.

's Ochtends is hij anders. Hij glimlacht, spoort me aan ook te glimlachen, hij is sexy, wil dat ik dat ook ben. Ik wil dicht bij hem zijn, hem kussen, maar mijn lichaam is in een verstilde toestand. Ik ben opgelucht dat hij niet meer kwaad is over gisteravond. Ik ook niet, maar een deel van me heeft verdriet. Tranen persen zich uit mijn ogen terwijl hij probeert me op te winden. Mijn lichaam kan niet voelen zoals het dat gewoonlijk doet. Ik maak me van hem los. Dat is het moment dat Aaron besluit te gaan winkelen.

Regen valt op de bladeren buiten mijn raam... een zeldzame gebeurtenis tijdens de lange zomers in Perth. Het zal niet blijven regenen, de lucht wordt alleen heel vochtig.

Waar gaat dit verdriet over?

'Vertel me wat je voor me voelt,' zegt Aaron als hij later die ochtend bij me in de keuken komt staan. Hij heeft geen honger en wil niet eens een kop thee. We lopen naar de zitkamer, waar we tegenover elkaar zitten, benen gestrekt op de salontafel, voeten tegen elkaar. Ik vertel hem dat ik verdriet voel om wat er gisteravond is gebeurd en dat de kans groot is dat dit conflict de kop blijft opsteken.

'Ik heb het gevoel dat het niet kan worden opgelost omdat jij niet verder kunt kijken dan het gevoel dat je behulpzaam wilt zijn,' zeg ik. 'Het is je blinde vlek. Eerlijkheid is soms niet groot genoeg om te zien wat er gebeurt.'

Ik denk terug aan mijn eigen blinde vlek en hoe vreselijk moeilijk het voor me was om die te zien toen ik een heel intensieve workshop in Nederland volgde. Mijn geest wist dat als ik mijn mijn-vader-heeft-mijn-leven-verwoest-verhaal zou kwijtraken, dat de structuur van overtuigingen zou vernietigen die ik had opgebouwd omtrent mezelf als slachtoffer, dus bleef ik me vier dagen lang aan dat verhaal vasthouden. Dat vertel ik aan Aaron. 'We formuleren als we klein zijn allemaal een standpunt om het leven mee aan te kunnen,' zeg ik.

Hij luistert goed. Hij onderbreekt me niet.

'Je hebt me echt goed geholpen,' vertel ik hem. 'Mijn bestanden waren een puinhoop en moesten gereorganiseerd en nu ziet alles er wat mij betreft weer piekfijn uit. En ik heb ook wat dingen geleerd: hoe ik meerdere bestanden kan selecteren om te verwijderen, bijvoorbeeld, en zelfs hoe ik er weer een kan terughalen om toch te bewaren. Dat was heel nuttig.'

'Ik bewonder de manier waarop je denkt en je gedachten tot uitdrukking brengt,' zegt hij met een glimlach. 'Je spreekt heel duidelijk.'

Echt, hij is zo goedgeefs en lief. Hij heeft geen probleem met mij. Kan ík dit dan loslaten?

'Je kijkt weer zo serieus,' merkt Aaron op.

Ik ben druk e-mails aan het beantwoorden. Ik leun achterover in mijn stoel en kijk hem aan.

'Ik ken je niet als je er zo uitziet,' gaat hij verder.

Hij ziet er zelf ook serieus uit, maar ik weet wat hij bedoelt. Hij kan er ernstig uitzien zonder een verbeten trekje rond zijn mond te krijgen.

'Mijn psychologie is mijn biologie geworden,' zeg ik tegen hem, 'omdat ik me in het verleden te veel zorgen heb gemaakt. Ik kan nu niet veranderen hoe ik eruitzie als ik serieus ben.'

Maar Aaron is nog niet klaar met het onderwerp. 'Het is de Moeder Overste in je,' zegt hij, 'degene die vergeet lol te maken.'

Nu schiet ik in de verdediging. 'Ik vind het fijn om serieus te zijn! Ik ben een serieus persoon! Sommige mensen, zoals jij, zijn grappenmakers. Zo ben ik niet. Dus houd er nu maar over op!'

'Goed hoor,' zegt hij, 'maar je hebt een "serieuze" serieuze zelf, en die is helemaal niet grappig! Ze heeft niet eens gevoel voor humor!'

Ik weet waarover hij het heeft. Ik ken mijn serieuze ik al mijn hele leven... of in elk geval sinds mijn zesde, toen mijn leven ineens serieus werd. Het kleine meisje in me paste zich aan. Serieus zijn werd al snel een gewoonte. Maar op dit moment, aangezien het onderwerp weer wordt aangesneden, begin ik een ander gevoel te krijgen over dat serieus zijn.

'Ik weet wat het is,' zeg ik aarzelend, waarmee ik meer commentaar van Aaron afweer en me klaarmaak voor een bekentenis. 'Het is mijn weerstand tegen hoe de dingen zijn. Ik klem er zelfs mijn kaken van op elkaar. Eerst was dat omdat ik weerstand bood tegen het orale misbruik van mijn vaders penis. Ik heb mijn kaken zo op elkaar geklemd dat het me een paar kiezen in mijn rechterkaak heeft gekost.' Hij knikt. 'Nu klem ik gewoon mijn kaken op elkaar bij elke vorm van weerstand die ik voel. Duizend keer per dag!'

Aaron pakt ineens mijn gezicht vast en kust me.

'Omdat je dat vertelt,' zegt hij. 'Omdat je toegeeft dat het duizend keer per dag gebeurt.'

Mijn bekentenis is niet bepaald een verlichte verklaring! Maar de magie van Aarons reactie is dat hij me helpt vriendelijk tegen mezelf te zijn en het niet nog erger te maken met zelfkritiek.

We bekijken de foto's die me op een cd zijn toegestuurd door een journalist die een artikel over me heeft geschreven in een Deens vrouwentijdschrift. Op een ervan zit ik geconcentreerd te lezen en ja hoor, daar heb je die 'serieuze' blik weer. Ik zie eruit als iemand die denkt dat ze iets doet wat belangrijker is dan gelukkig zijn. Dat is wat Aaron me probeert te vertellen. Als ik me concentreer, of als ik mezelf verlies in mijn gedachten, krijg ik die blik.

'Maar het betekent niet dat ik me zorgen maak,' leg ik uit. 'Niet meer.'

Daar moet Aaron het mee doen. Wie weet? Misschien dat de psychologie van geluk naarmate de tijd verstrijkt mijn mondhoeken omhoog doet krullen. Maar het heeft geen zin me er zorgen over te maken.

'Ik weet waarom ik in deze relatie ben,' zegt Aaron. 'Omdat ik de man kan zijn die ik ben, en alles wat ik met jou doe laat me meer de man zijn die ik wil zijn.'

Hmm. Een treffende uitspraak.

'Toen ik met Sheila was,' vervolgt hij, 'dacht ik dat het belangrijk was om dingen te doen om haar gelukkig te houden, ik wrong me in allerlei bochten. Deze keer gaat het om wat ik graag wil doen, met een vrouw die het heerlijk vindt dat ik dat met haar doe, en die me niet manipuleert iets anders te zijn dan wie ik bij haar ben. Wat een opluchting!'

Hij blijft keer op keer terugkomen op hetzelfde thema: de behoefte zichzelf te zijn; de behoefte te worden bemind en te worden toegestaan zichzelf te zijn. Hij is geen conventioneel type dat gretig is de conventionele verlangens van een vrouw te vervullen. Hij is paradoxaal genoeg uitgegroeid tot een type man dat aanvoelt wat ik van hem wil wanneer we de liefde bedrijven. Misschien komt dat doordat hij zich ontspannen kan voelen in plaats van onder druk gezet.

Ik heb artikelen en boeken gelezen die vrouwen aansporen proactiever te zijn, minder passief, hun partner te laten weten wat ze willen. Maar als je met een Aaron-type bent is het maar het beste hem aan je te laten voelen, hij lijkt te weten of je wilt dat hij je borsten aanraakt of je tepels kust. Hij lijkt elke nuance te lezen, vooral wanneer jouw enthousiasme niet meer gelijk is aan dat van hem. Enkel een druppel of een halve graad en het valt hem op, genoeg om er later naar te vragen, als je naast hem televisie zit te kijken, of je het voor hem deed of voor jezelf. Het houdt hem zo bezig, die behoefte aan authenticiteit.

Zelf word ik vervuld door een gelukzalige gloed bij de wetenschap dat ik een man heb van wiens eerlijkheid ik blind kan uitgaan, en die hetzelfde van mij wil. Oprecht zijn, eerlijke feedback krijgen, dat hij de leiding neemt als dat zo in hem opkomt, te worden uitgenodigd een band te creëren zonder dat dat voorwaarden met zich meebrengt... het zijn allemaal dingen die het heel goed bij me doen. We houden allebei van deze relatie omdat we er allebei dezelfde vruchten van plukken.

'Het is een genezingsproces voor me,' merkt Aaron op, en hij kijkt me aan voor een bekrachtiging.

'Dat denk ik al vanaf het begin. Het is voor ons beiden een helend proces.'

In het begin dacht ik dat die heling zou plaatsvinden door hem voor te bereiden op een andere relatie. Is het mogelijk dat wij bij elkaar blijven nadat die taak, om het zo te zeggen, is volbracht?

'Ik wil niet met iemand anders zijn; ik kan me niet voorstellen dat ik dit met iemand anders zou kunnen.' Het zijn nu zijn woorden, maar ze kunnen veranderen. Dit is een relatie waarin Aaron is toegewijd aan de waarheid: niet aan mij, niet aan de relatie zelf, niet aan de toekomst; alleen aan de waarheid. Dat levert gevaar op, opwinding, aanwezigheid, en de pijnlijke rauwe realiteit van het nu. Het is de vrijheid waarnaar we verlangen, en waarvoor we zo bang zijn.

Aaron geeft die aan me. Verlang ik er net zo naar als hij? Verlangt hij er echt zo naar als hij zegt dat hij doet? Als dat zo is zullen we een gelukkig stelletje zijn, ons libido gestoeld op de wetenschap dat het enige moment dat we hebben het nu is... geen gedachten aan de toekomst. De prijs voor de passie voor waarheid is totale onzekerheid.

Afscheid van een vriend

De regen spoelt gedachten weg aan iets wat we missen.

– Vrij naar een gedicht zonder titel van Nirmala

We praten over Kim, met wie het nu heel slecht gaat. Hij kan nauwelijks nog iets zien en zijn benen etteren.

'Ik krijg de angst te zien die in mensen leeft,' zegt Aaron. Hij brengt veel tijd door met Kim, kletst uren met hem op de veranda of op de rand van zijn bed. Kim wil zoveel mogelijk over zijn ideeën aan Aaron vertellen, zodat Aaron het ruwe materiaal heeft om mee te werken als hij, Kim, dood is. De dood is iets waartegen Kim zoveel hij kan probeert te vechten, en hij lijkt ervan overtuigd dat hij nog heel lang te gaan heeft. Maar, redeneert Kim tegen zichzelf en tegen ons, Sai Baba heeft Aaron naar hem toegestuurd zodat hij zijn visioenen kan delen met iemand die hem begrijpt. Dus krabbelt Kim schetsen op grote vellen papier en brengt aan Aaron meer het gevoel over van wat hij ziet dan het visioen zelf. Aaron is de aangewezen persoon voor deze vorm van communicatie.

'Een man wordt oud en beseft dat hij geen leven heeft gehad,' vervolgt Aaron. 'Hij kiest ervoor om voor zijn carrière te leven of voor een idee en verliest zichzelf daarin. Kim is doodsbang, en dat onderkent hij zelfs nu nog niet helemaal. Het enige wat hij wil is mensen om zich heen die hem zich beter laten voelen, die hem aandacht geven, die hem afleiden van de gapende afgrond waarboven hij balanceert. Hij weet niet dat hij zichzelf zal vinden op de bodem van die afgrond, zo bang is hij voor zijn eigen angst. Dus wordt hij gek, seniel of zielig. Mannen moeten het gevoel hebben dat ze een leven kunnen hebben.'

Kim had grootse dromen. Een van zijn uitvindingen heeft hem rijk gemaakt, tot een vijandige overname hem alles weer afnam. Maar Kims actieve brein bleef altijd ideeën hebben. Lang voordat men zich zorgen begon te maken om water, besefte hij dat water op een dag de nieuwe olie zal zijn. Hij zag dat de verdamping van water een groot probleem was en is een waterbesparende bedekking voor dammen en irrigatiekanalen gaan ontwikkelen. Hij kwam er nooit zo ver mee dat die serieus door iemand werd overwogen. Hij had ooit het grandioze idee dat regeringen zijn luchtvaartuig dat verticaal kan opstijgen en landen zouden overnemen, een briljant en futuristisch ontwerp dat uiteindelijk de auto zou moeten vervangen. De dambedekking en het luchtvaartuig hadden kunnen werken, maar wie zou de vele miljoenen investeren die er nodig zouden zijn om ze door de verscheidene stadia van ontwikkeling te helpen? Al zijn grote projecten moesten op een laag pitje worden gezet voor kleinere projecten voor particuliere bedrijven met geld, voornamelijk de mijnbouwindustrie. Die projecten zien er veelbelovend uit, maar Kim zal de implementatie ervan waarschijnlijk niet meer meemaken.

Wat weet hij nu? Dat veel van zijn geweldige ideeën op niets zullen uitlopen. Zijn arrogantie smelt weg nu hij de dood in de ogen staart.

Aaron is bedachtzaam. 'Ik heb een leven, Carla. Ik ben vaak belachelijk gemaakt door mensen met andere waarden die niet begrijpen hoe belangrijk het voor mij is om mezelf te zijn. Maar ik offer liever alles op dan dat ik mezelf in een of ander project verlies dat niet uit mijn ziel ontspruit.'

Kim en ik hebben ook openhartige gesprekken. Hij is een en al vriendelijkheid tegen me. Zijn slechtziende bruine ogen hebben een sympathieke glans, versterkt door zijn lange, donkere wimpers.

'Neem Aaron niet te letterlijk,' adviseert hij me. 'Aaron gebruikt woorden op een heel eigen manier en jij begrijpt hem niet altijd.'

Kim praat slechts heel zelden over zijn innerlijke zelf met mij, over het mannelijke, eenzame zelf dat nog steeds een gebroken hart heeft om het verlies van zijn enige liefde, zijn vrouw. Aaron ziet meer van deze kant van hem dan ik; de kant van hem die midden in de nacht aandacht behoeft. Ik zie wel hoe zijn ziekte Kim somber maakt, hem minder beminnelijk maakt, minder assertief, behalve wanneer hij me instructies geeft over hoe ik zijn maaltijden moet klaarmaken.

Ik leer van Kim wat de beste biefstuk is en hoe ik die en de aardappels moet bakken waarop hij zo dol is. Kim is een fijnproever. Hij is dol op goed eten en geeft graag geld uit aan kwaliteit. Hij moet afvallen, en doet dat ook, maar hij blijft om de een of andere reden altijd stevig.

Kim heeft vergevorderde diabetes. Hij vindt het niet prettig om mij te moeten vragen drie keer per week met hem naar de kliniek te gaan voor zijn nierbehandeling en tussendoor de noodzakelijke aandacht aan de zweren op zijn benen en voeten te geven. Hoewel hij nog maar heel weinig ziet weet hij precies waar we zijn als we in de auto zitten. Hij heeft een griezelig goed geheugen waar het straten en snelwegen betreft.

Zijn neiging me te vertellen hoe ik alles moet doen maakt langzaam plaats voor vertrouwen. Kim leert zich over te geven aan wat er met zijn lichaam en leven gebeurt... het vreemde proces van sterven. Het geeft hem de gelegenheid een band op te bouwen met zijn zoon, Nicholas, die nu vaker bij hem op bezoek komt. Zijn oudste zoon, Simon, rijdt geen auto, dus Kim ziet hem alleen af en toe bij Simons moeder thuis en dat kunnen zowel momenten van pijn als vreugde zijn, aangezien Kims ex-vrouw hem met koele minachting behandelt, maar hij wil dat zijn zoon weet dat hij van hem houdt.

Elke zaterdagochtend nemen Aaron en ik Kim mee naar zijn stokoude vader en zijn drie broers om aan het strand van Cottesloe te ontbijten. Het is altijd een prachtige gelegenheid om van alles met elkaar te delen, en om te genieten van de schoonheid van de oceaan aan de overkant van de weg bij het strandcafé. Aaron en ik voelen ons vereerd dat we deel uitmaken van deze groep en maken gebruik van de gelegenheid om samen een wandeling te maken en de oceaanlucht in te ademen.

We zitten vredig op de veranda in onze met fluweel beklede schommelstoelen toe te kijken hoe de duiven in de tuin scharrelen als Aaron naar buiten komt met een van zijn geweldige credo's.

'Als een man en een vrouw samen willen blijven, heb je drie dingen nodig: ten eerste moeten ze weten hoe ze vrienden kunnen zijn en wat er nodig is om die vriendschap te bewaren; ten tweede moeten ze op elkaar gesteld zijn; en ten derde moeten ze de relatie willen.'

Hij kijkt me met zachte ogen aan.

'Je hield dertig jaar geleden van me. Je hebt die ervaring gekoesterd en beschermd, zodat niets daar iets aan kon afdoen. Je hebt de onschuld van de herinnering in leven gehouden. Toen je me weer zag, kwam de herinnering intact naar boven, en hield je van me zoals je al die tijd geleden deed. Je bent die onschuld nooit verloren. Daarom houd ik van je.'

Opnieuw hetzelfde conflict

O! Dapper zijn zij die uit het hart spreken:
Pas op! De slimme geest zal je er op alle mogelijke
manieren in laten lopen.

– Carla op een nuchter moment in haar dagboek

Mijn boek gaat in Nederland uitkomen en ik ben uitgenodigd ernaartoe te gaan om het te promoten. Het is twee dagen voor mijn vertrek. Aaron en ik hebben wat meningsverschillen gehad, dus hij is al een beetje gespannen als ik hem vraag wat muziek voor me op cd te zetten zodat ik die kan meenemen. Hij gebaart me achter hem aan te komen zodat hij me kan laten zien hoe het moet. Hij zegt tegen me dat ik het moet opschrijven zodat ik het niet nogmaals hoef te vragen en staat erop dat ik elke handeling die hij me laat zien twee keer herhaal. Dat is een goede manier van lesgeven, ware het niet dat ik helemaal niet om een les vroeg! Ik wilde alleen maar wat hulp om een taak gedaan te krijgen in de weinige tijd die ik nog heb.

Aaron is niet blij. Dat zie ik aan de manier waarop hij verkrampt. Ik herken het patroon: het is al vaker gebeurd. Net als de vorige keer verlaat hij het huis en gaat in de auto zitten, die op de oprit staat. Ik wacht een minuutje, loop naar de auto en vraag of we even kunnen praten.

'Ja hoor, praat maar!'

Zijn lichaamstaal vertelt me dat het niet uitmaakt wat ik ook ga zeggen, maar ik open een portier en ga op de bijrijdersstoel zitten. Hij begint met praten. Ik kijk in zijn doffe ogen. 'Ik voel dat je deze relatie in de kern niet wilt, Carla. Ik voel in de kern dat ik deze relatie ook niet wil. Dat is waarom ik nooit meer aan een relatie wilde beginnen. Dit is wat ik heb geprobeerd te voorkomen.'

'Nou,' zeg ik, 'nu kun je tenminste zeggen dat Carla net als alle anderen was. Ze probeerde je te overheersen, net als alle anderen.'

Ik krijg terwijl ik spreek een inzicht. Voor overheersende mensen voelt een verlies aan controle over anderen alsof ze zelf worden overheerst. Het enige wat nodig is, is dat iemand voet bij stuk houdt en zegt: 'Dit is wat ik wil, dat niet en ik wil niet wat je me probeert op te dringen, hoe goed je het ook bedoelt.' Wat het probleem nog moeilijker maakt is dat ik ervoor kies om heel ver weg van Aaron te gaan om mijn carrière na te jagen terwijl hij thuisblijft. Hij had geen zeggenschap in die keuze.

Dit is echt een flink probleem. Of misschien betekent het wel het einde. Ik voel berusting over me heen komen. In plaats van te proberen het uit te praten terwijl hij zo gesloten is besluit ik dat ik behoefte heb met iemand anders te praten. Ik heb advies nodig, of hulp, en ik bel Val, die ik via Kim heb leren kennen.

Val is helderziend en een volgelinge van Sai Baba. Ze laat me in Sai Baba's kamer zitten, waar een met bloemen versierd portret van hem hangt. Val steekt een kaarsje aan en laat me alleen met Sai Baba. Ik voel me zo moe dat ik aan zijn 'voeten' ga liggen. Ik ga op mijn zij liggen, met mijn gezicht naar hem toe, en denk nergens aan, geef mijn brein volledige rust. Ik lig er in een stille smeekbede, weet niet waar ik om moet vragen en dut weg.

Als ik een halfuur later weer bij Val zit, merkt ze op dat mijn geest te gespannen is. 'Je bereidt je voor op een belangrijke reis, Carla. Dit is een moment dat je steun behoeft.' Dan voegt ze eraan toe: 'Het probleem is dat jij een veel oudere ziel bent dan Aaron. Hij zou het beter doen als hij zich door jou zou laten leiden.'

Val heeft geen hoge pet op van Aaron sinds een gesprek dat ze een paar weken geleden met hem heeft gehad. Val lijdt nog onder haar verleden als non en ze was het niet eens met Aarons ideeën over wat ze zou moeten doen om te helen. Hij maakte haar zelfs aan het huilen, en ze was mijn bezoek! Aaron had spijt van zijn onbezonnenheid. 'Ik liet me gaan bij haar. Dat had ik niet moeten doen.'

Ik ga naar huis en tref hem heel stil aan. Dan vraagt hij: 'Was het fijn bij Val?' Zijn vraag geeft me de gelegenheid er even met hem voor te gaan zitten.

'Ja. Ik heb voornamelijk liggen rusten bij het portret van Sai Baba.'
Hij is stil.
'Aaron, ik heb geen behoefte aan ruzie nu ik me op die reis aan het voorbereiden ben. Ik heb behoefte aan je steun.'
Er is iets veranderd in Aaron sinds ik naar Val ben gegaan. Hij pakt mijn handen. 'Kom, dan zoeken we die cd's even uit.' Hij staat er deze keer niet op me iets te leren, maakt gewoon zonder mopperen die kopieën. Ik slaak een zucht van opluchting.
We kijken elkaar aan; wat is er gebeurd?
'Blijf je hier, of ga je vanavond weg?' vraag ik hem dan.
'Ik wil graag blijven, als je dat goed vindt.'
Als we vrijen is hij weer de tederste man op aarde, en ook als hij me de hele nacht vasthoudt en rustig en zacht ademt.
'Je hebt heel mooi geslapen vannacht,' zeg ik de volgende ochtend.
Hij glimlacht. Dan bedenk ik ineens dat zich een soort wonder heeft voltrokken, en dat Sai Baba er vast veel mee te maken heeft gehad.

Aaron brengt me de volgende dag naar het vliegveld. Ik zie hem vanuit het vliegtuig staan wachten tot het vertrek. Het heeft vertraging, maar hij blijft staan tot het uit zicht is. En ik begin aan een reis die ons wellicht beiden zal veranderen.

E-mail vanuit Nederland:

Aaron,
Wat als ik zou zeggen
dat ik van niemand meer houd dan van jou,
dat jij me hebt doen voelen wat geen andere man me heeft gegeven?
Zou dat je het gevoel van rijkdom geven dat je verdient?
De vriendelijkheid van je ziel
heeft de kritiek van mijn eigen gezeur genezen;
ik was in mijn eigen ogen niet goed genoeg
tot jouw ogen me iets anders vertelden.
Ik ben nu vrouw geworden.
Een minnares van het leven, van mensen, van mezelf en van jou.
Het leven is mijn minnaar; het omarmt me.

Ik vertrouw het en heb me overgegeven
zoals een non zich aan God overgeeft.
Ik heb geen God behalve de waarheid van mijn eigen wezen.
Ik heb naar je verlangd en van je genoten,
jij hebt geweldig liefgehad en me geheeld;
jij en ik hebben elkaar nog steeds lief, respecteren elkaar en geven aan elkaar.
Ik geef je de liefde van mijn hele leven.
Je bent mijn vriend en ik ben je vriendin, vol van tederheid.
Het leven haalt me bij je weg, maar niet zo heel ver.
Wees vrij, lieve Aaron, wees gelukkig en vlieg.

Carla

Ik ben in 1999 voor het laatst in Nederland geweest, en het was een magisch bezoek in die zin dat het me toestond de cyclus van verdriet daar te beëindigen. Ik heb er alle plaatsen bezocht waar ik als kind pijn heb geleden en trof er alleen vreugde aan omdat ik me had vrijgemaakt van alle schuld naar mijn vader en mezelf over wat me als kind is overkomen.

Ik word op het vliegveld verwelkomd door een engel in de vorm van mijn promotiereclame: een robuuste vrouw met magnifiek organisatorisch talent die is geboren en getogen in Amsterdam. Haar enige minpuntje is dat ze rookt waar ze kan, wat in die tijd in Nederland nog zo'n beetje overal was. Ze heeft mijn hele schema gepland en we oefenen in de auto mijn Nederlands. Dat heb ik zo weer paraat; ik heb een talenknobbel. Haar mobieltje gaat: het is de eerste radio-omroep, die wil weten hoe mijn stem en Nederlands op anderen overkomen. En zo gaat het verder: interviews voor radio, kranten en twee televisieprogramma's.

Hoogtepunt is zonder twijfel de drukke bijeenkomst in de ontvangstruimte van de bibliotheek op een ellendig koude avond in Tilburg, waar ik ben geboren. Ik krijg tranen in mijn ogen als ik mensen ontmoet die mijn familie hebben gekend, die zich de oorlog en hoe alles was precies zo herinneren als ik. Twee nichten stellen zich aan me voor. Ik herken geschokt hun gezichten en namen als die van hun moeders, en herinner me dat mijn commentaar in mijn boek over mijn tantes alles behalve vriendelijk was. Nou ja... het is niettemin een hartverwarmende ervaring.

De volgende dag neemt de redacteur van een krant me mee naar alle bezienswaardigheden waar ik de vorige keer niet aan toe ben gekomen: de begraafplaats, de molens, die nu een museum zijn, en de bedevaartskapel van Peerke Donders.

Meer verzoeken om interviews zorgen ervoor dat de twee weken tot een maand worden gerekt. Ik heb gedurende die periode gebrekkige toegang tot een computer om via e-mail met Aaron te communiceren. Onze uitwisselingen zijn kort en die van hem in staccatopoëzie:

er zijn momenten dat ik me volledig overgeleverd voel
aan mijn hormonen
dat ik om iedereen om me heen geef
en me zorgen maak om mijn andere leven [in Darkan]

de enige reden dat ik hier ooit naartoe ben gekomen ben jij
ik verlangde naar je
ik leef in een gat zonder jou hier bij me
als je hier bij me bent, ben ik waardig
om je te ruiken
te zien
te horen
te voelen
om je energie aan te raken
en naast je te liggen

Hij heeft het moeilijk zonder mij. Ik weet dat er iets mis is als hij me mailt dat hij werkelijk iedereen aantrekkelijk begint te vinden. In een andere mail biecht hij op dat hij Margot, de assistente van Kim, wel erg aantrekkelijk begint te vinden. Margot met haar lange haar, haar aanlokkelijke oogopslag en lieve aard. Ze is niet echt een prater, is heel plichtsgetrouw en wil geen waardevolle werktijd aan kletspraat verspillen. Margot is in de veertig en haar grote, glanzende ogen spreken altijd de waarheid. Ze is beleefd, maar niet overdreven, heeft een eigenzinnig gevoel voor humor en een ontwikkelde moraal. Het laatste wat ze zou willen is iemand kwetsen en dat is hoe Aaron haar verkeerd zou kunnen interpreteren; hij zou haar vriendelijke, glimlachende reacties op zijn aandacht verkeerd kunnen opvatten. Of ze zou oprecht in hem geïnteresseerd kunnen zijn, maar dan zou ze respect hebben voor het feit dat hij niet beschikbaar is.

Toch wordt mijn hart gegrepen door angst. Ik logeer een nacht bij mijn lieve vriendin Julia, vertel haar erover, en dat helpt. De volgende ochtend voel ik me weer prima: wat moet gebeuren, gebeurt.

Aaron mailt me op een avond uit zijn huis in Darkan:

Hoi schat,
Zit in Darkan.
Wilde je even laten weten dat mijn lichaam van je houdt en dat mijn hart het ermee eens is... wil wanhopig graag iemand om mee te vrijen.
Ben je boek [Gods callgirl] *aan het lezen om me met je te identificeren.*
Heb ook de ruwe versie van Lust *gelezen... was heel erg confronterend; schrok me rot over mezelf.*
Je bent zo krachtig in je oprechtheid dat ik daar niet omheen kan, zo echt en eerlijk. Ik voel me vereerd dat ik mijn pik in je mag steken, o heilige grond.
Het boek geeft me het gevoel dat je hier bij me bent. Je hebt je zo helemaal gegeven aan zoveel minnaars; je bent zo dapper dat je je vrouwelijke ziel blootgeeft; je bent zo echt... ik wil je terug.
Ik zou als ik dat zou willen met zoveel vrouwen seks kunnen hebben; ik wil seks met jou hebben. Je geeft me het gevoel dat de man in mij door middel van seks met je ziel kan praten. Ik dacht dat je dat misschien wel zou willen weten.

Het was uiteindelijk, op Paaszondag 2005, tijd om terug te gaan. Aaron komt me van het vliegveld halen. Ik heb er zo naar uitgekeken hem in zijn armen te vliegen dat het bizar is om hem te benaderen zoals hij daar staat met zijn armen over elkaar, zijn blik geconcentreerd alsof hij de mijne wil lezen. Het is goed zijn nabijheid weer te voelen... en vreemd zijn afstandelijkheid te bemerken.

Als de bagage eenmaal in de kofferbak ligt en we op weg zijn naar huis, legt hij het uit: ‘Ik wist niet zeker of je nog de mijne zou zijn.’

Ik geloof mijn oren niet.

'Je hebt daar zoveel interessante mensen gezien, er moet er minstens een zijn geweest die je aantrekkelijk vond.'

Ja, die was er... het waren er zelfs twee. Wat is er mis met je aangetrokken voelen tot iemand? 'Het heeft geen invloed gehad op mijn gedrag,' zeg ik.

'Dat zag ik aan je toen je bij de douane vandaan kwam,' zegt hij. 'Je was open en zorgeloos en ik wist dat het goed was.'

Nu ben ik nieuwsgierig hoe het hém is vergaan. Ik vraag hem naar zijn gevoelens voor Margot.

'Nee, er is niets gebeurd, maar we zijn goede vrienden geworden.'

We hebben om de een of andere manier even nodig om weer tot elkaar te komen. Vreemd. Het is zo anders dan wat ik me had voorgesteld. Het lijkt wel of hij me niet helemaal vertrouwt. Alsof hij vermoedt dat ik iets voor hem achterhoud. Ik hoop maar dat die twijfel snel verdwijnt.

Dan wordt het plotseling akelig duidelijk dat Aaron zijn eigen gedachten op mij heeft geprojecteerd. Aaron is degene die in beslag wordt genomen door iemand anders. Het valt me op dat hij Margot elke keer dat ze in de buurt is aanraakt: hij wrijft over haar rug, knijpt in haar schouder, gaat zo staan dat zijn lichaam dat van haar raakt, legt zijn hand op haar.

Op een avond staat hij op om haar stevig te omhelzen als ze op het punt staat te vertrekken. Margot is verrast en lijkt het prettig te vinden. Ze staat hem zijn intimiteit met haar toe. Ik wacht bij de deur. Margot en ik gaan naar een lezing van een regisseur. Ik heb al nonchalant afscheid genomen van Aaron. We komen vanavond gewoon weer thuis en we hebben afgesproken samen te eten: Margot, Aaron en ik.

Ik weet niet wat ik voel als ik sta te wachten tot ze klaar zijn met omhelzen. Ik ben me bewust van de chemie tussen hem en Margot sinds Aaron hier werkt en woont. Toen ik in Europa was vertelde mijn instinct me dat het heel goed mogelijk zou zijn dat Aaron met haar naar bed zou gaan. Dat hij dat niet heeft gedaan heeft hem op de een of andere manier volwassener gemaakt. Hij leek duidelijker te weten wat hij wil. Of anders Margot! Maar nu dit.

Ik zou het er met Margot over kunnen hebben tijdens de rit, maar we hebben het over films. Ik zeg tegen mezelf dat ik er mooi uitzie en dat het niet nodig is om de sfeer van gespannen afwachting te verstoren. Margot heeft jaren als scriptschrijfster en regieassistente gewerkt en vindt het heerlijk om mee te gaan naar die lezing.

Margot is naar huis en ik zet een bad voor mezelf aan. Als ik er weer uit ben, nodigt Aaron me uit om samen *Battlestar Galactica* op televisie te kijken. 'Wat is er?' vraagt hij. Hij weet dat er iets speelt. Hij zal ook wel weten wat. Hij geeft alleen niets toe.

Ik glimlach verdrietig en geef geen antwoord, aangezien de enige tijd om te praten tijdens de reclameblokken is en dat is te kort voor een gesprek. Bovendien schaam ik me voor wat ik voel. Ik heb mijn gevoelens terwijl ik in bad zat de vrije loop gelaten. Ik heb geprobeerd er een naam aan te geven. Jaloezie? Nee, niet precies. Onzekerheid is wat ik bedacht. Onzekerheid! Na alles wat we samen hebben doorleefd! Ik dacht dat we zo'n hechte band hadden dat niets kon vernietigen wat we hebben. Nu kom ik erachter dat er wel iets is: Aaron voelt zich zo zeker dat hij denkt dat hij wel een beetje om zich heen kan kijken. Niet echt serieus; maar hij wil wat lol maken omdat hij van Margot en van vrouwen in het algemeen houdt.

Battlestar Galactica is afgelopen en we gaan naar bed. Ik kan niet reageren op Aarons aanraking. De enige mogelijkheid is hem vertellen wat ik voel... de lucht klaren zodat we allebei weten wat er gebeurt.

'Ik voel me onzeker,' begin ik in het halfduister van de kamer.

'Daar ben ik me van bewust,' zegt hij.

O? Hij is zich ervan bewust, maar heeft er niets over gezegd? Ik besluit direct spijkers met koppen te slaan. Ik flap de zin eruit die zo zwaar op mijn hart ligt.

'Ik wil weten of je Margot wilt aanraken, Aaron, of je naar haar verlangt. Zou je je pik in haar willen hebben als je er een extra zou hebben? En wil je dat ze dat weet?'

Mijn opmerking over een extra pik is een tikje belachelijk, maar ik verwijs ermee naar zijn vaak gedane uitspraak: 'Ik heb maar één pik en kies ervoor die aan jou te geven,' een uitdrukking van trouw die is ontstaan uit fysieke beperking. Hij heeft maar één pik, dus zal hij maar één minnares tegelijk hebben. Maar wat als hij twee pikken zou hebben? Zou dat niet geweldig zijn?

Aaron is niet blij met mijn woorden en gaat geen antwoord op mijn vraag geven. In plaats daarvan vraagt hij me wat mijn probleem is. Ons gesprek gaat rond en rond en trekt donkere wolken aan tot ik hem vraag of hij alsjeblieft antwoord wil geven op mijn vraag. Hij is vergeten wat die was, dus ik herhaal hem.

'Vertel me of ik gelijk heb!' zeg ik nadrukkelijk. 'Vertel me of mijn intuïtie klopt of niet.'

Hij duwt de deken van zich af en zit met zijn benen over elkaar naakt op de rand van het bed terwijl hij me schuin aankijkt. Ik lig in bed met mijn armen onder mijn hoofd, onder de dekens, en bestudeer zijn gezicht in het halfduister. Aarons lichaam verwerkt mijn vraag met een plotselinge siddering. Dan recht hij zijn rug en is even stil.

'Ja, je intuïtie klopt,' zegt hij dan, er niet van overtuigd of hij er goed aan heeft gedaan eerlijk te zijn. 'En ik wil dat je weet dat je de belangrijkste persoon in mijn leven bent. Je weet dat ik hier bij je ben omdat dat is waar ik wil zijn.'

Als hij klaar is, heb ik maar weinig woorden: 'Bedankt dat je me de waarheid vertelt.'

Aarons rechtervuist slaat op zijn bovenbeen. Hij is razend dat ik hem bedank en leest de woorden als een versie van: *bedankt dat je toegeeft dat je me ontrouw bent.*

'Dit is wat ik niet meer pik in een relatie,' zegt hij verbitterd. 'Ik heb mijn buik vol van onzekere vrouwen! Ik heb mijn gevoelens voor Margot veertien weken lang opgekropt vanwege wat jij ervan zou kunnen denken, en twee dagen geleden heb ik gezegd: "Jammer dan wat Carla ervan vindt! Ik ben een mens met gevoelens en die moet ik kunnen uiten!" Margot is een geweldige vrouw en ze is eenzaam. Ze vindt me leuk. Ik wil haar laten merken dat ik haar ook leuk vind!'

En dan daagt hij me uit met een vraag: 'Vertel me eens wat onze relatie jou oplevert; vertel me eens wat jij van mij krijgt!'

Hij wacht in het donker, gespannen van woede. Het is wel duidelijk dat hij alleen maar kan denken aan dat hij zo'n goede minnaar is geweest en dat hij zich er niet bewust van wil worden dat ik er recht op heb te weten wat er in hem omgaat als dat invloed heeft op mij. Mijn openlijke reactie maakt hem razend en hij heeft het gevoel dat mijn onzekerheid onterecht is, na alle liefde die hij mij heeft betoond, na alle woorden van geruststelling die hij over me heeft uitgegoten. Maar ik sta voor een heel nieuwe ontwikkeling: het feit dat Aaron moeite heeft met zijn gevoelens voor Margot, en zijn angst voor mijn reactie. En dat hij heeft besloten ermee om te gaan door het groter te maken dan het is door me er niet over in vertrouwen te nemen.

Ik heb geen woorden om hem te vertellen over de golf van gevoelens die er door me heen stroomt. Ik heb bijvoorbeeld, ondanks wat Aaron me vertelt over mijn schoonheid, niet het gevoel dat ik kan concurreren met Margot. Ze is zoveel jonger dan ik. Ik denk aan haar prachtige lange haar, haar expressieve ogen, haar lieve stem, haar gevoel voor humor, haar ronde borsten.

'Ik weet niet wat ik moet zeggen,' mompel ik.

Aaron vat dat op als een verbitterde ontkenning van alles wat goed is in onze relatie, een opzettelijk vergeten, een oneerlijke beschuldiging.

'Ik ga mijn spullen pakken en dan ga ik weg,' zegt hij. Hij staat op, doet zijn horloge om en trekt daarna, tot mijn verbijstering, zijn schoenen aan. Verder is hij nog naakt als ik hem aan het voeteneind van ons bed ontmoet en voor hem sta. Ik reik uit om hem aan te raken, maar trek snel mijn handen terug van zijn kilheid.

'Nou? Wat wil je dan zeggen?'

Hij voelt zich zo miskend en zijn liefde is zo groots geweest.

'Je bent extreem lief voor me de laatste tijd,' begin ik. Mijn woorden klinken clichématig, een zielige poging tot omkoping om hem te laten blijven. 'Je bent lief en attent. Ik wil deze relatie!'

Hij blijft even staan en denkt na over hoe hij zich voelt. Het is genoeg om te zorgen dat hij, half overtuigd, terug strompelt naar het bed, zijn schoenen uittrapt en zijn horloge afdoet.

'Het enige wat ik van je wil is dat je Carla bent,' zegt hij terwijl hij op bed ligt met zijn hoofd op zijn arm. 'Het enige wat ik van mezelf wil is Aaron zijn.' Hij staart me in het donker aan met een streng, vastberaden gezicht: niemand, maar dan ook niemand, zal me ervan weerhouden mezelf te zijn. 'Ik wil een relatie hebben met iedereen! Met Margot, met Clinton, met Chris.' En hij ratelt de namen op van nog wat mensen die regelmatig naar het huis komen.

'Geen probleem!' roep ik met mijn gezicht zo dichtbij dat hij mijn gezichtsuitdrukking kan zien. 'Glimlachen is prima, genieten van chemie is leuk, met vriendelijke signalen uitstralen en gesprekken voeren is niets mis, maar aanraken en omhelzen is anders. Dat zijn dingen die minnaars doen!'

'Ik omhels Clinton en Chris ook!' werpt hij tegen. 'Ik ben een mens en ik omhels mensen! Dat doe jij toch ook?'

'Ik omhels niet iedereen.' Dat zou hij nu toch van me moeten weten.

'Margot omhelst jou ook,' zegt Aaron. 'Wat voel jij als ze jou omhelst?'

Aaron zegt al een tijdje dat Margot me beter wil leren kennen, dat ze mijn vriendin wil zijn.

'Daar voel ik niet veel bij,' antwoord ik. 'Ik heb het gevoel dat ze mij wil omhelzen omdat jij haar omhelst en ze dat om de een of andere reden wil goedmaken. Ik voel haar ongemak.'

'Ik voel haar eenzaamheid,' zegt hij.

Nou en? Moet hij haar redden?

'Als je wist dat ik er onzeker over was, waarom heb je er dan niets over tegen me gezegd?' vraag ik. 'Waarom heb je het niet verteld? Was je bang het er met me over te hebben? Dit lijkt me toch echt een onderwerp om het over te hebben om te voorkomen dat het problemen gaat opleveren. Waarom heb je me niet over je gevoelens verteld?'

Het lijkt een redelijke vraag. Het antwoord zou hem iets over zichzelf moeten vertellen. Maar zijn antwoord is er een dat ik niet kan geloven.

'Dat wilde ik wel,' zegt hij, 'maar jij wilde niet luisteren.'

Ik ben stil. Ik heb het gevoel dat dit een excuus is, een dat de situatie verslechtert.

Het is ver na middernacht en mijn oogleden willen zich sluiten om te slapen. Een wirwar aan gedachten houdt me nog ongeveer een uur wakker. Morgen zullen er nog meer gedachten zijn. Er moet een beslissing worden genomen. Als ik zou verwachten dat Aaron iemand anders is dan hij is, kan ik alleen maar diep worden teleurgesteld. Ik heb de keuze te accepteren wie hij is of te zeggen: dit is genoeg. Ga maar ergens anders jezelf zijn.

Ik kan Aaron vragen te vertrekken, zoals hij dreigde te doen. Dat zou betekenen dat hij ook stopt met zijn werk; een tijdje, tenminste. Het is geen praktisch idee. Ik zie mezelf voor me in mijn schrijfkamer, ellendig en totaal niet geïnspireerd, terwijl ik hem mis en wens dat ons onbegrip van elkaar niet zo diep zou gaan. Ik ben geschokt dat onze relatie ondanks de intense band die we hebben toch nog zo fragiel is. Dat hij zo gemakkelijk kan worden gebroken.

Ik vertel mezelf in het donker dat ik het verdien om in een relatie te zijn met een man bij wie ik me helemaal op mijn gemak voel omdat de relatie waarin hij is alles is wat hij wil. Een man wiens hormonen zich prettig voelen bij mij en die niet de behoefte voelt en af te dwalen naar elke vrouw met wie ze zouden kunnen spelen. Aaron heeft niet het excuus dat zijn partner saai is en hem niet wil, zelfs niet een deel van de tijd. Ik wil een man die volwassener is dan deze eeuwige Boogschutter...

Mijn gedachten hollen verder. Aaron ligt met zijn rug naar me toe. Ik voel een uitnodiging, zijn verlangen dat ik zijn rug bemin. Daar heb ik geen zin in. Ik lig stil en draai dan met mijn rug naar hem toe, waardoor we los van elkaar liggen. Zo vallen we in slaap. Samen maar alleen.

Zelfs dit is de prijs van passie

Alleen als ik in je armen lig
besef ik dat ik volledig verloren ben.

– Simon Gladdish, 'Voor Rusty'

Ik ben altijd als eerste wakker. Mijn half slapende brein vervolgt de monoloog van vannacht. Ik wil geen beslissing nemen die is gebaseerd op neurotisch en onzeker gedrag. Ik wil erkennen dat mannen anders zijn dan vrouwen en dat hormonaal gezonde mannen als Aaron hun ogen altijd open hebben voor vrouwelijke schoonheid en spontaan fantaseren over hoe het met een ander zou zijn. Ik wil toegeven dat Aaron me nooit ontrouw zou zijn door seks met Margot of wie dan ook te hebben. Dat het alleen maar erger zou worden als ik zou proberen hem te overheersen. Dat hij zou vertrekken voordat hij zich door mij zou laten overheersen. Dat hij zo teder en intiem met me is. Dat onze liefde echt is. Dat ik naar hem verlang.

Aaron is ook wakker en gaat tegen mijn rug liggen. Ik pak de arm die me omhelst vast in erkenning. Er worden geen woorden gesproken in het ochtendgloren. Dan draait hij zich om. We liggen nogmaals met de rug naar elkaar toe. Hij zucht als ik me niet omdraai om hem te knuffelen maar in plaats daarvan plat op mijn rug ga liggen. Zijn zucht bevat een geluid van hoge wanhoop, heel kort, bijna onhoorbaar. Maar ik merk het wel op. Ik draai me zonder erbij na te denken naar hem toe en streel zijn rug. Het is niet eens een beslissing, enkel een gedachteloze beweging. Hij draait zijn gezicht naar me toe en ik kus hem met de passie die op dat moment in me opwelt.

'Mijn Carla is terug. Ze is uit haar hoofd gekomen.'

Ik kom overeind zodat hij me goed kan horen en zien. 'Ik ben blij voor je dat je Aaron bent. Ik wil dat je de man bent die je wilt zijn.' Het is een uitgeputte Carla, die woorden spreekt waarvan ze vurig hoopt dat ze waar zijn.

Hij hoort ze, en alles lijkt plotseling weer goed tussen ons. Onze lichamen verwonderen zich nogmaals om de lieflijkheid van onze versmolten energie. Ons korte één-zijn bevestigt dat we elkaar willen; dan laten we elkaar weer los, voor nu tevreden met onze hernieuwd gesmeden band.

Ik zal moeten zien hoe ik in de toekomst reageer. Ik zeg tegen Aaron dat het goed zou zijn als ik met Margot zou praten. Niet zodat ze zich onzeker gaat voelen, maar om haar ervan te verzekeren dat ik het fijn voor haar vind dat ze zo'n goede vriend in Aaron heeft gevonden. Ik wil ook weten of ze zich prettig voelt bij Aarons aanpak.

Ik vang Margot terwijl ze me op de veranda passeert op weg naar haar auto en besluit direct tegen haar te zijn.

'Margot, het is me opgevallen dat Aaron erg dol op je is. Is er iets tussen jullie?'

Margot raakt meteen volledig in paniek. 'Dat is het niet, Carla! Ik zou nooit...' Ze laat haar hoofd zakken, waarschijnlijk omdat het haar kwetst dat ze als onbetrouwbaar wordt bestempeld, en flapt eruit: 'Hij komt zo behoeftig over, Carla! Ik wil zijn aandacht niet afwijzen omdat ik hem niet wil kwetsen.'

Dat is goed genoeg voor mij. Ik bedank Margot oprecht en vraag haar alsjeblieft niet overstuur te zijn van hoe ik haar heb ondervraagd. Margot vertrekt alsof ze is gelouterd na een uitbrander. Dat was niet mijn bedoeling, maar ik neem aan dat het niet anders kan bij iemand die zo'n nederig karakter heeft als Margot.

Aaron is al de hele ochtend gespannen. 'Hoe gaat het met ons verder, schat?'

We zitten in mijn schrijfkamer. Hij heeft wallen onder zijn ogen. Van de stress, niet alleen door slaapgebrek. Ik ken Aaron goed, maar zal hem nog beter leren kennen.

Hij vertelt me voor de zoveelste keer dat hij altijd verwacht dat zijn vrouwen zich tegen hem keren. Hij heeft nog nooit iets in me gezien dat hem vertelt dat ik hem met de haat en het gif zou afwijzen waarvoor hij zo bang is, maar, zegt hij, de liefste minnaressen hebben hem wat dat betreft versteld doen staan. Ze hielden in de ochtend met hart en ziel van hem, maar waren 's avonds verdwenen. Die ervaringen hebben zo'n diepe wond bij hem achtergelaten dat hij wel een strijder in het oerwoud lijkt, altijd alert op gevaar.

'Ik heb het idee dat we een belangrijke onverenigbaarheid zijn tegengekomen,' zeg ik. 'Ik ben soms onzeker en moet de vrijheid voelen je daarover te kunnen vertellen, en jij kunt absoluut niet tegen onzekerheid. Je draait door als je het in me herkent.'

Ik kijk hem aan en voel ineens waarom hij niet tegen onzekerheid bij anderen kan. Hij is zelf onzeker! Als hij onzekerheid in mij ziet, herinnert dat hem aan zijn eigen zwakte. Het is natuurlijk een andere soort onzekerheid... hij weet hoe hij samen en alleen moet zijn en hoe hij in zijn eigen energie moet staan. Hij is trots op het feit dat hij niet van mijn energie leeft, dat hij niets anders van me wil dan mijn vriendschap... en toch is het zo vergelijkbaar. Hij is bang dat ik hem zal afwijzen. Hij is bang dat ik zijn signalen verkeerd zal opvatten, dat zijn liefde niet wordt gewaardeerd voor wat die is. Hoe verschilt dat zo van mijn eigen angst?

We hebben de rest van de dag voor onszelf. Twee minnaars, allebei een beetje gehavend, allebei herstellend van een conflict dat ons naar adem heeft doen snakken vanwege de pijnlijke mogelijkheden die het heeft blootgelegd.

We praten, en het is zo moeilijk voor Aaron om nergens anders over te beginnen. Hij wil terugkomen op wat voor hem belangrijk is: hij houdt van me, hij houdt veel van me. Hij zegt zelfs: 'God heeft Margot hier gebracht,' en ik weet dat dat waar is, maar niet als excuus voor wat er is gebeurd.

Ik kom uiteindelijk uit bij de kern van wat ik voel. 'Ik voel me gekwetst dat je me niet genoeg vertrouwde om dit met me te delen,' zeg ik. 'Ik dacht dat wat we hebben sterk genoeg is om aan te kunnen wat we ook maar willen opbiechten over onszelf.'

Dat snijdt op de een of andere manier wel hout voor hem. Hij is er voor het eerst niet defensief over. 'Het spijt me,' zegt hij, en die eenvoud brengt alles over.

We gaan die avond allebei vroeg naar bed. Het regent buiten. Aaron begint te praten, maar ik leg mijn vinger tegen mijn lippen. Het is goed. Laten we vanavond gewoon gaan slapen.

Wat er tussen ons is gebeurd weerhoudt Aaron er niet van te blijven flirten met Margot, hoewel er even niet meer wordt geknuffeld. Hij vindt dat hij het recht heeft 'zichzelf' te zijn en 'zijn seksuele energie te richten op wie die waardeert'. Margot weet niet hoe ze direct tegen hem moet zijn en moet zeggen: 'Houd daarmee op.'

'Jij en ik hebben een geweldige relatie,' zegt hij. Hij zit met zijn benen over elkaar tegenover me op een stoel in mijn schrijfkamer.

'Verpest die dan niet!' werp ik tegen.

Dat kwetst hem zo dat hij zijn ogen sluit.

Even later zegt hij iets waardoor ik me afvraag hoe erg hij was gekwetst toen ik met John omging.

'Jij was onder de indruk van Johns energie en er was toch chemie tussen jullie? Jullie hebben elkaar toch ook heel veel aangeraakt?'

O. De vraag nestelt zich in mijn onderbuik. Dit vraagt om een direct antwoord.

'Ja, dat is waar. Ik was er op dat moment van overtuigd dat ik iets voelde wat ik nader moest onderzoeken en ja, ik heb heel wat aanrakingen toegestaan, waarop ik heel welwillend ben ingegaan. Maar dat is een halfjaar geleden, in een periode dat jij en ik niet samenwoonden, toen jij ervoor koos om twee weken aaneengesloten weg te gaan.'

Als Aaron bij mij in Perth was, ging ik nergens met John naartoe. Aaron had me gewaarschuwd dat hij geen onderdeel wilde uitmaken van een driehoeksverhouding, dus moest ik beslissen. Dat heb ik gedaan, zodra ik John beter leerde kennen en erachter kwam dat het een vlaag van verstandsverbijstering was. Toen heb ik het contact met John verbroken.

Aaron wilde me in die periode niet in de weg staan. Hij verloor me liever dan dat hij me zou bezitten of zou vertellen wat hij wilde dat ik zou doen.

Moet ik Aarons gedrag nu accepteren, zoals hij dat van mij toen heeft geaccepteerd? Ondanks het feit dat het recht onder mijn neus gebeurt? Ik weet niet of ik dat kan, of moet doen. Er is toch niets mis mee als je grenzen stelt – of compromissen sluit, als je ze zo wilt noemen – om een relatie te laten voortbestaan? Als God Margot hier heeft gebracht, kan dat zijn geweest opdat we er allebei achter kunnen komen wat onze waarden zijn. Op die manier heeft God me John ook gebracht, en ontdekte ik wat het belangrijkst voor me was.

Niemand weet hoe het verder zal gaan. Op dit moment zijn we minnaars. Op dit moment kan ik me niet voorstellen dat ik niet meer in Aarons armen zou zijn.

Begrafenis van een dierbare vriend

De stilte zingt nog steeds uit de keel van nergens.

– Nirmala, gedicht zonder titel

Kim sterft. Hij is zo dapper aan het eind. Ik zou nooit met zoveel overgave kunnen ondergaan wat hij heeft ondergaan. Ik voel me bevoorrecht dat ik bij zijn laatste momenten mag zijn, al twintig jaar mijn goede vriend, voordat zijn hart het opgeeft. Kim werd niet seniel, gek of zielig. Hij leerde zijn ziekte accepteren terwijl die erger werd, op een manier zoals maar weinig mensen kunnen, en behield zo tot het allerlaatst zijn waardigheid. Ik geloof dat hij uiteindelijk een goed leven had.

De dag van Kims begrafenis begint met schitterende zonneschijn. Clinton komt voor de ochtend naar kantoor. Hij is intussen de belangrijkste organisator van het bedrijf geworden. Kim heeft jaren op Clintons scherpe intelligentie, zijn enorme kennis van elektronica, zijn technische achtergrond en zijn spirituele scherpzinnigheid vertrouwd. Clinton zou zo ergens een baan kunnen vinden die beter betaalt, maar hij is Kim en wat hij wilde bereiken volledig toegenegen.

We kunnen goed met elkaar opschieten, Clinton en ik. Hij is een gedrongen, aanwezige kerel die op zijn veertigste al bijna kaal is. Hij is getrouwd met een Chinese en ze hebben drie heerlijke kinderen die hem vaak wakker houden. Clinton heeft me al meerdere malen uit de computerproblemen geholpen en geniet van de salades die ik voor de lunch maak. Ik geniet van hoe hij een goede grap waardeert en vertrouw in veel kwesties op zijn mening.

'Clinton, kijk eens,' zeg ik. Ik heb een paarse driekwartbroek aan met een roze topje met een vrij diep decolleté. Geen gebruikelijke begrafeniskleding. 'Moet ik me omkleden?'

Clintons mening zal goed en doordacht zijn. Daarom vraag ik het hem.

'Alsjeblieft niet,' zegt hij met een glimlach.

En ik voel dat deze begrafenis inderdaad meer een gelegenheid is om te vieren dan om te rouwen. Het is een milde, zonnige herfstdag. Kim is van deze bestaansvorm overgegaan in een andere, maar hij is niet 'dood' en zal dat ook nooit zijn. Hij zal een tijdje in astrale vorm observeren wat er allemaal gebeurt. Ik heb het idee dat hij er erg van geniet toe te kijken hoe Aaron en ik de liefde bedrijven. Clinton heeft het gevoel dat Kim hem leidt, en dat hij hem een tijdje zal bijstaan om te doen wat nodig is om het bedrijf op een nieuw spoor te krijgen met zijn jongste zoon, Nick, erbij. Nick is pas tweeentwintig, maar hij laat al zien dat hij waarschijnlijk de benodigde nuchterheid bezit.

Kims vader, drie broers, een zus en tientallen goede vrienden komen afscheid nemen. Het is een opmerkelijke dag, vol bijzondere verbindingen tussen mensen wier paden elkaar kruisen.

Aaron en ik blijven in Kims huis wonen als huisoppas, een extra veiligheid voor het bedrijf, dat de huur zal blijven betalen.

Kims kamer blijft onveranderd tot Nick vindt dat het tijd is om de spullen van zijn vader op te ruimen.

Op bezoek in Denmark

Ga daar maar gewoon zitten.
Doe niets.
Rust enkel uit.

– Hafiz, 'Ga daar maar zitten'

Denmark... Deze plaats gaat me zo na aan het hart omdat ik er zeventien jaar heb gewoond en er het grootste deel van *Gods callgirl* heb geschreven, op veilige afstand van de grote stad, Perth. De onvoorwaardelijke acceptatie door mijn vrienden bleek de eerste echte stap in mijn genezingsproces van een pijnlijk verleden. Die vrienden zijn nog steeds bij me, en een van hen, Jill – met wie ik door de jaren heen zoveel gesprekken heb gehad en die me zo vaak heeft geholpen met haar wijze inzichten – heeft Aaron en mij uitgenodigd om een paar dagen te komen logeren.

We brengen het grootste deel van de eerste dag op weg naar het zuiden uit Perth in stilte door in mijn auto. Ik ben vergeten muziek mee te nemen voor de cassetterecorder. De stilte is genoeglijk, er is alleen wel erg veel van. We willen allebei niet zomaar kletsen, niet het gevoel hebben dat we iets zeggen om iets te zeggen te hebben. Aaron zegt er iets over als we aankomen. Was er echt al die tijd niets te zeggen? Hadden we niet kunnen vertellen wat we onderweg zagen, zoals die prachtige bomen langs de weg? Ja, dat had gekund. Ja, dat zullen we in het vervolg doen.

Jill laat ons haar huis zien. Het is gerenoveerd, en het is smetteloos en heel zen. Ik ken het hier nog van toen zij hier woonde en ik vijf minuten verderop. Het heeft een tijdje leeggestaan, maar als wij weg zijn trekt ze er weer in. Er staan maar weinig meubels: een tafel, twee stoelen en een bank, zo'n Franse met paardenhaar erin, op zwenkwieltjes, met heel veel ruimte voor zichzelf. Aaron probeert hem even uit. 'Hij is minder hard dan de vloer.'

In de slaapkamer staat een comfortabel bed, wat we ontdekken nadat we hebben besloten ons vroeg terug te trekken. Het avondeten bestond uit wat ik had meegenomen: eieren, toast en spruitgroenten, met abrikozen uit blik toe. Daarna zette Aaron de stoelen bij de open haard, die we niet wilden aansteken omdat het niet echt koud was. Het is de laatste dag van april, zwaarbewolkt en stil, maar nog steeds pas het begin van de herfst. We hebben ongeveer een uur gelezen: hij in zijn tijdschriften en ik in een boek met korte verhalen van Carmel Bird.

Aaron neemt een douche en komt bij me in bed. Ik ontdek al snel dat hij zijn oksels is vergeten te wassen en zeg dat, heel rustig, niet om kritiek te leveren, alleen om het hem te laten weten. 'Het zal wel een mannending zijn, Aaron.'

Hij zegt dat hij daar een oplossing voor heeft. Hij pakt zijn plunjezak, waar hij al zijn mannelijke attributen in opbergt, en haalt een deodorantroller tevoorschijn. Nu ruikt hij nog smeriger dan ervoor, maar dat durf ik niet tegen hem te zeggen. Ik waardeer zijn welwillendheid me een plezier te doen.

Hij draait zich naar de muur om, we gaan slapen. Ik krul me op tegen zijn rug. Ach ja, alles is goed.

Mijn handen zijn koud van het typen deze zondagochtend in Denmark. Aaron ligt naast me in Jills bed, volledig verdiept in zijn modelbouwtijdschriften. Ik schuif mijn linkerhand onder de deken en op zijn warme borstkas.

'Weet je dat je een koude hand hebt?' vraagt hij, en hij kijkt op van zijn blad.

'Natuurlijk weet ik dat. Ik heb hem daar neergelegd om op te warmen. Jij moet van me houden en me beschermen, weet je nog?'

'Is dat zo?' vraagt hij. 'En waar is die iemand die mij gaat beschermen? Hallo?'

Nou ja, dan niet. Maar we zijn vrienden, betere vrienden dan ooit, hoewel hij gespeeld geschokt reageert als ik me vooroverbuig om hem te kussen.

Ik typ verder, met een kussen achter mijn rug. Aaron houdt op met lezen en onderbreekt me met zijn liefhebbende onzin.

'Wij van het hoofdkwartier in Berlijn hebben u van achter ons raam geobserveerd en willen u meenemen om te ondervragen.'

'O!' giechel ik, en dan: 'Met hoeveel zijn jullie?'

'Ik ben er, Aaron, en dan heb je Fritz, en Helmut, en als laatste Klutz. Klutz is altijd de laatste, namelijk.'

Op dat moment klopt Jill aan op de voordeur. We nodigen haar binnen uit en betrekken haar bij ons spelletje. Het haalt haar uit haar nogal serieuze bui.

Aaron en ik klauteren over de schitterende rotsen bij Green's Pool en snuiven de levenskrachtige lucht in. We lijken alleen te zijn en Aaron wordt romantisch. Hij begint in zijn Zuid-Amerikaanse minnaarsaccent te praten, met een Duits sausje.

'Ik ga je op deze harde rots leggen, op deze mannelijke rots, en dan zul je de hardheid van mijn staaf in je zachtheid voelen, en dan ben je de brug tussen hemel en aarde.'

Hij voegt woord bij daad, slaat zijn armen om me heen en vleit me zacht op de gladde hardheid van de rots onder ons. Ik kan erop vertrouwen dat hij me niet uit zijn sterke armen laat vallen, maar volgens mij valt op dat moment wel mijn digitale camera. Ik merk pas op dat ik hem kwijt ben als we terug zijn in Jills huis.

Aaron staat met zijn handen in zijn zakken tegen de muur, een heup naar voren... een enorm uitnodigende pose, in elk geval voor mij. Zo uit een film. Ik giechel als een schoolmeid.

'Ja, nu ben je een giechelend meisje,' zegt hij. 'Dat is wat je bent. Je bent veel te lang een oudere vrouw geweest. Een jaar geleden, toen ik je weer leerde kennen, twijfelde je aan wie je was en voelde je je soms ongemakkelijk over jezelf. Nu zit je goed in je vel en dat is te zien. Je bent jezelf. Zesenzestig en godvergeten mooi! Ik ben zo trots op je. Ik ben zo blij dat ik je man ben.'

De verzamelaar

Ik verzamel, dus ik ben.

– vrij naar Descartes

Aaron heeft net als iedereen zijn grillen, hoewel hij er een dubbele dosis van lijkt te hebben. Het bizarste aan hem is zijn passie voor modelbouw. Het is een wereld waar ik hem gewoon niet kan ontmoeten: ik kan alleen gefascineerd toekijken. Hij vindt het heerlijk om te zien hoe een heleboel schijnbaar losstaande onderdeeltjes samen een vorm aannemen: een vliegtuig, een tank, een oorlogsschip, een ruimteschip... als het maar met oorlog of sciencefiction te maken heeft. Het is een passie die nooit minder wordt.

Hij heeft deze kant van zichzelf heel verlegen aan me geïntroduceerd. Hij zal wel heel wat te horen hebben gekregen van mensen die vinden dat hij volwassen moet worden... of in elk geval een paar van die modellen in elkaar moet zetten voordat hij er nog meer koopt! Zijn verzameling is al zo groot. Hij droomt ervan om al die modellen op een dag in zijn open woonkamer op planken aan de muren te hebben. Die woonkamer is op dit moment ook een droom want hij bestaat alleen in de computer als driedimensionale architectentekening. Aaron zegt dat zijn hart breekt als hij aan zijn huis denkt. Hij heeft honderden bouwmaterialen verzameld, om nog maar te zwijgen over de bergen curiosa uit Gods winkel – de kant van de weg – dingen die de rijken weggooien om door een van Gods eenvoudigere dienaren nieuw leven te worden ingeblazen. Maar Aaron kan maar op één plaats tegelijk zijn, en hij heeft ervoor gekozen bij mij te zijn en hier het werk te doen dat hem een goed inkomen belooft.

In Darkan, waar zijn huis staat, voelt hij zich beschermd, als in een cocon en alleen... vreselijk alleen. En ontmoedigd, want hij is nu eenenvijftig en nog niets dichter bij het vervullen van zijn droom dan toen hij zijn schuur bouwde om al zijn verzamelde materiaal in op te slaan, zeventien jaar geleden. De waarheid is dat Aaron een object dat hij langs de weg ziet niet kan laten liggen als het mogelijk in de toekomst nuttig kan zijn. Oude computers, televisies, alles wat met elektronica te maken heeft en spullen die zijn moeder, zus, nichtjes, vrienden of ik mogelijk kunnen gebruiken. Wat hij vindt is echt wonderlijk. Hij heeft een wensenlijstje in zijn hoofd en het kan kort of lang duren voordat hij vindt wat erop staat, maar uiteindelijk vindt hij het.

'Zelfs jij,' zegt hij. 'Ik heb al die tijd een beeld van je in mijn hoofd gehad. Het heeft dertig jaar geduurd voordat je weer in mijn leven kwam, maar het is wel gebeurd!'

Toen hij een andere Mitsubishi Colt nodig had om de onderdelen ervan voor zijn eigen auto te kunnen gebruiken, die intussen ernstig begon af te takelen, kwam hij er niet een, maar twee tegen! De eerste kostte hem maar honderdvijftig dollar omdat hij total loss was verklaard en er gras omheen was gegroeid. Nadat hij een paar uur ter plekke had staan schoonmaken en sleutelen, reed hij erin weg. Hij was in zo'n goede conditie dat hij besloot zijn eigen auto apart te zetten voor de onderdelen. De tweede kostte hem niets behalve wat ruilonderdelen. De eigenaar had het een en ander voor zijn Morris Mini nodig en Aaron had die spullen in zijn schuur liggen.

Vandaag komt hij thuis van de speelgoedwinkel met een beeldje van een bloemenfee. Ze zit op de steel van een bloem en haar hoofd rust op haar armen, ze slaapt. Haar haar valt gracieus om haar delicate gezichtje; alles aan haar is delicaat, zelfs haar handen.

'Zo ben jij ook,' zegt hij nadat hij haar heeft uitgepakt en haar aan mij heeft gegeven om te bekijken. 'Ze voelt zoals jij. Jij hebt dezelfde verfijning. Kijk maar naar haar handen: gracieus als die van jou. Dat zijn jouw armen. Zo zit jij ook. Het is jouw lichaam.'

Ik word geraakt door hoe hij me ziet. Het beeldje gaat naar mijn kaptafel in de slaapkamer. Later, als we in bed liggen, begint hij er weer over.

'Je bent als een delicate bloem,' zegt hij, en hij staart naar het beeldje. 'Jij hebt iets behouden wat ik ben verloren: vertrouwen in een relatie, onverschrokkenheid, onschuld.'

Zijn angst voor relaties zit zo diep dat ik moet uitkijken met wat ik tegen hem zeg. Als ik iets zeg wat kritiek is op de manier hoe hij met mij of anderen omgaat, kan dat hem aan voorgaande conflicten doen denken en dan escaleert zijn angst direct in doodsangst... doodsangst dat er ruzie komt. Die angst veroorzaakt een blokkade in onze relatie. We moeten eerlijk tegen elkaar zijn, maar hoe kunnen we eerlijk zijn als wat we zeggen de pijnlijkste emoties losmaakt? Daar heb ik nog geen antwoord op. Maar ik weet dat onze relatie een bepaalde diepgang zal missen tot we er iets op hebben gevonden.

Aaron vindt het niet nodig om te delen wat er in hem omgaat. Als ik met hem praat over het belang van communicatie parodieert hij me. 'Wil je dat ik je elke gedachte vertel die door mijn hoofd gaat? Hoe onzeker is dat?

Je wilt gewoon dat ik je vertel dat ik aan niemand behalve jou denk, toch? Dat ik nooit een andere vrouw seksueel zo aantrekkelijk zal vinden, dat ik nooit iets zal voelen voor een ander dan jij. Je wilt dat ik mijn gedachten en fantasie censureer en je wilt zeker weten dat ik met anderen praat alsof zij, en ik, seksloos zijn. Behalve bij jou, natuurlijk!'

Zijn verbittering is echt. Hij beseft niet dat hij mij beledigt met zijn overdrijving en dat hij iets tussen ons kapotmaakt met deze houding. Er is op dergelijke momenten maar weinig wat ik kan zeggen om mezelf te verdedigen. Het enige wat ik kan doen is mijn eigen probleem aangaan... het probleem van mijn blijvende onzekerheid. Hoewel hij overdrijft is het wel waar dat ik een beklemming om mijn hart voel als hij flirt met de vrouwen die hij tegenkomt en hun reactie oplepelt.

Als ik die middag op bed lig om even te rusten komt het antwoord. Het is exact hetzelfde gevoel dat ik had toen mijn vader 's nachts niet meer naar mijn kamer kwam om me te misbruiken. We waren naar het zonnige Australië verhuisd, waar het huis – met de dunne houten muurtjes – zijn nachtelijke bezoekjes onmogelijk maakte. Bovendien had hij de prostituees in Melbourne ontdekt. Ik voelde me afgedankt, niet langer zijn speciale meisje. Ik was wanhopig en ben op een dag in een boom geklommen, waar ik mijn ellende heb uitgeschreeuwd. Het was niet bewust, de ellende was op dat moment net zo'n groot mysterie voor mij als voor de mensen die me hoorden. Het misbruik had altijd 's nachts plaatsgevonden, in mijn slaap.

Nu herken ik dat gevoel weer. O God! Het enige wat ik ermee kan doen is het accepteren, dergelijke gevoelens toestaan er te zijn. Ik pas de klopmethode van de Emotional Freedom Technique toe en zeg hardop: 'Ondanks dat ik deze vervelende, onredelijke pijn in mijn hart voel, vergeef en bemin ik mezelf diep en volledig.' Het ritueel en de woorden maken mijn pijn minder. Ik besef dat ik ervoor kan kiezen die gevoelens volledig te accepteren en daarmee de situatie en mezelf, of te lijden.

Aaron komt terug van een bijeenkomst. Ik sta op het punt ergens naartoe te gaan, dus ik zoek hem om afscheid te nemen. Hij zit op de bank in de televisiekamer. Voordat ik iets kan zeggen, zegt hij: 'Ik heb een cadeautje voor je,' en gebaart me naast hem te komen zitten. Dat doet hij, en hij begint me waanzinnig teder op mijn mond te kussen, steeds opnieuw. Tussen de kussen door zie ik zijn gezicht. Het is glad, en straalt jongensachtige extase uit.

'Je voelt zo fijn, schat,' zegt hij zacht.

Hoe kan ik zijn lijfelijkheid met mijn neurose vernietigen? Ik kan geen woord uitspreken dat de vreugde van zijn eerlijke liefde minder zou maken, nu niet.

Ik zit in de woonkamer thee te drinken. Aaron zit aan de ene kant van de kamer en Margot aan de andere. Ze zijn allebei druk en praten niet. Dan zegt Aaron: 'Margot heeft vandaag een vreselijke dag.'

'O ja? Heeft ze een knuffel nodig?'

Ik heb de woorden al uitgesproken voordat ik weet wat ik zeg, maar ze maken niets stuk. Aaron lacht kort.

Margot zegt: 'Mijn maag speelt op. Ik heb niet eens zin in een kop thee. Het gaat wel weer over.'

Het wordt weer stil in de kamer. Het dringt op dat moment tot me door hoe onschuldig het allemaal is tussen hen. Aaron voelt medeleven jegens zijn vriendin. Ze heeft behoefte aan zijn begrip en aandacht. Ze zijn goede maatjes in deze kamer. Ik heb niet hetzelfde vanzelfsprekende begrip voor Margot dat Aaron heeft. Als ik dat zou hebben, zou ik dichter bij haar staan.

Op een ochtend deelt ze een droom met me die ze heeft gehad, over een brief van haar vader, waarin stond hoe trots hij was op zijn mooie dochter. Ze is diep geroerd door deze boodschap uit het dodenrijk, zoals zij het zegt, aangezien haar vader is overleden toen ze veertien was en hij bij leven niet gewoon was zijn kinderen te vertellen dat hij van hen hield. Margot wil zo graag met me over die droom praten dat ze de achtertrap af komt om me erover te vertellen terwijl ik de was sta op te hangen. Het is een teken dat ze open naar me is, maar ik voel niet dezelfde openheid naar haar. De prijs voor mijn passie is onvriendelijkheid.

Ik voel me vereerd dat ze iets met me wil delen, en ben blij voor haar, en dat zeg ik ook. We lopen samen de trap op, Margot voor me uit. Haar lichaamstaal vertelt me hoe kwetsbaar ze is en ik voel een korte golf van ongebruikelijke warmte door me heen gaan. Het dringt tot me door dat Margot geen vezel met slechte bedoelingen in zich heeft. Het laatste wat ze zou willen is mij kwetsen. Dat weet ik zo zeker als wat. Die zekerheid is een strenge waarschuwing. Dit ben jij allemaal zelf, Carla. Aaron mag dan zijn eigen problemen hebben, maar dit is dat van jou!

'Er is zoveel aan mijn kop gezeken door vrouwen over mijn mannelijkheid,' mijmert Aaron. 'Ik ben vaak doodsbang dat het niet genoeg is.'

Er scheurt iets door me heen terwijl ik voel hoe diep hij gewond is. Ik kom op een elleboog omhoog en kus hem tussen mijn extreem nadrukkelijk uitgesproken woorden door: 'Aaron... je... mannelijkheid... is... prachtig!'

Aaron is verbijsterd. 'Dat heb ik begrepen,' zegt hij bescheiden. 'Dat heb ik absoluut begrepen! Fijn dat je me mezelf laat zien.' Ik voel de gloed die uit zijn borst komt. Wat leuk om een vent te leren zijn eigen mannelijkheid te zien en omarmen! Vooral als die zo duidelijk ingebouwd zit in een man als Aaron.

'Carla, niet doen,' zegt Aaron op het moment dat ik iets over mijn vagina begin te zeggen... dat die misschien niet zo strak is als hij zou moeten zijn, of zoals hij gewend is bij jongere vrouwen?

'Niets aan jou is los of flodderig, vertrouw me maar,' zegt hij. 'En ik kan het weten, toch?'

Het is vrijmoedig van hem om te beginnen over de hoeveelheid vrouwen die hij in zijn leven heeft gehad, maar deze keer doet hij dat om een punt te benadrukken dat ik graag hoor.

'Ik wil dit tegen je zeggen: ik ben dol op hoe je vagina ruikt en smaakt, en op de blonde haartjes eromheen. Ik ben dol op hoe hij bij je past en hoe hij nat wordt. En ik ben er dol op omdat hij van jou is.'

Nou, wat moet een vrouw nog meer horen om zich geweldig te gaan voelen over haar vagina? Ik hoef nooit meer een minderwaardige gedachte over het onderwerp te hebben. Niet dat Aaron het zegt om me een goed gevoel te geven. Hij zegt dat hij de waardering die hij voelt wil uitdrukken, die niet voor zichzelf wil houden. Hij wil zijn vrouw overladen met respect en bewondering.

'Je maakt een dichter van me,' zegt hij.

Hij wil dat ik ook expressiever ben. Ik kijk hem dommig aan en begin te stotteren omdat mijn brein een grote brij wordt, en elke samenhangende gedachte lijkt heel ver weg. Dan tuimelen er ineens woorden naar buiten, spontaan, ongecensureerd, onberedeneerd.

'Ik open bij jou als een bloem,' hoor ik mezelf zeggen, 'als een heel veld vol bloemen. Jij bent de zon die alle celbloemen in mijn lichaam verwarmt. De hemel is rood van rozenblaadjes en ze vallen op ons neer, strelen ons lichaam omdat dat is wat ze fijn vinden, en dan vlijen ze zich naast ons neer, als minnaars, stralend, geurig en opgebruikt.'

Hij legt zijn hand over mijn mond. 'Wat overkomt me nu?' grapt hij. 'Je begint poëtischer te worden dan ik! Waar komt dat allemaal vandaan? Gaat het nog over?'

We moeten er allebei om lachen. Het is best een doorbraak voor mij, me zo uit te drukken in woorden.

'Ik vind je borsten zo mooi,' zegt hij onverwacht. Ik weet dat hij nooit iets zegt wat hij niet meent, dus ik vraag hem: 'Wat vind je er dan mooi aan?' (Mijn borsten, nou vraag ik je.)

'Ik vind het mooi dat ze zo *petite* zijn,' zegt hij. (Petite? Wat schattig!) 'En hoe extreem gevoelig ze zijn. Ze zijn klein, dus ze hangen niet, het zijn net de borsten van een jonge meid. Ze zijn lief. En zo zacht. En er zitten een triljoen zenuwen in, die tot leven komen zodra ik ze aanraak, en die je natmaken. En ik ben verzot op je tepels, de ene is bijna vierkant als hij hard is, en de andere is parmantig en rond. Ze zijn zo groot! En ze zijn van jou. Ik houd boven alles van je borsten omdat ze van jou zijn.'

Hij neemt mijn borsten in zijn handen en ik snak naar adem. Hij houdt ze heel stil vast; de warmte van zijn handen stroomt door hun weinige vlees, alsof hij ze geneest... of in elk geval mijn concept ervan.

Aaron: 'Ik kreeg net tranen in mijn ogen.'

'O?'

'Ze kwamen gewoon, zomaar.'

'O.'

'Ik houd zoveel van je dat het pijn doet. Het maakt me verdrietig dat ik niet genoeg van je kan houden. Ik probeer het en probeer het, maar het is nooit genoeg. Ik voel me nooit bevredigd. Het is een kwelling.'

Ik luister naar een verliefde man die met een vrouw praat die hij midden in de nacht heeft wakker gemaakt om haar te vertellen hoeveel hij van haar houdt. Ik lag heel diep te slapen. Ik herinner me vaag dat ik werd omhelsd, dat ik zijn adem in mijn gezicht voelde, dat het bed bewoog toen een zwaar lichaam erop kwam liggen. Ik werd langzaam wakker doordat zijn lichaam van zijn schouder tot zijn tenen tegen me aan drukte, en van zijn woorden, *sotto voce.*

'Dank je voor gisteravond. We hebben zo heerlijk gevreeën, jij en ik. Jij bent helemaal vrouw en ik voel me helemaal man. Dat is niet het enige. Ik voel je schoonheid en dat breekt mijn hart. Ik probeer zoals jij te zijn en kan dat niet. Dat is mijn pijn. Ik kan niet zoals jij zijn. Ik kan je alleen van buitenaf liefhebben. Ik kan alleen liefhebben wat buiten mezelf is. Het stemt me bedroeft dat ik niet in je ruimte kan zijn, ik kan niet in je liefde zijn, ik kan niet genoeg van je houden.'

Ik herken die pijn. Ik had hem ook. Maar Aaron bleef me er maar aan helpen herinneren dat deze schoonheid niet buiten me lag. Nu is Aaron verliefd, en hij kan niet meer helder nadenken. Aaron, de rollen zijn omgedraaid. Onze vorige rollen zijn omgedraaid.

Aaron kijkt vanochtend bedachtzaam en ik vraag hem wat er is.

'Mijn huis,' legt hij uit. 'Het wil dat ik terugkom. Het symboliseert mijn andere leven, dat ik verkies te negeren om bij jou te zijn. Maar mijn huis is ook een onderdeel van mijn leven, het is een deel van wie ik ben. Het is een beetje zoals wanneer je een kapitein op een schip bent,' zegt hij. 'De kapitein heeft een vrouw aan de kade en gaat weg met zijn schip. Ze is jaloers op hem omdat het schip als een tweede vrouw is. Mijn huis draagt zoveel van mijn geschiedenis in zich dat mijn ziel er leger door wordt als ik het negeer. Ik voel me er van loskomen. Hoe hard ik ook probeer hier bij jou te zijn, ik kan niet op twee plaatsen tegelijk zijn.'

Hij laat me achter om te bedenken of ik het schip of de vrouw ben. Wat het voor mij betekent is dat het huis tenminste een deel van de tijd zijn prioriteit zal zijn.

'Hoe zal het met ons verder gaan?' Aaron klinkt angstig. Er is nooit een antwoord op deze veelgestelde vraag.

'Het enige wat ik weet is dat we nu hier zijn,' is altijd mijn antwoord. Misschien dat er nog eindeloos veel nu-momenten komen, en misschien dat vele ervan zullen worden doorgebracht op manieren die we ons nog niet kunnen voorstellen.

'Ik wil je niet in de weg staan als je leven je bij me wegroept,' zegt hij nederig. 'Toen je in dat vliegtuig naar Europa vertrok ben ik blijven staan tot het nog maar een vlekje in de hemel was en uiteindelijk helemaal was verdwenen. Ik heb je in de tijd dat ik er stond helemaal losgelaten, misschien om nooit meer naar me terug te keren. Ik heb je je lot tegemoet laten treden, wat dat ook was. Dat was heel pijnlijk, maar het heeft me bevrijd. Tot het moment dat je de douane uitkwam en me aankeek, wist ik niet zeker of je naar me zou terugkomen. Niet dat ik je niet vertrouwde. Ik wist dat je ziel je ergens anders naartoe kon hebben geroepen en ik wilde je niet in de weg staan. Zoveel houd ik van je.'

Uitwisseling van energie

Als je ooit verdrietig wordt
van de spiegel
moet je weten
dat hij je niet
kent.

– Kabir, 'Waar kijken vrouwenogen naar?'

We zitten aan de keukentafel. Het ontbijt voor één persoon, mezelf, is net achter de rug. Aaron slaat af en toe het ontbijt over. Hij probeert niet alleen af te vallen (wat niet lukt), hij heeft ook eens uitgelegd dat hij probeert niet meer te eten dan zijn wekelijkse bijdrage aan de huishoudportemonnee zou toestaan. Het heeft geen zin hem te vertellen dat hij later op de dag alleen maar nog meer honger krijgt als hij zijn ontbijt overslaat en hij dan de koekjes voor het bezoek opeet en zijn privévoorraad chocoladepinda's verorbert.

Ik ben de laatste tijd moe als ik wakker word. Dat ben ik niet gewend. Wat gebeurt er? Aarons gesnurk is intussen gewoon geworden, maar het moet nog steeds effect hebben, hetzelfde effect dat verkeer heeft op mensen die aan een snelweg wonen. Slapen is ook om andere redenen moeilijk de laatste tijd. Ik ga eerder naar bed dan Aaron, maar slaap pas echt in als hij naast me ligt... vaak twee, drie of vier uur later dan ik. Pas dan sta ik mezelf toe echt diep in slaap te vallen.

Maar toen Aaron een paar dagen geleden naar Darkan was, kon ik vroeg naar bed en voor zes uur opstaan, zoals ik dat ben gewend en wat een goed ritme voor me is. Ik had veel energie en mediteerde weer... iets wat ik al maanden niet meer bewust doe. Ik sliep zo goed dat ik wist dat het een teken was dat ik meer ruimte voor mezelf nodig heb. Ik merkte dat ik er zelfs naar uitkeek dat Aaron weg zou zijn. Zo hoort dat niet te gaan tussen minnaars!

Maar gaat het alleen om het slapen? Is er iets aan de hand wat dieper ligt? Ik voel een wanhopige behoefte eerlijk tegen mezelf te zijn. Ik denk terug aan mijn meditaties toen Aaron er niet was. Mediteren betekent voor mij gaan zitten en de kern van mijn wezen voelen. Ik zou het heerlijk vinden om het samen met Aaron te doen; ik heb het gevoel dat het onze intimiteit zou vergroten. We zijn zulke goede vrienden en hebben zo'n intieme lichamelijke band. Zouden we een diepere intimiteit kunnen hebben, zoals twee zielen die hebben als ze via hun geest communiceren, in stilte? Of als ze de ervaring van hun wezen met elkaar delen? Of met elkaar delen wat in de weg kan staan om die te delen?

Ik begeef me op glad ijs, dat weet ik. Omdat ik vanaf de buitenkant naar Aaron kijk, denk ik dat ik bepaalde dingen aan hem gemakkelijker kan zien dan hij. We hebben allemaal blinde vlekken, toch? En andersom: Aaron is ook heel duidelijk over hoe hij mij ziet. Het probleem is dat wat we denken te zien enkel onze interpretatie is. Die zou best eens heel erg niet kunnen kloppen.

Aaron onderbreekt mijn gedachten door te vragen of er iets is. Waarom zou hij dat denken? Ben ik niet altijd gretig terug te zijn in zijn armen? Ja. En vertel ik hem niet dat ik van hem houd? Jawel, en dat meen ik ook. Ik houd zoveel van hem. De pijn die ik begin te voelen is als de pijn die je voelt als je een geliefde moet achterlaten. Ik reis verder, naar een land dat niet verder weg ligt dan mijn ziel en dat toch aan de andere kant van de wereld kan zijn.

Aaron wacht geduldig tot ik mijn gedachten op een rijtje heb. Hij glimlacht vaag: wat zijn meisje ook aan haar hoofd heeft, het is serieus, en hij gelooft niet snel in 'serieus'. Meestal betekent dat overdrijving, illusie, de creaties van een overwerkte, angstige verbeelding. Hij zal luisteren, maar het niet noodzakelijkerwijs horen. Geef haar een paar dagen en ze trekt wel weer bij. Ze houdt van me, dat is waar het om gaat.

Ik trek mijn blik weg van de amandelboom in de achtertuin, die nu kale takken heeft. Hij ziet eruit alsof hij nooit meer vruchten zal dragen.

'Aaron, ik heb het gevoel dat we in bed zo perfect bij elkaar passen, en dat we genieten van elkaars gezelschap, maar dat dat is waar het geheel ophoudt,' zeg ik. 'Diezelfde verenigbaarheid is er niet op andere vlakken. Ik veroordeel je er niet om. Ik probeer alleen die waarheid toe te geven aan mezelf en aan jou.'

Aaron kijkt bedachtzaam en heeft geen antwoord, dus ga ik verder.

'Als twee excentrieke zielen samenkomen worden de punten van verenigbaarheid minder en die van excentriciteit meer. We zijn allebei excentriek. Het is een wonder dat we op zoveel vlakken wél verenigbaar zijn.'

Nu ziet Aaron er gekwetst uit. Hij heeft mijn woorden over zijn excentriciteit als klacht opgevat en schiet een beetje in de verdediging.

'Ik heb nooit geprobeerd je te veranderen, Carla. Ik heb alleen geprobeerd je te kennen en van je te genieten.'

Ik weet dat dat waar is. Dat is altijd zijn bedoeling geweest. Hij wilde me ooit, lang geleden, zoveel leren. Het stond zo diep in zijn brein gegrift dat een relatie betekent dat je van elkaar leert, en hij wist exact wat ik moest leren. Hij wanhoopte toen ik het niet begreep, verloor zijn geduld en voelde zich gekwetst als ik weigerde te doen wat me werd gezegd, ook al was dat voor mijn eigen bestwil. Dat was een tijdje geleden. De laatste tijd respecteert hij mijn keuzes en houdt van de delen van Carla die hem aanstaan. En de andere delen? Nou, hij heeft besloten dat die mijn zaak zijn, niet die van hem.

'Als je me wilt veranderen heb ik het gevoel dat je me geweld aandoet,' zegt hij nu. 'Daarom kom ik mijn hoofd niet uit. De geest is destructief.'

Ik denk aan hoe ik hem de laatste tijd heb willen veranderen. Er zijn een paar duidelijke voorbeelden. Vorige week heb ik hem gesmeekt of hij alsjeblieft, alsjeblíeft de bekers en glazen op het afdruiprek wil laten staan nadat ze zijn afgewassen zodat de randen kunnen drogen, en of hij alsjeblieft, alsjeblíeft het bestek in het bestekbakje wil zetten, zodat ook dat goed kan uitdruipen.

In eerste instantie negeerde hij me. 'Rustig maar Carla, laat het me op mijn eigen manier doen. Ik sta af te wassen, is dat niet geweldig genoeg?'

Maar ik heb uitgelegd waarom ik dat verzoek deed – als je de logica van mijn verzoek volgt, waarom wil je het dan niet doen? – en hij heeft beloofd te doen wat ik vroeg. Toch gebeurde het gewoon niet. Een paar dagen later vroeg ik of hij opzettelijk weigerde of het gewoon bleef vergeten. Aaron bood zijn excuses aan: ja, hij was het vergeten.

Het drong tot me door dat als het zo ingewikkeld voor hem is om een eenvoudige gewoonte te veranderen, het nog veel moeilijker moet zijn om iets te veranderen wat dieper ligt, zoals emoties.

Ik heb niet het recht te verwachten dat Aaron verandert. Maar het wordt tijd dat het tot mij doordringt dat hij ondanks zijn goede bedoelingen ook niet gáát veranderen. Het is hoog tijd dat ik ga bedenken waarmee ik wil leven en waarmee niet, en dat ik hem dat laat weten.

De hoeveelheid spullen die hij de laatste tijd het huis in heeft gebracht is enorm. Sommige dingen – zoals zijn cd's, twee grote dozen vol – zijn op de kast in mijn schrijfkamer terechtgekomen. Ze staan daar niet verkeerd, maar hij heeft me niet gevraagd of ik het goed vond of hij ze op die speciale plek zette die mijn schrijfkamer is.

Zijn andere spullen staan opgestapeld in het kamertje tegenover de slaapkamer, dat ook dienstdoet als kleding- annex televisiekamer. Er is nog een kamer beschikbaar – die van Kim – maar Aaron lijkt het geen prettig idee te vinden zijn dingen daar neer te zetten, of er af en toe te slapen om mij wat respijt van zijn gesnurk te geven. Hij voelt zich er niet prettig bij om inbreuk te doen op wat vroeger Kims kamer was. Ik vind dat moeilijk te begrijpen, nu het al bijna twee maanden geleden is dat Kim is overleden. Het lijkt net of mijn ruimte er niet toe doet, maar die van Kim wel, omdat hij dood is. Dat is Aarons excentriciteit en daar kan ik niets aan veranderen. Wat ik wel kan doen is zelf in die kamer trekken, maar dat voelt niet eerlijk. Ik ben op mijn eigen bed gesteld, vind het prettig mijn kaptafel in de buurt te hebben, en ik houd van het vele licht dat 's ochtends mijn kamer binnenstroomt.

Aaron zegt dat hij liever op de oude leren bank in de woonkamer slaapt. En dat doet hij ook. Hij heeft er deze week drie keer tot diep in de nacht aan zijn computer zitten werken en is daarna op de bank gaan slapen.

Dat lost niet het probleem op dat zijn spullen de kleine televisiekamer volledig vullen. Er staat zoveel dat we de deur niet meer dicht krijgen. Dat merk ik als ik op het punt sta om naar een bijeenkomst te vertrekken, en ik vraag Aaron zijn spullen zo neer te zetten dat bezoekers op weg naar het toilet de troep niet zien. Er is die ochtend een stafvergadering in het kantoor, wat betekent dat meer mensen dan gewoonlijk langs die kamer lopen. Hij belooft er meteen iets aan te doen, maar als ik thuiskom is hij het duidelijk vergeten. Er is iets verplaatst en de deur staat – alweer – open. Rotzooi doet hem niets, maar waarom raakt het mij wel zo?

Als we het huis weer voor onszelf hebben, vertel ik hem over mijn nare gevoel.

'Aaron, jij bent in mijn ruimte gekomen, dus ik vind dat je mijn grenzen moet respecteren. Jij hebt ze ook in jouw ruimte, weet je nog? Je hebt me je regels verteld. Als ik in jouw ruimte ben, moet ik me aan jouw regels aanpassen. Jij moet de mijne ook respecteren.'

Aaron ziet wat ik bedoel en biedt zijn excuses aan, maar een paar dagen later is er weer een voorval. Hij zet achteloos de gebruikte theekopjes die hij zou moeten afwassen in het afwaswater in de gootsteen, en gaat weer aan de lunchtafel zitten. Ik onderbreek mijn gesprek met Clinton en Margot om hem naar zijn hoofd te werpen: 'Aaron! Die kopjes gaan zichzelf niet afwassen, hoor.' Iedereen is verbijsterd over de toon die ik aansla.

Aaron slaat zichzelf op zijn hand alsof hij een stout jongetje is en zegt spottend: 'Stoute hand! Dat mag niet! Dat mag je niet meer doen, hoor!'

Het is een opluchting dat hij er een grapje van maakt, maar ik haat het om kopjes in de kast aan te treffen met lippenstift op de rand of koffievlekken erin. Dat zal Aaron een zorg zijn, hij gelooft dat dergelijk vuil bijdraagt aan een gezond immuunsysteem. Ik heb geen idee waarom schoonmaken zo'n weerstand bij hem oproept, tot hij het me vertelt.

'Je geeft me het gevoel dat ik een klein jongetje ben,' zegt hij, 'dat op zijn kop krijgt van zijn moeder.'

Nu snap ik het. Geen wonder dat hij zo vaak de dingen 'vergeet' die ik hem vraag te doen, zoals de deur van de televisiekamer dichtdoen of het vuilnis buiten zetten. 'Vergeten' is zijn vorm van rebellie tegen zijn moeder. Het is gemakkelijker om te gaan met zijn slordigheid en vergeetachtigheid als ik het begrijp, maar ik betrap mezelf er toch op dat ik een man zou willen hebben die dat stadium voorbij is.

Aaron ziet mijn wens dat hij verandert als een belediging van de liefde. 'Ik ben hier bij jou om wat we samen hebben,' zegt hij. 'Ik concentreer me niet op de verschillen.'

Ik vind het heroïsch klinken. Kunnen twee mensen dit samen doen, of werkt het alleen als iemand het alleen doet? Of werkt het helemaal niet, omdat verschillen de neiging hebben naar boven te komen, of je er nu aandacht aan besteedt of niet?

Ik ben van streek, maar besef dat het geen zin heeft om daaraan toe te geven. Aaron is gewoon zo en ik kan ervoor kiezen hem te nemen zoals hij is of besluiten dat ik niet met hem wil leven. Aaron noemt dat ik van streek ben mijn 'ego', maar als het op mijn manier willen mijn ego is, dan is dat wat het is en dan is het aan Aaron om te beslissen of hij dat wel of niet wil. Ik ben het zat om boven mijn kunnen te leven, om te proberen iets te accepteren als ik daar geen zin in heb.

'Er zijn andere manieren om energie uit te wisselen,' zeg ik. 'Als één persoon bijvoorbeeld het hele huishouden doet en de ander doet er niets aan, dan is dat geen eerlijke uitwisseling van energie.'

Zijn gezicht wordt serieus. 'Als je niets voor me wilt doen, moet je het niet doen.'

'Hoe zou jouw leven zijn als ik me niet meer als je moeder zou gedragen? Zou je in staat zijn voor jezelf te zorgen?'

'Ik zou er een andere levensstijl op nahouden dan jij, maar ik zou het wel overleven.'

Het zou nooit werken als we een aparte huishouding in dit huis zouden voeren, als we allebei voor onszelf zouden zorgen. Aaron zou nooit schoonmaken, omdat hij dat niet is gewend. Zijn huis in Darkan is een groot stofnest.

'Ik ben dankbaar te zien wat ik onder de stoflaag aantref als ik die ergens afveeg,' heeft hij eens gezegd, en dat vat wel zo'n beetje samen hoe belangrijk hij het vindt om schoon te maken. Hij zegt dat het gaat veranderen als zijn huis eenmaal klaar is. Nou, waarom kan hij dan niet hier vast wat oefenen?

'Ik heb hier nu geen zin in, Carla.'

Aaron ziet denk ik niet voor zich dat iemand zijn huis ooit met hem zal delen. Als er iemand bij hem zou intrekken zou dat eenvoudigweg op zijn voorwaarden zijn. Is in een schoon huis willen wonen een teken van onzekerheid? Hij zegt van wel. Daar ben ik het niet mee eens. Maakt het wat uit? Op dit moment woont hij in dít huis met míj, en behalve afwassen na de lunch en het avondeten (en hij slaat over het algemeen het fornuis over) doe ik al het schoonmaakwerk. En daar ben ik het niet mee eens.

En zo is het dat een klein voorval de aanzet wordt tot een diepliggend conflict.

Een klein voorval kan symbool staan voor wat onopgelost in iemands ziel huist... en kan de opmaat zijn naar verandering of een einde. Als een dergelijk voorval zich voordoet staat iemand als Aaron voor een keuze. Wil ik deze relatie? Want als dat zo is, zal ik moeten veranderen. Of heb ik zelfmedelijden en word ik kwaad en zeg ik: mooi niet! Ik tolereer geen drama meer in mijn leven, nooit meer?

Nou, dat punt is aangebroken in het leven met Aaron. Het is het voorval met de deur naar het kleine kamertje die weer openstaat. Ik confronteer Aaron met het feit dat ik hem die dag al minstens vier keer heb dichtgedaan. Hij staat er in totaal ongeloof bij: hoe kan iemand zich druk maken over een deur die openstaat? Zijn eerste reactie is te vluchten naar het kantoor, waar Margot en Clinton zich net klaarmaken om te vertrekken.

'Hé jongens, zitten jullie ermee dat de deur naar het kleine kamertje op de gang openstaat?' vraagt hij, en zijn toon en lichaamstaal zeggen: help me hiermee, jongens, help me!

Margots onmiddellijke reactie is glimlachen en dan lachen. 'Natuurlijk maakt dat niet uit!'

Maar Clinton is bedachtzamer. Hij kijkt Aaron recht aan en knikt. Ja, het maakt hem uit. Clinton denkt waarschijnlijk net als ik aan het imago van het bedrijf.

'Klootzak!' is de reactie van Aaron.

'Dat zei hij alleen maar om jou bij te staan,' zegt hij nadat Margot en Clinton naar huis zijn. 'Dat kan hij niet gemeend hebben. Hij wilde jou gewoon niet afvallen.'

Aaron is er niet als het eten klaar is. Hij is naar buiten gegaan om alles voor zichzelf nog eens te overdenken. Dit ziet er serieus uit. Ik laat hem buiten, hij moet zijn eigen maaltijd maar maken als hij zover is.

Hij heeft die nacht een droom; of eigenlijk is het een nachtmerrie. Het overkomt hem drie keer. Hij probeert in die droom een wollige puppy tegen een enorme mastiff te beschermen, die het hondje in zijn bek heeft. Het enige wat hij kan doen om de mastiff van het hondje af te krijgen is hem met zijn vingers in zijn ogen prikken. Zijn handen raken gewond terwijl hij probeert het hondje uit de bek van de mastiff te wrikken.

Voor Aaron gaat de droom over hoe hij zijn relaties beschermt: het onschuldige, wollige hondje. 'Ik wil geen drama's meer in mijn leven!' is Aarons mantra. Voor mij symboliseren onderdelen in de droom onderdelen in Aarons psyche. Hij prikt liever zijn eigen ogen uit dan dat hij ziet dat hij alles aan zichzelf te danken heeft: hij is degene die de randvoorwaarden voor het drama schept. Als ik erop sta dat mijn grenzen worden gerespecteerd, maak ik dan ergens een drama van? Of is het zijn reactie op mijn aandringen dat het drama creëert?

Het is moeilijk te geloven dat hij niet kan – wil – zien wat ik zo geduldig beschrijf als hij mij naar mijn interpretatie van zijn droom vraagt.

Als het begint uit te maken

De enige zonde die mensen elkaar nooit vergeven
is een meningsverschil.

– Ralph Waldo Emerson

Ik zit in een van de gemakkelijke stoelen naast de bank waarop Aaron heeft geslapen. Het is na acht uur 's ochtends en ik heb thee voor ons gezet. Ik kom terug op zijn droom.

'De droom vertelt mij dat als iemand je vraagt je gedrag te veranderen om een ander een plezier te doen, jij je in je kern voelt aangetast,' zeg ik. 'Dan heb je het gevoel dat je jezelf niet kunt zijn. Geen wonder dat je je ertegen moet verzetten door steeds dingen te "vergeten"! En ik ben de vreselijke mastiff, de slechterik! Als ik de mastiff ben, dan creëer ik het drama dat je niet wilt in je leven, maar dat je om de een of andere reden maar blijft achtervolgen. Steeds weer opnieuw.'

'Als iemand tegen me gaat zeggen hoe ik moet leven, wil ik weg. Jij wilt alles gewoon op jouw manier,' zegt hij. 'Je bent absoluut niet in staat een compromis te sluiten.'

'Dat is niet waar!' werp ik tegen. 'Ik wil best met die puinhoop leven, onder de voorwaarde dat je die deur dichthoudt. Dat is toch een compromis, of niet soms?'

Ik krijg geen antwoord. Bewijzen dat Aaron ongelijk heeft voelt voor Aaron als verkeerd.

'Ik voel onze relatie gewoon,' zegt hij uiteindelijk. 'Gevoelens zijn waar het mij om gaat, geen godvergeten argumenten.' Er valt een stilte. Dan: 'Ik heb die droom al heel vaak gehad.'

'Dat zegt genoeg,' is mijn antwoord.

Het kan jaren gaan duren voordat dit gesprek ergens op slaat voor Aaron. Als het al ooit zover komt. Het kan hem nog heel wat relaties gaan kosten. Misschien gaat hij het wel nooit begrijpen. Het is om de een of andere reden allemaal te moeilijk voor hem. Wat gek is, is de gedachte dat hij het behoud van zijn drama-creërende waarden zo volledig is toegenegen.

We gaan in de keuken verder met ons gesprek, waar ik ontbijt voor mezelf klaarmaak. Aarons droom geeft ons allebei de gelegenheid het een en ander duidelijk uit te spreken.

'Ik vind dat ik als kind slecht ben behandeld.' Aaron kijkt naar me en hoopt op medeleven, en daar krijgt hij bij mij natuurlijk een heleboel van.

'Ik begrijp dat je overdreven reageert omdat je gekwetst bent,' zeg ik. 'Kleine gebeurtenissen kunnen vreselijke gevoelens losmaken over kwesties die in je leven nog niet zijn opgelost. Het enige wat je tot dusverre hebt willen doen is compenseren, in plaats van onderzoeken en leren.'

'Ja, hoor.'

Zijn antwoord komt zo snel na mijn woorden dat ik niet geloof dat ze tot hem zijn doorgedrongen. Maar hij gaat wel de confrontatie aan met die ellendige striemen die zijn benen misvormen.

'Ik krab aan mijn benen omdat het pijn doet,' zeg hij.

Maar ik heb geen mededogen. 'Dan zal ik jou eens iets vertellen. Zolang jij aan je benen krabt, zul je geen blijvende relatie hebben.'

'Hmm.'

Het is het einde van ons gesprek. Clinton is vroeg naar kantoor gekomen.

Clinton, Margot en Aaron kletsen er die dag vrolijk op los. Het is goed dat de anderen er zijn... zodat hij mij even niet aan zijn hoofd heeft.

Margot en ik hebben het ongemakkelijke gevoel tussen ons uit de weg geruimd. Margot blijkt helemaal nooit op een seksuele manier in Aaron geïnteresseerd te zijn geweest. Ze wilde hem niet het gevoel geven dat ze hem afwees en daarom stond ze het knuffelen en aanraken toe. Dat is veranderd. Margot heeft nu een duidelijke grens getrokken.

Als iedereen aan het eind van de dag naar huis is, gaan Aaron en ik verder met ons gesprek. 'Je hebt het over acceptatie: betekent dat niet dat je mij moet accepteren zoals ik ben?'

Daar heb ik lang en diep over nagedacht, en ik heb conclusies getrokken. Ja, dat betekent dat ik hem accepteer zoals hij is, maar ook dat ik álle aspecten van de situatie accepteer, niet alleen hem. Het betekent dat ik de héle waarheid accepteer. En bij die waarheid hoort ook hoe ik me over mezelf voel.

Ik zet thee en nodig hem uit aan de keukentafel te komen zitten.

'Het betekent niet dat ik over me heen moet laten lopen, Aaron. Ik heb een bepaalde standaard. Die ligt hoger dan die van jou. Je kunt niet van me vragen dat ik me verlaag tot die van jou. De enige keuze die je hebt is dat jij je verheft tot die van mij.'

Hij lijkt verbijsterd over wat geïnterpreteerd kan worden als mijn impertinentie. Het is gedurfd: minnaars zijn om minder uit elkaar gegaan. Aaron is stil en knikt bijna onzichtbaar terwijl hij het in zich opneemt.

'Ik woon hier gratis,' zeg ik, 'maar ik betaal huur door het huis schoon te houden. Jij maakt niets schoon, je zet het vuilnis niet eens buiten. Ik heb het laten gaan. Je doet geen boodschappen, dus je weet niet wat eten kost. En het kost tijd en benzine om boodschappen te doen.'

'Hoeveel geld wil je, Carla?'

Aaron stemt in met het bedrag dat ik voorstel, maar wat gaat hij doen om de energie die het mij kost te compenseren? Is een relatie geen uitwisseling van energie? Op alle gebieden, niet alleen wat betreft emoties?

Ons geschil eindigt hier niet. Er is de enorme kwestie van hoe we uit elkaar groeien omdat ik bijeenkomsten en weekenden over spiritueel bewustzijn bijwoon en wekelijks lichaamswerk doe. Aaron vindt dat hij geen geld heeft voor dergelijke dingen, en ook niet voor welke andere therapie dan ook.

'Je bevindt je in stilstaand water, Aaron. Je weet heel veel over waarom je aan je benen krabt, bijvoorbeeld, en over waarom je al een eeuwigheid chronische sinusproblemen hebt en waarom je snurkt, maar je doet er niets mee!'

'Ik doe er wel iets aan,' zegt hij. 'Ik ben van alles aan het weggooien!'

Het is waar dat hij zijn enorme hoeveelheid gegevens aan het uitzoeken is, en de vele reservekopieën van al zijn gegevens die op de harde schijven van zijn verschillende computers staan. Hij is er al drie weken mee bezig, tot diep in de nacht, elke nacht.

'En daarna ga ik mijn kleding uitzoeken en echt oude dingen weggooien en zodra ik in Darkan ben ga ik mijn rotzooi uitzoeken en alles weggooien waarvan ik weet dat ik het toch nooit ga gebruiken. Jij hebt me geleerd hoe fijn het is om in eenvoud te leven.'

Dat zou een grote verandering zijn. Maar toen ik laatst met hem naar de winkel ging voor iets voor kantoor, kon hij het niet laten een heleboel te kopen omdat het goedkoop was, en alles minstens in drievoud. Hij kan het niet helpen dingen te verzamelen omdat ze in de aanbieding zijn. Het is dwangmatig.

'Zodra je daar geld voor hebt, ga je nog meer modelbouwvoertuigen kopen,' zeg ik. 'Je hebt er al honderden, allemaal nog in de doos, aangezien het onmogelijk is om ze in één leven allemaal in elkaar te zetten!'

De modelbouw staat hem toe een fantasiewereld te betreden, de enige veilige haven die hij als kind had, en hij wil eindeloos zijn veilige kindgevoel naar boven halen door meer modellen te kopen. Dat begrijp ik, maar mijn toon klinkt een beetje geïrriteerd als ik het zeg. Dat merkt Aaron op. Zijn extreem tolerante aard wil zich niet bemoeien met wat ik uitdruk, maar hij wil wel dat het me duidelijk is dat wat ik over hem denk en voel niet noodzakelijkerwijs zijn eigen realiteit is. Ondanks dat voelt Aaron geen enkele bitterheid jegens mij, en voelt hij geen enkel verlangen me pijn te doen of wraak te nemen. Ik raak erdoor van mijn stuk, aangezien het mijn verontwaardiging omzet in hevige opluchting. Ik ben zo fatsoenlijk om hem dat te vertellen, en dat ik zijn zachtheid waardeer en mijn eigen kritische houding herken.

Ik ga die avond slapen met een gevoel van wroeging en tederheid jegens deze man, die zoveel fouten heeft, maar zo nederig is. Ik besluit me zelf ook wat nederiger op te gaan stellen.

Aaron komt naar bed voor een late knuffel en valt tegen mijn lichaam opgekruld in slaap. Ergens heel vroeg in de ochtend begint hij steeds meer te snuiven en te niezen en besluit verder te slapen op de vloer in de woonkamer.

'Ik wil nog een keer met je vrijen voordat ik naar Darkan vertrek,' zegt hij als ik hem om zeven uur 's ochtends tegenkom. Hij is van plan naar huis te gaan om te reorganiseren, zoals hij al zei.

'Kom dan even een kop thee bij me drinken,' zeg ik.

Hij sleept zijn slaperige lichaam mijn slaapkamer in terwijl ik theezet en dan belt mijn dochter Caroline uit Melbourne. Hij laat zich dankbaar op de matras zakken. Mijn dochter en ik zitten wat te kletsen terwijl ik een van mijn benen om Aarons bovenlijf heb geslagen. Ik drink meerdere koppen thee. Ze hangt uiteindelijk op.

'Wakker worden, Romeo!' Ik vlij me tegen zijn rug.

Hij gaat direct zitten. 'Dat gevoel van omhelzing is zo heerlijk, Carla. Je vrouwelijkheid tegen mijn rug, je helemaal vrouwelijke lichaam tegen mijn hele lijf.'

Hij draait zijn gezicht naar me toe. Hij ruikt uit zijn mond, dus ik zoen hem niet op zijn lippen. Ik streel zoveel van zijn lichaam als waar mijn rechterhand bij kan, van zijn gezicht tot zijn testikels, en hij komt kreunend tot leven. Ik besluit dat ik van de twee het wakkerst ben en ga op hem zitten. Zijn gezicht, met de ronde, wijdopen ogen, is onder me, drukt zijn verraste genot en waardering uit.

Ik lig na ons crescendo naast hem. Hij hijgt en ik laat mijn vagina bijkomen van de diepe opwinding.

'Je bent een fantastische minnares, Carla. Je zit zo goed in je lijf, je bent zo geconcentreerd. Jouw intensiteit spoort de mijne aan. Je bent onverschrokken. Je geeft je over aan wat er in je lichaam gebeurt, je bent zo in het hier en nu als je me liefhebt.'

Aaron vindt het heerlijk om iets liefs te zeggen om het moment mee te markeren. Ik luister geconcentreerd en kijk naar mezelf door zijn ogen. Kon ik deze vorm van onverschrokken overgave en concentratie maar op de rest van mijn leven toepassen!

'Hoe voelde jij je terwijl je de liefde met me bedreef?' vraagt hij.

'Ik voelde me verrast. Het is altijd nieuw. Ik weet nooit wat er gaat gebeuren.'

'Het is de enige zekerheid... de zekerheid dat je niet weet wat er gaat gebeuren. De zekerheid van onzekerheid. Als je de liefde bedrijft, ontspan je in je onzekerheid.'

Waar haalt hij het toch allemaal vandaan? Ja, ik ontspan inderdaad in onzekerheid als ik de liefde bedrijf. De uitdaging is de hele tijd voor dit alles te gaan, zonder hulp van hormonen. Ik voel er steeds weer de vrijheid van; en toch komt mijn geest er steeds weer tussen om me te vertellen dat ik me druk moet maken om iets uit het leven te halen wat er niet is. Wanneer zal ik eindelijk slim genoeg zijn om niet meer naar mijn hoofd te luisteren?

Emmers vol tranen

De storm, veranderaar van vormen
gaat door het bos en door de tijd.

– Rainer Maria Rilke, 'De toeschouwer'

'Als je me wilt, zul je me moeten komen halen. Dan zul je de verantwoordelijkheid op je moeten nemen, Carla.' Aaron bereidt zich voor om naar Darkan te gaan. Hij zegt dat hij er deze keer misschien weken blijft.

'Ik ben blij dat je er voor me zult zijn als je terugkomt,' zeg ik.

'Dat weet ik niet zeker.'

'O?'

'Er kunnen drie dingen gebeuren. De eerste mogelijkheid is dat de relatie in me opdroogt; de tweede is dat ik bij mezelf wil zijn in mijn eigen ruimte en niet wil worden gestoord, en de derde is dat er iemand anders in mijn leven komt.'

Nou, dat is klare taal.

'We weten niet wat het leven brengt, hè?' antwoord ik.

'Begrijp me niet verkeerd: ik ga niet op zoek naar iemand om jou te vervangen. Ik wil mezelf terugvinden zonder jou in de buurt, om erachter te komen wie ik ben en om alles wat er tussen ons is gebeurd te integreren. Maar ik wil ook beminnen en bemind worden.'

Met andere woorden: als jij bij me weggaat, Carla, wil ik niet alleen zijn.

Aangezien hij geen haast heeft met inpakken en vertrekken, praten we verder.

'Ik ben dankbaar dat we hier kunnen zitten en het erover kunnen hebben,' zegt hij. 'Ik ben er zo aan gewend dat mijn vriendinnen doordraaien en hysterisch worden. Ik ben aan tranen en smeekbeden gewend.'

Ik vraag hem nogmaals waarom hij aan zijn benen krabt.

'Ik krab als jij een veroordelende houding hebt, als je koppig bent; als je me vertelt wat mijn keuzes zijn, hoe je wilt dat ik ben, wat je verkeerd aan me vindt. Daar word ik nerveus en raar van, en dan ga ik krabben.'

'Maar je krabde al voordat je mij leerde kennen. Wanneer is het begonnen?'

'Toen ik met Veronica was.'

'Toen was je in de twintig.'

'Ja. Het is begonnen met de stress van die relatie. Ik had toen ook heftige kramp in mijn rechterbeen. Die heb ik niet meer sinds ik met jou ben!' Aaron lijkt tevreden met die verbetering. 'Deze relatie heeft haar minpunten, maar een grote plus is de positieve warmte die je me hebt gegeven. Vroeger voelde ik mijn been niet, maar als ik nu in bed lig voel ik het wel. Als ik heb gedoucht, is de huid zachter geworden en als ik dan in bed lig voel ik hem drogen, rekken en pijn doen, en dat laat ik gebeuren. Als ik alles ben aangegaan houdt het krabben op en dan kan ik mijn benen helemaal voelen.'

Aaron vertrekt rond het middaguur naar Darkan. Het afscheid is niet pijnlijk. Ik weet dat hij het heerlijk zal vinden om in zijn eigen huis te zijn en dat hij volledig in beslag zal worden genomen door zijn taakjes. Hij is naarstig toe aan pauze van zijn computerwerk en van mij. En ik voel het verdorven genot al dat ik even geen rekening met iemand hoef te houden.

Ik heb tijd om na te denken als hij weg is. Ik zeg tegen mezelf dat we allemaal onze obsessies hebben. Hoe meer we er hebben, des te excentrieker we zijn, en hoe meer we onze problemen niet aangaan, des te meer zonderlinge eigenschappen we zullen hebben. Dat is gewoon hoe het is. Maar wat is er gebeurd met het intense genot dat ik voelde toen ik besloot alles van Aaron te nemen zoals het was en me nergens door te laten kwetsen?

Er woedt een conflict in me. Ik denk veel na over onvoorwaardelijke liefde. Het lijkt een randvoorwaarde voor het totale geluk van mijn hart. Als ik veroordeel of veroordeeld word, kwijn ik weg. Toch volgt er een 'maar', en die wil ik niet negeren. Ik geloof dat die 'maar' ook bij de liefde hoort, omdat ik boven alles eerlijk tegen mezelf moet zijn. Het heeft geen enkele zin mezelf regels van onvoorwaardelijke liefde op te leggen als ik a) nog niet klaar ben voor het heiligdom en b) dat betekent dat ik niet meer goed voor mezelf zorg.

Misschien is het maar deels waar, is het een onvolledige en pijnlijke les, maar ik voel me opgelucht door de relatieve helderheid die ik heb gewonnen. Deze relatie is voorbij. Ik voel het, hoewel mijn brein het nog niet wil erkennen.

Ik overweeg rustig de feiten. We zijn zo geweldig in bed, we genieten immens van elkaars energie; het is geruststellend, zo geruststellend. Ik krul me tegen Aaron op zoals een kat op schoot ligt opgerold. Ik voel de aandrang net als een kat zo te gaan slapen, of te gaan slapen en nooit meer wakker te worden.

Wie wil er ontwaken en ontdekken dat dit het is? Ik niet. Mijn hoofd zit in een mist omdat ik het heb ontkend. Ik ben vandaag gaan liggen omdat mijn hele lichaam zwaar voelde. Ik ging liggen en dutte in, en werd wakker met tranen in mijn ogen en de wetenschap dat ik emmers vol wil huilen omdat deze relatie voorbij is. We hebben gewoon niet genoeg raakvlakken.

Een deel van me zegt: ik kan beter krijgen, dus ik ga bij Aaron weg.

Aaron zegt in mijn hoofd: daar krijg je spijt van. Het gaat om de energie, alleen om de energie, en die zul je nergens anders meer vinden. Je komt erachter hoe je geest je voor de gek heeft gehouden en dan krijg je spijt.

Aaron is ondanks wat hij zei vier dagen later weer terug. Nauwelijks lang genoeg om hem te missen.

We brengen de nacht samen door. Aaron is uitgeput en valt in slaap terwijl we de liefde bedrijven en ik een paar seconden later ook. We slapen allebei diep en goed en worden om een uur of zeven samen wakker, wanneer de zon met de deken begint te spelen.

Aaron is gelukkig. 'Ik heb heerlijk geslapen. Jij?'

Ja, ik ook.

'Wil je dit rozenknopje kussen?' En hij biedt zijn lippen aan. 'Pas op voor de stekels.'

Dat doe ik, en hij wil zijn armen om me heen slaan, maar ik sta op en kom even later terug met een dienblad met thee voor twee.

Aaron is vrolijk. Hij heeft bedacht hoe het zit, zegt hij, en vertelt me wat hij denkt.

'Jij hebt alles altijd vrij snel weer op een rijtje,' zegt hij. 'Je bent veranderd, je hebt echt geleerd hoe je samen en alleen moet zijn. Je hebt de band niet meer nodig en je hebt veel meer zelfvertrouwen gekregen. Ik ben het spuugzat om kleine meisjes te redden die gratis gebruik willen maken van mijn pik. Ze vergeten dat seks hebben niet betekent dat je nog steeds een eigen leven hebt en alleen sterft. Ik voel me veilig bij jou.'

Ik blijf me verbijsteren over hoe hij deze relatie maar blijft vergelijken met zijn voorgaande ervaringen en hoe hij steeds maar weer dankbaar is dat hij deze keer geen onmogelijke prijs voor de seks hoeft te betalen. 'Godzijdank, godzijdank!' heb ik hem tegen zichzelf horen fluisteren. 'Het bestaat wél. Het is wél mogelijk. Godzijdank!'

'Ik probeer dingen altijd uit, dat is wat ik doe,' zeg ik zacht, bijna tegen mezelf.

'Ik wil verder gaan waar ik ben gestopt,' zegt hij, en hij trekt me naar zich toe onder de dekens.

Gaat hij ervan uit dat ik wil wat hij wil? Ik doe geen moeite hem te ontwijken en ontdek dat ik een andere vrouw ben geworden. Ik geef toe aan het vrijen omdat ik ervan geniet het genot van mijn minnaar te ervaren, in de wetenschap dat er een moment komt dat ik er ook intens van zal genieten. Zo gaat het altijd: dat moment dat ik tranen in mijn ogen krijg door het overweldigende genot.

Hij ejaculeert, hoewel dat niet de bedoeling was, en ik hoor hem zeggen: 'O god! O god!' terwijl hij zijn ogen sluit en wacht tot het gevoel weer wegebt. Ik vraag hem later wat zijn woorden betekenden: o god, wat is dit geweldig, of: o god, wat is dit vermoeiend? Het had gemakkelijk die laatste kunnen zijn, gezien de kringen onder zijn ogen, maar hij lacht het idee weg. O nee, voor hem was het zóóóóóóóó geweldig!

Hij is zo opgewekt dat ik hem wel moet geloven. Maar ik geloof mijn eigen waarneming ook: ik denk dat het een heleboel van allebei is.

Aaron vertelt verder over wat hij heeft bedacht.
'Je zet jezelf nu op de eerste plaats. Onze relatie is vervangbaar geworden omdat je de roeping van je leven volgt. Je bent volwassen geworden en ik ben blij voor je! En ik, ik ben hier om jou te kennen en je lief te hebben, en voor de liefde die ik van jou krijg. Je bent nog steeds op me gesteld en geniet nog van me, en je wilt deze relatie nog. Klopt dat?'
Hij wacht op mijn antwoord.
'Ja, je hebt gelijk, maar deze relatie moet opnieuw gedefinieerd worden, Aaron.'

Aaron heeft nagedacht over mijn 'je kunt niet veranderen'-bewering en komt met een typerend Aaron-antwoord.
'Ik ben naar Perth gekomen met het idee dat ik leerkracht zou worden. Toen heb ik jou leren kennen en ben met mijn studie gestopt. Ik heb een heleboel heerlijke mensen leren kennen, heb een baan gekregen en ben met jou gaan samenwonen in dit huis. Dat waren allemaal enorme veranderingen in mijn leven. Mijn huis in Darkan was mijn middelpunt, maar toen jij in mijn leven kwam is het mijn prioriteit geworden om met jou te leven. Vind je dat geen enorme veranderingen?'
Dat moet ik hem nageven: ik heb die gebeurtenissen nooit gezien als veranderingen die hij heeft doen ontstaan; het leken meer veranderingen die hem zijn overkomen. Maar het waren wel keuzes, en hij koos voor een volledige kentering in het leven dat hij gewoon was.
'Drie jaar geleden was ik depressief,' vervolgt hij. 'Dat is veranderd. Ik ben op een heleboel manieren tot mezelf gekomen; ik weet meer over wie ik ben. Ik ben anders dan twee jaar geleden. En het afgelopen jaar ben ik nog meer veranderd, en jij ook!'
Dat is allemaal waar. Aaron krijgt een tien.
Het gesprek is nog niet voorbij.
'Ik ben de soort man bij wie elke vrouw wil zijn, maar met wie niemand kan leven,' grapt hij terwijl hij me lachend aankijkt en een kussen opschudt.
De kwelgeest! Hij weet dat hij aantrekkelijk is en dat vrouwen het geweldig vinden hem als minnaar te hebben vanwege de energie die

hij heeft. Toch is het tot dusverre geen vrouw gelukt bij hem te blijven. Ik ben gewoon de volgende minnares die op het punt staat ermee te stoppen, maar ik wil wel precies weten waarom ik dit doe voordat ik het doe.

'Waarom denk je dat er geen vrouw is die bij je wil blijven?'

'Omdat ze onzeker zijn.'

'Omdat ze onzeker zijn? Waarom zou ik dan vertrekken? Ik ben niet onzeker.'

'O, maar dat ben je wel,' zegt hij. 'Ik zie je onzekerheid... Ik zie hoe kwetsbaar je bent als je me liefhebt. Dat zou ik nooit willen schenden. Ik wil dat je de Carla bent die je kunt zijn... zo tevreden met jezelf dat je onbreekbaar bent in je zelfgevoel. Je hebt altijd je schoonheid gehad, maar je zag haar niet. Het dringt nu tot je door dat je jezelf weer kunt zijn en dat je alles kunt hebben. Je wordt je bewust van jezelf en ik ben hier om dat voor je te laten gebeuren.'

Hij wacht even zodat zijn woorden kunnen bezinken en gaat dan verder: 'Toen je dertig jaar geleden de liefde met me bedreef heb ik je energie leren kennen. Ik heb je laten gaan in de veronderstelling dat ik die ergens anders zou terugvinden. Maar dat is nooit gebeurd. De radertjes draaiden zoals het moest en nu zijn we weer samen. Ik ben me elke dag bewust van de energie die je bent en die blijft me aantrekken om te blijven waar ik ben in plaats van ergens anders heen te gaan.'

Oké. Dat is prachtig gesteld. Hij houdt van me en waardeert me.

'Maakt het uit als ik zeg dat ik van je houd?' zegt hij, en hij glimlacht naar me. Ik denk dat ik de rest wel begrijp... wat hij niet uitspreekt: hoe kun je zo traag van begrip zijn? Waarom zijn die dingen in je hoofd belangrijker dan het simpele gevoel tussen ons?

Ik loop later die dag de zitkamer in en tref Aaron op de vloer aan, hij zit omringd door computeronderdelen zeer geconcentreerd van alles in elkaar te zetten. Hij stelt een nieuwe computer voor zijn moeder samen en hij zit er al uren aan te werken. Het dringt plotseling tot me door hoeveel uur hij met mijn computer bezig is geweest, hij heeft software geïnstalleerd, bergen muziek, en heeft me geholpen een boekenlegger en postpapier te maken. Hij heeft eerlijk gezegd alles gedaan wat hij kon om mijn computerleven eenvoudiger te maken. Als ik dat vraag kopieert hij cd's voor me, hij heeft met me gewinkeld om een goede cd/dvd-brander te kopen en heeft me geleerd hoe ik die moet bedienen.

En ik moet niet vergeten hoeveel werk hij aan mijn auto heeft gedaan toen ik die Honda had. Nu ik een moderne gecomputeriseerde Camry heb kan hij geen mechanisch werk meer voor me doen. Ik heb hem zijn behulpzaamheid uit handen genomen.

Aaron zou zichzelf nooit verdedigen door me te helpen herinneren aan alle bovenstaande dingen die hij voor me doet. Als ik hem ervoor bedank, zegt hij: 'Ik houd gewoon van je, Carla.'

Hoe kun je zo'n man verlaten?

Alles op het spel zetten

Vertel me je diepste angsten…
Wat heb je er ooit aan gehad?

– Nirmala, gedicht zonder titel

Ik ben jarig. Ik ben gevraagd een teleconferentie met de Verenigde Staten die om zeven uur 's ochtends begint en meer dan een uur duurt. Aaron moet intussen een klus doen die hem uren gaat kosten. Om een uur of negen arriveert het kantoorpersoneel met de beste wensen en het is na twaalf uur 's middags als Aaron komt binnenstormen. Ik kom toevallig net vanuit de keuken het kantoor binnen als dat gebeurt en zie hem naar Margot rennen, haar uit haar stoel plukken en haar omhelzen en zoenen. Margot slaakt een gil van verbazing. Ik ben verbijsterd.

Aaron neemt me mee uit lunchen… voor het eerst, en het betekent heel veel voor hem, dus ik wil de gebeurtenis niet verpesten. Hij merkt op dat er iets is, maar laat het erbij zitten als ik oprecht enthousiast over het menu begin.

Mijn maag is de hele middag van slag. Ik rijd achteruit de garage uit en doe eindelijk wat ik al zo lang vermijd: ik bots tegen Aarons witte Colt, die op de oprit staat geparkeerd. Er is gelukkig niet veel schade, maar ik zie het als een symbolische gebeurtenis. Het is tijd om te praten voordat we meer schade aanrichten, maar ik wil ermee wachten tot vanavond, als de anderen weg zijn. Ik herinner me Aarons reactie nog van de vorige keer toen ik over Margot begon en kijk er niet naar uit hem nogmaals kwaad in de verdediging te zien schieten.

We zitten op de bank in de televisiekamer als ik Aaron beschrijf wat ik in het kantoor zag gebeuren.

'Daar kan ik me niets van herinneren,' zegt hij.

Dat is geen goed begin, maar ik neem aan dat het moeilijk voor hem is om zich direct neer te leggen bij wat ik observeer.

'Je denkt dat ik een relatie met Margot zou beginnen als ik bij jou zou weggaan, hè?' werpt hij tegen. 'Ik wil gewoon een seksuele man zijn. Ik vind het heerlijk om te flirten en lief voor vrouwen te zijn. Ik vind het heerlijk om me gewaardeerd te voelen om wie ik ben. Margot komt vaak binnen in een wolk hormonen. Ze is eenzaam. Ik wil het wat draaglijker voor haar maken. Dat betekent niet dat ik ooit seks met haar ga hebben. Die heb ik met jou. Jij bent alles wat ik wil.'

Dit begint te klinken als het gesprek dat we een paar maanden geleden hebben gehad. 'Je mag de man zijn die je wilt zijn,' heb ik toen gezegd.

Nu zeg ik: 'Maar je hebt daarna gezegd dat je niet langer de behoefte voelt vrouwen te omhelzen, Aaron.'

'Dat was toen, Carla! Je weet dat dingen voortdurend veranderen. Jij bent niet altijd beschikbaar voor me. Je trekt je terug in je schrijfkamer en dan zie ik je uren niet. Vind je het gek dat ik me tot een aantrekkelijke vrouw op kantoor wend die me leuk vindt?'

Het is laat op de avond en ik word doodmoe van dit gesprek. Ik besluit naar bed te gaan en Aaron zijn televisieprogramma uit te laten kijken. Wat een verjaardag. Aaron weigert zijn excuses aan te bieden en in plaats daarvan beroept hij zich op zijn recht te zijn wie hij is. Het is niet echt dat ik hem wil bekritiseren dat hij met anderen flirt als wel dat ik een man wil die dat niet hoeft te doen. Er welt een hevige behoefte in me op aan een man die mij volledig loyaal is. Het gevoel is te fel, negeert het feit dat Aaron op zijn eigen manier geheel trouw aan me is; maar op dit moment vertelt het me wel wat ik echt wil. De pijn in mijn buik houdt aan. Ik voel een even sterke pijn in mijn hart. Ik voel de behoefte te bidden.

Ik geef me over aan de goedertierenheid, kreunt mijn ziel terwijl ik naar bed ga. Ik draag dit dilemma over aan de goedertierenheid. De pijn wordt iets minder en ik ben in staat door de onzichtbare tranen te waden als door een alles doorwekende regen.

Ik ben verdrietig omdat Aaron mij of onze relatie niet genoeg lijkt te respecteren om zijn seksuele energie aan banden te leggen. Ik vind dat hij wat wij hebben zo zou moeten waarderen dat hij genegen is op te groeien uit zijn seksuele onvolwassenheid en me zijn hele zelf aan te bieden. Hij heeft niets anders te bieden: geen financiële zekerheid, geen beduidende bezittingen om te delen. Hij heeft alleen zijn hele zelf, en kiest ervoor me daar een deel van te geven. Hij wil seksueel zijn bij iedereen die zijn seksualiteit waardeert. Dat noemt hij zijn vrijheid. Voor mij is het de keuze van een onvolwassen ziel, en dat maakt me zo verdrietig.

Als ik bij Aaron blijf zal ik genoegen moeten nemen met zijn liefde zoals die is. Ik weet dat hij geen seks zal hebben met een ander, hoezeer hij zich ook tot iemand aangetrokken zou voelen. Ik weet dat als Aaron de liefde met mij bedrijft zijn aandacht volledig bij mij is, dat zijn liefde oprecht en diep is. Dat zijn seksualiteit zo sterk is omdat hij zoveel liefheeft.

Die eis voor loyaliteit die ik in me voel is als een verzengende vlam. Het is de onredelijke eis van de Schorpioen! Dat voel ik nu wel. Het is tijd dat gevoel te temmen en te erkennen dat Aaron meer geeft dan heel veel loyale mannen hun vrouw geven, veel meer. Het is niet eenvoudig om je trots onder ogen te komen. Het is niet eenvoudig je ego aan de kant te zetten en het op te dragen stil te zijn, omdat het veel te veel godvergeten herrie maakt.

Aaron zou niet gevraagd moeten worden te doen wat hij niet kan. Aaron is gewoon zichzelf en hij is onschuldig.

Ik slaak een diepe zucht. Het is zo moeilijk voor me om niet altijd gelijk te hebben. Ik vind het heerlijk om gelijk te hebben en ervoor te lijden.

En dan, als ik door de deuropening loop, staat hij daar, stil, verloren, maar met zijn armen half naar me uitgestrekt.

Ik neem niets als vanzelfsprekend aan. 'Wat wil je, Aaron?'

'Een knuffel?' zegt hij zonder te weten wat voor antwoord hij zal krijgen. We hebben sinds twee dagen een niet-knuffelen-pact gesloten. We hebben elkaar helemaal niet aangeraakt.

Ik aarzel niet in zijn armen te lopen, hem vast te houden en vastgehouden te worden. Hij voelt zo kwetsbaar. Het voelt goed om weer intieme, vriendelijke energie uit te wisselen. Hij staat zichzelf een preuts kusje toe. Kon hij andere vrouwen maar zo kussen!

Toch heeft de knuffel de spanning tussen ons gebroken. We zitten die avond samen op de bank en ik pak zijn aangeboden hand. Hij is moe, doodmoe.

'Ik ben het zat om de verleider te zijn,' zegt hij. 'Ik ben het zat om het te proberen. Ik trek me van je terug, Carla. Als ik uit mijn ruimte kom, zul je een andere kant van me zien. Ik zal er niet meer voor je zijn. Je zult niet langer op mijn warmte kunnen rekenen.'

Er golft kou door mijn hart, een plotselinge twijfel schiet erin. Misschien maak ik wel een enorme fout en verlies ik hem voor niets! Maar ik ben me ook bewust van een soort licht in me... een stemmetje. Ik luister ernaar zoals een schipbreukeling luistert naar geluiden van redding in de wilde golven.

'Ik wil het risico wel nemen je warmte te verliezen,' zeg ik. 'Ik neem een allesomvattend risico. Ik weet niet echt wat ik doe. Denk niet dat ik je veroordeel of afwijs, Aaron.'

Ik heb die nacht een droom. Ik kom in mijn astrale lichaam naar Aaron, sla mezelf om hem heen en adem zijn zoete geur in.

Ik voel liefde voor hem als een witte hitte die recht uit mijn hart komt.

En dan word ik wakker in mijn eigen bed en voel dat ik buikpijn heb. Het voelt rauw en heftig. Het instinct van mijn half slapende zelf zegt me het koord dat me aan Aaron verbindt door te knippen. Mijn buik voelt meteen beter.

Als ik helemaal ontwaak ben ik bang dat ik een fout heb gemaakt door het koord door te knippen. Ik ben bang dat mijn verraderlijke ego een eis stelt die zal vernietigen wat we hebben.

'Je kwam in een droom naar me toe vannacht,' zegt Aaron de volgende keer dat we alleen zijn.

Ja, nou ja, dat wist ik al, ja. Ik herinner het me ook nog. Ik besluit hem tegemoet te komen.

'Je kwetst me niet, Aaron.'

Hij ontspant zichtbaar. 'Ik had het nodig dat je dat tegen me zei. Ik voel me zo schuldig dat ik je niet kan geven wat je wilt.'

Hij is nu verscheurd tussen wat hij zichzelf zijn noemt en wat hij nu wil zijn: de man die zijn vrouw geeft wat ze wil, maar twijfelt of hij dat kan.

Ik wil me in Aarons wachtende armen storten, maar doe dat niet. Iets in me zegt: niet doen, Carla! Het lijkt niet mijn koppige stem te zijn. Het voelt in plaats daarvan als een stem uit een wijzer deel van mezelf, die nadrukkelijk fluistert. Ik besluit erop te vertrouwen.

'Ik wil zien wat er gebeurt, Aaron, ik wil zien wat er aan de andere kant is. Als ik een vergissing maak, zal ik ermee leren leven.'

Daar is Aaron niet blij mee. Hij wil me waarschuwen.

'Tegen de tijd dat je van gedachten verandert is het misschien te laat, Carla. Ik kan heel grondig te werk gaan als ik iets uit mijn systeem wil krijgen.'

Ik weet waarover hij het heeft. Maar als hij oprecht liefheeft zal hij me niet uit zijn systeem willen krijgen. En als het hem wel lukt, had hij niet echt lief. En aldus test ik zijn karakter. Hoewel ik me daar later pas van bewust word, als ik erop terugkijk.

'Ik ben bereid een fout te maken,' zeg ik.

Ik word wakker en weet dat ik de hobbel heb genomen. De seksuele drang en de klont in mijn maag waren gisteravond op hun ergst. Normaal gesproken zou ik iets dergelijks de behoefte noemen om mezelf te straffen, of ontkenning van mijn ware behoefte om lief te hebben. Toch voel ik nog steeds die innerlijke stem die me voortstuwt; niet meedogenloos, niet wraakzuchtig, maar rustig volhardend. Het is niet dat ik niet van Aaron houd. Het gaat erom dat ik vrij moet worden van de behoefte hem toe te behoren. Ik moet mezelf weer toebehoren.

Ik herken vandaag de triomf van het volgen van het stemmetje, dit kleine beetje gezond verstand. Het nieuwe beeld geeft me energie: ik zie mezelf mijn werk met anderen doen en ben niet alleen. Ik heb een partner die me in mijn werk steunt. De toekomst is vol licht en trekt me. Ik weet dat het goed is.

Ik zie ook dat Aaron iemand anders nodig heeft om hem gelukkig te maken zoals hij dat wil. Hij heeft zoveel opgeofferd om deel uit te maken van mijn leven in de stad.

'Jij hebt iemand nodig die in Darkan tot je wereld kan behoren,' zeg ik later, 'en tot je wereld van modelbouw, sciencefiction en computers.'

Hij komt achter zijn computer vandaan en gaat naast me op de bank zitten. 'Ik denk dat we uit elkaar zullen gaan als we allebei hebben geleerd wat we moeten leren. We ontdekken hoezeer we alleen zijn,' gaat hij verder. 'We proberen onschadelijk te blijven. We blijven elkaar respecteren. We zijn bereid ons bloot te geven en emotioneel rauw te voelen. We zullen elkaar niet levend verslinden.'

'Ik voel me goed met jou en zonder jou.'

Aaron is onverbeterlijk. 'Wanneer kom je naar me toe?'

Aaron heeft eindelijk zijn intrek genomen in Kims kamer. Hij heeft zonder het me te vertellen al zijn spullen verhuisd. Het kleine kamertje ziet er nu zo netjes uit dat de deur wel open mag blijven.

Van buitenaf ziet het eruit alsof we alleen geen seks meer hebben (op een enkele misstap na). Maar wat ik voel gaat veel dieper. De afstand van nog maar twee dagen celibaat heeft me meer helderheid gegeven. Ik zie nu dat gebonden aan Aaron zijn ook betekent dat ik mijn toekomst aan hem toevertrouw. Maar onze paden zijn zo verschillend, en onze kernwaarden evenzeer. Ik heb mezelf tegengehouden, heb geëxperimenteerd met de manier waarop hij de dingen ziet. Het voelt alsof ik door hem naar beneden word getrokken. Dat zal ik niet laten gebeuren.

Hij was zo trots toen hij een loonsverhoging kreeg aangeboden en wees die af in ruil voor aandelen in het bedrijf. Geen slechte keuze, aangezien die aandelen over een paar jaar flink wat waard zullen zijn. Maar dat was niet waar Aaron aan dacht. Hij dacht aan hoe hij het bedrijf geld kon besparen zodat het aan andere dingen kon worden uitgeven! Hij wil van het absolute minimum blijven rondkomen, hoewel dat betekent dat hij niet naar een oogarts kan, wat hard nodig is. En hij kan ook geen onderdelen voor zijn auto kopen. Ik vind het allemaal zo onbegrijpelijk, maar voor Aaron is het volkomen logisch.

Nu we aparte kamers hebben, heb ik het gevoel dat ik iets duidelijk moet maken.

'Als de deur van mijn kamer dicht is, betekent dat dat ik tijd voor mezelf wil. Het betekent dat ik echt met rust gelaten wil worden.'

Hij knikt en grijnst een beetje, want dat betekent echt dat de tijden veranderen.

Ik bedenk die nieuwe regel omdat hij intussen twee keer is binnengekomen zonder uitnodiging en zonder aankloppen. Ik heb twee keer geroepen: 'Je maakt inbreuk op mijn privacy!' en voelde me een keer echt gegeneerd. Dat betekent niets voor Aaron. Hij hoeft zichzelf per slot van rekening niet van mij af te schermen. Zijn deur staat altijd open, op elke denkbare manier.

'Als mijn deur openstaat, betekent dat dat je welkom bent,' zegt hij. 'En als hij uit zijn scharnieren is gehaald, betekent dat hetzelfde.'

Hij doet zijn ding, lachend, maar zal vanaf nu de nieuwe regel respecteren die tussen ons is gekomen, een symbool van ons alleenzijn.

'Je dwingt me niet meer verliefd op je te zijn,' zegt hij.

Ik zit 's ochtends op zijn bed en vraag hoe hij heeft geslapen. Ik houd van deze man en ben nog steeds mijn toegenegen zelf bij hem, dus ik kus hem en streel over zijn gezicht. Vergist hij zich in mijn bedoelingen?

'Ik speel geen spelletje met je,' zeg ik.

'Dat weet ik.'

Het is heel belangrijk voor me dat hij dat weet. Ik heb hier een machtspositie met een perfecte keuze. Aaron is afhankelijk van mijn keuzes en maakt er absoluut geen geheim van dat hij mij wil, altijd.

'Weet je hoe mooi je bent? Hoe goed je voelt?' Hij glimlacht.

'Ik heb wel enig idee, want ik voel de goede gevoelens die jij me geeft!'

'Goed geantwoord!' zegt hij.

Aarons bescheiden liefde is een spiegel waarin ik helderder kan zien wie ik ben. Het contrast is soms zo scherp dat het pijn doet. Vergeleken bij zijn zachtheid ben ik een veroordelend kreng. Aaron is consequent vriendelijk en weigert als ik daarnaar vraag een lijstje te maken van dingen die hij niet fijn aan me vindt.

'Die laat ik gewoon zijn. Ze zijn niet belangrijk voor me, de dingen die ik niet fijn aan je vind. Ik denk aan de gevoelens die we samen hebben, dat is wat belangrijk voor me is.'

Die avond kus ik hem snel goedenacht; het is al laat, bijna middernacht. Als mijn hoofd eenmaal op mijn kussen ligt lijk ik in slaap te vallen, maar ik word verontrust wakker. Waar is Aaron? Hoorde ik hem naar buiten gaan? De vragen zijn niet duidelijk in mijn hoofd, maar ik stap uit bed.

'Ben je thuis, Aaron?'

Ik stel mijn vraag aan het huis en krijg geen antwoord. Aarons slaapkamerdeur staat op een kier, en als ik hem voorzichtig openduw zodat ik hem niet stoor als hij toch ligt te slapen, gaat hij ineens overeind zitten en gooit de dekens van zich af.

'Kom binnen!'

Ik loop naar hem toe als in een droom. 'Wat was je aan het doen? Ik vroeg me af waar je was.' Ik lig intussen onder de dekens.

'Je hebt net zelfmoord gepleegd door hier binnen te komen,' zegt hij, en hij omhelst me stevig. 'Zelfmoord van je ego,' legt hij later uit. 'Zelfmoord van het deel van je dat ontkent wat je echt wilt.'

O! Wat kan hij toch vurig zijn. Hij kan zijn volledige genot dat ik er ben niet verbergen en duikt onder de deken om mijn kutje met zijn tong te verwennen. Ik houd de dekens omhoog in de nachtlucht zodat hij kan ademen. Even later komt hij omhoog, klaar om zijn fallus in te brengen. Hoe kan hij daar zo snel klaar voor zijn? Volgens mij heb ik hem niet eens aangeraakt!

Aaron stopt halverwege terwijl hij in me gaat, ademt, kijkt me aan, wacht tot ik heb verwerkt wat er gebeurt, wacht tot ik helemaal bij hem ben voordat hij verder gaat. Hij duwt zichzelf helemaal naar binnen en we voelen allebei enkel dit moment.

Ik ben zo warm, zegt hij, en zo nat, maar een tijdje later gaat hij het glijmiddel uit mijn kamer pakken. Hij geeft mij de tube terwijl hij op het bed gaat staan en zijn handen tegen de muur zet. Hij staat met gespannen benen een stukje van de muur vandaan, zijn torso boven me. Ik smeer het glijmiddel op zijn keiharde penis, onder de indruk van het formaat en hoe recht hij staat, onder de indruk van zijn sterke en onverschrokken pose. 'Wauw!' fluister ik, 'wauw!' en ik streel zijn orgaan, dat recht en sterk staat als een stok, van boven naar beneden en weer terug. Hij laat zichzelf op me zakken en duwt met zijn benen de mijne uit elkaar.

Hij heeft geen haast, brengt me keer op keer in extase en komt steeds opnieuw terug van het uiterste, trekt me uiteindelijk op hem. Even later rol ik van hem af, we hijgen allebei.

'Laten we even ontspannen.'

We kruipen terug onder de warme dekens. Ik geniet van hoe zijn handen me strelen, zich verbinden met mijn borsten.

'Je borsten zijn groot vannacht,' zegt hij.

'Ze snakken ernaar te worden aangeraakt.'

Mijn tepels doen pijn van verlangen.

'Dan worden ze aangeraakt,' zegt hij. 'Het enige wat je hoeft te doen, wanneer dan ook, is het vragen. Wat hebben wij elkaar toch lief!' zegt hij. 'Weet je wel hoeveel we van elkaar houden?'

Ik ben een beetje geschokt. Dat verlangen bij elkaar te zijn, dat genieten van elkaar, het genot van het delen van energie, is dat liefde?

'Is dit hoe de meeste mensen liefhebben?' vraag ik me hardop af.

'Nee,' zegt Aaron, 'maar dat komt vanwege de behoeftigheid. Mensen willen iets aan hun leven toevoegen. Ze zien niet dat het gaat om het uitdrukken van wat ze al in zich hebben. Ze moeten alleen iemand vinden om het mee te doen, niet iemand om te hebben en te bezitten. Kijk maar om je heen... er is zoveel eenzaamheid, en het begint allemaal met seks! We zijn allemaal seksuele wezens, zo heeft God ons gemaakt. We kunnen spiegels voor elkaar zijn, voor de God die in ons allemaal huist. Ellende komt voort uit onwetendheid. Mannen en vrouwen zijn geschapen om met elkaar te neuken.'

Aarons energie is vannacht geweldig, en zijn adem is zoet. Het moment van zijn orgasme was enorm. Het was alsof hij een god uit een andere wereld was, niet de eenvoudige Aaron die ik overdag ken. 'Je moet me niet onderschatten,' heeft hij in het verleden al een paar keer gezegd. Nee... het is maar beter om Aaron niet te onderschatten.

'Je bent een geval apart, Aaron.' Wat kan ik anders zeggen om uitdrukking te geven aan mijn respect voor de liefde en de potentie die deze man kan uitstralen? 'Je bent fantastisch.'

'Jij ook, schat. Je bent zo'n mooie vrouw.'

Ik doezel weg terwijl hij naar me kijkt, met zijn hand onder zijn hoofd. Deze man heeft net een groots orgasme gehad en hij valt niet in slaap, maar ik wel! Ik doe af en toe mijn ogen open en zijn stralende gezicht is er nog. Uiteindelijk begint hij te lachen als ik weer lig te gluren en laat zijn hoofd op het kussen vallen.

Misschien wist hij dat ik weer zou vertrekken zodra zijn slapende ademhaling zou overgaan in het onvermijdelijke gesnurk, misschien probeerde hij dat moment zo lang mogelijk uit te stellen. Ik sta op, zoek vergeefs naar mijn nachtpon en vertrek naakt naar de vredigheid van mijn eigen bed.

Als ik zoveel van deze man houd, waarom zou ik dan heel ver van hem vandaan willen gaan en dit allemaal weggooien? Daar is geen goed antwoord voor. Het beste antwoord is dat we allebei aanvoelen dat de radertjes hun werk doen in de ether en dat we die zullen gehoorzamen. Ik voel angst, maar weet dat ik niet zal aarzelen als het zover is om de toekomst tegemoet te springen. Op dit moment lijkt het erop dat we heel wat onuitwisbare herinneringen meekrijgen, als speciaal ondersteunend voedsel voordat we onze eigen weg gaan. Misschien is dat wat we nodig hebben op onze individuele reizen van waarschijnlijk alleen-zijn, om ons nieuwe kracht te geven als onze energie koud en verstild is.

Een ander gezicht

Deze minnaar heeft nooit hetzelfde gezicht
draagt altijd een nieuwe vermomming
waardoor de geest gespannen blijft
en de zintuigen alert zijn.

– Nirmala, gedicht zonder titel

Een hele week gaat vriendschappelijk voorbij terwijl mijn seksualiteit een hobbelige rit van aan naar uit maakt en Aaron geduldig toekijkt wat er in me omgaat.

'Toen we net samen waren, zei je steeds dat het elke keer nieuw was. Nu zijn we overal geweest waar we kunnen zijn en is de relatie uitgedoofd.' Dat is hoe hij het stelt.

Sinds de mogelijkheid dat ik misschien uit deze relatie stap is geopperd voel ik me vrij om elk aspect ervan te bespreken. Ik heb niets te verliezen door te zeggen wat er in me omgaat, en er komen woorden naar buiten die steeds concreter gaan over waar het over gaat.

'Misschien heeft onze relatie haar doel bereikt, Aaron.'

We zitten met een warm drankje in de woonkamer en hij kijkt op van de krant terwijl ik verderga.

'Ik denk dat er bepaalde dingen in ons beiden zijn genezen. Jij weet nu dat je een goede relatie met een vrouw kunt hebben. Zelfs als er een eind aan komt, hoeft dat niet gepaard te gaan met een heleboel nare gevoelens. Dat is een enorme verandering voor jou. Je weet dat je goed kunt zijn voor een vrouw en dat je niet meer alleen hoeft te wonen. Je voelt je veel beter over jezelf als seksueel wezen. En ik ben tot mezelf gekomen als vrouw. Mijn seksualiteit is op zijn plek gevallen. Ik voel me ook goed over mezelf.'

Aaron glimlacht breed. 'Dat je die dingen over mij zegt betekent dat ze ook voor jou gelden, Carla.' Hij geniet oprecht en onverbloemd. Het grootste compliment dat je Aaron kunt geven is zeggen dat je gelukkiger bent nu je hem kent.

Het leven regelt onze onmiddellijke toekomst voor ons. Aaron begint uitgeput te raken van zijn late avonden en lange dagen achter de computer, dus het is duidelijk dat hij vaker naar Darkan moet om even iets anders te doen. Het plan is dat hij volgende week dinsdag een hele week gaat. Ik kijk ernaar uit.

Aaron is een beetje gekwetst. 'Waarom kijk je ernaar uit?'

'Omdat afwezigheid een hart gehechter maakt... ik geloof echt dat dat waar is. En omdat jij even pauze nodig hebt, en omdat je huis je nodig heeft en omdat je het naar je zin zult hebben als je weg bent om voor je huis en je projecten te zorgen.'

'Hmm.'

Mijn plezier klinkt op deze manier minder harteloos. Toch zullen we moeten afwachten en zien wat een langere periode zonder elkaar voor effect op ons zal hebben.

Ik weet niet wat er met Aaron is. Hij zegt dat hij vanavond niet naar bed wil komen. 'Waarom kunnen we niet even knuffelen in bed?' vraag ik.

'Vanavond niet. Ik wil vanavond opbranden.'

Dat klinkt niet goed. Is hij van plan elk verlangen naar een band weg te branden, zichzelf onbereikbaar te maken? Doet hij dat telefoonding met me, zoals hij dat heeft gedaan toen Rachel hem al die jaren geleden liet vallen en hij toekeek hoe een telefoon – symbool van hun communicatie – langzaam uit elkaar viel in het vuur?

Ik weet dat er iets met hem gebeurt. Hij heeft me vanochtend zijn benen laten zien: hij heeft ze weer tot bloedens toe opengekrabd. Misschien dat hij nadenkt over het waarom.

Ondanks mijn bezorgdheid geniet ik ervan dat ik het hele bed voor mezelf heb. Een ander deel van me mist Aaron en vraagt zich af wat er met hem gebeurt. Ik heb drie kruiken in bed om zijn afwezigheid te compenseren en heb nog steeds koude knieën. Ik val in slaap, maar word die nacht geregeld wakker. Het licht in de woonkamer brandt de hele nacht.

Aaron ziet er de volgende ochtend ziek uit. Hij heeft een paar uur op de bank gelegen, aangekleed. Elke keer dat hij wakker werd, werkte hij verder achter zijn computer.

'Ik dacht dat je jezelf misschien van me los wilde snijden,' zeg ik.

Aaron kijkt geschokt. 'Nee Carla, dat is wat jíj doet.'

'Je zei dat je wilde opbranden.'

'Ja, ik wilde alle troep eruit branden. Ik moest in het reine komen met het feit dat we niet meer samen zullen zijn.'

'Dat zijn we nu nog wel.'

Hij glimlacht. 'Ik kijk naar de gevoelens die hier zijn,' zegt hij. 'Je loopt weg met de toekomst. Er is in jouw plaatje van de toekomst geen ruimte voor mij.'

Het is nu avond, een dag na de spanning tussen ons. Het is net alsof hij nu de leiding neemt in het uit elkaar gaan. Ik begrijp nog steeds niet helemaal wat hij gisteravond nou heeft opgebrand.

Hij komt naar me toe in mijn schrijfkamer, waar het, op het licht dat van de straat naar binnen schijnt na, donker is. Ik zit bijna te huilen van verdriet. Ik zit er maximaal drie minuten als Aaron voelt wat er is en me vindt. Het is echt, zijn talent zich op iemand af te stemmen. Hij zit tegenover me, ernstig, vriendelijk, in de hoop dat hij mijn verkreukte emoties kan gladstrijken.

'Toen ik gisteravond zei dat ik wilde opbranden, was het mijn bedoeling om de negatieve ideeën die zich in mijn brein wilden nestelen over jou en wat je doet en wat dat over mij zegt eruit te branden,' legt hij me uit. 'Ik wilde mijn ego wegbranden.' Hij is even stil. 'Ik wil niet dat jij implodeert.' En dan: 'Je raakt me niet kwijt, hoor.'

Hij is stil, kijkt naar het effect dat zijn woorden op me hebben.

'Ik raak een relatie nooit kwijt,' zegt hij zacht. 'Ik zal jou nooit kwijtraken. Je maakt voor altijd deel van me uit. Ik houd van je en je liefde voor mij heeft me veranderd. Het enige wat ik met me wil meenemen is het goede gevoel van hoe je van me houdt en wat je me hebt gegeven. Dit rouwen om wat er niet meer is en wat je niet kunt hebben... dat heb ik heel vaak gedaan in mijn leven, maar dat heb ik lang geleden achter me gelaten.'

Hij wacht weer. Hij is zo lief dat het mijn tranenvloed alleen maar groter maakt. Hij is ondraaglijk goed! Ik ben jaloers op hoe goed hij zichzelf kan zijn, wat anderen om hem heen ook doen, wat ze ook geven of nemen, zijn talent tevreden te zijn met zichzelf.

'Ik ben jaloers op je,' zeg ik hardop.

Hij is geïntrigeerd en wacht op meer.

'Ik ben jaloers op wat jij in jezelf hebt bereikt.'

Dat verwachtte Aaron niet. Hij gaat rechtop zitten, heeft geen woorden, is verrast en gelukkig.

'Dat is het liefste wat je ooit tegen me hebt gezegd.' Hij glimlacht. 'Dank je wel dat je dat hebt gezegd. Je hebt iets in mij gezien wat je hoogacht. Je wilt het je eigen maken. Ik ben zo gelukkig.'

Niets in mij wil vanavond eten koken, dus we gaan naar de Chinees voor een afhaalmaaltijd. Als we er eenmaal zijn besluiten we te blijven en we zitten aan hetzelfde tafeltje als twaalf maanden geleden, toen Aaron bij me kwam wonen. Dit is voor ons allebei belangrijk. Het eten is hier altijd erg goed en onze eetlust wordt aangewakkerd door de geweldige keuken met honing en kipsaté.

Aaron is veranderd. Hij lijkt vannacht inderdaad veel te hebben weggebrand. Zijn defensieve houding is bijna geheel verdwenen. Toch blijft mijn beslistheid afstand van hem te nemen sterk.

Hij gaat vanavond in zijn eigen kamer slapen, maar hij komt eerst naar die van mij voor een knuffel, zegt hij. We gaan tegelijk naar bed. Dat gebeurt de laatste tijd zo zelden dat het op zich een opmerkelijk toeval is. We zijn ook allebei halfnaakt, willen dat dit intieme nabijheid is. We verwachten allebei niet overweldigd te worden, niet na alle moeite die we hebben gedaan om afstand te nemen.

Aaron trekt me naar zich toe door zijn rechterarm onder me door te duwen en mijn rug naar zijn voorkant te rollen. Zo kan hij met zijn hand mijn lijf strelen, hoewel die is gehuld in een katoenen nachtpon. Hij is dol op de welving van mijn heupen; hij is dol op de zachtheid van mijn borsten. Zijn energie is vurig; zijn lichaam staat in brand. Wat moet ik doen? Ik draai me naar zijn gezicht om. Hij maakt gebruik van de gelegenheid door me strak tegen zich aan te trekken en dan maakt hij plotseling aanstalten in me te gaan. Ik stribbel tot mijn verbijstering niet tegen.

Als we op deze manier de liefde bedrijven voelt het alsof er nooit iets tussen ons in kan komen. Waarom zou dit niet de absolute prioriteit op een schaal van waarden zijn? Wat wil ik in 's hemelsnaam, als dit niet genoeg is? Maar ik duw die gedachte voor nu weg. Laten we gewoon van elkaar genieten; laat het leven ons als het zover is maar van elkaar wegvoeren.

De realiteit dringt weer tot me door zodra Aaron begint te snurken. Het is tijd hem wakker te maken en te verzoeken mijn bed te verlaten. Dan draai ik me om en slaap dieper dan ooit.

Aaron laat me de plannen zien om zijn slaapkamer en de werkplaats ernaast in zijn huis in Darkan nieuw leven in te blazen. Hij zal genoeg te doen hebben als hij er is. Er is geen enkel onaangenaam gevoel tussen ons, een goede manier om afscheid te nemen.

De dagen verlopen vredig als hij er niet is. Ik bemerk dat mijn gedachten op elk onoplettend moment naar hem afdrijven. Ik stel me hem voor in zijn werkkleding: de gescheurde korte stretchbroek die hij nooit zal weggooien; of als het koud is de grijze, veel te grote gevangenisoverall die hij bijna voor niets in een kringloopwinkel heeft gekocht, met mouwen en pijpen die zelfs voor hem te lang zijn. En een pet zonder klep op zijn hoofd. Ik durf niet te denken aan wat hij eet, áls hij eet: dat weet hij niet tot het allerlaatste moment en dat kan heel laat zijn. Ik stel me voor dat hij geniet van het gebruik van zijn elektrische apparaten en het verplaatsen van dingen zoals dat op een computer niet kan. Na een lange werkdag gaat hij liggen weken in een vol, heet bad. Hij heeft geen tijd om mij te missen.

Ik bel hem niet, en hij mij ook niet. Na drie dagen wordt er een brief voor hem bezorgd... een excuus om hem te bellen.

'Ik wilde jou net gaan bellen!' lacht hij. 'Ik dacht er net aan en toen belde jij!'

Als een paar dagen later hetzelfde gebeurt, klinkt het minder overtuigend. Volgens mij wil hij gewoon zijn telefoon niet gebruiken om contact met mij op te nemen omdat hij denkt dat ik het me beter kan permitteren. Hij wil geld besparen. Het is een klein voorbeeld van iets wat ik moeilijk vind tussen ons: zijn gebrek aan geld en hoe hij daardoor gaat denken en doen. Ik kan me natuurlijk vergissen. Ik ben per slot van rekening degene die bij hem weggaat, ook al is hij een tijdje naar Darkan. Als zijn stilte mij niet zint, is het aan mij dat tegen hem te zeggen.

Ik ben in mijn schrijfkamer als hij terugkomt. Schrijven is een helende ervaring voor me. Woorden aan mijn gevoelens geven verheldert ze. Mijn gevoelens worden niet als vanzelfsprekend ervaren; ze zijn er niet zonder dat ik ze opmerk. Schrijven is een manier om me bewuster te worden van wat er in me en buiten me gebeurt: ik word getuige van mijn eigen leven. Als Aaron er niet is heb ik meer tijd om te schrijven en te reflecteren.

Hij is een hele week weggeweest en loopt het kantoor binnen. Ik hoor de verwelkomende klanken van Clinton en Margot en gezellig geklets. Ik blijf waar ik ben tot ik het gevoel heb dat de opwinding weer een beetje minder is. Ik heb geen zin om te doen alsof we een gelukkig stelletje zijn en hem in de armen te vliegen. Aaron komt mij ook niet zoeken.

Als ik de kamer binnenkom geeft hij aan dat hij me ziet. Hij is net een interessante belevenis aan zijn vrienden aan het vertellen en wil niet worden gestoord. Ik loop langs hem heen naar de keuken om voor iedereen thee te zetten. Dan ga ik zitten en observeer hem.

Hij ziet er slonzig uit, verwilderd zelfs. Zijn flanellen overhemd hangt gedeeltelijk uit zijn broek en het T-shirt dat hij eronder draagt ook. Zijn shirt ziet eruit alsof hij er ook in heeft geslapen. Er zit bloed aan zijn broek dus hij heeft weer tot bloedens toe aan zijn benen gekrabd. Zijn gezicht is stoffig en ongeschoren. Het gekke is dat het me allemaal helemaal niets meer uitmaakt. Ooit zou ik het afgrijselijk hebben gevonden dat mijn man er zo uitzag. Maar Aaron is nu zijn eigen man, en hoe hij eruitziet is zijn zaak.

We zijn in een week tijd opmerkelijk uit elkaar gegroeid. Ik heb er zo van genoten alleen te zijn dat ik bijna last heb van zijn aanwezigheid. Er zijn momenten geweest dat ik me zelfs hebberig voelde dat ik mijn eigen ruimte had! Aan de andere kant is het moeilijk om te gaan met hormonen die proberen hun weg naar genot te vinden en keer op keer worden geweigerd door mijn koppigheid. Een geval van masturbatie bracht verlichting, maar was geen afdoend antwoord op het leger van hormonen dat zich maar meedogenloos bleef klonen zonder dat ik daar zeggenschap over had. Ik heb gezien hoe mijn gezicht gespannen en lang werd. De uitdaging terug te veranderen en weer eenvoudigweg met mijn innerlijke geliefde te zijn is niet zo eenvoudig als ik dacht. En toch ben ik vastberaden mijn celibaat voort te zetten. Het is een hele week moeilijk geweest, maar ik heb het gevoel dat ik voet aan de grond heb in mijn poging alleen te zijn. Die winst wil ik nu niet weggooien.

Hij kijkt me geconcentreerd aan, leest mijn energie en glimlacht verwrongen.

'Waar kijk je naar?' vraag ik.

'Ik probeer Carla te vinden,' antwoordt hij. Ik zie de pijn in zijn hart.

Hij neemt die avond een lange douche en staat om een uur of negen bij mijn schrijfkamerdeur om me goedenacht te wensen. Ik lees een afgrijselijk boek, een detective waar zoveel fouten in staan dat ik me afvraag wat de redacteur in vredesnaam verder nog aan het doen was toen hij hem las. En het heeft me 32 dollar 95 gekost! Ik vind het walgelijk, maar het speelt zich in een klooster af, dus ik kan het toch niet wegleggen.

De rollen zijn nu omgedraaid, een ironie die we allebei opmerken. Hij gaat eerder naar bed dan ik en ik zal volgen als ik daar klaar voor ben. Ik besluit er voorlopig nog niet klaar voor te zijn. Hopelijk slaapt hij als ik naar mijn bed ga en hem daar aantref. Heeft hij eigenlijk gevraagd of hij in mijn bed mocht gaan liggen? Hij nam gewoon aan dat het wel goed zou zijn als ik niets zei. Een ding weet ik zeker: ik ga niet met Aaron naar bed, ook al is dat moeilijk voor ons allebei. Ook al slaapt hij in hetzelfde bed als ik nadat hij een week is weggeweest.

Ik ga niet met Aaron naar bed, ook al sta ik in brand van verlangen. Ik lig op het randje van het bed en vermijd de lichtste aanraking. Zijn voet dwaalt naar mijn kant en ik steek die van mij onder de dekens uit. Ik ben een Schorpioen. Ik weet wat ik wil en ben resoluut.

Een soort celibaat

Zelfs als de waarheid je dromen vernietigt
zelfs als de waarheid je leeg achterlaat...
dan nog is er geen andere mogelijkheid dan nog lang en gelukkig.

– Nirmala, gedicht zonder titel

We voelen ons vreemd in deze breekbare ruimte, met de winterzon die de woonkamer binnenstroomt. Het luidruchtige elektrische ventilatorkacheltje bij het raam pompt warmte de kamer in. Ik kijk Aaron in de ogen. In tegenstelling tot mij heeft hij niet goed geslapen en zijn ogen zijn rood.

Ik begin het gesprek met een positieve noot. 'We hebben veel van elkaar geleerd.'

'O, het echte leren begint pas als we elkaar kwijt zijn.' Aaron zegt hoe het zal zijn en hij praat uit ervaring. Hij is even stil. 'Je gaat me missen... als de energie eenmaal weg is en je haar niet meer hebt. Ik kom in het reine met het idee dat je niet meer in mijn leven bent. Het is een rouwproces. Ik weet nu hoe Kim zich voelde toen hij zijn vrouw verloor.'

Ik kijk in mezelf en vind uiteindelijk iets wat ongetwijfeld echt is. 'Aaron, mijn gevoelens trekken me mijn toekomst in en jouw gevoelens doen hetzelfde voor jou.'

Margot komt binnen en brengt de zon met zich mee. Dan arriveert Clinton. De kantoordag is begonnen.

Ik heb lichaamswerk bij mijn therapeute, Bernice. Het is de achtste dag zonder seks. Bernice is een goede therapeute omdat ze kan lezen wat er in een lichaam gebeurt en daarmee aan het werk gaat. Ik lig op haar massagetafel en ze houdt mijn hoofd vast als ze vraagt wat er in mijn leven gebeurt waardoor mijn brein zich anders gedraagt dan normaal. Ik vertel haar dat ik afstand neem van Aaron. Bernice vraagt of ik de koorden die Aaron en mij bij elkaar houden wil doorknippen. Ik denk terug aan mijn droom daarover en de opluchting die ik toen voelde. Ik stem ermee in. Het is een angstig besluit, het voelt als een onomkeerbare handeling.

Bernice vraagt me om Aarons gezicht voor te stellen en hem met vorm en kleur te omringen. De vorm is ovaal en de kleur is roze. Nu moet ik aan al de negatieve eigenschappen van Aaron denken en ze hardop tegen hem uitspreken. Dat wil ik in stilte doen en Bernice vindt het prima. 'Laat het me maar weten als je klaar bent.'

Dus vertel ik Aaron hoe zijn zelfverwonding me zorgen baart en hoe ik niet blij ben met de manier waarop hij zijn problemen niet aangaat, zelfs zijn oogproblemen niet. Dat ik niet kan wachten tot hij verandert, aangezien dat hem de rest van zijn leven gaat kosten, en misschien wel langer.

Je hebt geen geld en bent bang om wel echt geld te hebben. Je kunt het je niet eens veroorloven om goed voor jezelf te zorgen. Je leeft van dromen; zoals je nu bezig bent zal dat huis van je er nooit komen. Je leeft alsof je een gelofte van armoede hebt afgelegd.

Ik houd niet van je dikke buik en hoe je adem 's ochtends stinkt en dat het je niet genoeg lijkt uit te maken om er even iets aan te doen voordat je mij omhelst en op me ademt.

Het is jammer dat je voeten zo'n pijn doen dat je niet met me kunt wandelen.

Je liefde voor sciencefiction laat nauwelijks ruimte over voor films met enige menselijke inhoud.

Je houdt niet van mijn soort films en mijn soort muziek.

Je kunt niet dansen.

Je weet niet hoe je je leuk kunt aankleden.

Je draagt overdag de kleren waarin je slaapt.

Je bent smerig in de badkamer. Je laat plasjes water achter in plaats van de badmat te gebruiken.

Ik ben niet blij met je houding tegenover de zogenaamde klootzakken van de wereld. Ik ben niet blij met hoe je verleden je maar pijn blijft doen. Ik ben niet blij met je kinderlijke verwachting dat God op een dag zal ingrijpen en de puinhoop op de planeet gaat opruimen.

Poeh! Die lijst is zo wel lang genoeg. Bernice vraagt me dit beeld van Aaron te laten vervagen. Aarons gezicht wordt voor mijn geestesoog vager en kleiner, het zinkt weg in de duisternis, in vergetelheid. Ik slik moeizaam.

De volgende stap is dat ik Aaron nogmaals visualiseer. Deze keer is zijn gezicht in een ronde, groene vorm en moet ik hem vertellen wat ik allemaal aan hem waardeer. Ik spreek nogmaals in de stilte van de kamer tegen hem terwijl Bernice mijn hoofd vasthoudt. Ik voel mijn gezicht roze worden van enthousiasme terwijl ik stil mijn lijstje 'opzeg'.

Aaron, ik houd van je om je vrijgevigheid en eerlijkheid.

Je hebt geen kwaadaardige vezel in je, niet één.

Je respecteert me oprecht en houdt oprecht van me, je wilt me niet in de weg staan of me dwingen iets te doen of niet te doen als ik dat niet wil.

Je doet wat je zegt: je staat alleen terwijl we zo geweldig zijn als we samen zijn.

Ik geniet van hoe kalm ik me bij je voel. Het is fijn je energie in huis te voelen. Het is fijn je hand vast te houden en de warmte te voelen. Het is fijn tegen je aan te leunen en je lieflijkheid te voelen.

Ik houd van je mannelijkheid, je hormonale zelf, je mannelijke kracht en je sterke armen.

Ik vind het heerlijk om te zien hoe totaal je bent als we de liefde bedrijven.

Je bent zo welbespraakt. En je blijft maar tegen me zeggen dat je van me houdt.

Ik houd van je kussen en boven alles houd ik van hoe je voelt.

Is dat het? Nee, er is nog iets.

Je loyaliteit. Ik houd van je loyaliteit. Je bent altijd van me blijven houden, of ik nu bij je wilde zijn of je wilde verlaten. Dat maakte niets uit.

Bernice vraagt me die Aaron ergens in mijn lichaam te plaatsen, en hij gaat direct naar het midden van mijn borst.

De sessie is afgelopen.

Ik ga naar huis. Aarons gezicht ziet er anders uit, dus ik vraag wat er is. Hij leunt achterover in zijn computerstoel en draait er een beetje mee terwijl hij praat.

'Ik voel dat de band tussen ons wordt verbroken,' zegt hij. 'Mijn maag is erdoor van slag.'

'De navelstreng wordt doorgeknipt, hè?' Ik streel over zijn gezicht terwijl ik langs hem loop, verbijsterd dat Aaron zo bewust ervaart wat er gebeurt.

Ongeveer een uur later ben ik degene met een maag die van slag is. Aaron merkt het op. 'Wat is er, schat?'

'Ik ben misselijk. Volgens mij komt het door de koffie en taart van vanmiddag.'

Aaron staat meteen op om me in zijn armen te nemen.

'Schat, dat is het koord tussen ons dat zwakker wordt. Het geeft niet. Het komt wel goed.'

We gaan die avond naar een satsangbijeenkomst van Peter en Pearl, waar allemaal vrienden komen die zijn geïnteresseerd in spirituele waarheid. Pearl, wier prachtige hart altijd wagenwijd open staat, omhelst me zeer liefhebbend. Ik vertrouw haar toe dat ik afstand neem van Aaron, maar dat we nog heel fijne vrienden zijn.

'Wat prachtig!' zegt ze. Haar blinde ogen glanzen en haar roze wangen gloeien. 'Wat een dappere goedgunstigheid! Het bewustzijn groeit in jullie allebei.' Ze brengt haar gezicht dicht naar dat van mij terwijl ze praat. 'Je doet wat goed voor jou is zonder hem te beschuldigen of haten. Wat goed van je, meid.' Ik voel hoe haar vreugde mijn buik in stroomt terwijl ze me stevig vasthoudt en me dan een enorme pakkerd op mijn wang geeft. Ik ga ervan gloeien. Wat heb ik toch goede vrienden.

'Is Aaron er ook?' Ze gaat naar hem op zoek.

De avond begint. Nadat we even in stilte hebben gezeten kijken we een video, gevolgd door een discussie. Er is ook tijd om bij te praten, dus dat doe ik met Maureen en Peggy. Het gesprek komt op mijn boek, *Gods callgirl*, en of ik nog lezingen geef? De vraag is deze keer belangrijk, aangezien deze twee vrouwen contacten in de grote circuits hebben.

'Ben je klaar voor het echte werk?' vragen ze, 'ben je klaar om grof geld te gaan verdienen?'

'Ik ben vrij om de hele wereld over te reizen!' Dat kan ik nu oprecht zeggen.

'Hoe zou je het vinden om op een cruiseschip lezingen en workshops te geven? Is dat wat voor jou?'

Een cruiseschip? Moet ik mensen vermaken? Ik kan best vermakelijk zijn, maar mijn onderwerp is over het algemeen heel serieus en diepgaand. 'Dat weet ik niet.'

'De meeste passagiers zijn oudere mensen die je geweldig zouden vinden,' zegt Maureen. 'Stuur me je cv maar per mail.'

Ik kijk om me heen en zie Aaron alleen op een bank zitten. Dan gaat Peter naast hem zitten en ze beginnen direct een geanimeerd gesprek. Aaron vertelt me later hoe vervreemd hij zich voelde terwijl ik zo gemakkelijk contact maakte met mensen en hoe niemand met hem wilde praten nu hij zich zo voelde. Hij was de confrontatie met dat gevoel aangegaan, en zodra hij het had geïntegreerd had Peter zijn ruimte betreden.

'Huil en je huilt alleen,' zegt Aaron op weg naar huis in de auto. 'Mensen willen je alleen kennen als je gelukkig bent.'

We komen thuis. Het is al laat, maar hij wil nog wat op zijn computer doen. 'Welterusten.' Hij trekt me vanuit zijn stoel naar zich toe om me te kussen.

Ik voel een golf van passie, zoetheid in mijn mond. Hij trekt me op schoot om me nog meer te kussen, aangezien ik het prettig lijk te vinden, en dan staat hij met mij in zijn armen op en loopt wankel met me door de kamer naar de gang. Hij doet alsof hij naar zijn kamer gaat, maar loopt op het laatste moment naar die van mij. Dan laat hij me op mijn bed vallen.

'Daar schrok je van, hè?' lacht hij terwijl hij in mijn navel prikt en daarna de kamer uit loopt.

Ik blijf verbijsterd liggen. Mijn God! Als hij was gebleven, zou ik me hebben laten verleiden! Ik lig heel stil na te denken als hij opnieuw, in een speelse bui, mijn kamer binnenkomt. Hij springt op het bed en gaat wijdbeens over me heen zitten; onze lichamen gaan op en neer.

'Wat doe je?' vraag ik.

'Ik speel. Dat is beter dan in mijn bed aan jou liggen denken.' Dan stoot hij zachtjes mijn borsten aan en verdwijnt naar beneden om door mijn spijkerbroek heen in mijn kutje te bijten.

'Aaron!' Ik ben verontwaardigd, maar hij lacht en zit over me heen terwijl hij snel achter elkaar allerlei standjes aanneemt.

'Je probeert me te verleiden!'

Aaron houdt op en kijkt me serieus aan. 'Jij bent degene die alle beslissingen neemt, weet je nog? Ik wil alleen maar dat je jezelf bent: een vrouw die weet wat ze wil.'

Hij maakt aanstalten te vertrekken. 'Onthoud alleen dat ik voor je klaarsta als je de behoefte voelt je om mijn pik heen te vlijen.'

Het is me te veel. Ik wil deze onbaatzuchtige Aaron en sta van mijn bed op. Ik ben zo streng voor mezelf de laatste dagen. Ik ben al acht dagen alleen. Aaron ook, met zijn gevoel voor humor, zijn interesse in mij en zijn liefde voor mij. Ik maak aanstalten me uit te kleden.

Aarons ogen puilen uit de kassen. Hij had echt niet gedacht dat ik mijn besluit zou terugdraaien, maar hij is niet in een bui om te analyseren of aarzelen. Hij pakt mijn arm en trekt me richting zijn slaapkamer. 'Dit is nu jouw plek om alleen te zijn,' zegt hij, waarmee hij naar mijn kamer verwijst. 'Ik neem je mee naar mijn bed.'

Een paar seconden later is hij uitgekleed, aangezien hij nooit meer aanheeft dan een spijkerbroek, een shirt en een onderbroek. Hij ligt al in bed en kijkt toe hoe ik mijn spijkerbroek uittrek, de sokken over mijn panty, de panty, mijn trui, shirt, beha en onderbroek, en alles met bewuste, opzettelijke bewegingen. Ik kan bij elk kledingstuk van gedachten veranderen en teruggaan naar mijn eigen kamer, maar het uitkleden gebeurt zonder aarzeling. Ik lig al snel onder de dekens en tegen zijn warme huid.

Aaron is niet echt opgewonden. Hij houdt me tegen zich aan: hij vindt die intimiteit heerlijk. Het kussen maakt ons opgewonden. Aaron gelooft niet dat dit gebeurt. Hij had niet verwacht dit ooit nog te doen. Misschien ben ik geperverteerd, maar die gedachte is enorm opwindend.

Ik ben verrast door mijn eigen gretigheid. Aaron is zich er geheel van bewust en vult me prachtig aan. Het is net alsof we samen een dans uitvoeren die geen choreografie heeft behalve de eigen verfijnde lenigheid. Het tempo is afwisselend snel en rustig met regelmatig een pauze. Aaron stelt geen eisen. Hij varieert zijn posities terwijl hij op me ligt en ik leid hem met mijn handen, duw op zijn schouders, soms op zijn hoofd, houdt hetzelfde ritme aan als hij en duw mezelf naar hem omhoog. Ik voel zijn handen op mijn hoofd terwijl hij zacht stoot en kust.

'Put me niet uit; ik wil dat je nu in me klaarkomt!'

'Ik wil niet klaarkomen. Ik wil alleen van je genieten.'

'Oké.'

Maar hij begint nu een enorme energie uit te stoten. Het voelt als een galop naar de finish terwijl zijn penis opzwelt tot een volheid die de vorm van mijn vagina opslorpt, tot die golf van energie ons beiden in extase brengt. We zakken in een omhelzing om elkaar heen.

'Wat kan ik voor je doen?' vraagt hij, waarmee hij niet doet wat ik van hem verwacht: in slaap vallen.

'Een heleboel, als je dat aankunt.'

'Geef me een paar minuten om bij te komen.'

Ik streel zijn hoofd, zijn rug, zijn armen. We liggen even in stilte. Dan wil Aaron me vertellen wat hij heeft ervaren.

'Je was zo anders! Je was sterk en geconcentreerd... je deed precies wat je wilde... kon ik maar in woorden uitdrukken hoe het voor mij voelde.' Stilte. 'Ik hield mijn handen om je hoofd en neukte met een engel in een spitsboogvenster.' Nog een stilte. 'Wij hebben dat moment samen gecreëerd, het is niet te herhalen. Niemand anders zou het kunnen maken. Dit is wie wij allebei zijn. We zijn goed in wat we doen!'

Hij sluit zijn ogen weer. 'Ik voel nieuw leven in me, een nieuwe ontdekking. Daarom zal ik altijd van je blijven houden! Je bent een beeldschone vrouw, Carla.'

'En jij bent een lieve minnaar. Jij bent beeldschoon, Aaron.'

'Ik vind het geweldig om een minnaar te zijn,' zegt hij. 'Het is het enige wat ik ooit heb willen doen, een vrouw liefhebben. Ik begreep het nooit als dat mooie gegeven zich in een vrouw ontwikkelde die wilde dat ik iemand was die ik niet ben, aan wie ik me moest binden op een manier die ik niet begreep.' Dat heb ik al meerdere malen gehoord, maar hij heeft echt mijn aandacht als hij zegt: 'Je hebt me een enorm plezier gedaan door een einde aan de relatie te maken.' Hij kijkt me aan omdat hij weet dat er een vraag komt.

'Hoezo?'

'Er is een last van me af gevallen. Ik voel me niet meer onder druk gezet om iets voor jou te worden, en ik voel me niet meer veroordeeld.'

Ik bloos. Ik haat het om op een hoop gegooid te worden met zijn voormalige partners. Heb ik dat echt gedaan? Nou, ja. Ik moet toegeven dat ik heb gevraagd of hij zich mooi wilde aankleden als hij met me uitging en dat ik kritiek op hem heb geleverd omdat hij aan zijn benen krabt, maar op een dieper niveau heb ik van hem verwacht wat losjes kan worden omschreven als 'zijn mogelijkheden naleven'. Er bestaat waarschijnlijk niets wat dodelijker is dan dat. Tot op dit moment wist ik niet helder waarvan ik nou precies zoveel hield in Aaron: zijn potentieel!

Het is waar dat ik er sinds ik heb gezegd dat deze relatie voorbij is, geen last meer van heb hem slonzig te zien, zoals toen hij terugkwam uit Darkan. Hij ziet er weer verwilderd uit en het kan me niets schelen. Ik heb de druk voor mezelf ook minder gemaakt.

Het voelt alsof het na middernacht is. Is hij vergeten dat hij vroeg of hij iets voor mij kon betekenen? Op het moment dat ik dat denk, komt hij in actie. Hij kent me zo goed, weet precies wat ik prettig vind, wat me opwindt. Zijn handen en mond gieten aandacht in me en hij vindt het heerlijk om te voelen hoe het crescendo zich opbouwt en om me vast te houden als de golven van gelukzaligheid door me heen stromen. Ze blijven komen, langer dan ooit. Ik laat me dankbaar in vredigheid naast hem neerzakken. Zijn ogen blijven op me gericht terwijl hij me blijft vasthouden. Uiteindelijk roept de slaap.

'Ik wil in mijn eigen bed slapen,' zeg ik.

'Natuurlijk. Wil je dat ik je ernaartoe draag?'

'Hmm, nee bedankt.' Ik ben bang dat hij me in zijn half slapende toestand laat vallen.

Twijfel of ik er goed aan heb gedaan wordt weggenomen als Aaron de volgende ochtend rond een uur of acht naar mijn kamer komt. Hebben we allebei tot zo laat geslapen? Hij springt op mijn bed en gaat in kleermakerszit op wat zijn kant van het bed was zitten.

'Ik kan je niet vertellen hoe ik me gisteravond voelde, ik heb er geen woorden voor.' Hij laat zijn hoofd even hangen en kijkt dan op. 'Het was net of we werden gelaafd uit een verhongerde toestand!'

'Dat kan niet dagelijks, Aaron.'

Hij kijkt me vragend aan.

'Als je voortdurend verzadigd bent heb je geen honger. We waren gisteravond zo omdat we zo lang bij elkaar weg zijn geweest.'

'Ik vind het allebei best,' is Aarons reactie. 'Ik vind het gewoon lekker om mijn pik in je te steken. Je voelt zo goed. Dit bed ging over onze liefde voor elkaar,' zegt hij terwijl hij om zich heen kijkt. 'Mijn bed gaat over hormonen. Je wilde mij voor jezelf hebben en besloot je kleren uit te trekken en bij me te zijn. Ik verwachtte niet dat je dat zou gaan doen, maar je maakte de keuze van een vrouw die met een man wil zijn. Ik was geschokt door jouw passie, maar net zozeer door die van mezelf.' Hij begint te lachen.

'Wat is er zo grappig?'

'Je deed ooit zo moeilijk over mij en mijn andere vriendinnen en nu heb je me niet meer nodig.' Hij wacht voordat hij zegt: 'Ik weet hoe het zit bij jou. Je geest zit in de weg.'

Ik ben teleurgesteld dat hij zich aan die verklaring vasthoudt. Kan het niet zo zijn dat ik in dit leven een einde maak aan cycli? Cycli met mijn ouders, dochters, ex-echtgenoten en met Aaron. Maar het is wel waar dat mijn geest een rol speelde.

Ik walg vaak van zijn gewoontes. Vanochtend nog trok hij gewoon het T-shirt weer aan dat hij al drie dagen heeft gedragen en waarin hij evenveel nachten heeft geslapen. In zijn broek zit een bloedvlek van het krabben, en hij houdt hem gewoon aan. Ik loop de badkamer binnen en verkramp als ik met mijn blote voeten in een koude plas water trap... hij heeft niet de moeite gedaan het douchegordijn goed dicht te doen. Hij poetst soms 's ochtends zijn tanden, maar meestal niet, en het kan hem niet schelen dat ik dat walgelijk vind. Al die dingen zijn van invloed.

Aaron zegt dat hij thee gaat zetten.

'Ik graag citroen-gember,' zeg ik.

'Wie zegt dat ik voor jou ging zetten?' plaagt hij.

Dat is hoe het tussen ons is: de relatie die niet is, maar toch is. We zijn niet samen, we zijn alleen, en het gekke en onverwachte is dat we gelukkiger zijn dan ooit.

Ik zit vandaag zo goed in mijn lijf! Het is het beste signaal tot dusverre dat het soms niet goed voor me is om mijn lichaam mijn rationele wil op te leggen. Het is ook duidelijk dat ons samenkomen van gisteravond mijn besluit alleen verder te gaan ook niet in de weg staat. Ik heb ervoor gekozen de liefde te bedrijven met Aaron, en heb mezelf lief laten hebben.

'Het was een passende afsluiting,' zegt Aaron als hij weer binnenkomt met een dienblad en twee mokken kruidenthee. 'Ik had het gevoel dat er nog iets in de lucht hing. Hoewel je me meermalen had gewaarschuwd, was het nog steeds zo plotseling. Maar begrijp dit wel, Carla: je bent nooit mijn bezit geweest. Ik ben blij mezelf te zijn. Een relatie is een bonus voor me, niet iets wat ik nodig heb om gelukkig te zijn. En ik wil dat je dit ook weet: ik ben gelukkig bij jou. Ik wil niemand anders. Zolang wij psychisch aan elkaar zijn verbonden zal ik geen seks hebben met een ander, want ik weet dat dat pijn doet. Ik ga niet op zoek naar een andere relatie, zelfs niet als deze voorbij is. Ik zal even alleen willen zijn. Ik weet dat jij verder gaat, omdat jij voor je leven kiest en ik wil je niet in de weg staan. Ik ben trots op de vrouw die je bent geworden. Ik heb per slot van rekening een heleboel energie in jouw volwassen worden gestoken.'

Het dringt eindelijk tot me door dat het ons alleenzijn is dat de voorwaarde is voor de kwaliteit van ons samenzijn. Dat ik zei dat ik een einde aan onze relatie wilde maken daagde Aarons behoefte aan emotionele zekerheid uit. Hij dacht dat hij me zou verliezen. Het daagde die van mij ook uit, aangezien ik ook dacht dat ik hem verloor. Er is niets wezenlijks veranderd tussen ons, behalve dat ik hem nu, voor het eerst, heb vrijgelaten zichzelf te zijn, en dat ik nu mezelf heb vrijgelaten mijzelf te zijn. Ons alleen-zijn staat ons toe samen te zijn nu we allebei ons puppygedrag en onze pogingen elkaar alleen onze goede kanten te laten zien achter ons hebben gelaten. Er is niets meer wat we niet over elkaar weten.

Ik doe niets om mezelf te 'verkopen' aan Aaron, en dat trekt hem enorm aan.

Ik ben alleen bij Aaron als ik dat helemaal wil zijn. En dat is precies wat hij zo fijn aan mij vindt.

Ik zie ineens dat de amandelboom bloesem draagt, en slaak een kreet van verrassing en genot. De boom is helemaal bladerloos, maar op de onderste takken zijn plotseling bleekroze bloesems verschenen.

Een soort scheiding

Ik denk dat we hier
al duizend keer zijn geweest,
jij en ik.

– Barbara Barton, 'We zijn hier al eerder geweest'

Er is vanmiddag iets veranderd, dat voel ik. Aaron is van streek omdat we uit elkaar gaan, in tegenstelling tot vanochtend, toen hij vond dat we niet konden groeien zonder te scheiden. 'We moeten allebei gaan naleven wat we hebben geleerd,' zei hij toen.

Ons samenzijn heeft kort – als een ster die op zijn helderst schijnt voordat hij sterft – een speciale tederheid gehad. We waarderen elkaars kwaliteiten zo intens. We genieten er zo enorm van om gewoon naast elkaar te liggen en ons te koesteren in de energie die we tussen elkaar creëren. Onze taal is eenvoudig.

'Ik houd van je, schat. Ik vind het heerlijk om dat tegen je te zeggen.'

'Ik houd ook van jou, Aaron.'

'Wat fijn.'

Ik hoor hem fluisteren: 'Het is moeilijk te geloven. Dit is het begin van ons eind.'

'Kim heeft me voor jou gewaarschuwd,' zegt hij een tijdje later.

'O? Hoe dan?'

Hij gaat er verder niet op in, behalve dat Kim heeft gezegd dat ik een 'eigenzinnige vrouw' ben.

Ik denk terug aan Kims filosofie over relaties. Het was zijn voornaamste reden om zijn memoires te willen schrijven, om zijn ideeën te verspreiden. Kim vatte het idee op dat de mannelijke en vrouwelijke seksuele energie in verschillende mate in mensen aanwezig is en dat je mensen daarop kunt categoriseren. Zo beschreef Kim zichzelf bijvoorbeeld als mannelijk-mannelijk, wat betekent dat hij enkel mannelijke seksuele energie uitdrukte. Dat herkende ik: Kim was geen macho, maar hij was wel wat hij beschreef. Hij beschreef zijn ex-vrouw als vrouwelijk-vrouwelijk, en vandaar dat ze zo goed bij elkaar pasten. Hij wees mij erop dat ik een vrouw ben met een behoorlijke dosis mannelijke energie, dus noemde hij me mannelijk-vrouwelijk.

Kim had ook theorieën over de mogelijke combinaties van energie. De helemaal mannelijke en helemaal vrouwelijke minnaars willen een levenslang partnerschap. Mensen zoals ik neigen, volgens zijn theorie, meer naar seriële monogamie. We gaan ons vervelen. We weten niet hoe we één persoon trouw moeten blijven omdat we altijd naar nieuwe ervaringen zoeken.

Nou, Kim zou best eens gelijk kunnen hebben. Tot dusverre gaat het zo. Het is me gelukt om een jarenlange relatie met Hal te hebben, maar in totaal maar vijf jaar op rij. Misschien moet ik iedereen die in de toekomst mijn minnaar wil zijn waarschuwen: ik ben er alleen tot ik er niet meer ben. Ik ga mezelf niet dwingen te blijven als de energie er niet meer is. Zijn zoals ik ben is zo slecht nog niet, het is gewoon zoals het is en je moet er rekening mee houden.

Ik denk hier dieper over na. Wat zou er zijn gebeurd als Aaron en ik ons seksuele samenzijn meer hadden gerantsoeneerd? Als we weloverwogen minder tijd samen hadden doorgebracht en meer in ons eigen bed hadden geslapen? Zou mijn passie dan in betere vorm zijn gebleven? Mogelijk. Ik wilde meer ruimte tussen onze vrijpartijen om de nieuwheid te bewaren. Aaron begreep dat niet, bij hem werd de vurigheid niet minder. En al die tijd vond er een gestage erosie plaats. Tot er van mijn kant geen energie meer was. En nu zijn we hier. De prijs voor mijn verlengde passie is de leegheid van het nu.

Zelfs als dit allemaal waar is, is er een waarheid die nog groter is. Deze relatie is voorbij omdat ze heeft gedaan wat ze moest doen. Ze heeft me doen opbloeien op manieren die ik me niet kon voorstellen voordat ik met Aaron was. Ik ben in vijftien maanden tijd emotioneel opgegroeid en ben onverschrokken geworden. Ik ben bereid fouten te maken. Als deze beslissing fout blijkt te zijn en ik Aaron wanhopig graag terug in mijn leven wil op een moment dat hij niet meer beschikbaar is, nou, dan ben ik bereid dat risico te nemen. Als mijn leegte de prijs van passie is dan ben ik bereid er zo lang mee te leven als het leven voorschrijft. Heb ik mijn leven ooit volledig in eigen handen gehad? 'Liefde is van al wat is het grootste mysterie,' schrijft Roger Housden in *Ten Poems to Open Your Heart*. 'Dus kun je je maar beter niet vastklampen aan zekerheden over waar ze vandaan is gekomen en waartoe ze zal leiden.'

Hoe zit het dan met mijn zekerheid dat dit voorbij is? Liefde is meer dan een relatie; het is een mysterie. Ik kan niet precies aan mezelf uitleggen wat ik doe. Maar dat stemmetje in me blijft herhalen: Carla, je moet nu afstand nemen.

'Pas als iemand weg is merk je wat je mist. Dan pas voel je echt de leegte. Dan is het tijd om alles wat je hebt geleerd te integreren, of het te verliezen.' Dat zegt Aaron, in een poging me te waarschuwen.

Probeert hij me te vertellen dat het beter is om bij hem te blijven omdat het zo gemakkelijk is te onderschatten wat ik zal kwijtraken? Als dat zo is, weersta ik zijn subtiele listigheid. De angst zijn energie te verliezen weerhoudt me er al een maand van de knoop door te hakken. Die angst heeft me verlamd. Nee, zijn energie zal er niet meer zijn. Ja, ik zal hem missen. Nee, ik zal hem niet zo missen dat ik mijn eigen warmte verlies. En ik integreer wél wat ik heb geleerd... en ben op een nieuwe manier mezelf aan het worden.

'Leegte is angstaanjagend, Aaron. Mensen hebben er alles voor over om die te ontwijken, hè?'

'Ik heb het aan Margot verteld.' Aaron is aan het afwassen en staat met zijn rug naar me toe tegen me te praten. De manier waarop hij zijn woorden half inslikt verraadt dat het een bekentenis is.

'Wat heb je haar verteld?'

'Dat we onze eigen weg gaan. Ik heb haar verteld hoe goed je voor me bent geweest. Ze leek tevreden.'

'Ze zal wel met ons meevoelen.'

'Het is vermoeiend om het te blijven proberen,' zegt hij. 'Ik moet ermee ophouden jou na te jagen, daar ben ik te oud voor.'

Mijn hart knijpt zich samen als ik hem dat hoor zeggen, maar ik snap het wel.

Aaron blijft met me praten als hij even vrij heeft van zijn werk, komt bij me op bezoek in mijn werkkamer en houdt me op de hoogte.

'Ik voel zoet verdriet, geen bitter verdriet. Het is zoet omdat ik wat gebeurt laat gebeuren, ik verzet me er niet tegen. Ik moet er hard mijn best voor doen, maar ik heb geen keus omdat ik weet wat het alternatief is: een heleboel van de verkeerde soort pijn. Ik bewaak zorgvuldig mijn gedachten en als er kritiek omhoogkomt, negeer ik die en concentreer me erop jou te waarderen. Dat is hoe ik mijn hart bescherm.'

Ik vind het ontzagwekkend om naar Aarons keuzes te kijken. Ik ben trots op hem en zie hoe hij altijd voorbij zijn ego groeit.

'Ik bewonder je, Aaron.'

Ik slik iets weg, kijk naar de man die ik weggeef, die met de minuut aantrekkelijker wordt. Hij geneest zichzelf van zijn moeder en zijn relaties in het verleden. Hij maakt zich klaar om opnieuw verliefd te worden op een vrouw die bij hem past, aangezien hij een emotioneel sterke man zal zijn en zij niet veeleisend zal zijn en geen herrie zal schoppen en zal weten hoe ze een bijzondere man als hij moet waarderen. Wat ik moet doen is een stap terugzetten en het allemaal laten gebeuren.

Ik breng Aaron een kop kruidenthee in bed. Hij vraagt of ik even bij hem kom zitten.

'Ik heb gedroomd. Ik werd wakker met pijn in mijn hart,' zegt hij. Aan zijn witte gezicht te zien is de pijn evenzeer fysiek als emotioneel. 'De pijn wordt veroorzaakt door dat zware gewicht, hier,' en hij wijst het midden van zijn borst aan. 'Het is een zwart, cilindrisch gewicht, als een piston, die op mijn hart drukt en het samenknijpt. Mijn hart zucht onder het gewicht.' Hij vormt zijn hand alsof hij die piston vasthoudt, en huivert van de pijn. 'Als ik doodga, zal dat waarschijnlijk aan een hartaanval zijn. God! Zo wil ik niet sterven!'

Aarons droom ging over een herinnering aan toen hij een jongetje was – van een jaar of zes – en hij zich heel alleen en ongewild voelde. Zijn vader was vaak kwaad en ongeduldig en zijn moeder probeerde van hem af te komen door hem naar zijn speelgoed te sturen. 'Kijk eens, ga maar met die blokken spelen,' zei ze in die droom, en Aarons kinderhart brak. Hij was zo verdrietig dat hij op de woonkamervloer naast zijn speelgoed ging liggen en tot God bad: 'God, niemand wil mij. Wanneer mag ik deze planeet verlaten?' En het antwoord was: 'Je mag weg als je vierenvijftig bent.' Het kind Aaron rekende het uit: dat was pas in 2008. Dat leek wel heel ver weg. Maar nu is dat niet meer zover weg en Aaron, die tweeënvijftig is, zegt dat hij niet wil sterven.

Hij ligt met gesloten ogen, zijn linkerhand op zijn borst. Het enige wat ik kan doen is toekijken en met hem meevoelen. Hij heeft er in zijn leven zo naar verlangd gewenst te zijn. Hij is zo vaak teleurgesteld. Die wond heeft keer op keer, elke keer als een minnares bij hem wegging, het gevoel van 'niemand wil me' naar boven gehaald.

'Jij wilt me ook niet,' zegt Aaron, die zijn ogen nu open heeft, me niet beschuldigt, enkel tegen zichzelf en mij spreekt. 'Jij wilt mijn leven niet delen.'

Ik zit bij hem en weet dat dat waar is. Aaron heeft een uitzonderlijk leven voor zichzelf gecreëerd, een dat niet gemakkelijk te delen is met iemand.

'Er is nog meer,' denkt hij nu. 'Jij hebt dezelfde wond, Carla. Jij was ook niet gewild, en jouw grootste verlangen is te worden gezien zoals je bent zodat je kunt worden bemind. We kunnen elkaar niet helpen omdat we dezelfde wond hebben.'

Hij kijkt me aan. Ik ben al die tijd stil gebleven. 'Wat voel jij nu?' vraagt hij.

'Ik voel jouw gevoelens, en ik voel dat ik niet weet hoe ik je kan helpen.'

Hij streelt mijn gezicht. 'Dank je wel voor je eerlijkheid,' zegt hij. 'Kom even onder de dekens voor een knuffel.'

Ik gehoorzaam en lig stil met mijn gezicht naar hem toe.

'Hoe jij voelt is altijd op de achtergrond in mijn bewustzijn gebleven tijdens mijn andere relaties, je bent me al die jaren bijgebleven.' Hij duwt zich op een elleboog. 'Kijk nou eens naar die diepe ogen, die naar me kijken en me liefhebben. Oeroude ogen, die de wijsheid van ontelbaar veel levens laten zien.'

Hij laat zich weer op zijn kussen zakken.

'Ik heb me nooit echt gewenst gevoeld bij mijn ouders,' zegt hij. 'Doordat een kind zijn ouders nodig heeft voelen de ouders zich gewild. Ik heb toen ik opgroeide altijd naar meer affectie verlangd, vooral van mijn moeder. Ik ben heel lang emotioneel afhankelijk van haar geweest. Ik zag er heel sexy uit toen ik in de twintig was en ze genoot van de aandacht die ik haar gaf. Maar zelfs toen was de affectie die zij me gaf niet hetzelfde als gewild worden om mezelf.'

Aarons scherpe inzicht verbijstert me. Ik bedenk ook dat zijn vader misschien die speciale relatie tussen zijn vrouw en zijn zoon wel heeft opgemerkt. Zijn standaardstrategie was Aaron te negeren als hij iets van hem wilde, met name vaderlijke aandacht.

'Je vader heeft wellicht een aversie tegen je gekregen omdat je alle aandacht stal,' zeg ik.

'Dat zou best kunnen. Hij gaf me een wanhopig gevoel. De enige emotie die ik ondraaglijk vond was me ongewenst voelen. Ik voelde me verloren toen niemand me wilde. En nu wil jij me niet meer. Het grote verschil is deze keer dat je nog van me houdt, waardoor mijn verlangen in scherp contrast komt te staan. Als je me zou haten, zou ik mijn eigen verlangen niet hebben opgemerkt.'

'Je doet het deze keer echt,' zeg ik. 'Je bent niet meer bang om tot de bodem van je probleem te gaan en het helemaal aan te gaan.'

Aaron groeit heel erg snel. Niet dat hij consistent is. Hij valt af en toe terug, en dan zie ik dat de koekjes op kantoor al voor de lunch zijn verdwenen. Zijn maag groeit tijdens zijn pogingen respijt van zijn bijtende gedachten te vinden. Hij gaat een stap achteruit en twee naar voren, zoals de meeste mensen die door een dergelijk proces gaan.

'Ik weiger weer te imploderen zoals ik dat in het verleden heb gedaan,' zegt hij. 'Ik concentreer me erop gedenkwaardige momenten te maken van de tijd die we samen nog hebben. Ik concentreer me niet op jouw gevoelens, want dan zou ik reactief worden. De minst pijnlijke manier om hier doorheen te gaan is het verdriet en het verlangen toe te staan. Als je een grote liefde loslaat is er verdriet, daar kun je niet onderuit. Ik heb geen relaties verloren omdat ik nog steeds van mijn partners houd. Ik heb altijd waardering gehad voor de manier waarop ze van mij hielden. De rest kan me niet schelen.'

'Ik houd nog steeds van je, Aaron, en ik geniet van je gezelschap. We zitten toch hand in hand samen televisie te kijken?'

Aaron is opgelucht dit te horen. 'Ik ben me ervan bewust dat het veroordelende in een vrouw me uit de weg wil hebben,' zegt hij. 'Je waardeert het tenminste nog dat ik in de buurt ben.'

Hij steekt zijn hand uit, ik leg die van mij in die van hem, en de energie stroomt tussen ons heen en weer als een zonnige, helende stroom.

Hij vertelt me wat er met zijn lichaam gebeurt. Hij is bij een dokter geweest voor zijn knieën, en zijn heupen doen ook pijn.

'Al de pijn komt terug in mijn lichaam; ik voel me weer rauw. Alles is scherp in plaats van zacht. Ik heb seks nodig. Mijn lichaam heeft seks nodig om zich goed te voelen. Ik heb een relatie nodig.'

Ik weet dat Aaron alles wat hij tegen mij zegt zelf ook hoort en vroeg of laat controleert. Als hij zegt dat hij seks en een relatie nodig heeft dan is dat waar voor hem op het moment dat hij dat zegt. Als de woorden eenmaal zijn systeem uit zijn, hebben ze de kans te muteren in een grotere wijsheid. Op dit moment concentreert hij zich op het uitdrukken van de gevoelens. Hij is even stil en ademt diep in.

'Ik ben bang. Ik zou je binnenkort aan een ander kunnen verliezen, of aan het leven, of de radertjes zouden me een andere vriendin kunnen sturen en dan ben jij uit mijn systeem.'

Ik heb niets te zeggen. Ik wacht op wat er verder nog uit zijn geest komt.

'Het heeft geen zin om vervanging voor jou te gaan zoeken. Ik wacht op de radertjes. De manier om een situatie te beoordelen is door het gevoel dat ze oproept te beoordelen. Als het goed is, zal er warmte zijn.

Ik zal je missen omdat je mij niet bent. Jij bent jij, met je eigen energie. Ik heb zoveel ik kon geprobeerd me die eigen te maken, waardoor ik je niet zo zal missen als een romanticus zou doen. Ik heb het achter me gelaten om iemand te romantiseren, met het gruwelijke verdriet dat daarmee gepaard gaat als iemand vertrekt. Ik ben ervan overtuigd dat ik nooit gelukkiger zal zijn dan nu. Verdriet gaat over terugkijken en hopen op de toekomst. Ik zal gelukkig zijn... met of zonder jou.'

Aaron kijkt me met heldere ogen aan. Hij vraagt niet om goedkeuring of bekrachtiging. Hij wordt sterker en leert de lessen die hij mij ooit heeft geleerd, op een dieper niveau. Het verliezen van een grootse liefde geeft iemand de gelegenheid een grootse les te leren.

Ik schrik wakker uit een nachtmerrie. Mijn hart gaat zo tekeer dat Aaron het lijkt te voelen, en hij draait zich om van de zij waarop hij ligt. Ik lag tegen zijn rug gekruld. Hij is vroeg in de ochtend bij me in bed gekropen en we zijn allebei weer in slaap gevallen.

Hij wil weten waarover mijn droom ging. Hij interpreteert dromen intuïtief. 'Elk beeld symboliseert een soort energie,' zegt hij.

'Ik ben in de droom in een kamer met een vrouw die Michelle heet, en met een man,' zeg ik. 'De manier waarop hij wellustig kijkt en met zijn lippen smakt maakt me nieuwsgierig. Het dringt plotseling tot me door wat hij heeft gedaan: hij heeft Michelle opgegeten! Ik zie haar nergens, maar er hangt een verdacht stukje van haar jurk aan zijn mond. Ik ren naar de belendende kamer, waar een heleboel vrouwen zijn, om hen te waarschuwen, maar ik weet niet wat ik moet zeggen: ze geloven me gewoon niet als ik zeg dat de man in de kamer ernaast Michelle heeft opgegeten! Ik heb geen tijd want de man volgt me de kamer in en kijkt me dreigend aan. Hij wil niet dat ik iets zeg, grijpt mijn linkerarm om me naar zich toe te trekken en prikt met een vinger op een plekje onder mijn andere arm, waardoor ik mijn bewustzijn verlies. Toen werd ik wakker.'

'Mag ik een interpretatie geven?'

'Natuurlijk.'

'Je bent bang dat je wordt verorberd als je een relatie met een man hebt, dat je levend wordt opgevreten, en dat je de controle over je leven zult verliezen.'

Wat een verbijsterende gedachte. Dromen liegen niet. Daar denk ik over na, en Aaron gaat verder.

'Het komt waarschijnlijk doordat je vader je toen je kind was heeft overweldigd, en sindsdien ben je bang geweest om overweldigd te worden door een man. Het heeft je ervan weerhouden je volledig over te geven in een relatie.'

Er begint een gevoel uit mijn onderbewuste op te wellen. Aaron heeft een gevoelige snaar geraakt.

'Het is mijn vader gelukt me te breken en ik ben mijn gevoel van mezelf kwijtgeraakt,' zeg ik. 'Dat is het! Toen ik mijn partners koos, heb ik vriendelijke en zachtaardige mensen gekozen – James en Hal – het tegenovergestelde van mijn vader, mannen die me niet konden overheersen. Maar ze konden me ook niet houden.'

'Je bent nog steeds bang om te worden gedomineerd en niet jezelf te kunnen zijn in een relatie, of om gedomineerd te worden door de relatie als de man het niet doet,' voegt Aaron toe.

Is dit waar mijn wanhopige poging me los te maken vandaan komt? Van het beschermen van mijn gevoel voor vrijheid? Om mezelf ervan te verzekeren dat ik mezelf kan zijn? Als dat zo is, heeft wat ik aan het doen ben niets meer te maken met niet van Aaron houden. Dan heeft het niets te maken met dat zijn tekortkomingen te zwaar gaan wegen. Dan gaat het om mijn eigen neurose.

Sinds we onze eigen slaapkamer hebben en onze relatie nietbestaand is verklaard heb ik het gevoel dat er een strop van mijn nek is gehaald... de nek die aan chronische stijfheid lijdt sinds mijn vader me als kind heeft geprobeerd te wurgen. De handen van mijn vader om mijn strot! Ik ben verbijsterd tot wat een openbaring die droom leidt!

'Het is angstaanjagend,' zeg ik.

'Vertel mij wat.'

'Ik ken mezelf zo slecht. Ik was me niet bewust van mijn beweegredenen.'

De telefoon gaat; het is mijn kleinzoon Damien; hij wil dat oma met hem en zijn zus naar de speeltuin gaat. Ik zit te kijken en adem vrij terwijl ze spelen. Het is goed iets te weten te komen over jezelf. Ik voel me ontspannen, opgelucht, dankbaar. Ik adem diep en gemakkelijk. Ik heb nu iets om mee aan het werk te gaan: het heeft geen zin Aaron los te laten vanwege een neurose. Maar ik weet al dat als dit onderdeel is van de reden waarom ik bij Aaron wegga, het niet het enige is. Het is niet de duisternis, maar het licht dat me roept.

Aaron wil me iets laten zien wat hij spannend vindt en waar hij trots op is. Het is het been dat hij zo meedogenloos heeft gekrabd. Het begint te genezen omdat hij er al een tijdje niet aan zit. De reden? De druk is eraf, zegt hij. Hij heeft het gevoel dat hij weer alleenstaand is, enkel en alleen verantwoordelijk voor zichzelf, en vrij van de gedachte dat hij zichzelf moet veranderen om in mijn leven te kunnen passen.

'Ik zat in een spagaat omdat ik het gevoel had dat ik op een heleboel manieren niet goed genoeg voor je kon zijn; en ik lijd al onder dat gevoel sinds ik een kleine jongen ben.'

Ik ben blij voor hem, maar kan zijn enthousiasme niet delen. 'Dus het jongetje in je is vrijgelaten. Het wordt niet meer uitgedaagd. Er wordt niet meer op zijn knopjes gedrukt. Is dat waarom jij alleen moet zijn in een relatie... om de kleine jongen in je te beschermen? Zou het niet beter zijn om op te groeien in plaats van hem te beschermen en je leven op zijn neurose te baseren?'

'Hoor je op wat voor toon je praat als je zulke dingen tegen me zegt?'

Dat interpreteer ik als een manier van Aaron om de aandacht af te leiden van wat ik net tegen hem heb gezegd.

'Nou en? Wat maakt het uit hoe ik het zeg? Luister gewoon eens een keer!'

'Ik draag een kwetsbaar jongetje in me, en jij draagt een autoritair deel in je... de een heeft de ander nodig om omhoog te worden gehaald.'

Hij heeft meer te zeggen.

'Ik ben aan het genezen omdat ik me voordat ik jou weer ontmoette niet eens bewust was van dit patroon. Bewustzijn is de eerste stap. Ik ben heel eerlijk tegen mezelf geweest en heb niet geprobeerd die gruwelijke krabgewoonte voor mezelf of wie dat ook te verbergen. Ik weet dat mensen het vreselijk vinden me te zien krabben; ik weet dat ze het afstotelijk en walgelijk vinden; ik wilde het niet voor hen verbergen als ik moest krabben. Dat is voor mij al helend op zich: dat ik het niet wil verbergen.'

Ik moet toegeven dat hij meedogenloos eerlijk is... een eerste stap in zijn genezingsproces, zoals hij al zegt. Maar zal het ooit verder gaan dan dat? Ik snap het niet. Hij krabt omdat hij zich afgewezen voelt, maar zijn krabben resulteert in afwijzing, al was het maar van de stilzwijgende, geschokte soort. Maar die soort afwijzing snapt hij, hij heeft haar opzettelijk zelf veroorzaakt en gebruikt haar bewust om zichzelf ondanks dat niet af te wijzen. Aaron heeft een complex karakter. Ik vraag me wel eens af of hij ergens in de ruimte en tijd een contract heeft afgesloten dat volwassen worden gepaard moet gaan met pijn.

'Je hebt me een enorme dienst bewezen door bij me weg te gaan,' zegt hij met een glimlach. 'Daarom houd ik alleen nog maar meer van je. Je dacht misschien dat je iets opgaf, maar je verliest niets. Ik houd alleen nog maar meer van je.'

Aaron ligt vanochtend in bed en wenst liefde. Hij voelt zich niet meer vrij me uit te nodigen. Als ik zijn kamer binnenkom ligt hij daar gewoon en wenst iemand die hem bemint. Hij slaat verwelkomend zijn dekens open en even later lig ik knus tegen hem aan.

Het gevoel tussen ons is veranderd. Ik voel niet langer de passie die me voor hem opende. Er is vriendschap, plus op dit moment in mij een verlangen naar seks. Geen extreme behoefte, maar waarom zou ik een genot opgeven dat hier op me ligt te wachten, in Aarons bed, met een man van wie ik weet dat hij mijn bedoelingen niet verkeerd zal begrijpen?

Als hij bij me binnengaat, is het anders. Er is weer geen onmiddellijke opwinding, alleen verwelkoming. Pas als hij zijn stoten van uit een half zittende positie voortzet, ontwaakt mijn lichaam en prikken er tranen in mijn ogen. We komen tegelijk klaar en ik zie hoe goed we ons allebei voelen. Onze hormonen hebben een weg gevonden, en onze vriendschap ook.

'Je lijkt zoveel op mij,' zegt Aaron. Wat hij bedoelt is: ik vind seks als ik het nodig heb en er iemand die op me is gesteld in de buurt is. Ik ben niet gebonden, stel geen eisen, heb geen verwachtingen, doe geen beloftes. Dat is zijn wereld. Ik kan zijn wereld nu als bezoekster betreden terwijl ik me in mijn eigen wereld beweeg.

'Ik weet nu wat goede liefde is,' zegt hij. 'Ik neem geen genoegen met minder.' En hij voegt toe: 'Je bent nu een vrouw die de controle over haar lot heeft. Je bent geen meisje meer. Je hebt nu je jezelf hebt gevonden niemand anders meer nodig. Ik weet dat je zult vinden wat je wilt.'

Ik werd die ochtend wakker met een nieuw, stabiel gevoel van vrijheid. Ik was vrij te kiezen, en op dat moment wilde ik Aaron.

'We voelen diepe affectie voor elkaar en genieten ervan om seksueel genot uit te wisselen,' observeert Aaron. Dan praat hij over hoe de passie op natuurlijke wijze minder wordt als een stel langer bij elkaar is, en vriendschap belangrijker wordt.

Daar ben ik het niet mee eens. De passie zal in mijn volgende relatie, beweer ik, worden vastgehouden door het... ik zoek naar een woord en het dringt tot me door dat het 'huwen' is... door het huwen van energie binnen de cirkel van de relatie. Een intense waardering van de relatie, en een natuurlijk verlangen die te beschermen tegen corruptie van elke aard, zoals die ontstaat bij oneerlijkheid over het delen van gevoelens, gebrek aan communicatie en het buiten de cirkel plaatsen van seksuele energie. Een dergelijke verbintenis zou me toestaan gepassioneerd te zijn in alle aspecten van het leven, omdat die bijzondere, diepe expressie maar in een richting zou worden gekanaliseerd.

Aan de slag

Pijn kent geen einde
en geluk ook niet
in de ziel die vrij is.

– Nirmala, gedicht zonder titel

Onze relatie verandert nogmaals. Ik wijt het aan een intensieve cursus Theta Healing van drie weken. Mijn ogen kijken nadien anders. Ik zie duidelijk wat ik van een partner wil en wat Aaron niet biedt.

We zitten op het dek van de Duyfken, de replica van een houten scheepje dat eind zestiende eeuw dapper uit Nederland vertrok en uiteindelijk de oceaan overstak naar Australië. We genieten van het water voor ons en het weldadige briesje boven Swan River, waar de Duyfken ligt aangemeerd voor de gebouwen van de Swanbrouwerij. Langs de oever aan de overkant rijdt verkeer over verlichte wegen.

'Ik wil met iemand zijn die mijn ruimte met me kan delen.'

Aaron is degene die uiteindelijk de woorden van ultieme waarheid spreekt. Ik hoor ze en weet dat dit een keerpunt is. Hij heeft het idee opgegeven dat ik misschien in zijn huis in Darkan bij hem wil komen wonen. Hij heeft tevens het idee opgegeven dat ik zijn verhalen zal begrijpen. Ik geloof ze niet meer zoals ik deed, en dat is een ondraaglijke belediging voor het gevoelige deel van zijn aard. Ik ben misschien nog steeds een kindvrouw, zoals hij zegt, maar ik ben niet meer naïef en goedgelovig. Dus voel ik opluchting bij zijn woorden. Ik weet wat ik wil: een heer.

'Jij wilt iemand die financieel ook voor je kan zorgen,' zegt hij.

Nou, niet echt. Ik wil iemand die mijn financiële gelijke is, dat is alles. Maar dat kan ik niet tegen hem zeggen. Ik vind Aaron een beetje té trots op zijn kundigheid van het absolute minimum rond te komen.

Ik betaal voor het parkeren en rijd ons naar huis in mijn auto. We gaan ieder naar onze eigen slaapkamer. Morgen is het zaterdag en dan is er genoeg tijd om te praten.

Ik breng die zaterdag met een wildvreemde door. Aaron heeft zich volledig van me losgemaakt. Ik heb hem nog nooit zo gezien: een schijnbaar brok humorloos chagrijn. Er fonkelt geen licht in zijn ogen.

Ik weet dat ik hem met rust moet laten als hij zo is. Het heeft hem eens een week gekost om zijn persoonlijke hel te doorleven, een andere keer wist hij hem in te korten tot een uur. Ik weet dat hij er weer uit zal komen en zich beter zal voelen omdat hij dan weer iets in zichzelf heeft opgelost.

Als hij wil praten is zijn gezicht bleker dan ik het ooit heb gezien. Zijn lippen lijken de controle kwijt terwijl hij spreekt.

'Weet je zeker dat je ons ons-zijn niet meer wilt?' Als ik niet onmiddellijk iets zeg, zal hij onze relatie wegbranden. Het is nu of nooit. 'Ik houd echt van je Carla, maar als je me niet wilt zal ik je niet in de weg staan.'

Ik kijk hem aan. Ik ben nog nooit zo bestendig en onvoorwaardelijk bemind. Ben ik bewust iets kostbaars aan het kapotmaken? Waarom zou ik dat doen? Mensen doen dergelijke dingen omdat ze het gevoel hebben dat ze het niet waard zijn om echt te worden bemind. Ze denken dat het niet kan voortduren. Komt het doordat ik ouder ben dan Aaron en het gevoel heb dat het leeftijdsverschil te veel zal worden? Wil ik daarom als eerste weg? Komt het doordat ik het niet zou aankunnen als hij míj zou verlaten?

Het zijn allemaal serieuze vragen, omdat ze gaan over wat ik ooit precies zo heb gedaan. Ik heb mijn partners op de proef gesteld door me lomp en beledigend op te stellen: en houd je nú nog van me? Dat was normaal gesproken te veel voor hen, dus dacht ik dat het goed was dat ik erachter kwam dat ze toch niet onvoorwaardelijk van me hielden. Ik leek wel een kind dat haar ouders test.

Maar ik voel nu een gelijkmatigheid in mijn verdriet. Ik word de hele dag verrast door tranen; ze wellen op uit het niets. Ik voel Aarons pijn. Ik kan de schoonheid voelen van wat we ooit hebben gehad, en hoe dat nog steeds mooi voor me is nu het voorbij is en ik verder moet. Ik ben niet voor een ander gevallen; er gloort geen andere minnaar aan de horizon.

'Ik gehoorzaam aan wat jij de radertjes noemt, Aaron. Ik volg een onbekende roep, zoals ik dat in mijn leven al een paar keer eerder heb gedaan... zoals toen ik mijn huis in Denmark heb achtergelaten om naar Perth te komen.' Ik had geen idee waarom ik dat moest doen, maar de roep klonk onmiskenbaar. 'Ik word aangetrokken door een onbekende toekomst. Ik stap niet uit deze relatie omdat ik je veroordeel. We zijn goede vrienden, maar we zijn geen partners.'

'Weet je wat je bent vergeten?' zegt Aaron met een vleugje verbittering in zijn stem. 'Je bent het vergeten te vragen.'

Wat bedoelt hij? Hem te vragen of hij in een partner voor me wilde veranderen?

'Ik wil je niet vragen te veranderen, Aaron!'

Hij kijkt weg. Hij weet dat het hopeloos is. Carla gaat ergens naartoe waar hij helemaal niet wil zijn. Aaron zegt: 'Niemand wil met mij meelopen.' Maar het is Aaron zelf die niet met mij wil meelopen. Hij wil dat ik met hem meeloop, dat is alles.

'Het enige wat ik wil is een vriendin om dingen mee te doen.' Terwijl hij dat zegt weet hij dat hij net het belangrijkste verschil tussen ons heeft beschreven. Ik wil meer dan 'dingen doen' met iemand.

'Dat is niet genoeg voor mij, Aaron.'

Hij knikt. Dat weet hij. Hij lijdt.

'Ik heb ongelooflijke pijn in mijn borst,' zegt hij.

Die pijn zal overgaan als Aaron eindelijk loslaat.

Aarons vuist slaat zwaar op de keukentafel als ik weiger hem het laatste woord te geven. De inhoud van het kopje voor hem klotst over de tafel en op de grond, maar het kopje klettert niet op de vloer.

'Genoeg!' schreeuwt hij. 'Zo is het genoeg! Geen woord meer!'

Zijn razernij heeft het gewenste effect: ik houd mijn mond. Het is stil in de kamer. Aaron staat aan de andere kant van de tafel en gaat weer zitten. Ik staar naar beneden en tranen wellen op. Tranen vermurwen Aaron altijd. Hij schuift zijn stoel aan tegenover me en neemt mijn handen in de zijne. 'Vertel eens waar je tranen over gaan.'

Als de woorden niet snel genoeg komen laat hij mijn handen los. Ik ben nu ook stil. Net zei ik te veel, nu zeg ik te weinig.

Ik zoek naar woorden die geen negatieve reactie uitlokken, die hem nog razender maken. 'Ik weet het niet!' jammer ik, nog niet in staat mijn vinger op het verdriet te leggen.

'Je bent zo droog, Carla. Ik voel helemaal niets aan je.'

Maar de waarheid komt al naar boven.

'Mijn vader deed ook zo.'

Aaron leunt achterover in zijn stoel. Dat had hij niet verwacht, en het is niet wat hij wilde horen. Ik ga verder.

'Jij bent niet gewelddadig zoals hij, maar hij kon het niet uitstaan als ik hem in twijfel trok. Hij gebruikte zijn vuist en zijn stem om me stil te krijgen.'

'Voel je je veilig bij mij?' wil Aaron weten.

'Ja. Ik voel me veilig bij jou.'

'Ik zou je nooit pijn doen.'

'Dat weet ik.'

Woede als deze is zeldzaam bij Aaron. Wat hij me vertelt (voor de zoveelste keer) is dat de barrières tussen ons niet worden geslecht door te praten. Bovendien zal het afsluiten tussen ons er niet toe leiden dat we elkaar volledig gaan begrijpen. Er worden aan beide kanten te veel knopjes ingedrukt. We hebben allebei niet de volwassenheid of de vaardigheid om tussen de rotsen door te navigeren waarvan we weten dat ze onder de oppervlakte liggen, maar die we niet willen zien.

Aaron wil na dit incident opnieuw een brug tussen ons bouwen. Hij vraagt me of ik een enorme berg spijkers die hij heeft gevonden met hem wil sorteren. Hij zit op de trap voor het huis met de spijkers in een emmer water en nodigt me uit naast hem te komen zitten. Ik ben me ervan bewust dat hij ervan geniet dat ik hem help. Ik voel dat hij vanbinnen glimlacht: we helen onze vriendschap weer.

'Ik ben altijd al gek geweest op dingen sorteren,' zegt hij. 'Als kleine jongen vond ik er troost in. Het was een eenvoudige bezigheid om orde te scheppen. Het gaf me het gevoel dat mijn leven ordelijker was.'

Ja, dat geloof ik. Deze geweldig creatieve persoon, deze hergebruiker en reparateur van kapotte zaken heeft zijn vakkundigheid ontwikkeld uit een verlangen orde in zijn emotionele chaos te creeren. Dat bewonder ik in hem en als hij vrij zou zijn van het dwangmatige zou het hem nog steeds genot schenken. Hij geniet er enorm van anderen te verzorgen... iemand een computer te geven die helemaal is opgebouwd uit gevonden onderdelen bijvoorbeeld; de beste kantoorstoel voor me in elkaar te zetten die ik ooit heb gehad uit onderdelen van drie andere die creatief tot een geheel zijn omgebouwd. En nu is hij de zeer gewaardeerde probleemoplosser en ontwerper van het bedrijf. Hij kan er terecht trots op zijn dat Clinton zijn bijdrage zo waardeert.

Aaron vertrekt vanochtend naar Darkan. Ik knip een van de eerste rozen van deze lente en leg die op zijn dashboard. Hij gaat zo lang weg als hem uitkomt, het bedrijf is hem dankbaar voor het geweldige model dat hij heeft gemaakt en het oplossen van een structureel probleem in een belangrijk ontwerp. Als hij wegrijdt en onze handen loslaten, weet ik dat er een andere Aaron zal terugkomen.

Het is het eind van onze relatie. Het voelt afgelopen, maar rauw. Misschien dat je die ruwheid nodig hebt om uit elkaar te kunnen gaan. Moet je het negatieve en het onverenigbare onder ogen komen, moet je dat voelen om uit elkaar te kunnen gaan.

Het moest gebeuren. Aaron moest volledig gedesillusioneerd in me raken. Als hij naar Darkan is vergeet ik *Dr. Who* voor hem op te nemen. Dat is een belangrijk verzoek van Aaron, die nauwgezet alle afleveringen heeft verzameld... tot nu toe, dan. Als hij terugkomt uit Darkan is hij geschokt dat ik zo heb gefaald en hij doet zijn uiterste best het niet als verraad te interpreteren.

Pas een dag na deze teleurstelling doe ik nog een schepje boven op zijn conflicterende emoties. Ik hoor als ik door de gang loop dat er iets misgaat met de videorecorder: hij piept en kraakt. Heeft het apparaat de hele nacht aangestaan en gaat het nu protesteren? Ik weet niet dat Aaron er net een paar minuten eerder een band in heeft gedaan en druk op elk beschikbaar knopje om een eind te maken aan het kabaal. Er floept een videoband uit.

'En hij is kapot,' zegt hij later met lood in zijn stem. 'Dat is mij mijn hele leven nog nooit overkomen.'

Aaron denkt in symbolen en deze uitzonderlijke gebeurtenis moet een uitzonderlijk gebrek mijnerzijds aangeven. Hij gaat die avond naar bed en sluit zijn deur zonder me goedenacht te wensen. Dat valt me op, en ik vraag vanaf de gang hoe hij zich voelt.

'Gewoon, stil,' zegt hij.

'Stil, niet gedeprimeerd?'

'Nee, gewoon stil. Ik weet dat het geen kwade opzet van je was dat je de video hebt stilgezet, Carla.'

Oké, maar zijn beeld van mij is er wel permanent door beschadigd. Ik ben getuige van het uit elkaar vallen van een relatie. Een deel van me is blij dat het gebeurt. Ik wil dat Aaron een andere kant op gaat kijken.

Het is tijd om alles uit te spreken en te zien of we nog vrienden kunnen zijn. We zitten op de bank in de televisiekamer. Ik ben moe, we hebben *When Worlds Collide* gekeken. Het is laat. Dat we die film hebben gekeken vervulde een droom van Aaron, die hem ooit, in de jaren vijftig, op televisie heeft gezien, toen de beeldkwaliteit slecht was. Voor mij betekent hij niet hetzelfde. Dat is een van de oorzaken van Aarons verdriet... dat ik me openlijk erger aan de clichés die cineasten zich in die tijd veroorloofden. Hij weet dat het clichés zijn, maar dat maakt hem niet uit.

Als hij vraagt wat ik van de film vond, zeg ik dat recht voor zijn raap. Hij is ontsteld. 'Daar heb je je klaagzelf weer,' zegt hij.

'Ik weet dat ik klaag, Aaron. Jij houdt je klachten binnen, maar ze zijn er wel! En dan zeg je dat ik degene ben die altijd klaagt! De dingen die je niet prettig aan me vindt hebben er waarschijnlijk mee te maken dat je je door me veroordeeld voelt. Ik zou je moeten kunnen vragen of je iets wel of niet zou willen doen zonder dat je je meteen veroordeeld zou voelen.'

'Je bent zo kritisch, Carla! Ik verschrompel helemaal als je je mond opendoet en me vertelt hoe ik moet zijn. Het is je stem. Ik hoor het in je stem, je veroordeling. Het is afgrijselijk! Je zegt dat het allemaal door mij komt en niets met jou heeft te maken.'

We zitten even in stilte voordat hij verder gaat.

'Je doet helemaal je best niet mij in mijn ruimte te vergezellen. Je háát mijn ruimte! Je komt als toerist naar mijn huis en wilt er zo snel mogelijk weer weg omdat het er niet is zoals in jouw ruimte. Je ziet niet wat ik in Darkan heb bereikt. Het is allemaal betekenisloos voor je. Je hebt geen idee hoeveel pijn dat me doet... dat ik ervoor kies om in jouw ruimte te zijn en dat jij nooit kiest om in de mijne te zijn.'

'Hoe had ik kunnen kiezen om in jouw ruimte te zijn, Aaron? Serieus? Had ik echt in Darkan kunnen komen wonen? Of in het huis van je ouders? Ik heb voorgesteld samen een huis te delen, maar je zei dat je je dat absoluut niet kon veroorloven... dat het geen mogelijkheid was.'

Aaron wil niet toegeven. Hij heeft het eigenlijk over mijn bereidwilligheid en mogelijkheid zijn ruimte op emotioneel vlak met hem te delen. Hij zou het bijvoorbeeld leuk hebben gevonden als ik ernaar zou hebben verlangd in Darkan te gaan wonen, ook al was dat praktisch onhaalbaar. Hij zou het leuk hebben gevonden als ik het leuk zou hebben gevonden om met hem mee te gaan naar de videotheek, de speelgoedwinkel en de uitdragerij, gewoon om in zijn gezelschap te zijn. Zijn ruimte, zijn waarden. Ik weet wat hij bedoelt. Ik ben erger dan halfslachtig met dergelijke dingen. Zijn – in mijn ogen – vreemde obsessies waren dingen die ik op de koop toe nam en niet in de weg liet staan van mijn liefde voor hem. Mijn onverschilligheid heeft hem uiteindelijk gekwetst.

Aaron heeft nog meer te zeggen.

'Jij gaat naar je bijeenkomsten en gesprekken en laat mij alleen thuis achter. Dat vind je allemaal heel vanzelfsprekend en ik ben de laatste die je in de weg staat. Maar het maakt jou niets uit dat je zoveel zonder mij doet.'

Ik ben doodop, maar ik wil niet weglopen van hem en dit gesprek.

Aaron heeft gisteren een airco in mijn kamer geïnstalleerd. Daar heeft hij ook iets over te zeggen. 'Je hebt nu een kamer waar je de temperatuur kunt reguleren zoals jij hem wilt. Alles is precies zoals jíj het wilt hebben. In mijn kamer is het bijna geheel natuurlijk... Ik heb alleen een ventilator om me iets verkoeling te geven. Jouw kamer is niet meer van mij. Ik heb de moeite genomen die airco voor je te installeren en dat was dat. Wat vind je van die analogie?'

'Ik vind het een beetje oneerlijk, Aaron, aangezien het in mijn kamer veel heter wordt dan in die van jou. Het is niet prettig om er te zijn zonder verkoeling.'

'Ik zeg vandaag dingen tegen je die ik heel lang heb binnengehouden en nu ik ze heb uitgesproken zal ik ze als realiteit moeten nemen en ermee moeten omgaan. Ik ben alleen en moet mijn eigen ruimte terugvinden. Ik moet ontdekken wie ik ben zonder jou in mijn leven. Hoe klinkt jou dat in de oren?'

'Ik voel me verdrietig, maar ik weet dat het onvermijdelijk is.'

Ik voel Aarons behoefte aan een maatje en aan seks. Niet dat hij zich niet zal kunnen aanpassen, want dat gaat wel gebeuren. Maar als hij zich terugtrekt wordt hij zwaar op de hand en somber. Hij heeft niet het gevoel dat hij de man is die hij wil zijn als hij alleen is.

'We lopen nu aan verschillende oevers van de rivier.' Zo zegt hij het sinds hij terug is uit Darkan. 'We zijn allebei vastberaden om alleen, aan onze eigen kant, te lopen. Soms maken we een brug en komen we samen. En dan: poef, is de brug verdwenen en treffen we onszelf weer alleen aan, zonder elkaar een moment uit het oog te verliezen. We bouwen steeds minder bruggen, het zijn alleen nog maar stukjes van bruggen, en ze worden alweer afgebroken voor ze elkaar in het midden ontmoeten.'

Het is een indringend beeld, en heel accuraat. Hij is ervan overtuigd dat mijn geest zo werkt: ik denk te veel na, ik veroordeel hem te veel en dat is de reden dat ik steeds minder geïnteresseerd in hem ben. Hij heeft tot op zekere hoogte gelijk: ik vind sommige van zijn gewoontes walgelijk. Zijn slechte gewoontes lijken erger te worden als hij in gezelschap is, als hij misschien een beetje nerveus is over wat anderen van hem denken. Dan lijkt het hem niet op te vallen dat hij aan zijn benen krabt en peutert, en dat hij met volle mond praat. Het wordt erger als hij zijn sandalen uittrekt en zijn voeten op de salontafel legt, waardoor het nog gemakkelijker is om aan zijn benen te krabben. Ik heb hem regelmatig gevraagd die stinkende sandalen op te ruimen, en hij heeft ze naar de andere kant van de kamer gegooid. Maar hij vergeet het. De lijst kan veel langer.

Dat soort dingen maakt niet uit als je verliefd bent, of als je onvoorwaardelijk kunt liefhebben, of als je in staat bent om je af te sluiten voor wat je geest allemaal tegen je roept. Iedereen heeft per slot van rekening eigenschappen die wat goedmaken. Vooral mannen moeten echt met een korreltje zout worden genomen, en al helemaal als je een oprecht, niet overdreven gepolijst exemplaar wilt. Maar het heeft geen zin, mijn ingewanden komen in opstand, het is niet anders.

Ik vraag mijn vriendin Lynda wat zij van Aaron vindt terwijl ik haar met mijn auto naar het station breng nadat ze bij me op bezoek is geweest. Het is altijd goed om te horen hoe een buitenstaander iets ziet en ik weet dat ze van ons allebei houdt. Lynda doet haar best in algemene termen te spreken omdat ze niet wil dat iets wat ze zegt als kritiek op een van ons beiden overkant.

'Als twee oudere mensen ervoor kiezen een relatie aan te gaan is dat niet om kinderen te krijgen,' zegt ze terwijl ze ontspannen in haar stoel gaat zitten om me van opzij aan te kunnen kijken terwijl ik rijd. 'Het gaat dan om dingen als vriendschap, elkaar steunen in een gekozen doel, genieten van wat je gemeen hebt. Er zijn altijd dingen die irritatie opwekken, zo is de menselijke aard. Hoe ouder je wordt, hoe erger dat kan zijn.'

Ze heeft gelijk. Het is me aan ons allebei opgevallen: hoe we de dingen op onze eigen manier willen.

'Het is wel duidelijk dat Aaron en jij van elkaar houden. Jullie hebben een sterke band.'

'En we kunnen het niet helpen dat we van elkaar houden, we genieten van elkaars gezelschap en aanraking. Er is zoveel wat goed voelt.'

'Dan moet onvoorwaardelijke liefde de verschillen gladstrijken,' merkt ze op, waarmee ze de belangrijkste spijker precies op de kop slaat, en Aarons mening onder woorden brengt: ik bemin; dat zou genoeg moeten zijn.

'Liefde kent geen prijs en is van onschatbare waarde,' zegt ze, 'en toch kost ze alles! Ze kost de dood van het ego. De persoon die liefheeft, moet beslissen: is dit genoeg? Als dat zo is, sterft het ego.'

Ik denk zorgvuldig na over Lynda's woorden. Ze verheldert het enorm voor me.

'Weet je wat, Lynda? Dat kan ik niet! Ik heb het niet in me om zoveel van iemand te houden. Het is gewoon niet genoeg voor me. Ik wil meer raakvlakken in de alledaagse dingen!'

Ik ben eindelijk in staat het beestje bij zijn naam te noemen.

'Nou, dat is heel eerlijk van je,' zegt Lynda. 'Als we de liefde bedrijven laat ons dat zien wie we zijn: de hele waarheid en alle bagage.'

Nu ik deze laatste verheldering heb, moet ik met Aaron praten. Ik vraag zodra ik thuis ben of dat kan.

'Jij weet hoe je onvoorwaardelijk moet liefhebben, Aaron. Ik niet. Dat is te moeilijk voor me.' Ik kijk hem zonder hoop aan.

'Ik heb zelf ook iets te zeggen, Carla. Jij behandelt een relatie als een boodschappenlijstje. Je weet niet hoe je me moet waarderen! Je schijt op mijn liefde. Een relatie gaat er wat jou betreft om dat je partner zich aan jou aanpast. Als je mijn liefde voor je wegneemt, val je van een rots. Dan val je in een enorm gat.'

Ik zou moeten wanhopen, maar dat doe ik niet. Ik verwelkom dit op de een of andere manier: hij heeft zijn verdriet eindelijk een stem gegeven. Hij is op dit moment intens verdrietig, en een beetje verzuurd, maar ik weet dat hij door diepere dalen is gegaan en er liefhebbender uit is gekomen.

Hij gaat verder van me vandaan zitten op de bank. 'Je behandelt me als een nuttig voorwerp,' zegt hij emotieloos.

En toch, als hij klaar is, bedankt hij me dat ik naar hem heb geluisterd, en gaan we verder met onze dag.

De zijwegen van de liefde

Liefde is een kwestie van twee-zijn.
Maar in elke vorm van twee-zijn ben je alleen.

– D.H. Lawrence, 'Dieper dan liefde'

We zitten op de veranda voor het echt heet wordt. Dat is hoe we nu praten, hoe we geleidelijk onze eigen gedachten en gevoelens op een rijtje krijgen.

'Ik werd vanochtend wakker met een gruwelijke gedachte,' zegt Aaron.

Ik wacht, maar hij zegt verder niets tot ik hem aanspoor. 'En dat was?'

'Ik moet een andere vriendin gaan zoeken,' zegt hij, en hij zucht slinks.

Onze gesprekken gaan concreter over wat we van plan zijn te gaan doen.

'Heel wat mensen zouden blij zijn met wat wij hebben en heel wat compromissen sluiten om het in stand te houden,' zegt Aaron. 'Ze zouden beslissen compromissen te sluiten omdat ze het goede wat ze hebben naar waarde schatten. Daar is niets mis mee.'

'Nou, die mensen zouden zichzelf morele eisen opleggen, zoals: "Ik moet deze persoon de rest van mijn leven accepteren omdat ik dat heb beloofd",' werp ik tegen. 'Dat gaat vaak samen met: "Ik zóú van deze persoon moeten houden, ondanks alles wat me niet aan hem zint. Ik zóú me over mijn afkeer en mogelijk andere, onaangenamere reacties moeten kunnen zetten en ik zóú deze uitdaging moeten aangaan ter meerdere glorie van mijn groei en van God", of iets dergelijks.'

'Inderdaad,' zegt Aaron, 'en dan heb je ook nog oprecht onvoorwaardelijke liefde. De ander wordt bemind en gewaardeerd, en zijn zwakheden worden hem of haar gewoon vergeven. Dat is echt de enige manier waarop een relatie kan floreren. Dat is wat jij en ik ook deden, tot we dat niet meer deden; dat wil zeggen, totdat jij dat niet meer deed. En de laatste tijd doe ik het ook niet meer.'

'Op dergelijke momenten stuitten we op meer dan zwakheden, Aaron. We stuitten op basale tegenstrijdigheden die veel dieper gaan. Dergelijke kwesties moet je niet negeren. Je kunt niet meer zeggen: "Ik ben hier om wat we gemeen hebben", als datgene wat je gemeen hebt op iets rust wat je níét gemeen hebt. Dat is hoe ik ons nu zie. We staan op dat punt. Ik ben alleen degene die het als eerste opmerkt, dus des te pijnlijker is het voor jou.'

Aaron zegt dat zijn vrouwen naar hem toekwamen met een spandoek op hun voorhoofd met de tekst: VERANDER! WEES WIE IK WIL DAT JE BENT! 'Maar ik heb een spandoek op mijn voorhoofd waarop staat: IK WIL AARON ZIJN! DIT IS WAARMEE JE HET MOET DOEN! Die onbehouwen eis te veranderen is onmenselijk. Hij is meer dan oneerbiedig. Hij is...'

'Weet je zeker dat dat is wat er op de spandoeken van die vrouwen staat?' onderbreek ik hem. 'Zo heb jij het misschien gelezen, maar jij hebt extreem de neiging je veroordeeld te voelen. Kan het niet zo zijn dat ze om iets reëels vroegen?'

Dat kan hij niet beantwoorden. Hij herinnert zich alleen dat hij werd aangevallen en in diskrediet werd gebracht.

Ik probeer het voor ons allebei onder woorden te brengen. 'Het is alsof God tegen ons zegt: "Hé, dit werkt niet, dus het is niet wat ik voor jullie op het oog heb. Houd ermee op. Het heeft zijn tijd gehad. Het heeft zijn doel gediend. Hecht je niet aan herinneringen en dwing het niet iets te zijn wat het niet is. Je hoeft geen compromissen te sluiten. Heb vertrouwen en ga verder. Je hebt het leven; het leven kan je precies geven wat goed voor je is.'

Aaron knikt, maar ik weet dat hij maar half overtuigd is. Hij gelooft dat liefde alles overwint, en wil dat, in elk geval voor zichzelf, waarmaken.

'Wat mij troost geeft, Aaron, is dat ik weet dat deze breuk er moet zijn. Dat sterke gevoel dat ik in het begin over onze relatie had stelt me nu gerust, omdat ik er een glimp door opving van wat ik kon verwachten.'

'Misschien heb je het waargemaakt omdat je in dat visioen geloofde,' zegt hij. 'Je hebt het tot waarheid verklaard en daarom is het gebeurd.'

Met andere woorden: een zichzelf vervullende voorspelling. Hij impliceert dat ik ervoor had kunnen kiezen dat visioen te verwerpen en had kunnen kiezen het te wijzigen. Maar zo was het niet. Het was alsof ik, toen al, op een bepaalde manier wist dat deze relatie tijdelijk zou zijn. Dat er een ingebouwd einde bij hoorde.

'Ik heb ook een visioen gehad, Carla. Ik weet al sinds ik een jongetje ben dat ik op mijn vierenvijftigste zal sterven. En nu houden mijn knieën ermee op, en mijn hele lichaam doet pijn.' En dan voegt hij toe: 'Ik wil dat visioen veranderen. Ik wil niet dood.'

Ik luister naar zijn innerlijke pijn. Zijn innerlijke lichaam is nog steeds opmerkelijk sterk. Hij heeft een verbijsterende constitutie. En toch valt hij op belangrijke vlakken uit elkaar. Zijn ogen, bijvoorbeeld. Hij klaagt vaak over de spanning die hij in zijn ogen voelt, maar weigert naar een oogarts te gaan omdat dat geld kost.

'Je staat voor een enorme uitdaging, Aaron. God neemt het je heus niet kwalijk als je die uitstelt tot je volgende leven.'

Ik weet dat hij dat zelf al weet... dat hij echt niet gaat veranderen. Ik kan het aan de oppervlakte brengen zodat hij zichzelf er niet over voor de gek hoeft te houden en zichzelf niet zo'n pijn meer hoeft te doen omdat hij continu faalt.

'Je zegt bijvoorbeeld dat je je knieën wilt genezen. Als dat waar zou zijn, zou je als eerste zorgen dat je zou afvallen, want je knieën worden te veel belast doordat ze al dat gewicht moeten meezeulen.'

Aaron knikt, enigszins gegeneerd.

'Je weet dat je er niets aan gaat doen om af te vallen, Aaron.'

Maar zover het mijn verwachtingen betreft is hij uit de problemen en dat brengt een glimlach op zijn gezicht. Dan vraagt hij: 'Heb jij uitdagingen?'

'Natuurlijk,' antwoord ik. 'Ik voel nog steeds af en toe een soort existentiële angst door me heen gaan. Die leeft in mijn cellen en het is me nog niet gelukt hem van me af te schudden en volledig in vertrouwen en voldoening te leven. Ik voel bij tijd en wijle ook felle kritiek... op mezelf en op anderen. Zoals je weet ben ik heel intolerant! Natuurlijk heb ik ook mijn uitdagingen.'

Dat moet hij horen, hij moet weten dat het niet helemaal zijn schuld is dat er een eind aan de relatie komt, wat mij betreft.

'Ja,' zegt hij goedkeurend, 'die tolerantie van jou. Dat is waarom er een eind aan deze relatie komt. Je liefde was totaal en puur, Carla. Ze heeft me mijn onschuld teruggegeven. Dat is een geweldig geschenk. Je hebt me in staat gesteld de man te zijn waarvan ik wist dat ik die kon zijn: iemand die zonder reserve bemint, die loyaal, attent, zachtaardig en vergevensgezind is. Er is veel aan je wat ik niet leuk vind, maar daar heb ik nooit wat van gezegd omdat dat niet is waarom ik hier ben. Ik ben hier voor de energie. Ik ben gewoon gek op hoe je voelt; dat is wat het is.'

Het is uiteindelijk niemands schuld. We zijn allebei duidelijk geconfronteerd met kwesties waarmee we uiteindelijk in het reine zullen komen. Dat is al heel wat.

Morgen gaat hij weer naar zijn huis en blijft er het weekend. Ondanks wat er vanavond allemaal tussen ons is voorgevallen neemt hij me bij de hand en leidt me de gang door naar zijn kamer. We gaan op zijn bed liggen. Hoewel mijn lichaam moe is en niet geïnteresseerd in seks zouden zijn aanraking en verlangen me kunnen opwinden. Ik wil dat dit mijn afscheidscadeau aan hem is. Hij knapt zo op van seks dat het een genot is te bedenken dat ik hem dit kan geven. Aaron ziet dit als zijn geschenk aan mij. 'Hier ga je je wel beter van voelen,' zegt hij, alsof hij gevolg geeft aan de uitspraak: klagende vrouwen moeten gewoon worden geneukt. Prima hoor, dat wil ik wel toegeven.

Maar mijn lichaam wil deze keer niet zijn rol spelen zoals het dat in het verleden heeft gedaan. Genot komt omhoog, maar sterft al snel weer weg. Aarons stoten wekken mijn seksualiteit op een onvriendelijke manier op die niets met hem heeft te maken. Mijn lichaam reageert niet langer op hem zoals het dat deed. Ondanks de hulp van een glijmiddel brandt de rand van mijn vagina al voordat hij klaar is. Hij komt ongecontroleerd klaar, waarbij de spanning loskomt die tijdens de afgelopen dagen van celibaat is opgebouwd.

Aaron blijft alert, steunt met zijn hoofd op zijn elleboog en kijkt naar me tot ik aanstalten maak op te staan omdat ik in mijn eigen bed wil slapen.

Het valt me de volgende ochtend op hoe gelukkig hij is terwijl hij inpakt. Zijn hoofd is helemaal helder. Als hij me ziet is er geen spoortje of gebaar dat wijst op iets anders dan de taak waarmee hij bezig is. De seks heeft zijn balans miraculeus hersteld, zoals hij dat voor zoveel mannen doet. Misschien is dat waarom vrouwen hun man toestaan seks met hen te hebben als ze er eigenlijk geen zin in hebben. Het geeft hun het genoegen hun man in een tevreden bui te zien. Een tevreden man is een welwillende man, een man die klusjes in huis doet. Het was na de seks dat Aaron besloot die airco in mijn kamer te installeren! Het was niet met voorbedachten rade – verre van – maar ik bedenk me ineens dat het zo is gegaan. Geen wonder dat seks in vrouwenhanden een politiek instrument kan worden! Geen wonder dat een man, vanwege zijn behoefte, extreem achterdochtig kan worden uit angst misbruikt te worden door vrouwen.

Als hij terugkomt uit Darkan wordt Aaron geleid door de liefde die we voor zijn gevoel nog steeds delen, en door zijn hormonen. Ik lig 's middags even op bed als hij aanklopt en binnenkomt.

'Aaron, ik voel me helemaal niet verleidelijk!'

'Je ziet er nog steeds heel beminnelijk uit.'

'Ik voel me futloos.'

'Dat geeft niet, je mag zo futloos zijn als je wilt.'

Hij hangt intussen boven me, benen aan beide zijden van mijn lethargische lichaam. Hij is vreselijk voorkomend, heel zorgvuldig niet te gaan waar hij niet is gewenst. Zijn voorzichtigheid doet me denken aan de dans van de mannetjesspin die het veel grotere vrouwtje benadert, ook al lijkt ze nietsvermoedend en vriendelijk. Als hij dichterbij komt – intussen steeds zwaaiend met de poten die zijn schat bewaren, zijn sperma – test hij constant hoe haar pootjes smaken om in te schatten of hij haar opwindt. Zelfs als ze haar acht poten spreidt in een uitnodigend gebaar, kan hij niet zeker zijn dat ze hem echt verwelkomt. Ze kan nog steeds een maaltijd van hem maken, wat vaak ook gebeurt.

Ik vind het prettig dat Aaron niet meer van me verwacht dan dat ik zijn pogingen niet afwijs. Zijn handen glijden over mijn lichaam met tederheid, respect, verlangen. Hij trekt mijn rok en slipje uit zodat hij de blootliggende delen kan liefhebben. Hij likt mijn clitoris wakker, en mijn vagina laat haar sappen ondanks mijn lusteloosheid stromen. Hij gaat heel voorzichtig naar binnen.

Hij komt naar voren en trekt mijn shirt en beha over mijn hoofd. Daardoor gaan mijn armen omhoog, en ik grijp een verticale lat aan het hoofdeinde. Mijn borsten stellen nog steeds zo weinig voor vergeleken bij sommige andere, maar hij liefkoost ze en laat zich eroverheen zakken. Zijn mond vindt mijn tepels terwijl hij zacht blijft stoten. Ik doe af en toe even mijn ogen open en zie de intensiteit van het genot op zijn gezicht.

Hij wil dat ik op een bepaald punt van opwinding ben voordat hij zich laat gaan, en hij neemt plotseling een houding aan die hem toestaat dieper te stoten. Mijn lichaam kan niet anders dan reageren, en we komen tegelijk klaar.

Ik lig volledig bevredigd achterover, met gesloten ogen, terwijl hij achterover leunt en weer terugkomt van zijn gevoelens, zijn penis nog in me. Als hij uiteindelijk naast me ligt doe ik mijn ogen open en zie hoe hij met tederheid naar me kijkt.

'Je vriend is er nog,' zegt hij.

Ik vraag me nadien af hoe hij dat kan. En hoe hij zo geheel de leiding kan nemen zonder verwachtingen te hebben. Onze rollen zijn in zoveel opzichten omgedraaid sinds ik hem heb ontmoet.

Aaron komt op een ochtend binnen (nadat hij beleefd op mijn gesloten deur heeft geklopt en heeft gewacht tot hij mijn 'kom binnen!' hoorde) en draagt me op te gaan liggen. Hij wil me vasthouden. Dus leg ik de kussens goed en ga gestrekt liggen. Aaron houdt me stevig vast in zijn sterke armen. Ik adem zacht tegen zijn borst en vraag hem wat hij doet.

'Ik verstrooi de spanning tussen ons,' zegt hij.

Het is een spanning waarvan alleen hij zich bewust is. Hij kan niet geloven dat het prima met mij gaat. Ik houd zijn lichaam vast, dat naakt is op een rode onderbroek na, en ben zorgvuldig om niet de indruk te wekken dat ik hem wil opwinden met mijn aanraking.

Mijn handen gaan met ferme strelingen over zijn rug. Ik ontspan en geniet van zijn aanraking, tot zijn hand over mijn borstkas gaat, een tepel streelt en aanstalten maakt mijn nachtpon uit te trekken. Ik houd hem tegen.

'Ik heb geen zin in seks.'

Hij snuift. 'Dat is helemaal jouw zaak,' zegt hij. 'Daar heb ik niets mee te maken. Ik ben alleen hier en nodig je uit, en daarmee kun je doen wat je wilt.'

Ik ben stil terwijl we daar liggen. Hij onderbreekt de stilte. 'Ik heb affectie nodig,' herhaalt hij zacht, voor de zoveelste keer. Hij probeert iets anders. 'Het was zo leuk tussen ons. Nu is er zoveel spanning. Ik wil dat het weer is zoals vroeger. Ik ken je. Je bent een seksuele vrouw. Wat is er met je spontaniteit gebeurd?'

Hij heeft me bijna te pakken. Niemand wil niet spontaan worden genoemd! Maar mijn geest vuurt snel, ook al is het nog vroeg in de ochtend. Er is ruimte voor zelfbeheersing in seksualiteit, toegeven aan een oppervlakkig verlangen is niet hetzelfde als spontaniteit.

'Toen ik seks met jou had, was ik een stralende vrouw, Aaron. Sinds ik niet meer de liefde met je bedrijf heb ik gemerkt dat ik afgestompt begin te raken. Maar ik wil niet afhankelijk zijn van seksueel contact om te kunnen stralen. Ik wil genieten van wat ik ook doe op het moment dat ik het doe en dat tot reden maken om gelukkig te zijn.'

'Dat weet ik nou wel!' zegt hij chagrijnig.

'Heb je het over jezelf?' Ik kan niet geloven dat hij wat ik net heb gezegd zou afwimpelen met cynisme en spotternij.

'Ja. Dat heb ik al gedaan en het ligt achter me. Ik ben Aaron en dat is niet mijn manier. Ik ben gelukkig als ik mezelf ben.'

Hij impliceert natuurlijk dat ik niet mezelf ben en dat ik mezelf voor de gek houd door te denken dat ik gelukkig kan zijn als ik geen seks heb.

Hij houdt me niet meer zo stevig vast. Hij ademt over mijn hoofd heen, maar ik ruik toch de zuurheid van de vroege ochtend.

'Waar is de intimiteit die we hadden? En de affectie?' Hij klinkt smekend. 'We waren ooit zo gelukkig.'

Ik kan hem niet nog een keer vertellen dat het niet meer gepast voor me is om intiem met hem te zijn. Ik heb het net nog geprobeerd door hem iets toe te vertrouwen wat heel belangrijk voor me is, maar hij reageerde verveeld op iets wat hij niet kan zien als een deel van zijn leven.

De deurbel gaat. Het is Pete, de biologische groenteboer. Ik maak me los uit onze omhelzing en ga opendoen. Pete is gewend me in mijn ochtendjas te zien.

Als Pete weer weg is, is het tijd voor mijn Pilatesoefeningen. Ik heb mezelf beloofd een regelmatig leven te leiden en dat werpt zijn vruchten af. Het valt me op hoe de levenskracht door me heen stroomt terwijl ik mijn armen boven mijn hoofd en weer naar beneden breng en mijn knieën en bekken bij de beweging betrek. 'Voel!' zingt de vrouw op mijn cd. 'Voel hoe je bij jezelf terugkomt!'

De muziek en beweging zijn opbeurend. Mijn maag en vaginale spieren spannen zich aan. Ze genieten en voelen gezond aan. Ik ben wél mezelf! Ik geniet ervan om me seksueel en intens levend te voelen en toch tevreden te zijn zonder een seksuele partner.

'Ik was geschokt door je egoïsme gisteravond,' zegt Aaron vanuit zijn stoel op de veranda. Het is vroeg in de ochtend. De vogels zien ons en komen aanvliegen in de hoop dat we wat zaad op de grond gooien. 'Ik zou nooit kunnen wat jij gisteravond hebt gedaan,' weidt hij uit.

Gisteravond, toen Aaron nogmaals zijn ziel bij me kwam blootleggen – door zijn behoefte aan affectie en zijn verlangen weer een seksuele man te zijn te uiten – heb ik gezegd, zo meelevend als ik kon opbrengen en waarschijnlijk niet zo vriendelijk als waar de gelegenheid om vroeg, dat het tijd voor mij was om afstand tussen ons te creëren, geen intimiteit. Affectie van mij zou worden geïnterpreteerd als een seksuele uitnodiging, een seksuele interesse, en nieuwe hoop doen opleven.

'Ik ken niemand die iemand zo in de kou kan zetten als jij,' zegt hij. 'Jij bent in staat iemand op te tillen en hem zonder pardon te laten vallen. Je bent ongelooflijk egoïstisch.'

Het is waar dat Aaron in een vergelijkbare situatie met me zou hebben gevreeën, zijn meelevende hart zou niet hebben geaarzeld de liefde en pijn weg te beminnen.

'Zo ben ik, Aaron.'

'Ja, dat zie ik nu ook. Ik zou daar eigenlijk ook best wat van kunnen gebruiken. Het idee voor de verandering eens een beetje egoïstisch te zijn spreekt me wel aan.'

Hij klinkt verbitterd terwijl hij dat zegt en ik weet dat hij niet ziet dat mijn zogenoemde egoïsme betekent dat ik doe wat goed voor me is als ik eenmaal weet wat dat is. Ik heb met angst en beven geleerd om mijn innerlijke leidraad te volgen, maar heb dat ook met dapperheid gedaan. Het veroordelende stuk in mij verwart de puurheid van die kundigheid, vandaar dat ik ga twijfelen als ik erop word gewezen. En Aaron zal de eerste zijn om dat te doen, aangezien het kind in hem in paniek raakt en opnieuw zijn hart breekt als het bedenkt dat het weer gaat worden afgewezen. Aaron de man is er om dat kind te beschermen door nooit, maar dan ook helemaal nooit de diepte van die pijn in te gaan. Het is een verboden gebied dat niet betreden mag worden. Zijn gewonde hart is gehuld in prikkeldraad. Als ik zijn innerlijke kind uitdaag, worden Aarons ogen hard als staal en wordt zijn houding die van een soldaat: tot hier en niet verder!

Aaron neemt me in zijn armen.

'Wil jij de vrouw zijn die proeft van de liefde die ik te geven heb?' vraagt hij. 'Ik ken je. Je vindt het heerlijk bemind te worden. Je hoeft helemaal niets te doen: ik zal je laten genieten. Wil je dat ik je bemin?'

Ik luister naar mijn lichaam terwijl hij me naar zich toetrekt. Ik ben zo dol op zijn energie. Ik heb al weken geen seks gehad. En ik wil niet vrijen met Aaron.

'Het werkt gewoon niet voor me, Aaron. Mijn lichaam is verstild en er is niets in me wat de liefde met je wil bedrijven.'

'Dan zitten we met een geval van een leeggelopen band en een overvolle,' merkt hij op. 'Dat werkt niet, hè? Hij is leeggelopen en zal nooit meer vol zijn.'

Bij onszelf thuiskomen

Denk je dat de toekomst
voorspelbaar is… zelfs voor God?

– Neale Donald Walsch, 'Gesprekken met God,' Boek 2

Aaron vertrekt op donderdag met een aanhangwagen vol bouwmateriaal naar Darkan en wordt niet terugverwacht tot maandagochtend. Ik doe elke avond voordat ik naar bed ga de voordeur op het dubbele slot.

Het is na middernacht op zondag als ik half wakker word uit een heel diepe slaap van het kabaal van Aaron, die onhandig het huis binnenkomt. Mijn brein is niet wakker genoeg om te functioneren als hij zijn koele lichaam tegen me aan drukt en zijn arm om me heen slaat. Hij vloeit over van liefde en warmte. 'Ik houd van je schoonheid, Carla!' En dan zegt hij: 'Ik ben niet bang om niet te worden bemind.'

Het lukt mijn slaperige zelf met moeite een arm om zijn brede torso te slaan. Ik val zodra hij mijn bed verlaat weer in slaap.

Maar de volgende ochtend herinner ik me wat hij heeft gezegd. Er lijkt terwijl hij weg was iets veranderd, hij koestert zich niet meer in mijn afwijzing. Hij is niet eens bang dat ik hem niet liefheb; hij gaat hoe dan ook beminnen. Maar als ik hem zie opstaan, is hij anders. Somber.

'Ja,' zegt hij in antwoord op mijn vragende blik, 'ik ben kwaad. Ik ben kwaad op mezelf dat ik steeds weer in de illusies trap die ik over jou heb. Dat moet veranderen, en dat gebeurt vanaf nu.'

Ik zie dat hij tranen in zijn ogen heeft, en zijn huid is grijs.

'Ik wil affectie,' zegt hij. 'Ik wil dat we emotioneel leven. Ik vind het heerlijk om te beminnen en ik vind het heerlijk om lief te zijn. Dat is wie ik ben.'

Ik luister naar zijn pijn en voel hem ook. Ik zou nu moeten vermurwen en hem moeten redden – dat is de boodschap – maar ik besluit die verantwoordelijkheid niet op me te nemen. Hij mag het wreedheid noemen, daarvan ben ik me bewust, en toch wil ik niet over wat ik voel heen stappen.

Zijn gezicht staat meedogenloos, dit is een uitdaging die heel hard aankomt na zijn liefhebbende ouverture van vannacht. Hij dacht dat ik hetzelfde zou doen: uitstijgen boven wat hij mijn negatieve ego noemt, zoals hij dat heeft gedaan. En zo komt Aaron, ondanks zijn eerdere inzichten, in een neerwaartse spiraal terecht.

'Jij kunt me niet verder zien dan je jezelf kunt zien. Je kent me niet, Carla.'

Ik wil hem over een inzicht vertellen dat ik gisteravond kreeg. Het is altijd moeilijk om iets te vertellen als ik al weet dat het niet helemaal begrepen gaat worden.

'En dat is?'

'Jij zegt toch altijd dat liefde genoeg zou moeten zijn, terwijl ik vind van niet? Het drong gisteravond tot me door dat liefde voor de waarheid belangrijker is dan liefde voor de persoon.'

Aaron kijkt me verbijsterd aan, maar hij lijkt zich niet gekwetst te voelen, dus ga ik verder.

'Als twee mensen niet helemaal die liefde voor de waarheid delen dan is degene die de meeste waarheid wil nog steeds eenzaam. Mijn hart is de waarheid toegenegen zoals een non aan God is toegenegen.'

Dat is nogal een verklaring, en hij voelt niet helemaal goed. Ik heb mijn trots; ik heb de neiging mezelf als beter te zien dan hij, en daarom is het gemakkelijk voor me om dergelijke uitspraken te doen en mezelf weer voor de gek te houden. Maar ondanks het gevaar mijn waarheid niet helemaal consistent na te leven, is het wel mijn grootste passie.

'Ik heb er alles voor over, Aaron. Het betekent dat geen detail van mijn ego uiteindelijk veilig zal zijn voor het zoeklicht. Ik heb het gevoel dat je wat dat betreft niet met me meegaat.'

De arme Aaron moet dit horen van de vrouw van wie hij onredelijk veel houdt. Het is ook niet dat Aaron zelf geen liefhebber van de waarheid is. Hij vertelt me nu, met ongebruikelijke verlegenheid, hoe hij met de pijn van zijn recente, vreselijke eenzaamheid omgaat.

'Je hebt knopjes ingedrukt en hebt een proces in werking gesteld dat ik gewoonweg moest afmaken als ik niet ging sterven,' zegt hij.

Hij kijkt me glimlachend aan, omdat hij weet dat wat hij hierna gaat zeggen me zal verbijsteren doordat het me zal laten zien hoeveel hij, toch, kan veranderen.

'Ik heb zo vaak die gang door naar je kamer gestaard en voelde me zo gruwelijk alleen, verlangde zo hevig naar je.'

Ja, daar had ik wel enig idee van. Ik heb naar zijn droge hoestje liggen luisteren, dat aangeeft dat hij zich onprettig voelt en dat zijn brein gekweld is.

'Weet je wat ik heb gedaan, Carla? Ik ben de confrontatie aangegaan met het kleine jongetje dat zoveel jaar geleden dezelfde gevoelens had. Ik voelde me zo klein, hulpeloos en alleen. Ik heb hem in mijn armen genomen en zijn hartje geheeld. Dat heb ik dag na dag gedaan, en volgens mij ben ik nu volwassen.' Hij is even stil, verlegen. 'Ik ben nu een man, Carla.'

Ik voel zijn zelfverzekerde, schone energie. Ja, hij is nu een man met zijn eigen energie. Het is fenomenaal. Aaron komt weer terug bij zichzelf. Die onweerstaanbare schoonheid begint weer van zijn gezicht te stralen. Zijn seksualiteit komt weer onschuldig, verwachtingsvol en nu vrij van een band met mij naar buiten. Ik ben zo vreselijk blij voor hem.

'Mijn liefde,' zegt hij, 'is van mij. Ik kan de liefde niet ergens vinden; ik kan haar alleen in mezelf genereren en er buiten mezelf weerspiegelingen van vinden. Als ik van verschillende vrouwen houd, voelt ze hetzelfde, los van met wie ik ben, omdat die gevoelens van liefde van mij zijn, niet van hen. God is één, en daarom is liefde overal hetzelfde.'

Dat zijn geen woorden die hij een maand geleden zou kunnen hebben gesproken. Hij moet aan het veranderen zijn, aangezien verandering, volgens zijn eigen wetten, gepaard gaat met ongelukjes, en hij heeft zowel zijn rechterduim als zijn linker grote teen nog geen drie dagen na elkaar opengehaald. Beide keren stond mijn hart bijna stil terwijl hij met de pijn omging zoals alleen een man dat doet:

theatraal, maar niet geacteerd. 'Ik doorleef de pijn,' was zijn commentaar tegen mijn witte gezicht toen hij eindelijk weer ontspande en zijn wonden verbond zoals hij dat graag wil: eenvoudig, effectief, zonder poeha.

Hoewel ik niet verwacht dat Aaron vrij zal zijn van al zijn verdedigingsmechanismen begint hij heel snel de persoon te worden die ik al die tijd wilde; de jongen in hem wordt een man nu ik hem heb losgelaten, en nu het mogelijk te laat is.

Toch weet ik dat Aaron zijn laatste en vreselijkste demon nog niet onder ogen is gekomen: de kern van zijn grootste pijn. Hij is zijn eenzame kind tegemoet getreden omdat hij daartoe gedwongen werd om zich beter te kunnen voelen. Hij is er nog niet klaar voor om de waarheid het veronderstelde ideaal zich beter te voelen weg te laten branden.

Het wegbranden van pijn maakt een groot deel uit van mijn levensverhaal; het is de enige manier om mezelf te bevrijden van duistere innerlijke geheimen. Als de passie voor innerlijke oprechtheid iemand eenmaal heeft gegrepen is niets anders nog genoeg, zelfs loyale, verrukte, liefkozende en toegewijde liefde als die van Aaron niet. Ik zou mijn ziel moeten verkopen om bij Aaron te kunnen blijven, en ik zou niet meer moeten kijken en horen om zekerheid en veiligheid te krijgen, voor deze verliefde aandacht, deze onvolgroeide pop. Zonder de creatieve dapperheid om de dode huid af te schudden en te veranderen in een stralende vlinder sterft de cocon. Onze liefde voor elkaar wordt op deze manier in elk geval bewaard en staat ons toe te ontwikkelen, al is het in onze eigen richting, los van elkaar.

'Ik heb van deze relatie en voorgaande relaties geleerd,' zegt Aaron. Hij zit aan de andere kant van de salontafel nadat Clinton en Margot naar huis zijn gegaan. 'Een totale relatie is een mythe. Ik heb van mijn relatie met jou geleerd in mijn eigen centrum te blijven terwijl relaties komen en gaan. Ik heb geen controle over wat andere mensen willen. Zij beslissen te vertrekken en dat is hun zaak. Ik sta open voor wat hierna komt.'

Ik voel de nieuwe kracht die Aaron heeft gevonden, vermengd met opstandigheid.

'Heb je ooit ontdekt waarom die vrouwen zijn vertrokken?' vraag ik voorzichtig; ik wil hem niet het idee geven dat ik hem aanval.

'Ze vertrekken en dat is hun zaak, niet de mijne,' zegt hij.

'Dus je bent er nooit achter gekomen waarom ze je hebben verlaten? En nu ik vertrek zul je ook nooit weten waarom?'

Hij kijkt me uitdrukkingsloos aan. Ik weet wat hij zegt tegen vrienden die vragen waarom we uit elkaar gaan: 'Mijn houdbaarheidsdatum is verstreken. Carla heeft een beeld van hoe het verder gaat in haar leven, en daarin is geen ruimte voor mij.'

'Dat is niet het hele verhaal, Aaron.'

'Meer hoef ik niet te weten,' zegt hij. 'En je geeft me nu een heel onaangenaam gevoel.'

'Dat onaangename gevoel komt wel heel gemakkelijk naar boven, hè?'

Dat commentaar is doorspekt van heel veel verdriet, en het is geen vraag. Dit is de rand vanwaar hij in het gevoel zou kunnen springen en zou kunnen voelen wat er echt achter en onder ligt, maar zoals altijd trekt hij zich terug. Als hij wil begrijpen waarom ik hem verlaat zou hij zijn allerdiepste waarheid onder ogen moeten komen, en die is gewoon te ondraaglijk.

We zitten in stilte terwijl hij me aanstaart met een blik die ik niet kan duiden.

'Waar denk je aan?' vraag ik.

'Ik bewonder je schoonheid,' zegt hij. 'Je bent zo jong.' Er komt een glimlachje op zijn gezicht. 'Je was jong en onschuldig toen je me al die jaren geleden de liefde liet zien. Zo ben je nog steeds. En ik heb diezelfde onschuld in me vanwege jouw voorbeeld.'

Hij heeft de toon van het gesprek gewijzigd, en het is goed zo. Ik heb ook een compliment voor hem.

'Je bent een warme en vrijgevige minnaar, Aaron. Je weet hoe je een vrouw een goed gevoel moet geven.'

Dat vindt hij fijn, en hij knikt. Ik bedenk me nog iets.

'Ik heb geweldige wittebroodsweken met je gehad.'

Daarmee sluit ik af, en ik ga eindelijk naar bed. Mijn ingeplande vroege avonden eindigen vaak zo. Mijn hoofd raakt het kussen en ik hoor niets meer.

Het zou goed zijn als iemand nu van Aaron kon houden. Liefde bouwt zijn ego op, en dat heeft het nodig. Het is nog steeds een ego dat zweeft tussen het positieve en het negatieve. Hij kan in elk geval niet tegen negatieve observaties van mij. Die maken niet alleen dat hij zich klein voelt, ze maken hem defensief en stompen hem af. Maar ik heb niet het recht iets te zeggen als ik kritiek lever. Aaron is zo gevoelig voor energie; ik kan hem niet misleiden te denken dat het liefde is die me laat spreken. Hij voelt de weerhaakjes van mijn gepor en geprik. Ik weet niet hoe ik echt moet liefhebben terwijl ik mijn commentaar geef. Dus zijn mijn woorden hoe dan ook leeg en nutteloos.

We zitten op de schommelstoelen op de veranda. Het weer begint milder te worden. We hebben nog steeds behoefte te praten, alsof het afsluiten eeuwig duurt. Onze zielen hebben samen willen zijn en begrijpen niet waarom we onze meningsverschillen niet kunnen oplossen.

Aaron vertelt hoe hij voor zichzelf zorgt. 'Ik ben eraan gewend je op een bepaalde manier te zien, en die impulsen ben ik aan het verwijderen. Ik verlies langzaam aan mijn gevoelens voor je.' Hij is weer stil, wacht tot de woorden zijn ingedaald; wacht, misschien op het moment dat ik spijt krijg van mijn beslissing. Ik blijf hem aankijken terwijl hij weet welke woorden hij wil gaan zeggen. 'Ik voel me elke keer helderder, gerieflijker en meer op mijn gemak. Ik vind nogmaals mijn eigen, integrale ruimte terug.'

Ik kijk naar hem en zie de schoonheid die ik zo vaak heb bewonderd van zijn gezicht stralen. Ik kan me voorstellen hoe hij er bij een andere vriendin uit zal zien en wat ze in hem zal zien. Sekshormonen maken hem ongelooflijk aantrekkelijk en verleidelijk. Ik begin duidelijker te zien wat ik weggeef.

Ik heb ooit gedacht dat Aaron was gedwongen een beeld van zichzelf als liefhebbende persoon na te leven, zoals sommige christenen een gebod naleven. Ik dacht dat hij dacht dat hij in de ogen van zijn hemelse Vader een liefhebbende persoon moest zijn, en dat die Vader hem zou belonen voor zijn goede gedrag. Maar ik deed hem enorm onrecht. Hij glimlachte lusteloos toen ik hem vertelde wat ik dacht.

'Je kent me zo slecht, Carla! Ik ben gewoon niet wat je denkt, maar ik voel je afwijzing wel.'

Ik voelde me gekastijd. Ik begon te blozen. Ik moest mijn gedachten gewoon uitspreken en kwam erachter dat ze nergens op sloegen. Aaron is de vredestichter. Zijn hart is het pure hart van een kind dat zich helemaal geeft en niet aanvoelt wanneer het tijd is om zich terug te trekken.

Neem me van je weg

Het is tijd om te vertrekken.
We moeten de veerpont halen.

– Simon Gladdish, 'Beelden van Istanbul'

De ochtend na mijn laatste afwijzing verlaat Aaron om zeven uur het huis zonder afscheid te nemen. Clinton, Margot en ik nemen aan dat hij naar Darkan is, maar hij is rond het middaguur weer terug en ziet er heel voldaan uit. Hij vertelt niet wat hij heeft gedaan, niemand stelt vragen en ik heb een afspraak. Wanneer we die avond op de veranda zitten te eten heb ik gelegenheid op te merken dat ik het verdrietig vond dat hij zonder iets te zeggen was vertrokken. Dat is het moment dat hij me vertelt dat hij naar een vrouw was met wie hij regelmatig kletst.

'Ik heb mijn pik ergens anders ondergebracht, Carla,' zegt hij. 'Je bent nu een vrije vrouw.'

Ik kijk op naar de hemel, die nog schittert van de vroeg zomerse zonsondergang en voel een diepe opluchting. Het is voorbij. De spanningen tussen ons zullen op natuurlijke wijze afnemen.

'Ik weet wat ik wil en ik ben het gaan halen,' zegt Aaron. 'Ik ben ergens naartoe gegaan waar ik gewenst ben.'

Ik ben blij dat hij kan doen wat hij doet en zich er goed bij kan voelen. Maar het is zo raar om aan Aaron met een andere vrouw te denken. Het verbaast me dat ik niet in shock ben. Misschien ben ik dat ook wel. Misschien komt er later een reactie.

'Ze is een goede ziel,' zegt hij, hoewel ik niet om informatie heb gevraagd.

'Ik hoef niet te weten wie ze is.'

Later die avond dringt de realiteit tot me door. Het verdriet raakt me diep.

Aaron ziet wat er in me gebeurt en zijn meevoelend hart wil me redden van het ergste. Hij raakt me niet aan, maar staat voor me.

'Ik houd nog steeds van je, Carla.'

Aaron zakt ineens in elkaar in een stoel en vertelt me over zijn hevige buikpijn. Hij knijpt in een grote vouw in zijn buik in een poging de pijn te verzachten. 'Volgens mij heb ik een maagzweer,' kreunt hij. Hij heeft al dagen een slechte eetlust tijdens de maaltijden en propt zich tussendoor vol met koekjes, pinda's en chocolade-amandelen.

Het is de avond waarop we normaal gesproken naar Peter en Pearl gaan voor een Adyashanti-video, meditatie en een discussie. Wil hij dat ik thuisblijf om hem gezelschap te houden? Nee. Ik ga alleen.

Aaron is er niet als ik thuiskom. Ik neem aan dat hij de nacht bij zijn vriendin doorbrengt en sluit het huis af. Ik hoor hem na middernacht thuiskomen.

Hij kondigt op de veranda, die nu onze heilige ruimte is geworden, aan waar ik zowel bang voor ben geweest als waarnaar ik heb verlangd.

'Ik ben nu vrij van je, Carla. Ik heb mezelf afgelopen nacht binnenstebuiten gekeerd.'

Ik kijk hem aan want ik begrijp niet wat hij bedoelt.

'Ik heb mezelf gezuiverd van mijn verbinding met jou. Ik ben naar mijn vriendin gegaan en heb in haar armen gelegen. Toen ben ik naar huis gegaan, en op weg hiernaartoe moest ik overgeven. Ik heb de auto aan de kant van de weg gezet en heb een ongelooflijke hoeveelheid troep uitgespuugd. Het bleef maar komen. Als een rivier.'

Mijn hart gaat behoorlijk te keer in mijn borstkas. Aaron heeft me gisteravond gebeld. Ik voel het verschil in hem... een bepaalde hardheid, koelheid, afstand en droogte waar ooit een stroom van seksuele interesse was. Aaron is op het punt beland waarop geen terugkeer meer mogelijk is.

'Al zou ik het willen, ik kan nu niet meer van je houden,' zegt hij.

De woorden snijden diep, maar ik voel dat ze terecht zijn. 'Je hebt me gedwongen niet meer van je te houden.'

Het is geschied, ondanks zijn lange strijd om wat er ook gebeurt toch te blijven liefhebben. Hoe dan ook, hij wil niet wreed zijn.

'Ik zal altijd van je houden, begrijp me niet verkeerd, Carla. Ik houd van je vanwege onze geschiedenis en omdat je beeldschoon bent, maar ik kan niet meer zo van je houden als ik deed.'

We zitten even in aangename stilte. Aaron, deze mooie, zoekende, liefhebbende ziel, neemt de reis van zijn leven zoals zijn God het heeft bedoeld.

'Je hebt helend werk met me verricht, Carla.' Hij kijkt me zo waarderend aan.

Het is echt opmerkelijk dat hij wat ik heb gedaan als 'helend werk' ziet. Toch kan hij niet weten hoe moeilijk dat helende werk waarnaar hij verwijst voor me is geweest. Ik vertrouw blind op een innerlijke leidraad die me zegt afstand te nemen, hem te weigeren en niet toe te laten... dat te doen en mijn eigen eenzaamheid op de koop toe te nemen. Er zijn momenten dat ik zo hevig naar hem heb verlangd, dat ik hem niet wilde zoals hij was. Ik moet Aaron verliezen om die nieuwe versie die nu in hem omhoogkomt te kunnen winnen... zowel voor hem als voor mezelf. Aaron verliezen is voor mij ook een enorm proces geweest. Het verlies van een grote liefde leert me grote lessen.

Aaron wil zeker weten dat ik begrijp hoeveel hij waardeert wat onze relatie voor hem heeft betekend.

'Je bent de belichaming van de onschuldige vrouw, Carla,' zegt hij, waarmee hij zoete honing over mijn ziel schenkt terwijl hij naast me zit aan de keukentafel, zijn handen op zijn ontspannen benen. 'Je hebt me toegestaan mijn eigen, onschuldige man te zijn. Ik weet nu dat je altijd van me hebt gehouden, zelfs toen je me afwees. Je bent nooit verbitterd geraakt en hebt onze vriendschap in stand gehouden. Daar dank ik je voor. Je hebt mijn vertrouwen in vrouwen en in mezelf hersteld. Ik weet nu dat ik het liefhebben waard ben. Ik kijk om me heen en zie mensen die mijn vriendschap willen, en ik verwelkom hun aandacht. Ik twijfel niet meer aan mijn eigen kundigheid om te kunnen beminnen en bemind te worden. Je bent voor altijd een deel van me, Carla. Ik heb me eigen gemaakt hoe je voelt. Ik kan jou niet meer hebben, maar ik draag je bij me. Het was een geweldige tijd, Carla.'

Mijn ogen glanzen van de tranen die erin opwellen.

'Ik weet nu wat ik wil, en wat ik wil is gewild zijn. Ik zal nooit meer aan een persoon blijven hangen die me niet wil. Ik ben nu vrij om mensen die mij willen in mijn leven te laten. Er komen heel veel vriendschappen op mijn pad, Carla. Mijn nieuwe vriendin schaamt zich er niet voor me te vertellen dat ze me wil, dus daar ben ik nu met haar. Ik ben met haar aan een nieuw hoofdstuk begonnen. Wat wij hebben gehad, Carla, zal nooit worden uitgewist of vervangen. We hielden van elkaar en hebben allebei ontdekt waar we niet naartoe wilden met elkaar. Dat vind ik nu prima. Ik heb geklaagd dat je mijn leven nooit bent binnengetreden zoals ik dat wilde. Dat doet me nu geen pijn meer, Carla.'

Dus laat ik hem los.

Hij gaat vanmiddag met zijn nieuwe vriendin naar de bioscoop. Ik weet niet wie ze is en hoef dat ook niet te weten. Ik ben tevreden dat hij een deel van zijn nieuwe verhaal met me wil delen nu hij nogmaals de vreugde voelt te worden gewild om wie hij is. Zelfs als we allebei weer samen zouden willen zijn, zou dat onmogelijk zijn. De scheiding moest echt zijn om effectief te zijn. We hebben allebei de wijze les geleerd over liefde die een scheiding kan overleven. Dat warme hart van Aaron... dat is in me, en heeft een meer meevoelende, meer liefhebbende vrouw van me gemaakt. Dat is mijn transformatie. Ik heb het niet meer in me om kritisch te staan jegens iemands tekortkomingen. Dat kritische is verdwenen, door de goedertierenheid van God.

Ik mis Aaron terwijl ik deze zondagmiddag het huis met mezelf probeer te vullen en naar muziek luister. De muziek roept diepliggende, erotische herinneringen op en scherpe gevoelens van diep verlies steken in mijn buik. Op hetzelfde moment voel ik een vergroting van mijn hart, en dit is de waarheid: ondanks het verdriet is er een intens gevoel van vreugde.

Ik word plots overgenomen door een nieuwe en gepassioneerde liefde. Wie of wat kan die stralende liefde die zich nu over mijn gevoelens meester maakt verklaren? Het gebeurt na het deemoedige besef dat ik tot op een bepaalde hoogte het 'mezelf trouw zijn' als een concept naleef en dat dat zijn tol heeft geëist. Mijn ego deed alsof het van alles wist terwijl het eigenlijk niets wist. Dat wordt me duidelijk als ik terugdenk aan Aarons woorden dat ik nooit de deur openhield voor organische, niet geplande verandering die het mogelijk zou kunnen hebben gemaakt om ondanks onze verschillen samen te blijven, als we allebei tot onvoorwaardelijke acceptatie van de ander zouden hebben besloten. Die waarheid dringt nu in alle hevigheid tot me door en ik voel me verraden door mijn ego.

Ware liefde is per slot van rekening nooit veroordelend. Ze wijst nooit af. Ik prijs me gelukkig dat ik terwijl ik Aaron afwees om zijn tekortkomingen toch nog het voorbeeld van zijn liefde kreeg voorgeleefd. Aaron trok me terug naar de liefde door te zijn wie hij is. Dat is zijn grootste geschenk aan mij. Ik bemin en waardeer hem meer dan ooit. Nu het te laat voor ons is.

Ik zit naast hem op de bank terwijl we samen televisiekijken. Het is verleidelijk, dat samenzijn. Hij voelt iets bij me gebeuren en steekt zijn hand naar me uit. Ik neem hem dankbaar aan, voel zijn warmte en zijn kracht. Ik leun tegen hem aan en wil hem iets vragen, omdat het niet helder is in mijn hoofd. Hij heeft me niet verteld of hij de liefde bedrijft met zijn nieuwe vriendin.

'Aaron?'

'Hmm?' Hij draait met volledige aandacht zijn hoofd naar me toe.

'Heb je jezelf seksueel weggegeven?'

Hij komt direct tot leven. 'Weggegeven? Ik geef mezelf alleen aan mezelf weg,' zegt hij. En verder legt hij niets uit. In plaats daarvan staat hij op, mijn hand nog steeds in die van hem, en leidt me naar mijn bed.

Alles is wonderlijk nieuw als we vrijen. Elk zintuig is uitermate scherp en alle kennis die we van elkaar hebben, de troost, het genot, de diepgang, eindigt in een uitzonderlijke overgave. We liggen naast elkaar en vragen ons af wat er is gebeurd.

'Mijn nieuwe vriendin heeft te kennen gegeven dat ze haar man niet wil delen,' zegt hij bijna achteloos. 'Dus heb ik gezegd dat ik dat prima vind en dat we dan gewoon alleen vrienden zijn.'

Ik ben opgelucht, zo opgelucht. De valsaard! Hij heeft me doen geloven dat ze met elkaar naar bed gaan.

Hij vertrouwt me nog iets over zijn nieuwe vriendin toe. 'Ze heeft gezondheidsproblemen. Herpes. Ze wil niet dat ik het ook krijg.'

Wat mij betreft is dat de Voorzienigheid, die beschermt wat we nog delen, die ons toestaat om op deze manier samen te zijn.

Mijn hart heeft zich nogmaals als een bloem geopend voor Aaron. Het straalt van waardering voor hem. De extreme ironie van de situatie doet mijn hart ook van intense pijn samenknijpen.

Onverwachte, niet geplande maar heerlijke wittebroodsweken volgen. Ik sta mezelf toe vrijelijk liefhebbend te zijn. Aaron vindt het heerlijk. 'Joan is mijn vriendin en ik geniet enorm van haar gezelschap, maar jij bent mijn minnares,' zegt hij.

Hij is liefhebbend en geniet van deze seks, nodigt me in zijn bed uit en komt naar het mijne, maar hij is niet verliefd. Ik ben degene die weer verliefd is. Zo blind, deze keer. Wat de reden is dat ik totaal niet ben voorbereid op wat er dan gebeurt.

Blijf bij jezelf

En ik stond naakt op de top van de berg.
Het uitzicht was spectaculair en de stem klonk in me.

– Barbara Barton, 'Licht uit de universele geest'

Het is donderdagochtend heel vroeg. Ik had gisteravond zo'n behoefte om de liefde te bedrijven met Aaron, maar hij was naar zijn vriendin, Joan, en was pas heel laat terug. Ik laat hem vanochtend slapen en ga naar mijn gebruikelijke ontbijtafspraak met een stel vriendinnen in Applecross.

Als ik weer thuiskom, staat Aaron op uit zijn kantoorstoel om me enorm intiem te omhelzen. Alle centra in onze lichamen zijn met elkaar verbonden in deze lange omhelzing. Aaron legt zijn hoofd tegen mijn schouder, draait het omhoog om me te kussen en laat het dan weer zakken. Ik ben extatisch: we gaan geweldig vrijen vanavond. Er wordt niet gesproken en hij loopt terug naar zijn computer. Ik heb hem zojuist zonder me daar bewust van te zijn volledig verkeerd gelezen.

Ik lig zoals ik vaak doe na de lunch op bed te rusten als hij binnenkomt en over me heen leunt. Zijn gezicht staat serieus terwijl hij lang in mijn ogen kijkt. Waar zoekt hij naar? Maar hij zegt niets. Het is de blik van minnaars die geen woorden nodig hebben om te communiceren, denk ik. Wat ben ik toch een sufneus.

Hij gaat naar zijn ouders, die willen dat hij wat meubels voor hen verplaatst. 'Het zou best eens laat kunnen worden,' zegt hij.

Ik wacht al de hele dag; ik kan best een beetje langer wachten.

Ik bereid me tijdens het wachten voor. Ik doe mijn Pilatesoefeningen en dans, zeg met spottend ongeduld: 'Schiet eens op, Aaron! Voel je niet hoe hevig ik naar je verlang?'

Hij komt uiteindelijk thuis en neemt me schijnbaar verrukt in zijn armen. 'Ben je op deze man gesteld, Carla?'

Dat interpreteer ik als uitnodiging en ik glimlach blij in zijn gezicht.

'Ja! En wil jij deze vrouw?'

Aaron maakt zich los uit de omhelzing en houdt mijn handen vast. 'Ik heb gisteravond met Joan geneukt,' zegt hij. 'Ik kan niet met jou vrijen omdat ik niet het risico wil lopen jou te infecteren.'

Er gaat een schokgolf door me heen. Hij heeft de liefde bedreven met die... die vrouw met herpes. Herpes is ongeneeslijk. Hij zegt dat hij niet met mij wil vrijen omdat hij me wil beschermen. Ik weet meteen dat het geen verschil zou hebben gemaakt, herpes of geen herpes. Ik voel me wreed tot op het bot gestript, tot een lege ruimte waar mijn hart ooit klopte.

'Het gaat er niet om dat je me tegen herpes wilt beschermen, Aaron. Wees alsjeblieft eerlijk. We doen geen triootjes, weet je nog? Jij niet, Joan niet en ik niet. De waarheid is dat je een ander hebt.'

Ik herinner me nog scherp de woorden van Joan tegen Aaron toen hij voor het eerst bij haar op bezoek ging, en die hij mij vertelde: ik wil mijn man niet delen.

Ik doe een stap achteruit, kijk hem nog steeds in de ogen, die rood omrand zijn en in een bleek gezicht staan.

'Ze verlangde echt naar me, ze is oprecht op me gesteld en daar heb ik op gereageerd,' zegt hij zacht en gelijkmatig. Hij legt het alleen uit omdat hij om me geeft. 'Ik heb voorzichtigheid in de wind geslagen en dat was goed. Het was helemaal goed. Ik heb geen spijt.' Hij voelt ook geen schaamte of schuld. Hij voelt zich schoon.

De woorden voelen als messen die mijn innerlijk aan reepjes snijden. Ik laat zijn slappe handen los.

'Het was geen spel, Carla.' Wat betekent dat het een bewuste en serieuze stap voor hem was. En dan zegt hij: 'Het ging niet om seks. Het ging om warmte en het uitdrukken van vriendschap. Ik genoot van haar en heb een luchtbel met haar gemaakt. Ik heb zeggenschap over mijn seksualiteit bij haar.'

Dat is zo belangrijk voor Aaron: dat hij zeggenschap heeft over zijn seksualiteit. Niemand kan hem vertellen wat hij ermee moet doen. Niemand heeft de macht hem zich schuldig te doen voelen over wat hij ermee doet.

Het luisteren naar Aarons woorden geeft me een moment om enigszins tot mezelf te komen, maar ik heb niet veel te zeggen. Een holle stem klink uit mijn holle borstkas: 'Nou, slaap lekker dan maar, Aaron,' en ik loop slaapwandelend de zitkamer uit richting mijn bed.

'Kom je met me praten als je dat nodig hebt?' roept hij achter me aan. Aaron de veteraan-verzorger. Hij weet wat er nu met mij zal gebeuren, hoewel hij geen idee heeft hoe slecht zijn timing is.

Ik begin onder het kluwen dekens de lange worsteling met mijn gevoelens. Dit pijnlijke verdriet om verlies is wat Aaron moet hebben gevoeld toen ik afstand van hem nam, dringt het tot me door. Het is nu mijn beurt om de verzengende hitte te voelen, de misselijkmakende leegte, de drang om over te geven. Ik merk op hoe mijn geest probeert te compenseren. Ik zie voor me dat ik opsta, een tas inpak en een paar dagen verdwijn naar het strand voor eindeloze wandelingen langs de kust. Gevoelens van woede en wraak, van om me heen slaan, komen en gaan. Ik laat de gedachten uitrazen en sta op om met Aaron te gaan praten.

Ik tref hem volledig gekleed op zijn bed aan. Geen deel van hem zal worden ontkleed tijdens deze nacht dat onze scheiding wordt verzegeld.

Ik ga op het randje van zijn bed dat het dichtst bij de deur is zitten en vertel hem, met een stem die zo stabiel klinkt als mijn lichaam toestaat, waar mijn gedachten me naartoe geleid hebben.

'Ik wil je bedanken, Aaron, voor wat je hebt gedaan. Je hebt me een enorme dienst bewezen, aangezien ik niet echt weet hoe ik me van je moet losmaken. Jouw actie heeft onze toestand definitief gemaakt. Ik weet dat je overal eerbaar in bent geweest.'

Het is donker in zijn kamer, maar we hoeven elkaars ogen niet te zien terwijl we praten. Aaron schuift een stukje naar me toe en leunt op zijn elleboog. Hij spreekt zacht.

'Ik heb je nooit willen kwetsen, Carla. Ik vertrouwde er vanavond op dat wat tussen ons werd gezegd over uit elkaar gaan de waarheid was. Ik heb maanden met onze scheiding geworsteld en heb het gevoel nu een plekje kunnen geven. Ik heb je lichamelijke liefde geaccepteerd en heb van je genoten. Ik heb altijd duidelijk gezegd dat ik me niet opnieuw aan je verbond.'

En ik ook, weet ik nog. 'Ik wil dat je vrij bent!' schreeuwde ik het uit toen we nogmaals in een seksuele omhelzing belandden. Het is alleen dat we, recentelijk, zonder dat we daar zelf iets over hadden in te brengen, weer verliefd op elkaar leken te zijn geworden. De elektrische lading die me in vuur en vlam zette toen ik hem voor het eerst ontmoette, nu bijna tweeëndertig jaar geleden, vlamde weer op. Een toevallige aanraking maakte dat mijn hele lichaam sidderde. Maar dat kwam blijkbaar maar van één kant.

'Ik weet hoe je je voelt,' zegt hij in de duisternis. Hij spreekt vriendelijk en probeert de pijn niet te raken. 'Ik heb me ook heel vaak zo gevoeld. Ik wil je hier doorheen helpen, want je hebt niet zoveel relaties gehad en bent onervaren. Ik ben een veteraan.'

'Waarom heb je niet eerder wat gezegd?' vraag ik.

'Omdat ik bang was.'

'Waarvoor?'

'Dat je zou ontploffen en een scène zou trappen.'

Aha! De eeuwige angst hoe dan ook te worden afgewezen, vooral als dat luidruchtig en emotioneel gebeurt. Dat begrijp ik aan hem.

'Ik heb niet het gevoel dat ik je geweld aandoe of verraad door een seksuele relatie met Joan te beginnen. Wij hadden een afspraak, Carla.'

Ik voel me tegelijk haveloos en ongerept terwijl hij voorover leunt en me zacht op de mond kust voordat ik opsta om naar bed te gaan.

De pijn woekert de hele volgende dag in mijn lichaam. Aarons aandacht is op zijn computer gericht... hij is belangrijke tekeningen voor Clinton aan het afmaken. Mijn hoofd doet het niet, dus ik ga op bed liggen en probeer me te ontspannen, eventueel te slapen. We hebben pas als iedereen naar huis is tijd om te praten.

We lopen naar de veranda, waar we al snel gezelschap krijgen van de duiven, die hopen dat ze zaadjes krijgen. Ze vormen hoe jong ook al stelletjes, en jagen indringers weg van hun territorium.

Ik liep eerder vandaag door de zitkamer toen Joan Aaron belde en ik een deel van het gesprek opving.

'Toen Joan belde om te vragen hoe het met je was, vroeg ze toen ook naar mij?' vraag ik hem nu.

Hij denkt terug aan het telefoontje. 'Nee.'

'Ze wil weten hoe het met jou is omdat ze haar bezit beschermt, haar nieuwe aanwinst. Maar het kan haar geen moer schelen hoe het met mij gaat.' Verbittering schiet mijn ogen uit zonder dat ik er zeggenschap over heb.

'Ben je jaloers?'

'Ja. Nee! Ik ben boos dat je die kant van haar niet ziet!'

Hij glimlacht toegeeflijk, heeft met me te doen, en dat maakt me alleen nog maar razender. Ik stort in, ik begin de controle te verliezen over wat er in me opkomt. Ik moet vanavond naar Clinton voor een kookdemonstratie. Ik besluit te gaan om even pauze te kunnen nemen van Aarons aanwezigheid, hoewel ik er als ik er eenmaal ben mijn aandacht niet bij kan houden. Ik krijg het heerlijke eten niet door mijn keel en mijn ogen dreigen een paar keer dicht te vallen. Ik koop een duur Duits kookding met een heleboel functies.

Op weg ernaartoe, veilig alleen in mijn auto, begonnen de tranen achter mijn oogleden te prikken. Op weg naar huis wellen ze nogmaals, dringender, omhoog. Ik probeer ze te laten komen, maar ze blijven steken achter een dam. En dan ben ik weer thuis.

'Heb je gehuild?' vraagt Aaron.

'Kon ik dat maar!'

'Ga op je bed liggen,' draagt hij me op. Hij houdt zijn hand boven mijn buik, maar als de tranen beginnen te stromen, losgerukt uit de diepten, rol ik van hem weg in een foetushouding.

Het snikken komt nu ongecontroleerd, uit die plek van plotseling onontkoombaar verlies. Aaron ligt stil achter me, laat een beetje ruimte tussen ons terwijl hij zacht mijn armen streelt, die ik om mijn middel heb geslagen. Het geeft troost dat hij bezorgd om me is; en ook dat hij niets zegt. Hij staat uiteindelijk op en komt terug met warme rijstmelk.

'Ga maar slapen. Doe niets onnodigs, ga gewoon slapen.'

Dat doe ik, en ik slaap tot ik wakker word en de bewolkte hemel op zondagochtend zie.

Aaron hoort me wakker worden en komt direct naar me toe. 'Ga eens opzij, dan kan ik zitten,' draagt hij me op. Ik ga op mijn zij liggen zodat ik hem kan aankijken. Hij kijkt naar me en begint ineens te stralen terwijl hij ergens aan terugdenkt. 'Die prachtige heupen! Ik vind het zo heerlijk om je te zien smelten als je de liefde bedrijft!' Maar zijn vriendelijke woorden geven geen troost.

'Ik kan niet in me opnemen wat je tegen me zegt. Ik voel me als drijfhout op het water.'

'Je bent aan het sterven,' is zijn onmiddellijke commentaar. 'Je bent de oude jij aan het wegbranden, zodat er een nieuwe persoon uit de as omhoog kan komen.'

Er valt een korte stilte terwijl ik dat overweeg en dan zegt hij: 'Zullen we op de veranda een kop thee drinken?'

Als we met onze thee in onze schommelstoel zitten heeft Aaron vragen. Hij wil ophelderen wat voor hem een mysterie is. 'Waarom hield je meer van me dan ooit tevoren? Waardoor kwam dat?'

Ik moet er even over nadenken voordat ik antwoord kan geven.

'Ik probeerde onvoorwaardelijk lief te hebben, en dat ging me goed af! Toen Isaac zijn praatje kwam houden heeft dat het hele proces een duw in de goede richting gegeven. Het was een aanzet om met mijn hart helemaal open te leven.' En met mijn ogen dicht en stekeblind, denk ik, maar dat is een ander verhaal.

Wacht, er komt nog meer.

'En verder ziet het ernaar uit dat ik zo iemand ben die afstand creeert om beter te kunnen waarderen wat ik liefheb... houden van wat je niet kunt krijgen, zoiets. Van dichtbij zie ik alle tekortkomingen. Als er een beetje afstand is zie ik het grote geheel, en de passie. Toen Joan een bedreiging werd groeide mijn passie. Dat gebeurde er ook.'

Nu wil ik opheldering van het gedrag van Aaron gisteren, wat ik zo verkeerd interpreteerde. 'Wat gebeurde er met je?' vraag ik.

'Ik wist niet hoe ik met je moest praten. Ik besloot te wachten tot je me voor seks zou benaderen voordat ik je over Joan zou vertellen.'

'O.'

De pijn van dat moment komt terugvloeien. Ik bedenk dat ik moet ademen, helemaal van onder uit mijn buik, en mezelf moet terugvinden.

Aaron wil herinneringen met me delen over andere partners die hem hebben verlaten. Ik zie in zijn lichaamstaal iets van de pijn die hij keer op keer heeft ervaren. 'Ik kon niet geloven dat de vrouw van wie ik hield veranderde in een vrouw van wie ik niet meer kon houden omdat ze zo haatdragend en manipulerend was. De ene na de andere relatie eindigde op die manier; vandaar dat ik op het moment dat ik jou leerde kennen zes jaar alleen was geweest. Ik had gezworen dat ik nooit meer iets met een ego zou beginnen.

Als ik alleen was na een breuk draaide ik door en bleef alles in mijn brein maar nalopen. Ik zocht in alle hoeken van mijn geest naar de persoon die van me had gehouden en kon haar nergens vinden. Ik werd er gek van al die gedachten te hebben en geen oplossing te vinden. Ik kon het niet opgeven, niet na weken, maanden, zelfs niet na een jaar. Dan dacht ik op een gegeven moment dat het wel weer ging, en dan viel ik weer helemaal terug nadat ik aan iets heel kleins werd herinnerd. Het minste of geringste resulteerde direct weer in pijn.

Na meerdere van deze ervaringen waarmee ik niets opschoot in mijn hoofd herinnerde ik me wat ik in therapie had geleerd. Gedachten zijn niet echt, ze bevatten geen realiteit en zijn niet de waarheid, en daarom hebben ze geen energie. Ik kwelde mezelf met herinneringen en met pogingen mijn gekwetste gevoelens te rechtvaardigen. Het was allemaal erger dan nutteloos.'

En toen sprak Aaron woorden die me recht in het diepst van mijn hart raakten, en waarvoor ik altijd dankbaar zal zijn.

'Mijn geest had me ervan overtuigd dat ik mijn liefde was verloren. Maar ik kán mijn liefde helemaal niet verliezen. Mijn liefde is míjn liefde. Ik heb de mogelijkheid en de keuze om lief te hebben. Ik stond mezelf toe te beseffen dat ik zelf die liefde was. Ik ben degene die liefheeft, dat is waar het om gaat. Ik ben iemand die warmte creëert, en die haar genietend ontvangt van anderen die haar me willen teruggeven. Je bent de liefde die je geeft, niet de liefde die je ontvangt. De liefde die anderen je geven gaat door je heen, maar jij bent de bron van liefde.'

Aaron op zijn best. Dat is de man die ik wil maar nooit meer kan hebben.

We grijpen andere waardevolle momenten aan om te praten. 'Een relatie gaat nooit over twee mensen,' zegt Aaron. 'Twee mensen houden van elkaar en denken dat dat altijd zo blijft. Maar er zijn andere mensen die in hen leven, en hun stemmen spreken hen aan. Die vertellen hun wat ze niet aantrekkelijk vinden aan de ander, en vanaf dat moment gaat alles bergafwaarts omdat die stemmen worden geloofd en belangrijker worden dan de liefde die twee mensen voor elkaar voelen.'

Aaron praat verder en legt uit hoe hij denkt dat die 'stemmen' ontstaan.

'Een baby komt naar ons toe uit het rijk van liefde, maar is afhankelijk van de gezichten die hij om zich heen ziet om zijn zelfbeeld te vormen. De enige informatie die hij heeft over zijn leven en zichzelf is datgene wat mensen in zijn buurt reflecteren. Elk gevoel wordt daarbinnen geregistreerd en het zijn niet alleen positieve gevoelens. Dat zijn de stemmen, de mensen, die in hem leven als hij opgroeit. Als een persoon wijs wordt, zal hij die stemmen horen en er niet te veel aandacht aan besteden. Liefde is belangrijker. Het was belangrijker voor mij om je lief te hebben dan te veroordelen wat ik niet leuk aan je vind.'

Ondanks al zijn wijsheid is Aaron niet in staat geweest de stem in zichzelf te sussen, de stem die hem constant kleineert, hem constant aan zijn zelfwaarde doet twijfelen, constant maakt dat hij terugdeinst uit angst voor kritiek. Die ene stem heeft zijn systeem in de kern geïnfiltreerd, waar hij zo moeilijk onder ogen te komen is omdat hij deel lijkt uit te maken van zijn echte wezen. Hem uit te dragen zou betekenen dat Aaron het meest beschermde deel van zichzelf zou moeten openbreken: een kwetsbaar hart dat herhaaldelijk op jammerlijke wijze is gebroken. Dat hart is wijs geworden, wijs genoeg om voor de liefde te kiezen, en toch heeft het niet de moed die plaats die voelt als totale on-liefde te betreden, om te ontdekken wat er onder de lijdenslast ligt. De stem is te echt voor hem. Hij kan om de een of andere reden die stem niet verraden, die stem die hem nederig houdt, op zijn eigen manier.

'Waarom wil jij nog steeds de herkomst van bepaalde stemmen die in je klinken niet opsporen?' vraag ik.

'Omdat het pijn doet om tot de kern te gaan, de soort pijn die zo erg is dat het erger is om te kijken dan hem verborgen te houden. Je kunt je bewust worden van een stem,' zegt Aaron, 'maar dat is alsof je het hebt over onkruid dat op een vijver drijft. Je kunt heel veel over dat onkruid weten, maar tot je de troebele diepte in gaat en het eraan de wortels uittrekt...'

O hemel, ja! Niet alleen dat, maar de kans is bovendien groot dat Aaron daar zijn demon aantreft; het wezen dat hem zo in zijn macht heeft dat zijn ogen, oren en zijn hele lichaam zwakker worden van de invloed. Die demon is doodsbang voor het licht en heeft heel lang geleden een veilige haven in Aaron gevonden. Als ik Aaron uitdaag over zijn reactie op de minste of geringste kritiek worden zijn ogen donker en vertrekt zijn gezicht. Er valt een schaduw overheen, die me waarschuwt: blijf daar uit de buurt, Carla! Zelfs tijdens onze minst bedreigende gesprekken hoef ik maar zo'n eigenschap te noemen om hem op de kast te krijgen. Hij weert dergelijke opmerkingen af door over mijn eigen patronen te beginnen.

Aaron koestert nu onze vriendschap en voelt genoeg zelfvertrouwen om me te vertellen wat hij denkt. 'Je bent beeldschoon, Carla, maar schoonheid is niet genoeg voor me. Joan is een tweede Aaron.' Ik merk de geanimeerdheid en vreugde op terwijl hij spreekt. 'Ik kan bij haar de man zijn die ik wil zijn. Ik heb iemand zoals zij nodig in mijn leven, iemand die mijn zelf weerspiegelt. Ze is een overlever, net als ik. Ik ben een opportunist. Ik verzamel spullen van de rand van de weg. Ze is op haar eigen manier net als ik.'

Wat een ongelukkige woordkeuze: opportunist.

'Ja, dat is vast iets wat jullie gemeen hebben,' zeg ik. 'Zij is ook een opportunist. Op een andere manier dan jij, maar toch een opportunist.'

Aaron negeert de implicatie, of hij hoort haar niet. Hij vertelt nog meer over zijn gedachten, met een gebalde vuist in zijn andere hand. Dat doet hij als hij zich zelfverzekerd voelt.

'Misschien dat Joan later dezelfde gevoelens krijgt waar jij nu doorheen gaat, maar dat is niet mijn probleem. Angst voor de toekomst weerhoudt me er niet van om op dit moment lief te hebben. Ze wil mij kennen, en ik wil haar leren kennen. We zijn goed voor elkaar.'

Angst voor de toekomst lijkt op dit moment de realiteit van herpes nog niet te bevatten, voor Aaron tenminste. Het is natuurlijk ook heerlijk om bij iemand te zijn die je maar één gezicht laat zien: dat van liefhebbende waardering.

'Relaties gaan over leren van elkaar,' vervolgt hij. 'Ze gaan erover dat je de ander spiegelt. Ze gaan over in de ander zien wat je nog niet in jezelf ziet. Dat is wat je ziet, dat is waarop je verliefd wordt, dat is wat je voor jezelf wilt. Seks is een manier om de ander diep te raken en de energie die je in de ander bewondert te delen. Het gaat over ontdekken wat je in jezelf liefhebt. Ik draag je onschuld nu in me. Mijn oprechtheid is gegroeid doordat ik jou ken. Kijk maar hoe mijn vinger en teen genezen. Mijn energie is schoon, dus ik genees snel.'

Een nieuwe dag en, voor mij, een nieuw inzicht. God en Zijn engelen hebben dit voor mij gedaan. Ik weet niet hoe ik mijn band met Aaron moet verbreken en heb daarom keer op keer mijn woord en wat ik wist gebroken. Dus moest de breuk op een ruwe manier tot stand komen, zodat het einde duidelijk was. Aaron is met een andere vrouw naar bed geweest terwijl hij mijn minnaar was. De pijn die dat voor mij teweegbracht was diep genoeg om me wakker te schudden uit mijn betoverde toestand. En hij zou intussen herpes kunnen hebben. Die wetenschap is een veiligheidsmechanisme dat ons onze eigen grenzen dwingt te respecteren.

We hebben onze laatste gesprekken.

'Ik heb je beslissingen altijd gerespecteerd, Carla. Ik heb je nooit in de weg gestaan, maar jij hebt me gedwongen een stap terug te doen. Ik heb nu mezelf.'

Dat is een hele prestatie, die overgave.

'Ik ben verliefd geworden op het nieuwe licht dat ik in je zag, Aaron. Het is nu mijn beurt om hetzelfde te doen, om ervoor te kiezen je beslissingen te accepteren en te respecteren, te kiezen lief te hebben in plaats van kwaad te worden.'

Het dringt tot me door dat mijn hele ziel naar deze groei voor hem en mezelf verlangt. Aaron is niet echt mijn zielsverwant, zoals ik aanvankelijk dacht; hij is meer mijn tweelingziel. We zijn samen één ziel, die zich op de aarde manifesteerde als een man en een vrouw: als de een heelt, doet de ander dat ook.

'Mag ik je een heel directe vraag stellen?' Aaron kijkt serieus terwijl hij op mijn toestemming wacht. 'Zou je willen dat het tussen ons weer was zoals het was?'

Ik aarzel even, tast af wat de waarheid is. Er komt een enorme golf aan tegenstrijdige gevoelens omhoog, maar de vraag is irrelevant. We zijn allebei verder gegaan omdat dat is wat goed voor ons is, en daar kunnen we niet tegenin gaan. We worden allebei getrokken door een andere toekomst. Er waren wat ego's bij het proces betrokken, maar wat maakt dat uit? Zoals ik al een paar keer tegen Aaron heb gezegd is alles wat God, of het leven, ons aanbiedt een kans om te groeien.

Aaron is er nog steeds van overtuigd dat het visioen dat ik had over de eindigheid van onze relatie daadwerkelijk dat einde heeft gecreëerd. Hij zegt dat het een product is van mijn geest.

Hoewel mijn geest, of ego, er wel mee te maken heeft gehad, weet ik wel beter. 'Ik heb je genoeg liefgehad om je los te kunnen laten, waardoor je meer jezelf kon worden.'

Hij luistert, maar kan niet horen. En dat maakt niet uit.

Mijn hart schiet dagen heen en weer tussen de extreme pijn terug te willen naar het verleden en de stille waardigheid het heden te accepteren. Ik krijg geen hap door mijn keel. Ik ga vroeg in de ochtend wandelen, inhaleer de diepe vriendschap die het parkje in de buurt me aanbiedt. Ik voel me af en toe eenzaam als een vergeten eiland. En dan herinner ik me dat we allemaal alleen zijn en alleen zullen sterven. En dat het net zo waar is dat ik nooit alleen ben. Ik sta in het centrum van mezelf en mijn zelf is het universum. Dat, zo dringt het tot me door, is overvloed. Ik kan alles hebben nu ik niet méér wil en nodig heb dan datgene wat er is.

Ik herinner me de woorden van Isaac Shapiro: Carla, blijf bij jezelf.

Ik zal van de gelegenheid die de pijn van deze scheiding biedt gebruikmaken weer helemaal bij mezelf te komen en te leren mezelf nooit, nooit af te vallen. Ik heb mijn zelf in mijn diepste kern, waar irrationeel geluk voortdurend opwelt. Dat is hoe een andere man me zal vinden; al gelukkig, maar klaar mezelf te delen in nog een zelfontdekkingsronde.

Ik voel ook een toekomst trekken. Ik zal nog een keer worden geadoreerd door iemand die mijn visioen met me kan delen en die ik kan steunen in onze gezamenlijke zoektocht naar vrijheid. Want vrijheid is oneindig. Groei is oneindig. Geluk is oneindig, en liefde ook.

Aaron

De geliefde van mijn ziel,
geliefde van mijn hart,
geliefde van mijn lichaam,
geliefde van het leven zelf.

Zelfs al heeft het leven ons lichamelijk bij elkaar gebracht voor een periode die niet voor altijd was,
toch was het een geweldige tijd die niet onderschat of vergeten moet worden.

En je was leuk,
je was teder,
je was zo aanwezig en intiem.
je was gepassioneerd,
en o, zo erkentelijk,
wist altijd zoete en diepe woorden te vinden om uit te drukken wat je voelde.

Ik ben dankbaar jouw waardevolle en unieke zelf in mijn leven te hebben gehad.
Je hebt het beste in me naar boven gehaald.

Je hebt meer dan dat gedaan en hebt me geleerd hoe ik gewoon mezelf kan zijn,
net zoals jij jezelf was.

Ik dank je voor de vele klussen die je voor me hebt opgeknapt, voor de vele manieren waarop je mijn leven eenvoudiger hebt gemaakt,
dat je me van alles over de computer hebt geleerd; dat je mijn autoportier, de garagedeur en de deurklink van de badkamerdeur hebt gerepareerd, om maar wat te noemen.

Bedankt dat je mijn metgezel bent geweest en me zoveel aspecten van het leven hebt laten zien,
in het bijzonder je huis en je verzameling herbruikbare dingen,
en je interesse in alles wat met sterren, het buitenaardse en het hemelse te maken heeft.
En je fenomenale kennis over de aarde en hoe die is gemaakt; over oorlogen en hoe die zijn gevochten, en door wie en waarom. Het is zo'n wonderlijke vertoning geweest van hoeveel feiten het brein kan bevatten en waar de emoties zo druk mee kunnen zijn.

Dank je voor de puurheid van je ziel... ze schijnt helder en lieflijk.
Dank je dat je niet heel erg kwaad bent geweest, of lang.
Voor je geduld en doorzettingsvermogen, en dat je me op het goede moment hebt losgelaten.

Ik ben niet goed in mezelf delen als het tijd is om afstand te nemen.

Ik hoop dat de woorden van mijn hart tot je kunnen spreken.

Voor altijd al mijn liefde,
Carla

Epiloog

Welke wraak is groter dan onze eigen lijdensweg?

– Claudio Monteverdi

Dagboek, vrijdag 3 oktober 2008

'Als ik weg ben, zul je weten wat je bent kwijtgeraakt. Het gaat om de energie. De rest is gewoon geest en de geest is één grote illusie.' Dat waren de woorden die Aaron sprak toen ik het paradijs verliet, op zoek naar een grotere waarheid dan die waarin we leefden.

Dat was twee jaar geleden. *Lust* is zeven maanden geleden uitgekomen in Australië, maar de ware gaven van deze relatie zijn voor ons allebei nu pas duidelijk geworden. Het is oktober 2008 en deze epiloog is bedoeld om de lezer op de hoogte te brengen van... Nou ja, lees maar.

Het verdriet eindigde niet met het einde van dit boek. Ondanks mijn dappere woorden is er geen andere relatie gekomen. Waarom zou een man iets beginnen met deze gevaarlijk grillige vrouw?

Ik vulde mijn dagen met drukte en zette Verjongingsworkshops op omdat ik het heerlijk vind om me goed te voelen en graag omringd ben door mensen die inspiratie zoeken. Maar ik was alleen.

Aaron en ik hebben elkaar maandenlang niet gesproken. Ik hoorde dat hij Joan nog maar twee keer heeft gezien voor ze hem afdankte zonder te vertellen waarom. Ik zag hem alleen op zijn werk, als ik daar om andere redenen langskwam. Zijn collega's zijn mijn oude vrienden. Ik omhels hen allen en heb hen allemaal lief. Aaron was altijd de laatste die ik omhelsde. We konden er niet omheen dat we het verlangen voelden om die omhelzingen te laten voortduren, maar Aaron maakte zich altijd van me los voordat dit werkelijk tot ons doordrong.

Ik had in de periode dat ik alleen was tijd om mijn daden en motieven te overdenken. Ik was er niet langer van overtuigd dat ik het juiste had gedaan. Uiteindelijk kwam die vreselijke gedachte: misschien heb ik wel een gruwelijke fout gemaakt! Mijn ego is misschien zo subtiel te werk gegaan dat ik zijn plannen onterecht heb geïnterpreteerd als de juiste keuze. Aaron maakt geen plannen. Hij gebruikt zijn hoofd niet om zich af te vragen wat juist is – hij wantrouwt zijn hoofd, evenals dat van mij. Maar iets wat Aaron nooit doet, is in de weg staan van de beslissing van een ander. Aaron zag waar ik mee bezig was en hij zag ook dat ik het zelf niet zag. Het enige wat hij kon doen was me waarschuwen en voor zichzelf zorgen: 'Doe dit niet, Carla.' En: 'Je dwingt me om niet langer verliefd op je te zijn.'

En zo ging het ook. Aaron was niet langer verliefd op me en vond bevrediging in het groeiende prestige dat DeVere Mining Technologies hem bood, waar hij meer en meer werd erkend als de goede ontwerper en probleemoplosser die hij is. 'Ik ben je voorbijgestreefd,' was zijn antwoord op een e-mail.

Aaron houdt niet van half werk.

Toen zijn energie me helemaal was afgenomen drong het uiteindelijk tot me door wat ik had verloren en rouwde ik met een diep gevoel van nodeloos verlies. *Als ik weg ben, zul je weten wat je bent kwijtgeraakt.*

Wat had ik gedaan? Ik had precies gedaan wat Aaron al die tijd al had gezegd: ik had mijn beslissingen door mijn geest laten leiden, wat betekent dat ik mijn waanideeën over wie ik was en wie hij niet was de vrije loop had gelaten – mijn waanidee dat hij ongeschikt was voor een vrouw als ik.

Uiteindelijk had ik geen enkele bescherming meer tegen de ware gevoelens die ik al die tijd had gehad. Ik hield van Aaron, maar ik had hem gekwetst; ik had een eind gemaakt aan iets waar geen einde aan had hoeven komen omdat ik had geluisterd naar mijn hoofd, dat zo zeker wist wat de criteria voor een 'goede relatie' zijn. Ik had geen ruimte gelaten voor een organische ontwikkeling. Ik was tot een besluit gekomen en moest de gevolgen van mijn daden ondervinden.

Mijn rationele standpunt was de grote illusie geweest. Ik geloofde twee jaar geleden dat Aaron niet goed genoeg voor me was, dat ik iemand nodig had die me in mijn werk kon steunen, iemand met wie ik meer gemeen had, iemand die op een andere manier kritiek leverde dan Aaron deed.

Aaron wist dat ik het alleen langs de moeilijke weg zou leren. De moeilijke weg, waarbij hij zich zou terugtrekken en zijn hart zo zou afsluiten dat het niet langer gekwetst kon worden, zodat het niet meer zou lijden omdat het me losliet, zodat het zijn verdriet kon overstijgen en een nieuwe toekomst tegemoet kon gaan zonder mij.

De pijn die ik voor mezelf verborgen had gehouden, dook op als de meest intense. Het was het verdriet van verlies, mijn eigen onontkoombare en onherstelbare verlies, maar het was ook een diep, intens verdriet over de pijn die ik had veroorzaakt. Ik bleef Aarons gezicht maar zien: de verbijstering dat ik die valse woorden had uitgesproken toen we uit elkaar gingen. Woorden die niet vals waren bedoeld, maar waarmee ik de meest toegewijde liefde die ik mijn hele leven had gekend heb vertrapt. Hij was zo open op dat moment, toen hij in bed lag en net wakker werd. Hij had instinctief het laken een eindje over zijn gezicht getrokken.

Het was tijd om te rouwen, om de verbittering uit mijn hart te huilen en te beseffen wat echt belangrijk voor me was, nu het te laat was.

Ik was in elk opzicht volledig in verwarring toen ik vroeg of Aaron met me wilde afspreken. Hij kwam naar me toe in een park aan de rivier, vlak bij zijn kantoor. We zaten op een bankje in de schaduw en hij liet me mijn woorden van nederig verdriet uitspreken. Ik deed niet langer mijn best er goed uit te zien of indruk te maken. Ik wilde dat Aaron wist dat het tot me was doorgedrongen hoeveel pijn ik hem had aangedaan en dat dit mijn hart brak. Dat hij gelijk had gehad en dat ik was verblind door mijn trots. Tranen biggelden over mijn wangen terwijl voorbijgangers langsliepen en het kon ons niets schelen. Aaron luisterde, eerst vol ongeloof, daarna met respect en toen met vreugde. Hij was zo blij voor me! Zo blij dat ik mijn hart had gevonden en was gaan beseffen wat het belangrijkst voor me is. Ja, het was te laat, gaf hij toe. Hij was nu een ander mens en hij had geen romantische gevoelens meer voor mij, maar hij was een vriend die nederig de tranen van een gebroken hart kon opvangen en die me kon vertellen dat deze tranen zouden dienden voor mijn heling, niet voor mijn veroordeling.

Tijdens de daaropvolgende dagen en weken stortte ik verder in. Ik kwam tot een diepe waarheid: dat liefde belangrijker is dan dat je bij elkaar past, dat het gevoel tussen twee mensen van onschuldige passie, vol vertrouwen, veel belangrijker is dan welke gedeelde interesse dan ook. Ik geloofde dat ik alles of niets moest hebben. Ik besefte niet dat ik alles al had... alles wat echt was, althans, en dat wat ik meende te willen eigenlijk een illusie was. Door een illusie na te streven, had ik vernietigd wat echt was.

Liefde is wijs, wijzer dan het menselijk hart, en het geeft nooit op. Liefde toont zichzelf oprecht in de energie tussen twee mensen die elkaar in de ogen kijken en alleen een diepte zien die geen eind, geen vorm en geen tijd kent.

Door dit te omarmen verlies je jezelf, of je geest, welke van de twee ook eerst gebeurt. De honger naar deze omarming is de honger naar de vernietiging van een oordelend ego.

Tranen reinigden mijn hart, dat zo gevoelig werd dat het de pijn voelde van alles wat het tegenkwam – op straat, op de televisie, in een krant, in een winkel. Ik voelde wat andere mensen voelden, hun verlangens, de lagen van normaalheid waarmee iedereen zijn verlangen verhuld. Alleen vogels en bloemen zijn enkel zichzelf, meende ik, en katten en honden. Die vinden het niet moeilijk om alleen maar mooi te zijn, ten volle te leven en lief te hebben. Wij mensen doen steeds alsof het goed is dat we in een fantasiewereld leven waarin we dit of dat moeten zijn, terwijl we ondertussen alleen maar naar liefde hunkeren, willen worden omhelsd en een ander willen omhelzen.

Hij glimlacht. Hij begrijpt het allemaal en zegt: 'Je bent niets kwijtgeraakt, schat.' Want in zijn ogen stelt het niets voor om een liefde verliezen en daarmee een andere liefde te vinden die zo groots is als deze. Bovendien is hij nog steeds mijn vriend. We houden elkaars hand vast. Hij trekt me naar zich toe en kust me vriendelijk op mijn hoofd. Er is geen aantrekkingskracht tussen ons als hij dat doet. 'Ik ben verder gegaan, maar ik hou nog steeds van je,' zegt hij.

Het is een ander soort einde. Een einde dat substantiëler is dan het vorige. Er is nu iets verzegeld: onze energie is anders gaan stromen en is geheeld, teruggegeven aan waar het hoort, in een betere vorm dan voorheen, waardoor we allebei kunnen zijn wie we zijn en onze eigen afzonderlijke paden kunnen volgen.

Ik sta open voor een nieuwe relatie, en hij ook. 'Ik ga niet op jacht,' zegt hij tegen me, 'maar als God me een vrouw stuurt die van me wil houden, ben ik er.'

Ik heb niet alleen gewacht. Ik ben lid geworden van RSVP, een website voor spirituele alleenstaanden, en ik heb zelfs het lidmaatschap voor een relatiebemiddelingsbureau betaald. Ik heb man na man ontmoet en heb heel wat bijgeleerd over mannen. Het is alsof ik hun hart kan lezen, dat ze zo pantseren dat het onmogelijk voor hen is geworden om enkel zichzelf te zijn. Ze hebben zich allemaal een rol aangeleerd, een manier van bestaan die goed lijkt. Maar ze hebben het mis en iedere man is nog eenzamer dan een aalscholver op een meerpaal. Geen van hen kan me lang in de ogen kijken. Geen van hen beseft dat hij nog worstelt met zijn voelende zelf en dat hij verlangt dat een vrouw zijn leven beter maakt.

Maanden verstreken van lente naar zomer naar herfst, winter en nog een lente. We spraken nu en dan af om een wandeling te maken en te praten, op het strand, in een park. We zijn zelfs een keer naar de bioscoop geweest. Daarna bracht hij me naar mijn auto.

'Mijn libido is bijna volledig ingeslapen,' zegt hij. 'Ik heb geen seks nodig. Ik geniet van mijn baan en dat ik op mijn werk word gewaardeerd. Dat is genoeg.' En hij zei dat ik niet weer hoop moest gaan koesteren. Hij let erop dat hij me deze desillusie bespaart. Ik accepteer nu dat Aaron een ander mens is – niet iemand die ik me ooit had voorgesteld, maar zo is het op dat moment. Hij doet zelfs moeilijk voor hij me omhelst. Hij kan op dit moment niets voelen, of niets meer.

Ik stuur hem een e-mail:

Wist je dit, Aaron?
Ik heb wat informatie gevonden: de kern van het universum is een roterend centrum in het melkwegstelsel. Het ligt ongeveer 7,6 kiloparsec (24.800

lichtjaren) van de aarde verwijderd, in de richting van het sterrenbeeld Sagittarius, waar de melkweg het duidelijkst zichtbaar is. Wetenschappers speculeren dat er een supermassief zwart gat in de kern van de melkweg ligt, evenals in de meeste (of alle) andere stelsels.

Aaron antwoordt:

Ja, dat wist ik.
Aangezien ik een engel ben die op aarde is gevallen, heb ik dat zwarte gat gezien toen ik in de bus zat op weg naar de planeet. Ik heb het bewegwijzeringsbord gezien waarop staat: MELKWEG 24.800 LICHTJAREN, 7.6 KILOPARSEC RICHTING AARDE. *Dus ik kan met volledige zekerheid stellen dat de informatie die je hebt gekregen correct is. En ja, Sagittarius de stier was er ook, hij stond te grazen van het groene gras bij een hemelse zijweg.*
Er is nog steeds liefde (en af en toe wat gesnurk)

Die e-mail werd gevolgd door:

Ik ben astrologisch gehandicapt. Sagittarius is geen stier maar een boogschutter. Hij stond niet te grazen op het groene gras. Hij stond te schieten naar een doel op die hemelse zijweg, dat was wat ik wilde zeggen.
En ook: vang-je, omhels-je, xxx-je

Aaron

Aaron zit in een vrolijke trip. Hij is geliefd bij de meeste mensen die hij kent, en doet eindelijk werk waar hij een respectabel loon voor krijgt. Hij nodigt me uit om te komen eten.

We ontmoeten elkaar een paar keer vriendschappelijk. Hij vertelt me zijn verhalen en ik vertel hem dat ik mijn prins op het witte paard niet kan vinden. 'Maak je geen zorgen, Carla, je bent nog steeds een mooie vrouw en mannen zullen zich niet meer laten afschrikken door je stugheid – die is uit je gezicht verdwenen. Je bent nu veel beter gezelschap.'

En dan geeft hij me die helende boodschap voor mijn ziel, die nog zo gevoelig is. 'Maak je geen zorgen dat je een foute beslissing hebt genomen, Carla; het was voor mij een noodzakelijke ervaring.'

Zijn woorden raken me diep. Maar Aaron zegt nog meer: 'Ik moest mijn verliefdheid loslaten om mijn geliefde te kunnen vinden. Dat heb jij me geleerd. Ik was zo gekwetst, en ik wist dat op zoek gaan naar een andere relatie die pijn niet zou genezen. Alleen het vinden van de geliefde in mezelf kon dat. Dat heb ik nu gedaan. Hij voelt nog nieuw en is nog niet helemaal eigen, maar dat is het geschenk dat onze scheiding mij heeft gegeven.

'En dan nog iets, Carla: je zit nog steeds in mij, en ik in jou. We delen dezelfde geliefde. We kunnen nu alles doorleven wat we van elkaar hebben geleerd en we zijn er betere mensen door geworden. Jij lijkt nu meer op mij: je vertrouwt meer op je gevoel en staat wantrouwiger tegenover je geest.

'Ik voel me geïnspireerd door je gewilligheid meedogenloos eerlijk te zijn. Ik ben aan het kijken hoe ik op mijn vader reageer. Ik zie hem nu anders en neem de verantwoordelijkheid voor wat ik voel.'

Aaron woont bij zijn ouders, die nu kwetsbaar zijn en zijn aanwezigheid nodig hebben op manieren die hij meer kan waarderen dan zijzelf. Hij kijkt toe hoe de aftakeling van hun lichamen hen af en toe nederiger maakt en hoe ze vriendelijker tegen elkaar worden. 'Hierdoor verdwijnt hun arrogantie, hun bewering dat ze niet van elkaar houden.'

'Aaron, wat ik me afvraag: hoe zou het zijn als we ons zouden bevrijden van alle woede en wrok uit het verleden?'

Ik stel die vraag met een reden: Aaron weigert me met ook maar iets te helpen sinds we uit elkaar zijn. Ik ben verhuisd en hij vertikt het ook maar één doos of meubelstuk te verplaatsen. Hij kwam een keer op bezoek in mijn nieuwe huis en toen ik hem vroeg of hij de snijbladen van mijn grasmaaier wilde vervangen, werd hij chagrijnig en deed het weinig elegant.

Aaron geeft toe dat het inderdaad zo is. 'Het heeft ermee te maken dat jij zoveel vanzelfsprekend vindt,' zegt hij, 'en dat je weigerde aan te nemen wat ik je aanbood.'

Ja, nou, er is een hoop te vergeven van zijn kant. Maar ook van de mijne. En ik heb de eerste stap gezet wat vergeving betreft.

Ik ben op kantoor in gesprek met Aaron, als ik er ineens genoeg van heb om met hem te praten. We zitten tegenover elkaar aan het bureau. Er is niemand anders op kantoor. Ik sta op en buig me naar hem toe. 'Kom eens hier!' zeg ik en kus hem op zijn mond. De kus is lang en teder genoeg om de boodschap over te brengen. Er wordt naar hem verlangd. Aaron gaat glimlachend zitten. Hij laat het even tot zich doordringen. Het is fijn te weten dat er naar je wordt verlangd.

Het duurt een paar dagen tot zijn stugheid is verdwenen. Het is ongelooflijk moeilijk voor hem om dat te laten gebeuren, aangezien die stugheid voortkomt uit het feit dat zijn vader Aaron al zijn hele leven behandelt met schijnbare desinteresse en arrogantie.

Als ik Aarons hulp écht nodig heb omdat ik foto's naar een journalist in Nederland moet mailen en moet ophalen, worden we door deze eigenschap op de proef gesteld. Ik ben nog hopelozer met computers dan hij al weet. Hij vindt nog steeds dat ik bepaalde dingen zou moeten weten en in plaats van gewoon te doen wat ik vraag, wil hij me dingen leren en verlangt hij van me dat ik oefen. Ik doe mijn uiterste best, maar maak fouten. Het moment is eindelijk aangebroken dat het tot Aaron doordringt dat ik niet lui ben, dat ik geen misbruik van hem maak, en dat zijn reactie onterecht was.

'Aaron, hoe zou het tussen ons zijn als we ons zouden bevrijden van alle woede en wrok?'

Aaron komt bij me eten. Hij is dol op mijn kookkunst. Maar ik heb een drukke dag gehad en ben ineens zo moe dat ik even wil rusten. 'Ik wil even gaan liggen, Aaron. Kom je bij me?'

Het is een oprechte vraag. Ik ben niets van plan. Dat ziet hij wel, maar hij glimlacht, de duivel. Sinds wanneer zijn wij in staat samen te gaan liggen zonder dat er iets gebeurt? Maar ik doel niet op het verleden. Ik wil gewoon zijn armen om me heen voelen terwijl ik rust. Ik herinner me nog dat hij heeft gezegd dat hij geen hormonen meer heeft.

En dus rusten we. Tot hij er genoeg van heeft en me uitkleedt. Hij glimlacht verdorven en zegt niets. Ik ben wijs genoeg om geen weerstand te bieden.

En dat is hoe het ijs tussen ons werd gebroken. Ik voelde de heerlijkheid hem bij me te hebben weer door me heen spoelen en Aaron was zo blij dat hij er geen woorden voor had.

Een week later had ik Aaron weer uitgenodigd. Ik wond er geen doekjes om. Het was aan mij om hem te laten zien hoe ik me voelde en ik verwachtte geen reactie. Hij zou ontvangen. Ik voelde niets anders dan de wens uit te drukken wat er in me opgesloten had gezeten, wat het verleden voor mijzelf had geheeld en, indien mogelijk, voor hem.

Ik had wel verwacht dat mijn kussen zouden worden verwelkomd, maar niet dat ze op dezelfde manier zouden worden beantwoord. Twee jaar pijn loste op in vier uur samen met hem.

'Ik begrijp dat je van me houdt,' zei Aaron.

'Mooi,' was mijn antwoord. 'Dan kan ik nu sterven.'

De woorden klinken misschien melodramatisch, maar ze waren symbolischer dan ik zelf besefte. Er stierf die dag daadwerkelijk iets. De sterke drang alles van Aaron en mij eerlijk uit te drukken had mijn hart, mijn ziel en mijn lichaam verlicht. Liefde had niet duidelijker verklaard en ontvangen kunnen worden, en wat eruit voortkwam was verwerking. Het is nu tijd om verder te gaan. Het was niet mijn keuze. Ik dacht dat Aaron en ik minnaars zouden zijn, maar wat we hadden kwam tot een natuurlijk, vredig einde.

We kunnen nu allebei niet meer uit het paradijs geschopt worden. We weten hoe we moeten liefhebben, maar boven alles hebben we onszelf.

'Het is gelukt ons, schat,' zei Aaron de laatste keer dat ik hem zag, een tijdje geleden.

'Ja, inderdaad, Aaron. Godzijdank.'

Dankwoord

Dank aan Margot Wiburd, gewaardeerde tekstschrijfster en secretaresse van DeVere Mining Technologies, die door mijn oorspronkelijke schrijfwerk is gewaad en de eerste versie van dit boek heeft geredigeerd. Aangezien alles was gebaseerd op dagboekaantekeningen, was dat nogal een klus.

Ik wil iedereen van alle afdelingen van HarperCollins bedanken voor de vriendelijke manier waarop ze met me zijn omgegaan. Het is zo anders als er zowel aardigheid als professionalisme is.

Ik had geluk dat ik nogmaals met Nicola O'Shea kon werken aan de eindredactie. Haar fenomenale knip- en snijtalent heeft tot een goed resultaat geleid in dit manuscript! Nicola droeg het werk over aan Anne Reilly, die me heeft bijgestaan met vele kleinere veranderingen, het krijgen van toestemming voor het gebruik van de citaten en het vormen van een bruikbaar perspectief op enkele beperkende wettelijke fatsoenlijkheden die delen van dit verhaal hebben beknot.

Ik ben Aaron natuurlijk enorm veel dank verschuldigd, die nooit heeft getwijfeld aan zijn grootmoedige beslissing zijn leven samen met dat van mij openbaar te maken. Wat een dapperheid! We zijn allebei verder gegaan sinds dit verhaal werd geschreven, maar zullen nooit weglopen van de vriendschap die we delen.

Mijn eerste boek, *Gods callgirl*, heeft tot duizenden e-mails van lezers geleid. Ik gebruik deze gelegenheid om jullie te bedanken, lezers, voor jullie diepe waardering, en hoop dat dit vervolg jullie op dergelijke wijze zal raken.

Degenen die contact met me willen opnemen kunnen dat doen via www.carlavanraay.com.

Moge onze geesten elkaar over de pagina's van dit boek heen raken.

Citaten

p. 13: Nirmala (Daniel Erway), *Gifts With No Giver, A Love Affair With Truth*, Endless Satsang Press, Sedona, 1999, p. 16. Nirmala is een Advaita spiritueel onderwijzer.

p. 15: *Love Poems From God: Twelve Sacred Voices from the East and West*, Engelse vertaling van Daniel Ladinsky, Penguin Compass, New York, 2002. Op alle gedichten van Daniel Ladinsky rust copyright en ze zijn met toestemming gebruikt. Zhuangzi (ca. 370-301 voor Christus) wordt gezien als de auteur van de klassiek Taoïstische tekst 'Zhuangzi'.

p. 21: *Love Poems From God* (op. cit.). Sint-Theresia van Avila (1515-1582) was een prominente Spaanse mystica en non.

p. 26: Barbara Barton, *Light From the Universal Mind*, Universal Press, Sydney, 1999, p. 75.

p. 29: Leo Buscaglia, *Love: What Life Is All About...*, Fawcett Crest, New York, 1972, p. 111.

p. 36: *Love Poems From God* (op. cit.). Sint-Johannes van het Kruis (1542-1591) was een Spaanse mysticus en karmelieter monnik.

p. 40: *Love Poems From God* (op. cit.). Sint-Catherina van Siena (1347-1380) was een Italiaanse mystica die haar leven aan God wijdde.

p. 46: Ram Tzu (Wayne Liquorman), *No Way*, Advita Press, Redondo Beach, 1990, p.56. Ram Tzu uit Californië is een spreker over Advaita spirituele zaken.

p. 54: Ibid. p. 60.

p. 60: *Love Poems From God* (op. cit.). Meester Eckhardt (1260-1328) was een in Duitsland geboren dominicaanse monnik, wetenschapper en mysticus.
p. 66: *Love Poems From God* (op. cit.). Tukaram (ca. eind zestiende eeuw-1650) was een Indiase heilige en dichter.
p. 85: D.H. Lawrence, *Birds, Beasts, and Flowers: Poems*, Martin Secker Londen, 1923. Lawrence (1885-1930) was een controversiële Engelse schrijver.
p. 91: *Love Poems From God* (op. cit.). Sint-Thomas van Aquino (ca. 1225-1274) was een Italiaanse katholieke priester en theoloog.
p. 97: Nirmala, op. cit, p. 28.
p. 106: Ibid., p. 9.
p. 119: Ibid., p. 25.
p. 124: Adyashanti, *Emptiness Dancing*, Sounds True, Inc., Boulder, 2004. Adyashanti uit Noord-Californië is een onderwijzer in de filosofie van non-dualiteit.
p. 132: Marianne Williamson, *A Return to Love*, Harper Collins, New York, 2003. Deze weerklinkende woorden zijn door velen, onder wie Nelson Mandela, geciteerd.
p. 140: Robert Rabbin, *Echoes of Silence: Awakening the Meditative Spirit*, Inner Directions Publishing, 2000, p. 12. Robert is auteur en spreker met een levenslange interesse in mysticisme en spiritualiteit: www.realtimespeaking.com.
p. 146: Ibid., p. 73.
p. 157: Nirmala, (op. cit.), p. 35.
p. 163: Galway Kinnell, Risking Everything: 110 Poems of Love and Revelation, red. Roger Housden, Harmony Books, New York, 2003, p. 93.
p. 181: Robert Rabbin, (op.cit.), p. 41.
p. 192: *The Subject Tonight Is Love*, Engelse vertaling door Daniel Ladinsky, Penguin Compass, New York, 2003, p. 24. Hafiz van Shiraz (Khwaja Shams ud-Din Hafiz-i Shirazi, 1326-1390), een van de grootste soefidichters, werd geboren in Perzië (het huidige Iran).
p. 200: Ibid., p. 47.
p. 206: William Shakespeare, *Driekoningenavond*, akte 1, scène 1, regels 1-3, hertog Orsino.

p. 216: Robert Rabbin, (op. cit.), p. 55.

p. 222: Byron Katie van The Work Foundation is een geweldige Californische genezeres en beoefenaarster van de spirituele zoektocht, bij wie ik in Amsterdam heb gestudeerd.

p. 256: Nirmala, (op. cit.), p. 51.

p. 272: Simon Gladdish, *Images of Istanbul*, Gladpress, Swansea, 1997, p. 50.

p. 277: Nirmala, (op. cit.), p. 48.

p. 279: Nirmala.

p. 282: René Descartes (1596-1650) was een Franse wetenschapper, filosoof en schrijver.

p. 290: *Love Poems From God* (op. cit.). Kabir was een vijftiende-eeuwse heilige en recht-door-zeese mystieke dichter.

p. 298: Speaking of Life: *A Rare Collection of Wisdom, Humour and Inspiration*, Peter Stafford (red.), Omniread, Fremantle, 1998, p. 187. Ralph Waldo Emerson (1803-1882) was een Noord-Amerikaanse filosoof, schrijver en spreker.

p. 304: *The Selected Poems of Rainer Maria Rilke*, Engelse vertaling van Robert Bly, Harper Perennial, Londen, 1981. Rainer Maria Rilke (1875-1926) werd in Praag (toen Bohemen, nu Tsjechië) geboren en wordt gezien als een van de grootste Duitstalige dichters van de twintigste eeuw.

p. 311: Nirmala, (op. cit.), p. 25.

p. 321: Ibid., p. 80.

p. 328: Ibid., p. 86.

p. 338: Barbara Barton, (op. cit.), p. 27.

p. 350: Nirmala, (op. cit.), p. 32.

p. 360: D.H. Lawrence, (op. cit.)

p. 369: Neale Donald Walsch, *Conversations With God: An Uncommon Dialogue*, Boek 2, Hampton Roads Publishing Company Inc., Charlottesville, 1997, p. 235.

p. 376: Simon Gladdish, (op. cit.), p. 11.

p. 382: Barbara Barton, (op. cit.), p. 42.

Lees ook van Carla van Raay

Gods callgirl

Carla van Raay groeit op in een groot gezin in het katholieke zuiden van Nederland. Hoewel ze voor de buitenwereld een vrolijk, gelukkig kind lijkt te zijn, wordt ze eigenlijk verscheurt door schuldgevoel over de dingen die haar vader 's nachts met haar doet. Wankelend onder het gewicht van haar geheimen gaat ze als achttienjarige het klooster in om haar leven te wijden aan God. Daar hoopt Carla liefde en begrip te vinden, maar ze raakt verstrikt in het ingewikkelde systeem van hiërarchie, regels en beperkingen.

Ze legt haar habijt af en ontsnapt naar de 'echte' wereld, waar ze er na een ondoordacht snel huwelijk en een tumultueuze affaire met haar minnaar Aaron, al snel weer alleen voor staat. Ze ziet nog maar één uitweg: de prostitutie. Wanneer de schaduwzijden van het duistere wereldje hun tol beginnen te eisen, besluit Carla een andere weg in te slaan: ze zal de duistere geheimen uit haar jeugd onder ogen moeten zien en proberen zichzelf accepteren.

Gods callgirl is het fascinerende en aangrijpende levensverhaal van een vrouw die van non tot prostituee werd.

ISBN: 978 90 475 0318 7